JN007023

ランサムウエア追跡チーム

はみ出し者が挑む、
サイバー犯罪から
世界を救う
知られざる戦い

レネー・ダドリー、
ダニエル・ゴールデン 著
小林啓倫 訳

日経BP

THE RANSOMWARE HUNTING TEAM

by Renee Dudley and Daniel Golden

Published by arrangement with Farrar, Straus and Giroux, New York,
through Tuttle-Mori Agency, Inc., Tokyo

夫であるアルケ・マティーリに

—— R.D.

妻のキャシーに

—— D.G.

目次

ランサムウエア追跡チーム
はみ出し者が挑む、サイバー犯罪から世界を救う知られざる戦い

・本文中の〔〕内は訳者による補足です。
・本文中のドルやユーロでの表記は適宜円換算を補足しています
（1ドル140円、1ユーロ150円で計算）。

【ランサムウエア追跡チームの主なメンバー】

■マイケル・ギレスピー
本書の主人公。ひょろっとして、若い頃のビル・ゲイツに似た若者。イリノイ州にあるコンピュータ修理店「ナード・オン・コール」勤務。情報提供サイト「IDランサムウエア」を立ち上げる。猫好き。@demonslay335

■ファビアン・ウサー
マイケルの師匠で、マイケルと共にチームきっての暗号解読の達人。ランサムウエア対策会社「エムシソフト」を支える頭脳。ロンドン郊外在住。

■ローレンス・エイブラムス
ランサムウエアに関するフォーラムサイト「ブリーピングコンピュータ」の運営者。50代前半。脅威を発見し、それに取り組む人材を見つけて、仲間に引き入れるのが得意。ニューヨーク在住。

■サラ・ホワイト
ファビアンの親友で「右腕」。高校在学中からエムシソフトでパートタイムのランサムウエア・アナリストとして活躍。ニューロダイバージェント。ロンドン在住。

■マルウエアハンター
ハンガリーの秘密めいた研究者。1ダース以上のランサムウエアを解読。政府から銀行まで、あらゆる権威に対して不信感を抱く、極度の迷信家。@malwrhunterteam

■イゴール・カビナ
ブラッドドリーというハンドルネームで知られるスロバキア人研究者。アンチウイルス会社で検出エンジニアとして働く。

【主なランサムウエア犯罪集団】

■イビルコープ

ロシアを拠点とし、モスクワ在住のマクシム・ヤクベツ（オンライン上の通り名は「アクア」）が率いる集団。そのランサムウエアの偽装にファビアンとマイケルが気づく。ロシア政府との関係が疑われている。

■メイズ

アライド・ユニバーサル、キヤノン、ＬＧエレクトロニクス、ゼロックスなどを攻撃した集団。「二重の脅迫」で知られる。ローレンスに執着がある。

■リューク

ロシアが拠点。米企業や国際的な企業にターゲットを絞り込み、高額の身代金を設定した。身代金高額化の先駆け。ボットネットを運用する大規模な組織の一部でもある。

■レヴィル

同名のランサムウエアを使うロシアの集団。リーダーはアンノウン。ローレンスによるパンデミック中の休戦協定に応じなかった。

■ドッペルペイマー

米国内の自治体や公的組織を攻撃した犯罪者集団。当初は休戦協定に同意したものの、パンデミック中も製薬会社などを攻撃した。

■ダークサイド

脆弱性のあるランサムウエア（マイケルとファビアンが解読）を使っていたものの、それを改変し、米最大の石油パイプラインを運営するコロニアル・パイプラインを襲った。ガンクラブ（レヴィルとも関係が深い）→ダークサイド→ブラックマターと変遷している模様。

……ひとたびデーン人を追い払うための金を払ってしまったら、
もう二度とデーン人を追い払うことはできない。
――ラドヤード・キップリング「デーンゲルド」、1911年

第0章　イントロダクション「お前は野蛮人か？」

豊かさの中に貧しさが見え隠れする、ロンドンの中心街。そこには公費で運営される、とある小さな学校があり、パキスタンやインド、東欧から移民してきた家族が子供たちを通わせ、希望を託している。5歳から10歳までおよそ150人の生徒が通うこの学校は、100年以上前に建てられたビクトリア朝様式の建物で、レンガ造りの正面と高いアーチ型の窓が特徴だ。教会の横には質素な運動場がある。保護者の多くは生活保護、あるいは失業手当を受けており、学校から支給される無料の昼食と午前中のおやつが、子供たちが1日で口にする唯一の食事ということも多い。2020年に新型コロナウイルスが大流行し、瞬く間に多くの感染者が公営住宅や集合住宅（生徒の家族4人が1部屋で寝ているような場所だ）で発生する事態になっても、学校が閉じられることはなく、マスクをした教師が椅子の配置を変えて、できるだけソーシャルディスタンスを保ちながら授業が続けられた。

わずかな予算と老朽化した建物で、学校は子供たちにしっかりとした教育を施し、彼らが英国の生活や文化になじめるよう手助けしている。教師たちは彼らが鉛筆の持ち方、絵の描き方、自分の名前の書き方などを学ぶ様子を写真に撮り、その成長を記録している。その写真はサーバーにアップロードされる。サーバーとは高性能なコンピュータで、データを処理し、さまざまなサービスを提供する。教師たちは生徒一人ひとりを少なくとも週2回以上撮影しており、このシステムが数年間運用されてきたことから、サーバー上には何十万枚という写真が保存されていた。

40代前半の愛想の良い英国人で、暗いブロンドの髪と無精ひげを生やしたマシューは、このかけがえのない子供たち一人ひとりの学習データの宝庫を、2016年から守ってきた。[1]学校は彼を契約社員として雇っており、年間数千ポンドしか払えないのだが、彼はその使命に対して献身的に働いている。

2020年11月23日月曜日の午後9時頃、マシューのもとに、ウェブサイトがダウンしているという内容のメールが送られてきた。すぐに彼はログインしようとしたが、できなかった。最初はパスワードを忘れたのだと思った。ログインを数回試みた後で、彼はロックアウトされたことに気づいた。そしてキッチンのテーブルで隣に座っていたガールフレンドのシャオに向かい、「何か変だ」と言った。

午前2時頃、マシューは必死になって、サーバーを管理している会社のヘルプデスクに連絡した。直ちに新しいサーバーを契約し、それを学校に接続した。この新しい環境でディレクトリ内にあるファイルを確認できたが、開いて中を読むことはできなかった。ファイルの拡張子が「.encrypt」に変更されていたのである。学校がランサムウエアに感染したと知ったマシューは恐怖に襲われた。ランサムウエアは、いま世界で最も普及し、最も急速に成長しているサイバー犯罪である。それはハッキングと暗号技術を組み合わせた邪悪な存在で、コンピュータに侵入し、正しい解除キー（鍵）がなければファイルを読み取れないようにする。ハッカー〔英語の「ハッカー」にはさまざまな意味があるが、本書では「コンピュータに関する深い知識を持ち、それを悪用する人物」をこう称している〕はその解除キーを提供する代わりに、法外な額の代償を要求するのである。

マシューはサーバーを防御していたにもかかわらず、ハッカーはそれをかいくぐって、教師がコンテンツ管理に使用するウェブポータルを介して学校のシステムに侵入した。防御のための更新プログラムが公開されていたものの、インストールはされていなかった。マシューはさまざまなクライアントのＩＴシステムを管理し多忙だったため、脆弱性が確認されたソフトウエアのパッチ適用を忘れてしまうことがあったのである。

「私は自分自身のアドバイスに従っていませんでした。とても悔しく、恥ずかしい気持ちです」と明かした。「まるで腹を殴られたような気分でしたよ」

＊＊＊

英国の小説家でエッセイストのジョージ・オーウェルはかつて、「文明の歴史とは、主に武器の歴史だ」と語った。[2]今日、デジタル兵器が世界を変えようとしているが、その中でもランサムウエアは最大の脅威と言えるかもしれない。ランサムウエアは、なりすましなど他のサイバー犯罪よりも効率的で収益性が高く、さらに注意しなければならないのは、犯罪者たちがランサムウエアの持つ、金を稼ぎ混乱を巻き起こすという潜在力をまだ十分に活かしていないという点だ。

ランサムウエアの被害者の多くが被害を公表したり、当局に報告したりしようとしないため、その攻撃の頻度や影響は過小評価されている。しかし近年、「バッドラビット」や「ロッカーゴーガ」といった奇妙な名前の数百のマルウエアが、数百万もの企業、政府機関、非営利団体、個人のコンピュータシステムを麻痺させた。犯罪に手を染めるハッカーたちは、社会がコンピュータにほぼ全面的に依存していることを悪用して、数千ドル、数百万ドル、あるいは数千万ドルの身代金を要求してくるのである。

新型コロナウイルスのパンデミック時には、サイバー攻撃により金銭を要求するという行為が大流行し、それが病院などの重要な機関を麻痺させ、企業や学校を閉鎖に追い込み、さらに人々を家族や友人、同僚から孤立させた。マシューはこの2つの流行の間に、類似点を見いだしていた。

「コンピュータウイルスと本物のウイルスが同時期に発生したのは、ある意味で皮肉なことでした」とマシューは言う。「どちらも感染力と毒性が極めて強かったのです」

壊されたファイルの残骸を整理していたマシューは、その中にあるメモを見つけた。「命の懸かったハッキング（Hack for Life)」と題されたそのメモには、次のような一節があった。

あなたのファイルはすべてロックされました！ ファイルの構造とデータは、取り返しのつかない形に変えられているので、あなたはそれを扱ったり、読んだり、確認したりすることはできません。それはファイルが永遠に失われるのと同じことですが、私たちの助けを借りれば、復元が可能です。

身代金を払えば、すべてのファイルが復元されます。身代金を受け取っても何もしない、などと欺く理由はありません。私たちは野蛮人ではないですし、そんなことをすれば私たちのビジネスに悪影響を及ぼすからです。**支払いの猶予は2日間です。2日後、復元にかかる代金は2倍に**

なります。さらに1週間後には3倍になります……ですのでお支払いは数時間以内に行うことをお勧めします。

＊＊＊

マシューがランサムウエアに遭遇したのは、これが初めてではなかった。かつて働いていた会社では、2018年に攻撃を受けたことがあった。彼は2日間ほど、ハッカーにお金を払わず会社のデータを復旧しようと奮闘した。しかし事件が公になれば、自社の評判が落ちて投資家がパニックになるかもしれないと不安に陥った会社は、しびれを切らしてマシューに2ビットコイン（当時の価値で約1万ドル、約140万円）を払うよう指示した。彼はファイルのロックを解除するキーを受け取り、会社は何事もなかったかのように業務を再開した。

儲かっている会社にとってはしゃっくり程度の出来事でも、資金繰りの苦しい公立学校では破滅につながる可能性があった。「子供たちの成績をつけられなくなる恐れもありました」とマシューは振り返る。「それには何か月もかかります。教師はゼロからやり直さなければなりません。政府の監査役は、この学校を不合格にしていたでしょう」

その夜、彼は一睡もできなかった。翌日、上司に報告すると、犯人との交渉を許可された。学校側としては、犯人に報酬を与え、さらに多くの学校を狙うよう仕向けるしかなさそうだった。一方でマシューと彼の上司は、この件を公にしないことにした。学校の評判が落ちることを恐れ、警察に通報しようとしなかったのである。写真や教材にアクセスできなくなった教師や保護者に対しては、「システムがダウンした」という万能の言い訳を使った。

身代金について書かれたメモには、金額は載っていなかった。マシューはハッカーが指定したGメールのアドレスに向けて、「私のパソコンを元通りにするにはいくら必要なんだ?」とメールを書いた。「1万ユーロ（約150万円）払え」というのが返事だった。「今日なら1万5000、2日後は2万だ」

学校にそんな余裕がないことを知っていたマシューは、攻撃による被害があまりなかったふりをして、彼らと交渉しようとした。「悪いが1万ユーロを払う余裕がない。まったくひどい話だよ、私たちは貧しい学校で、少ししか資産がないんだ。大部分のデータはバックアップしてあったけど、最近の写真が一部失われてしまった。払えるのはせいぜい500ユーロ。それで良ければ連絡をくれ」

この作戦は成功したようで、ハッカーは減額に応じた。「3000ユーロ、これ以下は受け入れない。明日にはメールを削除してしまうから、早く決めた方がいい」

これで自信を持ったマシューは、さらなる値引きを持ちかけた。「私の調査では、失われた写真は10枚程度だ。3000ユーロも払う価値はない。こちらからの最後の提案は、750ユーロだ」

「1000ユーロが最終の提案だ。同意しなければ話は打ち切る」

マシューはほっとした。1000ユーロなら学校はかき集められるだろう。最悪の事態は避けられそうだ。ハッカーはビットコインでの支払いを要求していたが、マシューは自分でも投資していたので、その入手方法を知っていた。彼は1000ユーロをオンライン取引所でビットコインに換え、犯人が指定したデジタルウォレットに振り込んだ。マシューは知らなかったが、そのウォレットのアドレスはイランのハッカーに関係したものだった。

「OK、送金した」とマシューは連絡した。「ファイルを回復する方法を教えてくれ」

しかし返ってきたのは、犯人の裏切りだった。「悪いが1000ユーロでは受け入れられない。1万ユーロ払え。まだ9000ユーロ足りない。支払われたら暗号化を解くファイルを送る」

マシューはだまされたのだ。犯人一味は妥協するふりをして、解除キーを渡さないまま身代金の頭金を手に入れていた。マシューは動揺し過ぎて、「汗をかいているのを敵に悟られるな」という交渉の鉄則を守れなかった。彼は必死で訴えた。「最後の提案は1000ユーロということで合意したじゃないか」とメールに書いた。「もう金はない。お願いだからこんなことはやめてくれ……良心はないのか？取引を持ち掛けておいて、お金を手にしたら気が変わっただなんてありえない。お願いだ、お前にだって心はあるだろう？それともお前は野蛮人なのか？」

犯人は譲歩を拒否した。「お前が払った金額は非常に少ない。最初の提案は1万ユーロだった。話すことはない。暗号化を解除したければ、残り9000ユーロ払え」

マシューはふたたび懇願した。「野蛮人じゃないなら、1000ユーロという最後の提案を守ってくれ。1000ユーロはもう送金した。少しは良心を持ってくれ。凶悪犯でもこんなことはしない。もう金がないんだ」

「受け入れられない。悪いが我々には関係ないことだ」

マシューのガールフレンドのシャオは、ＩＴ業界で働く友人たち全員に連絡を取った。しかし全員から同じ答えが返ってきた——身代金を支払わずにファイルを復元する方法はない。マシューは奇跡が起こることを祈りながら、インターネットを検索した。すると彼は、ブリーピングコンピュータ(BleepingComputer)という名のサイトで、「ヴァッシュソレナ(VashSorena)」の被害者フォーラムを発見した。ヴァッシュソレナはランサムウエアの一種で、学校のネットワークを麻痺させたのと同じように、ファイルに「.encrypt」という拡張子を加えるもののようだ。ソレナ(Sorena)はペルシャ語で「部族のリーダー」を意味する男子の名で、ヴァッシュ(Vash)は日本の人気コミック、あるいはそれを原作としたテレビアニメに登場するアウトローのヒーロー「ヴァッシュ・ザ・スタンピード」を指す可能性がある。

マシューはこのフォーラムに、「今日このランサムウエアに感染してしまって、身代金を払ったのですが、犯人は助けてくれませんでした」と書き込んだ。するとさまざまな助言があり、彼は身代金の要求書と、分析用に暗号化されたファイルのサンプルをＩＤランサムウエア(ID Ransomware)という別のサイトにアップロードし、demonslay335というハンドルネームで知られるそのサイトの創設者に連絡してみるようアドバイスされた。もし誰かが暗号化を解除できるとしたら、それはdemonslay335だろう、というのである。

マシューはdemonslay335にメッセージを送った。「こんにちは、私の学校が活動を記録するために使っていたサーバーがハッキングされて、暗号化されてしまいました。どうか助けてもらえないでしょうか？　完全に行き詰っているのです」

demonslay335、本名マイケル・ギレスピーは、ロンドンとは時差が6時間のイリノイ州中部の平地にある、ランサムウエアとの戦いの最前線とは思えない質素なオフィス兼自宅の2階で働いていた。彼と妻のモーガンは、8匹の猫と2匹の犬、そして1匹の兎を飼っており、自宅を「キャットルーム（猫部屋）」と呼んでいる。彼の仕事場には机とノートパソコン、棚とその上のモニターが置かれており、他の家具は擦り切れたソファだけだ。ベージュの壁は、彼の大好きな映画である『ライオンキング』のポスター以外ほとんど剝き出しで、幅木には兎がかじった跡があり、黒ずんでいる。窓から見えるのは、ブルーミントン郊外の道路だけだった。

眼鏡をかけて無精ひげを生やしたマイケルは、ひょろっとしていて、若い頃のビル・ゲイツに似ている。赤茶色の髪は、パンデミックで散髪に行かなくなったために以前よりも長く伸び、それを低い位置でポニーテールにしている。Tシャツにジーンズがいつもの格好だ。彼が殺到するメールを読み、返信している間、猫たちは彼の膝に乗ったり、腕によじ登ったりしている。彼らはそれに飽きると、キャットツリーに登ったり、床に置かれた食器でご飯を食べたりする。

ロンドンの学校の家族たち同様、マイケルも逆境に強い。彼はいじめ、貧困、がんなどさまざまな困難を乗り越えて、29歳を迎えようとしていた。幼い頃、彼の家は貧しく、友人や親戚の家に身を寄せなければならないこともあった。大学に行く余裕もなかった。16歳の時には「ナード・オン・コール」というコンピュータ修理店のチェーンで働き始め、10年以上そこで勤めながら、独学でランサムウエアへの対処法を身につけた。高校時代の恋人だったモーガン・ブランチと結婚した後も、夫婦は請求書の支払いに苦労した。電気も水道も止められ、クレジットカードも解約され、車も押収された。ついには家も失いかけたほどだ。

しかしマイケルは、そんな逆境に負けなかった。彼は空いた時間があると、ランサムウエアに感染したファイルを復元するという行為を誰に対しても行っていた。そしてほとんど名の知られることのないまま、評価や報酬を求めることなく、マイケルは世界でも指折りのランサムウエア・ブレイカーに成長したのである。彼が作成した復元ツールをダウンロードした被害者は、世界中で少なくとも100万人にのぼる。彼は1ペニーも請求することなく、被害者を救い、数億ドルの身代金が支払われるのを防いだ。1000種類以上あるランサムウエアのうち、彼が解読したのは100種類以上に達する。

その分野で世界一と称される人物には、代理人や広報担当者、グルーピーといった取り巻きを従えていることが多い。マイケルは違う。膝の上でくつろぐ猫でさえも、彼の気をそらすことはできない。インターネットは彼にとって避難所であり、また知的な活動を行う拠点だった。彼は起きている時間のほとんどをネットで過ごし、イリノイ州の親戚や知人が驚くほどの高い評価を得ている。

マイケルの結婚式で新郎の介添人を務めたデイブ・ジェイコブスは、「彼はテクノロジーの世界に深く身を置いているので、そこで誰かが悪さをすると、それだけで頭を悩ませると思います」と語る。「ネットは彼の世界であり、その中で悪いことが起きるのを望んでいないのです」

彼がオンラインで被害者と交わす会話は、あくまで起きた出来事に関するものだけだった。彼は被害者の生活には関与せず、彼らが立たされた苦境にも興味はなかった。テレビドラマ『ドクター・ハウス』でヒュー・ローリーが演じた優秀な診断医、グレゴリー・ハウスのように、マイケルは自分が救った人々に苛立ちを覚えている。時にはマンガ『ピーナッツ』に登場する、チャーリー・ブラウンの仲間ライナスが抱くのと同じ感情を抱いているようだ。「僕は人類を愛してる。我慢できないのは人間だよ！」

優秀で疲れを知らないマイケルは、ランサムウエア追跡チームの中で最も精力的に活動するメンバーだ。彼らはランサムウエアの解除に専念する技術者およそ12人からなる、招待制のエリート集団である。世界中にいる、サイバー犯罪者に身代金を払う余裕がない、あるいは支払いを原則として拒否する被害者たちにとって、この無名でオタクなボランティア集団は、唯一の頼みの綱になることが多い。彼らは300以上の主要なランサムウエアの系統と亜種をクラックし、推定で400万人の被害者を数十億ドルの身代金の支払いから救ったのだ。[3]

ランサムウエア追跡チームのメンバーのほとんどは、マイケルのように、業績に関する通常の固定観念を覆すような人物である。彼らは信じられないようなサクセスストーリーを体現しており、ほとんど独学で手に入れた高度な技術力を有している。中には貧困や虐待といった背景から奮起し、いじめに立ち向かった人物もいる。彼らは犯罪者に報復される可能性があるため、何人かは偽名やオンライン限定のアイデンティティを使って身を隠している。メンバー同士が直接会うことも少ない。彼らの中で最も隠遁的なメンバーである、ツイッターで@malwrhunterteamというハンドルネームを使用するハンガリー人の本名を知る者はほとんどいない。

追跡者たちはその目的に身を捧げており、お互いに支え合っている。誰かが経済的に困窮した時には、他のメンバーが必ず寄付や仕事の紹介をしてくれる。彼らは少なくとも7か国（米国、英国、ドイツ、スペイン、イタリア、ハンガリー、オランダ）に住んでいるが、実質的にはインターネット上で生活しているようなものだ。彼らは仲間とメッセージング・プラットフォームを通じて会話し、またマシューが助けを求めたサイトであるブリーピングコンピュータ上では、サイバーセキュリティの専門家、コンサルティング会社、テクノロジーの愛好家、被害者、さらには攻撃者ともやり取りを行っている。チーム創設者の1人が運営するブリーピングコンピュータは、非武装地帯であると同時に近所のパブのような存在であり、ランサムウエアの世界の善玉と悪玉が交錯する場所でもある。

チームメンバーは通常サイバーセキュリティ関係の仕事をしており、ランサムウエアのクラッキングに情熱を注いでいる。物事に没頭するタイプの人間も多い。つまりひとたび問題解決に取り組み始めると、周囲の世界が目に入らなくなり、何時間も何日も休みなくその問題に取り組んでしまうのだ。マイケルを含む少なくとも3人は、ADHD（注意欠如・多動症）だ。ADHDの人物は通常、注意散漫になりがちだが、「過集中」と呼ばれる長時間の深い集中状態が現れることもある。彼らはみな、人類を助けサイバー犯罪に立ち向かおうという、インターネット版の「ジャスティス・リーグ［スーパーマンやバットマンなど、DCコミックスの作品群に登場するスーパーヒーローたちが結成したという設定のチーム］」とでも言えるような、衝動に近い情熱を持っている。彼らは金持ちになることには興味がない。そうでなかったら、ランサムウエアを阻止するのではなく、ランサムウエアを開発することにその能力をつぎ込んでいたかもしれない。「私たちはみな、ある種のはみ出し者だと思います」とチームメンバーの1人、ファビアン・ウサーは言う。彼はドイツで育ったが、高校を中退し、現在はロンドン郊外に住み、働いている。ファビアンはマイケルの師匠であり、彼と共に、チームきっての暗号解読の達人である。「私たち全員がちょっと変わっており、世間にはなじめなかったのですが、それはランサムウエアを追跡したり、人々を助けたりする際には役立ちます。それこそ私たちがこれほどまでに協力し合える理由であり、方法なのです。資格は問われません。必要なスキルを独学で身につける情熱と、意欲さえあればいいのです」

ランサムウエア追跡チームは、大きな空白を埋める存在だった。米国政府は、拡大するランサムウエアの被害に対応するのに出遅れたのである。米連邦捜査局（ＦＢＩ）は身代金を払わないように被害者に忠告するものの、現実的な代替案を示すことができず、問題に対処できなかった。ハッカーはロシアやイランなど、米国と犯罪人引渡し条約を結んでいない国々で活動することが多く、またそうした国々は欧米諸国へのサイバー攻撃を黙認し、情報の収集や分け前の獲得に利用している可能性がある。保険会社からサイバーセキュリティ会社に至るまで、民間企業にはランサムウエアを阻止する動機がほとんどなかったが、その急増を受けて、彼らは利益を得ることができるようになった。

チームはあらゆる種類のランサムウエアをクラックできるわけではない。ランサムウエアが意図された通りに機能すれば、クラックは不可能なのだ。しかし攻撃者の中にはミスを犯したり、手抜きしたり、攻撃相手を過小評価したりする者もいる。そのような時こそ、チームの出番だ。

＊＊＊

ランサムウエアはデジタル時代にアップデートされた誘拐犯罪である。ハッカーはフィッシング（悪質なファイルが添付された電子メールを送信して相手をだます行為）などの手口を使ってコンピュータに侵入する。そしてひとたび侵入すると、ハッカーはランサムウエアを起動し、コンピュータを人質にして暗号資産を要求する。これはちょうど、誘拐犯が誰かを捕まえて、その解放と引き換えに金を要求するのと一緒だ。このような犯罪は、古くは紀元前75年までにさかのぼることができる。海賊がジュリアス・シーザーを捕まえ、20タラントを要求したのである。著述家のプルタルコスによれば、シーザーは自分の価値を低く評価されたと感じ、身代金を50タラントに引き上げるよう要求したという。しかし彼のように、身代金の支払いに応じる被害者はほとんどいない。1973年、イタリア・カラブリア州の犯罪者がローマで石油王J・ポール・ゲティの長男の孫をさらい、1700万ドル要求した。ゲティは「私には14人の孫がいるが、身代金を1ペニーでも払えば、全員が誘拐されることになる」と言ってこれを拒否した。[4] そう言ったものの、身代金が320万ドルにまで減額されると、彼は最終的にその支払いに応じた——他に打つ手のないランサムウエアの被害者と同じように。

ランサムウエアのもうひとつの基本要素である暗号技術も、古代にまでさかのぼることができる。古代ローマ軍は、シーザーの名を冠した暗号を使用して、軍事に関するメッセージを暗号化していた。[5] それからおよそ2000年後、ナチス・ドイツはエニグマと名づけられた装置で通信を暗号化し、第二次世界大戦で優位に立ったが、英国の数学者アラン・チューリング率いるチームが暗号の解読に成功すると、その優位も失われた。最近では、暗号技術はインターネットの基幹技術として、デジタル銀行や電子商取引、デジタル通信の安全性を支えている。しかし残念なことに、政府、産業界、学界が開発した合法的な暗号ツールが、サイバー犯罪者にも利用されているのが現状だ。

ランサムウエアが革新的なのは、暗号化という行為そのものを武器に変えた点にある。ランサムウエアの登場前、ハッカーはコンピュータシステムに侵入しても、現金を得るまでには、まだしなければならないことが多く残されていた。盗んだ社会保障番号やクレジットカード番号の買い手を探さなければならず、それに伴うタイムラグや不確実性があった。しかしランサムウエアは、被害者が自らのコンピュータに依存している状況を利用することで、ハッキングそのものを金を生み出す行為にしたのである。それは一度で完結する犯罪であり、コンセプトも実行も非常に単純であるため、恐喝しようとする者は誰でもダークウェブ（通常の検索エンジンからはアクセスできないアンダーグラウンドなオンライン・コンテンツ）に向かい、そこでランサムウエアのパッケージを購入できる。

2020年11月下旬のある火曜日、マイケルはキャットルームで他の被害者からの嘆願への対応に追われ、マシューから送られてきたファイルに目を通すひまもないほどだった。しかしざっと見ただけで、彼はこの学校が、解読不能なランサムウエア「ウロボロス」（この名は古代エジプトに伝わる、自らの尾を食べる竜の像から付けられた）のバージョン6に攻撃されていると判断した。

彼はマシューに向けて、「ウロボロスのバージョン6は2019年10月にバグ修正されて以来、暗号化を元に戻すことはできません」と書いた。そして不満で苛立ちながら「IDランサムウエアでそう読んだはずです」と付け加えた。

マシューはがっかりしつつ、こう反論した。「さっきIDランサムウエアを確認したのですが、違う種類だと書いてありました」マイケル自身のウェブサイトが、このランサムウエアをヴァッシュソレナであると特定し、適切な状況下であれば復元は可能としていたのである。「同じもので名前が違うだけなのでしょうか？ それとも本当に復元できる可能性があるのでしょうか？」

マイケルがファイル名の文字やその他のポイントを調べ直すと、ヴァッシュソレナとウロボロスを間違えていたことがわかった。この間違いは理解できるものだ。この2つのランサムウエアの背後にはイランのハッカーがいると考えられており、[6] ほぼ同じ方法でファイルを暗号化しているのである。

マイケルは時間を無駄にせず、すぐ作業に取り掛かった。ヴァッシュソレナの脆弱性は、犯人が行った手抜きから生まれていた。身代金を支払った人と支払わなかった人を追跡するために、ヴァッシュソレナが身代金を請求するメッセージには、それぞれの被害者に固有のID番号が割り当てられていた。これはランサムウエアの標準的な手法である。また身代金を支払った被害者には、その見返りとして、暗号化されたファイルを復元するための固有のキーが与えられるのだが、これも標準的な手法だ。しかし標準的でなかったのは、IDとキーが連動していた点だった。それがマイケルに付け入る隙を与えた。

彼はランサムウエアをリバースエンジニアリング［解析して仕組みを明らかにすること］し、このランサムウエアがID番号を「導出キー」と名づけられた関数に入力していることを発見した。この関数はハッカー自身が作成したと思われ、公開されていなかったが、マイケルは逆コンパイラと呼ばれるプログラミングツールを利用して、その関数を抽出することができた。次に彼は、マシューから提供された身代金要求書に掲載されていたID番号を、その関数に入力してみた。そしていくつかの計算を行った結果、マイケルはファイルを復元するためのキーを生成することに成功した。その後彼は、デクリプター（復号器、被害者がデータを復元するためのコンピュータプログラム）を作成した。

2020年7月、マイケルはヴァッシュソレナの最初のバージョンをクラックしていた。しかし彼は、よくそうするように、そのことを黙っていた。攻撃者がクラックを知れば、クラックの手がかりとなった欠陥を修正してしまう可能性があるからである。ハッカーの暗号技術を高めることは、ランサムウエア追跡チームが最も避けたいことだった。マイケルは、ブリーピングコンピュータを通じて接触した少なくとも40人の犠牲者を救う一方で、その解決策は公にしなかった。この目立たないようにするという戦術が功を奏し、ハッカーはヴァッシュソレナを5回アップデートしたが、マイケルが発見した弱点が修正されることはなかった。

次に彼は、マシューに割り当てられていたIDをデクリプターにインプットし、キーの候補を7つ手に入れた。それらをテストしたところ、1つがキーとして使えたため、それをマシューに送った。

「再度確認しました」とマイケルはメッセージを送った。「確かにヴァッシュソレナでした。あなたのキーを手に入れることができましたよ」

マシューがそのメッセージを受け取ったのは、夜遅くなってからだった。「マイケルがやってくれた！」彼は叫んだ。「デクリプターがあるんだ」

「そんなことができるの？　その人は誰？」とシャオがバスルームから返事を叫んだ。

マシューはマイケルの指示に従い、以前のサーバーへのアクセスを取り戻し、生徒の写真や他のファイルを復元した。「本当にすごい」と彼はマイケルに返信した。「上手くいきました。感謝してもし切れません。いったいどうやったんですか？　先生も生徒も、あなたが助けてくれたことにとても感謝しています」

しかしマシューは、これで終わりにしなかった。彼はグーグルに対し、なぜランサムウエアの攻撃者にGメールを使うのを許可したのかと、オンラインで苦情を申し立てた。だがこの検索エンジン大手は、何の反応も示さなかった。ロンドンの学校は、わずかな予算の中でサイバーセキュリティを向上させなければならないことを認識した。マシューの勧めで、同校はバックアップ用のネットワーク接続ストレージ（NAS）を購入した。

さらに彼は、ヴァッシュソレナを使ったギャングから1000ユーロを取り戻すための策を練った。そしてまだキーが必要なふりをして、交渉を再開した。「私が再びあなたを信頼できるようになる唯一の方法は、私に（ビットコインを）返すことです」と彼はメールした。「そうしたら、ファイルを復元するために3000ユーロ払います」

しかし犯人は拒否した。「もうビットコインは売ってしまった。あなたに返す金はない」

マシューは餌を4500ユーロ、6000ユーロと増やし、さらにこの一見理不尽な展開の説明を練り上げた。「思ったより多くのファイルを失ったことに気づいたんだ」

それでも犯人は返金しようとしなかった。「悪いな。この提案を10年間続けようが、私は拒否する」とハッカーは述べ、交渉を終わらせた。

サイバー犯罪者を出し抜くのはほとんど不可能だと、マシューは実感した――ランサムウエア追跡チームであれば話は別だが。

第1章　ランサムウエアを発明した男

マイケル・ギレスピーは毎日、ナード・オン・コールのオフィスに向かう途中で、威厳に満ちた蝶、オオカバマダラの保護区の前を通る。イリノイ州ブルーミントンの公園局は2017年、芝刈りのコストを削減し、また生態系の多様性を促進するため、芝生の一画に生息地を設けた。夏の日、渡りをしてきた300匹ものオオカバマダラが、1・2エーカー（約4856平方メートル）の三角形の草地に降り立つ。そこには白いプレーリークローバー、薄紫のヤグルマギク、滑らかな青色のアスター、燃えるようなサフランイエローのアラゲハンゴンソウなど、色とりどりの花々が咲いている。オレンジと黒の特徴的な羽をひらひらさせながら、オオカバマダラは花から花へと飛び移り、トウワタの蜜を吸って旅を再開する。

ブルーミントンの保護区が開設される10年以上前、そこから北東に900マイル（約1448キロメートル）離れた場所に、ジョー・ポップという男がオオカバマダラやその他の蝶のための独自の保護区をつくった。ポップはパートナーだったクリスティーン・ライアンと共に、キャッツキル山地の麓にあるニューヨーク州オネオンタに19世紀初頭の石造りの農家を購入し、その屋内プールを、アーチ型の窓と高さ26フィート（約8メートル）の勾配のある天井を持つ緑豊かな庭園へと変えた。

ライアンによって丹精を込めて手入れされたジョセフ・L・ポップ・ジュニア蝶々園では、コスタリカから輸入されたカラフルな蝶が熱帯植物の間を飛び交い、兎やイグアナ、蛇、さらにはよりエキゾチックな生き物たちが展示されている。エントランスホールに掲げられたプレートには、ポップの「知識と思いやり」への敬意が表されており、彼を「自然主義者、進化人類学者、作家、そして優れた思想家」と讃えている。

故ジョセフ・L・ポップはハーバード大学で教育を受け（その後同大学を退学した）、霊長類学者、アフリカ冒険家、コンピュータオタク、熱心なダーウィン主義者、そしてあらゆる方面で知的な挑発を行う人物として活動したが、あまり褒められない遺産も遺している――彼はランサムウエアを発明した人物と見なされているのだ。

１９８９年12月、身長6フィート1インチ（約１８５センチメートル）、体重１６５ポンド（約75キログラム）で髭を生やし、マペット制作者ジム・ヘンソンにそっくりのポップは、ロンドンから2万枚以上のフロッピーディスクを郵送した。その送り先は、医療研究者、コンピュータ雑誌の購読者、さまざまな企業や組織（ＷＨＯやチェース・マンハッタン銀行、シェル石油、バチカンなど）であった。当時、エイズによる死者が世界的に急増し、専門知識や治療法を求める声が高まっていた。ポップはそれに応えるかのように、ディスクにエイズ教育に関連する資料を収めた。しかし、このディスクを繰り返し起動すると、コンピュータがフリーズし、画面にはアクセスを回復するために１８９ドルまたは３７８ドルをパナマの私書箱に送るよう指示するメッセージが表示されるのである。

コンピュータ時代の夜明け、世界初のウェブサイトが開設される20か月前に、この画期的な恐喝方法は何の準備もしていなかった人々を陥れ、パニックを引き起こした。ライト兄弟がキティホークで成功させた12秒間の飛行が近代航空を予見させたように、ポップの巧妙だが原始的な仕掛けは、マイケル・ギレスピーと彼の仲間のランサムウエア追跡者たちを悩ませる、高度な攻撃の先駆けであったと言える。

エドワード・ワイルディングは、「私がオフィスに入ると、人々が走り回っていました」と回想する。彼は当時、創刊間もなかった雑誌「ウイルス速報（Virus Bulletin）」の編集者として、警察とコンピュータ専門家、そして被害者との連絡役を務めた。「数時間のうちに、人々がディスクを読み込んで、使っていたコンピュータをフリーズさせてしまったのです」

ポップのことを知る人の中には、彼が攻撃した理由を、強欲、承認欲求、冷酷な適者生存の信条、あるいは単に権威者の目に物を見せたいという生涯の強迫観念にあると考える者もいる。寛大なライアンは彼を「良い意味でのアナーキスト」と呼び、「あれほど優秀な人物になると、いったん頭がこんがらがったら、すっかりおかしくなってしまうんです」と評している。

ギレスピーと同様、ポップもまた、中西部の恵まれない環境に生まれた。父方の祖父であるジョセフ・P・ポップはハンガリーからの移民で、ウェストバージニア州で炭鉱労働者として働き、労働組合を組織する活動をしていた。彼はスト破りをする人々と戦い、火炎瓶から身を守るために窓を金網で補強した。炭鉱の爆発で負傷すると、一家はオハイオに移った。彼の息子と孫のミドルネーム「ルイス」は、長年鉱山労働組合の会長を務めたジョン・L・ルイスにちなんだものである。

第二次世界大戦後、クリーブランド郊外は活況を呈していた。１９５０年に生まれたポップは、エリー湖畔のウィローウィックという町で育った。彼の父は、退役軍人援助法に基づく支援を得て大学に通い、その後ゼネラル・エレクトリックに入社して、機械オペレーターから工場プロジェクトマネージャーまで、40年以上のキャリアを積んだ。母親のドロシーは家庭に留まり、5人の子供を育てた。クリーブランド出身で高校まで通い、流暢なフランス語を話した。父親はオハイオ州生まれだったが、母親はフランスとドイツの国境にあるアルザス＝ロレーヌから移住してきた人だった。

長男として生まれ、唯一の息子だったポップは、両親や姉妹から慕われ、自信に満ち溢れていた。両親は敬虔なカトリック信者で、ポップが勉学に励むのを熱心に促した。

ポップの大学時代のルームメートで、生涯の友であったロナルド・シルブは、「ジョーはいつも神経質な男でした」と述べている。「けれど家族と一緒にいるときには、カトリックの良い子でした。家族を怒らせるようなことは決してしませんでした」

ポップはクリーブランドの地元紙であるプレイン・ディーラー紙を配達したり、カマキリを集めて売るなどして小遣いを稼いだ。ボーイスカウトに入り、キャンプやボート漕ぎ、魚釣り、野外での焚き火料理などを学んだが、こうしたスキルは後に東アフリカの田舎に移り住んだ際にも役立った。ボーイスカウトで行ったカナダでのカヌーツアーは、人生で最も幸せな瞬間のひとつであったという。

イーストレイク高校時代、彼は内気で勤勉な性格だった。アメフトのスター選手だったあるルームメートは、ポップが「公認会計士になるんだろうな」と予想していた。[1] ポップはめったに悪ふざけをしなかったが、数少ないそうした行為のひとつが、他人に同調しないという性格の芽生えを表している。ある夏の夜、友人たちと裏庭のテントで過ごしていたポップは、夜中の3時頃、ガソリンスタンドの自動販売機でソーダを買おうと思い立ち、皆で町中を歩き回った。その時、押し込み強盗の事件を捜査していた警察官が彼らを止め、職務質問をしてきた。友人たちは警察官に協力したが、ポップは突然どこかに消え去ってしまった。彼は近くの沼地へと逃げ込み、そこにあった木の上で、数時間隠れていたのである。

1968年に入学したオハイオ州立大学では、その才気と虚勢の両方がより際立つようになった。ポップは髪を長く伸ばし、青くスタイリッシュな2シーターのスポーツカー、トライアンフ・スピットファイアを乗り回して、予備役将校訓練課程を退学した。彼はシルブと一緒に、独自の気晴らし法を発明した。彼らはテントに使用するアルミ製のポールにビー玉を詰めて吹き矢を作り、コーラの瓶を割ったり、スズメバチの巣やリスを木から落としたりした。あるときはオレンテンジー川の川岸でネズミを捕らえて死体をつなぎ、カフェテリアの食事を皮肉るために、それを食堂のエントランスに吊るした。またオハイオ州立大学のキャンパスを流れるこの川で、ポップは巨大なウシガエルを捕らえ、シャワールームに隠した。それを見つけた家政婦は、すぐさま掃除を拒否した。休みに入ると、彼らはテネシー州のグレート・スモーキー山脈までドライブし、バックパックを担いで森を散策して、野生のブラックベリーを食べた。

2年生の時、ポップとシルブは進化論の授業を受けた。ポップにとって、自然淘汰は直感的に理解できるものだった。彼は宗教的ともいえる熱意をもってダーウィン主義を受け入れ、『種の起源』が彼のバイブルとなった。後に彼は、この本を「過去2世紀で最も重要な本」と呼び、「これを読まなくても生命全般（さらには生物学）を理解した気になるかもしれないが、それは間違いだ」と付け加えている。[2]

そして動物学を専攻した彼は、霊長類に関する卒業論文を書き、優等で卒業してファイ・ベータ・カッパ［全米優等学生友愛会、米国の大学で優秀な成績を収めた学生が参加を許される学友会］の会員になった。そしてオハイオ州立大学で拾ったカラスの赤ちゃんをペットとして飼い、米国国立科学財団から名誉ある奨学金を得て、ハーバード大学の人類学大学院に進学した。

＊＊＊

ポップがマサチューセッツ州ケンブリッジにやってきたとき、ハーバード大学の生物学と人類学の教授陣の間で、新しい動きが広がっていた。「社会生物学」と名づけられたこの動きは、ダーウィンの研究に関連する手法を動物に使うだけでなく、人間の行動にまで当てはめるものだったが、それは物議を醸すものだった。ハーバード大学のキャンパス近くにある、ヒヒの専門家アーベン・デボア教授の広い自宅に、毎晩15人ほどの弟子たちが集まっていた。彼らは早朝まで議論し、酒を飲み、ギャンブルに興じることもしばしばであった。ある参加者は「基本的に、重要な論文はすべて夜中の3時にデボアの居間で書かれた」と語っている。[3]

ポップはこのゼミの常連だった。彼はデボアの寵愛を受け、ハーバード大における次のヒヒの専門家として、霊長類の研究を社会生物学の全盛期へと導くと期待されていた。彼とデボアは共同で、オスの動物が繁殖を最大限に成功させるために攻撃的な行動を取るという現象に関する論文を発表している。たとえば類人猿は、「不意打ちの方が……相手に与えるダメージは大きい」にもかかわらず、吠えたり胸を叩いたりしてライバルをメスから遠ざけることが観察された。[4] 彼らはその理由について、威嚇は戦いと同じ効果がある上に、怪我のリスクが少なくなるためと説明した。

ゼミの参加者の中で、ポップは最も率直に意見を述べた。彼は社会生物学者版のダーウィンの理論を、単に生物の行動を説明するものというだけでなく、戒律だと捉えていた。オスには進化上の優位性を獲得し、できるだけ多くの子供をつくることで自分のDNAを伝播させる義務がある、と彼は主張した。のちに彼は、「生命は進化の産物にすぎない——生殖の成功率を最大化させたことが、いま我々がここにいる理由だ……生殖能力を高めるものは善であり、低めるものは悪である」と書いている。[5] たとえば重婚は男性の生殖機会を増加させるので、ポップはそれを認めていた。女性がそれをどう感じるかについては、あまり気にしていなかった。

このゼミに参加していた当時の学生、ジェームズ・マルコムは、「ポップは時々、極端に進化論的な考え方をすることがあって、それは後年さらに激しくなりました」と語っている。「あのグループの誰よりも、ダーウィンの戒律に忠実に従うべきだと決めつけていました。彼は長髪の外向的な男で、目には少し狂信的な輝きがありました。そうした衝動と激しさをもって、ダーウィンに従うことが真実に至る道だと考えていたのです」

ハーバードは社会生物学だけでなく、その反対派の拠点でもあった。古生物学者のスティーヴン・ジェイ・グールドは、ハーシーズのチョコバーのサイズ縮小からジョー・ディマジオの56試合連続安打記録の不可能性に至るまで、さまざまなテーマで論文を書き人気を博したが、社会生物学に対しては主要な批判者となり、それを「推論の物語」と呼んで、人間の行動は自然選択ではなく「文化の伝達」を通じて適応される、と主張した。[6] それでも彼は、ポップのお気に入りの教授のひとりであった。ポップはグールドの進化生物学の講義を、ハーバード大学で受けた授業の中で最高のものと見なしていた。ポップはグールドを師と仰ぎ、ハーバード大学比較動物学博物館にあったグールドのオフィスでコンピュータを使うこともあった。

この頃ポップは、コンピュータのプログラミングに興味を持つようになった。ハッキングで訴えられた科学者を担当することの多い、弁護士のトア・エクランドは、社会生物学とプログラミングの親和性から か、彼の顧客の多くは熱心な社会ダーウィン主義者だという。

「社会的ダーウィン主義は、入力と出力、バイナリ、黒と白をはっきりさせる思考など、非常に論理的な世界です」とエクランドは指摘する。「なので、そういう人々がプログラミングやハッキングに引き寄せられるんです」ハッカーにとって、適者生存の哲学はランサムウエアを正当化し得る。被害者は単に技術的弱者であり、デジタル時代には絶滅する運命にある、というわけだ。

1970年代の東アフリカは、新進気鋭の霊長類学者にとって、1920年代のパリが若い作家や芸術家にとってそうであったのと同じくらい魅力的な場所だった。1973年に現地調査に乗り出したポップは、すぐにその美しさ、野生生物、危険、彼が後にした世界では触れることのなかった人々に魅了された。最初に訪れたのはエチオピアだった。彼は未発表に終わったアフリカ冒険の回顧録において、「私は白人を見たことすらない人々のいる村を訪れたが、それでも彼らは『米国人は月に行ったそうだ』と耳にしていた」と記している。[7]「私が米国人であることを知ると、彼らは月がどんな場所なのかと尋ねてきた。私が、知らない、米国人の全員が月に行ったわけじゃないからと答えると、怪訝な顔をされた。そこでライカ製のトリノビット10倍双眼鏡を取り出し、それで月を拡大して観察してもらうことで、外交的軋轢を解消できた」

満足した村人たちは、ポップのために小屋を建てた。彼はそこに滞在しながら、近くの崖で休むマントヒヒを研究した。「ヒヒの一団が雌ライオンに襲われるのを、目と鼻の先で見た」と彼は書いている。「雌ライオンがヒヒの群れに割って入ろうとするのを、多くのヒヒたちは見ていたものの、１匹の油断していた雌が捕まってしまった……残りのヒヒたちは警戒の声を上げ、四方八方へと走り去った」

ポップは時々エチオピアに戻ることがあったが、その後の15年間の大半をケニアで過ごした。１９７０年代には、ライオンやゾウ、チーター、ヒョウ、ヒヒが生息する動物保護区であるマサイマラにあった、ほぼ無人の調査基地に住んでいた。ヒヒの群れを徒歩で追うのは危険なので、ダイハツ製のおんぼろジープに乗り込み、その行動を観察していた。「ダイハツ（Daihatsu）という名前は『死の願望（death wish）』という意味だろう」と彼は冗談を言った。彼はテープレコーダーと共に慎重に時間を計って観察した結果を助手へと叫び、助手はそれを代わる代わるノートに書き留めた。助手の大半は、米国から来た女子学生だった。彼女たちは、彼の魅力と美貌、そして明るい未来に惹かれて、データ収集や分析に協力するだけでなく、時にはガールフレンドにもなった。

デボアが予算を獲得したハーバード大学マサイマラヒヒ研究プロジェクトは、ポップの生活費をまかなうものであった。余暇には人々や野生動物の写真を撮り、夜にはランタンの明かりを頼りに古典小説を読んだ。彼は言葉遊びも好きだった。「ヌーの糞（Gnu dung）は回文だ」と、キャンプを訪れた研究者に披露したこともある。[8] 歯の治療が必要になったときには、ペイン（Payne）という歯医者の元へと川を泳いで通い、彼はその医師を「ドクター・ペイン（Pain、痛み）」と呼んだ。ケニアを旅したポップは、ナイバシャ湖でザリガニを釣ったり、インド洋でスキンダイビングや遠洋漁業をしたり、標高7730フィート（約2356メートル）の火山であるススワ山をジョギングで登り、山頂でピクニックをしていた友人たちと会ったりした。また、ナイロビ郊外に農場を借りて、そこでくつろいだり、友人に会ったり、レストランや映画に行ったりもした。

「ナイロビからマサイに行くときには、日没の1時間ほど前に首都を離れるように時間を決めていた」と彼は書いている。「無限と言えるほど多くの種類の野生動物を見た。年に一度、北方へ移動するヌーとシマウマの群れは、夜になると信じられないほどの目の輝きで満ちた光景を見せてくれた。エンジンの音に混じって、ヌーのリズミカルなうなり声が聞こえてきた」

ポップはマサイマラを訪れる有名人との交流を楽しんだ。ヘンリー・キッシンジャーが研究所を訪れたときには、彼はヒヒの歯の模型をプレゼントした。「キッシンジャーがヒヒと一緒に写っている写真には、『2匹の大きな支配力を持つオス』というタイトルを付けた」と彼は書いている。ポップは当時ナショナル・アウトドア・リーダーシップ・スクールの学生だったジョン・F・ケネディ・ジュニアがヘビについて「興味深く、十分な情報に基づいた」報告をするのを聞いた。また著名な霊長類学者であるダイアン・フォッシーと文通し、彼女の愛するマウンテンゴリラが、農民に生息地を侵害されたり、密猟者に赤ちゃんを捕獲されて売り物にされるという脅威にさらされていることを伝えた。

インディー・ジョーンズにちなんで、家族から「オハイオ・ジョー」と呼ばれたポップは、しばしば危険にさらされた。彼の回顧録には、危機一髪で危険を回避したエピソードが数多く載せられている（出版社にアピールするために大げさに書いた可能性もあるが）。たとえばバッファローが彼のジープに突進してきて、後部ドアを押し潰し、窓を粉々にしたことが書かれている。ヒョウが彼の小屋の屋根を歩き回り、周囲の獲物を探していたこともあった。マサイマラでのハイキングについては、こう書かれている。

ドクハキコブラに出くわし、2人とも仰天した。コブラの体長は9フィート（約2・7メートル）ほどで、玉虫色に見えるほど濃い黒色をしていた。それは私を見ると、頭を地上3フィート（約91センチメートル）ほどまで上げ、頭部のフードを広げて威嚇した。

私が驚いて見ていると、コブラが口を開き、牙を前に出すのが見えた。私とコブラは、10フィート（約3メートル）しか離れていなかった。その牙から2本の毒液が噴射され、左の毒液は横へそれ、右の毒液は私の目の高さを通過し、右目をかすめた。

＊＊＊

博士号を取得したものの、ポップは次第に学界でのキャリアに興味を失くしていった。フィールドワークが苦役のように感じられたのだ。甥のティモシー・ファーランは、「彼は『パブリッシュ・オア・ペリッシュ（論文を書くか学者を辞めるか）』という世界には惹かれませんでした」と述べている。「彼は冒険に惹かれたのです」

ポップが学問の世界で通常得られるよりも多くの金を稼ぐ（しかもより早く稼ぐ）ことに関心があったのは間違いない。ロナルド・シルブ同様に大学時代のルームメートで、生涯の友であったジョン・オーガスティンは、「彼がどこかで教授職を得るのはそんなに難しくなかったでしょう。しかしそれでは十分な報酬を得られないと感じていました」と述べている。「彼は本当に裕福になりたいと願っていた、という印象を受けます」

ポップは一攫千金を狙った計画を次々と思いついた。中でもお気に入りだったのは、彼がアシスタント兼ガールフレンド（アイビーリーグの学部生で、ケニアでは1年を過ごす予定だったが、ポップに出会って4年間滞在した）と保護区でヒヒを追跡していたときに、草むらでよく目にした象の骨から思いついたものだった。ある日、ポップは彼女に、「自分の死期が近いことを知った象は、決められた場所へと死に行く」という民間の伝承を話した。そんな「象の墓場」はまだ発見されていないが、ポップはあちこちに散乱している象の骨を研究所の裏手に集め、それをつくってしまおうと言い出した。それを本物の象の墓場だと宣伝すれば、観光客から入場料を取れるだろう。彼女はびっくりして、協力を拒んだ。そしてやっとのことで彼を説得し、計画を断念させた。

「彼は普通の中流階級の出身で、もっと大きなこと、もっと良いこと、もっと儲かることをしたがりました」と彼女は振り返る。

ハーバード大学からの奨学金を補うために、ポップは他の儲かる事業を始めた。マサイマラにある宿泊施設キーコロック・ロッジで、観光客にTシャツや野生動物の絵葉書を販売し、さらに彼とアシスタントが共著したマサイマラのガイド本まで売った。ヘルメットをかぶり、狩猟服を着て、象撃ち銃を担いで、観光客から金を取ってサファリ内を徒歩で案内することもあり、マサイ族の村まで連れていくこともしばしばだった。ケニア政府の銃規制は厳しく、ロビー活動を精力的に行ってようやく銃所持の許可証を手に入れると、20ヤード（約18メートル）先のバッファローの頭蓋骨を狙って射撃の練習に励んだ。

ポップはこうしたツアーをする際、ロバート・サポルスキーというアシスタントに槍を持たせ、しんがりを務めさせるという演出をしたこともある。サポルスキーは自称「ニューヨークの軟弱なユダヤ人」であり、槍の使い方などまったく知らなかった。「すぐに自分には向かないと思いました」と彼は振り返った。

サポルスキーもまた、デボアに見だされた人物である。デボアは彼が1978年にハーバード大学を卒業すると、ケニアに派遣して1年間ポップのもとで学ばせた。ポップは「とても頭が良くて、とても知的な男だった」とサポルスキーは言う。「彼の周りで目立たなくする方法を身につけ、私が彼の王国に挑戦するような脅威のある男性ではないと認識されると、私たちはそれなりに仲良くなりました」

サポルスキーはその後、作家として、またスタンフォード大学の生物学と神経学の教授として優れたキャリアを積むことになるが、すぐにポップが理論家であり、現地調査が苦手で、集めたデータが自分のモデルに合わないと苛立ちを募らせることに気づいた。ポップが研究所に残ってコンピュータとその論理について調べている間、サポルスキーは彼の代わりにヒヒを観察した。

ポップは研究所の中で最高の家を占拠し、壁には東アフリカの美術品をかけ、ナイロビで買った豪華なベッドを置き、さらには料理人まで雇っていた。「彼の完璧な世界の中で、ポップは11時に起きて朝食をとり、シャワーを浴びて散歩をし、戻ってくるとゲーム理論の本を読んでいました」とサポルスキーは回想している。「晩になると皆と一緒に過ごしましたが、彼はゲーム理論に熱中していました」

ポップはあるゲームに異様なほど強かった。それはポップとサポルスキーが1から10までの数字を、任意の順番で紙に書き入れるというものだった。そして書いた数字を1回ずつ比べ、数字が大きかった方がそのラウンドに勝つ、というルールだった。たとえばサポルスキーが1、2、3、4、5、6、7、8、9、ポップが2、3、4、5、6、7、8、9、10という順で数字を書くと、ラウンド1から9までは毎回ポップが勝ち、最後のラウンドだけ、ポップが1を出して負けるというわけである。ポップはサポルスキーの心を読み、次にどの数字が来るか、正確に知っているようだった。

「彼はいつも周囲を驚かせる男でした」とサポルスキーは語る。「夕方のゲームをしているとき、彼が『ケニア政府を転覆させるためには、僕らのような教育を受けた米国人が何人必要だろう？ 協力してくれるケニア人が1人いたら？』と2～3週間ほど言っていたのを覚えています。彼はさまざまなシナリオを考えていました。改めて思うと、それから数年後、彼は『コンピュータネットワーク全体を停止させるには何が必要だろうか？』と考えていたに違いありません」

＊＊＊

ポップはケニア政府を倒すことを夢想していたのかもしれないが、それは彼らが自分に難癖をつけてくるのではないか、と心配していたからだった。彼のさまざまな事業は、外国人研究者がケニア国内で事業を行うことを禁じた法律に違反しており、彼の家は政府の職員のために貸し出されるはずのものだったのである。

ポップは最悪の事態を回避するため、マサイマラのフィールドガイドの仕事を保護区の狩猟監視員に譲るなど、地元当局に根回しをした。しかし1980年の夏、サポルスキーがケニアに戻ると、研究所の所長は新しくなっていた。新所長はポップに対し、占拠していた家から出ていくと共に、商業活動を止めるように命じた。

ポップは彼を無視した。ある日所長が現れて、ポップにすぐ立ち去るよう命じた。「怒号が聞こえました」サポルスキーは描写する。「彼らは家から飛び出して来て、シャベルをめぐって取っ組み合いの争いをしていました。ポップはシャベルで殴りかかり、相手はパニックになって逃げ去りました。ポップは自分が一線を越えてしまったことに気づきました。そして銃とスーツケースを車に詰め込み、私宛てに『米国大使館に行き、職員に伝えてほしい。キッシンジャーに連絡して、私の命が危ないから助けてくれと言うようにと』というメモを残して、身を隠しました」

サポルスキーによれば、ケニア政府はすでに外国人研究者に対して警戒心を抱いていた。名門大学から来た人間が、なぜ「動物保護区に向かい、野獣の糞と腸内寄生虫に囲まれた雨漏りするテントの中で、シマウマが1時間に食べる葉の数を数えるという世捨て人のような生活をするのか」と困惑していた、とサポルスキーは証言する。彼らはこの訪問者が、密猟しているのではないか、動物を米国に密輸しているのではないか、他にも何らかの形で利益を得ているのではないかと考えた。

ポップはこの疑念を裏付けるかのような存在だった。ついにケニア政府は、国内のすべての野外生物学者に活動を停止するよう命じ、ポップは同僚たちの間で除け者にされてしまった。この状況を打開し、研究に復帰することを切望していたサポルスキーは、ケニア政府とポップの交渉の仲介役を買って出た。雲隠れ中のポップは夜中に、サポルスキーの車のフロントガラスにメモを残し、「この役人と話をしろ」といった指示を出した。サポルスキーはそれを実行し、返答をフロントガラスに貼り付けてポップに伝えた。

結局ポップは罰金を払い、研究許可証を返上した。このことはハーバード大学にも伝わった。ケニア当局と良好な関係を維持するためか、ハーバード大学は1981年、ナイロビ大学に対して「この元学生がもたらした問題と迷惑」の件で謝罪した。[9]

それでもデボアは、自分の愛弟子を公然と擁護した。彼は後に、プレイン・ディーラー紙に対して、「ケニア政府が研究を妨害するたびに、ジョーが非難されました」と語っている。[10] デボアは2014年に79歳で亡くなった。

ポップはケニア政府による自分への仕打ちに憤慨した。同国の役人たちは「外国人研究者と接する際、親切で公正に対応しようとすることは決してない」と彼は書いている。

それでもポップはケニアに留まった。しかし以前のような暮らしは送れないため、新しい生活を築くことにした。彼はナイロビ・バレエ団のダンサーと交際し、東アフリカの最も奥地までカバーする救急航空サービス「フライング・ドクターズ」を手がけることで知られる、アフリカ医療研究財団（AMREF）の出版物を編集した。

AMREFで同僚だったニッキー・ブランデル・ブラウンは、「ジョーは健康学習教材の責任者で、『コンピュータオタク』として知られていました」と回想する。「彼はいつも礼儀正しく、親切でしたが、とても孤独な人でした」

ポップは世界保健機関（WHO）のコンサルタントとしても働き、WHOでエイズ教育に関わる仕事を探した。アフリカの霊長類を起源とするこの病気は、アフリカ大陸を荒廃させ、成人の20パーセント以上が感染している国もあった。

ティモシー・ファーランは、「彼はエイズの研究にとても興味を持っていました」と言う。「現在行われている研究は有望ではない、と感じていたのです」

1988年、地元ウィローウィックに帰郷したポップは、高価なデスクトップコンピュータを買い、高校の卒業20周年の同窓会に出席した。オタクの高校生なら誰もが見そうな夢をかなえた彼は、勝ち誇った表情をしていた。彼は自らを「科学者であり出版者」、さらに「作家、医学・生物学・コンピュータ分野の出版者、マラソンランナー」と表現し、世界で最も有名なチンパンジー専門家の名前を口にした。

クラス委員長だったマイク・マッカーシーは「その名前を聞くと、皆が彼の業績について話したがりました」と語った。「彼はジェーン・グドールに一度会ったことがある、とすら言っていたと思います」

ポップは学界でのキャリアが崩壊したことは明かさなかった――金持ちになるための最新の計画も。

その年、彼はアフリカを離れ、ロンドンに移り住んだ。当時の英国には、コンピュータへの侵入を禁止する法律はなかった。


1989年12月のある月曜日、エディ・ウィレムスは上司から、郵便で届いた5・25インチのディスクを渡された。ベルギーのアントワープにあった彼らの会社では健康保険や生命保険を販売しており、上司は「エイズ情報紹介ディスケット・バージョン2・0」と記されたこのディスクが、顧客の役に立つかもしれないと説明した。ヘルプデスクのサポートエンジニアであるウィレムスは、早速調べてみることにした。

ウィレムスは職場のパソコンで、ディスク内のプログラムを実行した。するとそのプログラムは、彼の習慣や病歴について一連の質問をし、エイズに感染する可能性を計算した。ウィレムスの感染確率は5パーセント以下と判定された。「良い結果でした」とウィレムスは振り返る。しかしハイリスクと判定された回答者に対しては、このプログラムは医師が敬遠しがちな、露骨な表現を用いた。「あなたの行動パターンは非常に危険であり、命を落とす恐れがあります」

こうした情報は古く、予測可能なものだとウィレムスは感じた。彼は上司に、無視することを勧めた。それから1~2日後、ウィレムスが自分のパソコンを立ち上げると、ファイルが開けなくなっていることに気づいた。そして画面には、ソフトウエアのリース料の「支払期日」であるというメッセージが表示された。そのメッセージはプログラムの年間使用料189ドルか、ハードディスクドライブ使用料の1回払い378ドルを、PCサイボーグ・コーポレーションという会社を受領者とした銀行手形か小切手、もしくは国際郵便為替でパナマの私書箱に送るよう指示していた。それを受け取ったら、PCサイボーグはコンピュータのロックを解除するためのディスクを生成する、というのだ。

ウィレムスは唖然とした。「『なんてこった、いったい何をしたっていうんだ? そんなの払えるわけないだろ』と思いました」彼は自分のコンピュータにバグがあるのではないか、あるいは、自分が何かミスを犯したのではないかと心配になった。

彼は、先のディスクと一緒に青い紙が入っていることに気がついた。片面にはインストール方法が書いてあったが、彼に必要なものではなかった。しかし裏面を見ると、小さな文字で「使用許諾契約」と書かれており、支払いを怠ると大変なことになると警告している。「あなたは一生、良心が痛むかもしれない。

あなたはPCサイボーグ・コーポレーションに補償と損害賠償の義務を負うことになり、あなたのマイクロコンピュータは正常に機能しなくなります」という内容だった。

ウィレムスは怖気づかなかった。当時27歳だった彼は、思春期からコンピュータをいじり、大学ではコンピュータ科学を専攻していた。マイクロソフトのディスクオペレーティングシステム（MS－DOS）をインストールしたディスクで再起動すると、ディレクトリ名やファイル名の数字や文字が別の数字や文字に対応する単純なコードで暗号化されていた。この暗号を解読し、逆の手順を踏めば、元のファイルを取り出すことができるというわけだ。

彼は家に帰り、夕方のニュースを見て初めて、ヨーロッパやアフリカの国々で、この手口に多くの人々、会社、組織がだまされていることを知った。このプログラムはエイズ教育をトロイの木馬のようにしてコンピュータに侵入することから、「エイズ・トロージャン（AIDS Trojan）」と呼ばれるようになった。ディスクはロンドンで発行されていた雑誌PCビジネスワールドの購読者数千人（この中にウィレムスの会社が含まれていた）と、1988年のエイズに関するWHOの会議の参加者全員に送られていた。受け取った人の多くはディスクを使ってみようとしなかったか、ファイルの暗号化が実行されるのに必要な起動回数に達しなかったが、1000台ものコンピュータが麻痺状態に陥った。

ディスクはパソコンのデータ保存手段として一般的で、セキュリティの脅威と考える人は少なかった。ウィレムスは自らテレビに出演し、解決策を披露した。するとベルギー、オランダ、そして世界中の被害者から、感謝の意として、高級ワインやベルギーチョコレートなどが贈られてきた。

騒動が収まると、ウィレムスはディスクを机の中にしまい込み、そのまま忘れてしまった。数年後、彼はそれを発見し、記念に取っておくことにした。それがやがて歴史的な意味を持つことになろうとは、知る由もなかった。今そのディスクは、リビングルームに飾られている。最近ドイツの博物館から、1000ドル以上の額で買い取りたいとの打診があったが、彼はそれを断った。

この攻撃が最も大きな衝撃を与えたのは、発祥の地と思われた英国だった。技術的な議論の場として、ブリーピングコンピュータの前身ともいえるCIX（Compulink Information eXchange）には、エイズ・トロージャンに関するメッセージが、10日間で376通も押し寄せた。

フリーランスのプログラマーであるジム・ベイツは、ベルギーのウィレムスと同じ頃、英国で最初に暗号を解読した。「私はその仕組みをすぐに整理しました」とベイツは回想する。このプログラムはユーザーをだまし、すべてが正常に動いているように見せかけながら、実際には多くのコマンドをブロックしていた。またファイル自体は変更せず、その名前だけを変更するので、「復元は非常に簡単にできる」とベイツは1990年1月のウイルス・ブレティン誌に書いている。[11]

ウィレムス同様、ベイツも自分の解決策から利益を得ようとはせず、マイケル・ギレスピーとランサムウエア追跡チームのために利他的な行動の先例をつくった。ウイルス・ブレティン誌は、このトロイの木馬を除去し、暗号化されたファイルを復元するベイツのプログラムを無料で提供した。オペレーティングシステム（OS）を再インストールするためにハードディスクを消去した被害者だけが、後遺症を負うことになった。ミラノのある大学はパニックに陥り、ベイツによれば、「10年分の天体観測データを失いました」彼らが本当の意味での、ランサムウエアの最初の被害者と言えるだろう。ボローニャのエイズ研究センターも、10年分のデータを失った。

ウイルス・ブレティン誌上で、ベイツは技術的な判断を下している。「発想は独創的で極めて狡猾だが、実際のプログラミングはかなり雑だ」と彼は書き、攻撃者が「特に十分な教育を受けているわけではない」ことを示唆した。[12]

この優秀なアマチュアを裁判にかけることは、設立間もないスコットランドヤード（ロンドン警視庁）詐欺捜査課のコンピュータ犯罪班（ＣＣＵ）にとって、初期の試練となった。この年ノエル・ボンチョシェクは、スコットランドヤードで初めて、詐欺事件の捜査にコンピュータを使用していた。この事件は何千枚もの紙の請求書が関係しており、通常であれば、ボンチョシェクはそれを手で整理しなければならなかった。代わりに彼は、書類に矛盾がある場合はフラグを立て、それを承認したマネージャーを特定するプログラムを書いた。それからボンチョシェクは、捜査を支援するためのハードウエアとプログラムに関して、内務省から補助金を獲得した。詐欺捜査課に所属していた別の捜査官、クリス・ピアースは、「コンピュータを手に入れてから、私たちは独学で勉強しました」と振り返った。「ボンチョシェクは私よりずっと進んでいましたよ」

その年の暮れにＣＣＵは設立され、ボンチョシェクとピアースが配属された。4人の捜査官で構成されたこのチームは、ことごとく抵抗にあった。「英国には適切な法律がなく、既存の法律を利用しようとしても失敗しました」とピアースは語る。法執行機関はサイバー詐欺を『非犯罪』であるとして無視し、商業界はそれに向き合うのが恥ずかしくて無視し、また一般市民は、メディアが理解していなかったので、それについてまったく知らないという状態でした。ＣＣＵが違ったのは、サイバー詐欺を真剣に受け止め、それを行った『オタク』を天才ではなく犯罪者と見なしたことです」

ピアースとボンチョシェクは親友で、お互いを補い合う間柄だった。よく「ボンゾ」と呼ばれたボンチョシェクは、優秀で創造力があり、彫刻を親しみつつアンティークカメラも収集していた。「彼はさまざまなアイデアを持っているのですが、簡単に気が散ってしまいがちで、要点を逸れてしまうことがありました」とピアースは言う。また彼はピアースよりもコンピュータに詳しかった。ピアースの方はというと、熟練の捜査官兼インタビュアーで、人前で話したり、ＣＣＵの宣伝をしたりするのが好きだった。

「私はそれほどＩＴに詳しいわけではなかったのですが、１９８9年当時、私たち2人はほぼすべての警察官のはるか先に立っていました」とピアースは言う。「ある巡査にディスクのコピーを送ってくれるよう頼んだら、紙のコピーを両面とって送ってきたのを覚えています。私たちは、警察がモニターだけ押収して、パソコン本体を残していくような時代に働いていたのです」警察官が技術的な助けを必要とするときは、フリーランスのプログラマーであるベイツのような民間の専門家に頼った。「私たちを支援してくれる関係者は大勢いました」とボンチョシェク。「兄弟分のような関係性があったのです」

エイズ・トロージャンは、それまで主に学術や軍事系のネットワークへのハッキングに重点を置いていた部隊に、新しい課題を突きつけた。ピアースは暗澹たる気持ちで、ボンゾに対して犯人が見つからない方に10ポンドを賭けた。

彼らはベイツやロバート・エドワード・ミュイのような被害者からの通報を受け、調査を開始した。当時35歳だったミュイは、ＰＣビジネスワールド誌を購読しており、コンピュータウイルスの脅威を知っていた。彼は勤務先だった英国の大学で、同僚に対して見慣れないものをコンピュータに入れないようにと警告していた。しかし郵送されてきたディスクは正当なもののように見え、エイズ教育というトピックは、彼の専門である免疫薬理学に関連していた。そこでディスクを大学のコンピュータに入れてみたところ、すぐにフリーズしてしまった。研究のファイルは別のディスクにバックアップしておいたので失わずに済んだが、彼はハッカー、そして自分自身に激怒した。

後にこの大学でバイオ科学部門のコンピュータ責任者になったミュイは、「こんなことに巻き込まれた自分自身を責めました」と振り返る。「誰かが他人のコンピュータを乗っ取り、金銭を要求するという大胆な行為を、私は許せないと思いました。それは純然たる恐喝でした。そこで警察に連絡したんです」

ポップはケニアで開催されたワークショップで、エイズ・トロージャンのエイズ検査の部分を作成した。暗号化コードを別に考案し、教育用プログラムを改修して、ランサムウエアがインストールされないと開かないようにした。そして法律に違反しないよう、自主的なライセンス契約という形を取った。またPCサイボーグをパナマに置くという予防策を取ったが、これは同国が、銀行の機密保護に関する厳しい法律のあるタックスヘイブンだからであった。

1989年、オハイオ州を訪れたポップは、友人のロナルド・シルブにその成果物を披露した。シルブはそのディスクを自分のコンピュータ（アップル製の新しいマシンだった）で動かして良いものかと不安になった。「新しいコンピュータをめちゃくちゃにしたくない、と思ったのを覚えています。別のコンピュータに買い替えたり、故障させたりするような余裕はなかったからです」と彼は言う。しかしポップの「使用許諾契約」には、ユーザーがお金を払わなければ「プログラムの仕組み」がコンピュータに「悪影響を与える」と警告されていたため、コンピュータがフリーズしてもユーザーは自分を責めるだけだと感じたという。「悪意があったわけではなく、金儲けが目的でした」とシルブは語った。「ポップはお金を払いたくなければ削除することを明言していました。お金を払わなくても何とかなると思った人がいたのは確かでしょう。会社のコンピュータを使っていた多くの人々は……警告を甘く見ていたのかもしれません」

ＣＣＵはこの一件に関して、それほど寛大な見方はしてはいない。そしてピアースは、ＰＣサイボーグに関する情報提供の依頼に、パナマ政府が協力してくれるかどうかは疑わしいと感じていた。同国の独裁者だったマヌエル・ノリエガが、恐喝、麻薬密輸、マネーロンダリングの容疑で米国に起訴されていたからである。ところがその後、世界情勢が一変し、捜査当局に有利な状況になった。エイズ・トロージャンのディスクが送付された9日後、米軍がパナマに侵攻し、ノリエガを追放したのである。ピアースがパナマの企業登記所に電話すると、米国の海兵隊員が出た。海兵隊員は、現地スタッフが「逃げて身を隠してしまった」ために、自分が責任者をしていると説明し、ＰＣサイボーグのパートナーや取締役の名前を親切に調べてくれた。その結果、同社はエチオピアのアジスアベバから電話をした「エリザベス・ケテマ」なる人物によって設立されたことがわかった。[13]

似たような偽名の人物が、ロンドンで活動していた。ＰＣビジネスワールド誌を発行していた出版者は、警察に対し、ナイジェリアのソフトウエア会社の代表と称する「Ｅ・ケテマ」がメーリングリストを2000ドルで購入していたと語った。ケテマは白人で髭を生やし、背が高く、痩せた男だったと描写され[14]、その容姿と筆跡がポップのものと一致した。

ディスクを郵送した人物は、導入した人物の名前が残る郵便料金計器〔送付する郵便物に切手の代わりとなるスタンプを直接印字したり、スタンプが印字されたテープを出力したりする機械で、企業等が自社内で使用する〕を使わずに、切手を舐めて封筒に貼っていた。その切手に付着していた唾液から、抗原が分析された。この方法はＤＮＡ鑑定（当時の犯罪捜査ではまだ珍しい存在だった）ほど決定的なものではなかったが、後にポップから採取されたサンプルと結果が一致した。また５つの封筒と、その中に入っていたディスクからポップの指紋が確認された。

封筒の消印は、ポップが滞在していたロンドンのナイツブリッジ地区から１つ離れた、ケンジントン地区であった。ボンチョシェクはポップのアパートのドアを壊して押し入ったが、彼の痕跡はなかった。決定的な証拠となったのは、ジュネーブのＷＨＯ本部で発見された、暗号化されたディスクだった。スコットランドヤードの依頼でベイツが解読したところ、それは１９８８年4月までの、エイズ・トロージャンの開発とテストの記録であることが判明した。そのパスワードは「drjosephlewisandrewpoppjr」だった。これはポップの名前（Dr. Joseph Lewis Popp）に「Andrew」を加えたもので、セキュリティを強化するために挿入されたものと思われる。

またＣＣＵは、英国政府のエイズ専門家グウィネス・ルイスに連絡を取り、このディスクの医療アドバイスにお金を払う価値があるかどうか尋ねた。答えは「ノー」だった。エイズに関する情報は「警告的」であり、「不正確な部分がある」と彼女は答えた[15]。たとえばこのディスクは、胎児が母親からＨＩＶに感染する確率を過大評価していた。「著者はＨＩＶについてかなり不完全な知識しか持っておらず、事実を悪く表現していて、最新の情報も持ち合わせていない」と、英国保健省のエイズ班主任医務官であったルイスは書いている。「このプログラムは、まさに助けや安心を必要としている人々に、より多くの不安を与えかねない」

捜査当局に残されたのは、2つの興味深い、そしておそらく関連した疑問だった。ポップはどこで資金を手に入れたのか？ そして彼は単独犯だったのか？ エドワード・ワイルディングの見積りによれば、エイズ・トロージャンの作成と配布には、ディスク、メーリングリスト、切手、封筒などで4万5000ドルもの費用がかかったはずだという。ポップはまるでセレブのような生活をしていた。定期的に海外旅行をし、家族には香港とスイスに銀行口座を持っていると話しており、ロンドンの最もリッチな地区で豪華なアパートを借りていた。1989年10月、妹のバーバラが訪ねてきたとき、彼は彼女を高級レストランやウエスト・エンドで行われていたミュージカル「レ・ミゼラブル」に連れて行き、スコットランドの城まで見学して、すべて彼が金を払った。

しかし、ポップの富の源泉はどこにも見当たらなかった。マサイマラのフィールドガイド、サファリ、絵葉書で稼いだ金を貯め込んでいたのかもしれない。それでも、AMREFでの彼の給料は安かった。同僚たちは、彼の家族が援助してくれているのだと勘違いしていた。「ポップにはお金があると思われていたのです」とブランデル・ブラウンは語っている。

ひとつの可能性は、より資金力のある投資家や共犯者の存在である。「他に誰かが関わっているのではないか、という思いが頭をよぎりました」とベイツは推測する。「2万枚もの切手を舐めて貼るなんて、想像できますか？ 1人ではできない作業でしょう」

サポルスキーは、ポップがナイロビで「何人かの有力な実業家とつながっている」という話を聞いたことがあり、彼らがポップを支援したのだと信じている。

しかしそれが誰であれ、ポップに金を出し、儲けの分け前を期待した後援者は失望したことだろう。判明している限り、PCサイボーグに金を払った被害者はいない。皮肉なことに、その唯一の収入は警察からだった。捜査中、何が起きるかを確かめるために、ピアースとボンチョシェクが身元を明かさずに料金を送っていたのだ。それには何の反応もなかった。約束していたにもかかわらず、PCサイボーグは復元用ツールを提供しなかったのだ。

＊＊＊

ディスクを郵送した10日後、ポップはナイロビで開催さていたWHO会議で、エイズ調査について話す準備をしていた。その時もう1人の参加者が、世界中のコンピュータを不能にした斬新な恐喝計画を報じる新聞記事を見せた。記事には彼の名前はなかったが、ポップはそれが自分のディスクのことを指しているのだと気づいた。このままでは自分の名声が地に落ち、起訴されるかもしれないという危機感から、ポップの精神は崩壊してしまった――あるいは崩壊したふりをした。彼は会議でディスクを送ったことを認め、この記事を見せてきた同僚をインターポールのエージェントだと非難し、ホテルの部屋に盗聴器が仕掛けられていると訴えた。

ナイロビの空港に向かったポップは、インターポールから連絡を受けたケニア警察に拘束された。彼らはPCサイボーグの名前が記されたシールを彼の荷物から発見し、押収した。ポップは病院に送られた。「ケニア人からの情報によると、米国の領事関係者が病院にいたポップの元を訪れ、彼はその後すぐに姿を消したそうです」とピアースは言う。在ケニア米国大使館が、錯乱した自国民を守るために、彼の釈放と逃亡を手配した可能性が高いようだ。

アムステルダムのスキポール空港に到着したポップに、親切な従業員が1杯のコーヒーをくれた。その時、彼は薬物を投与されたのではないかと思い、ダッフルバッグにマジックで「ポップ博士は毒殺された」と書き、皆に見えるようにそれを振り回した。[16]

その様子がオランダ当局の目に留まり、容疑者が姿を現したとの連絡がスコットランドヤードに入った。それでもポップは、1989年のクリスマス、アムステルダムに来た姉妹の1人と一緒に米国に帰ることが許された。その直後、彼は両親と共に、今回とは無関係の事件でポップの姉を弁護したジョン・キルロイ弁護士に会いに行った。ポップは自分が尾行されていること、インターポール、スコットランドヤード、FBIが彼を追っていることをキルロイに伝えた。その後で両親は、弁護士と自分たちだけで話をすることを求めた。両親は、息子は精神的に病んでおり、誰も彼を追っているとは思っていないと打ち明けた。

実際にはCCUが、脅迫の容疑でポップの逮捕状をロンドンで取っていた。英国の内務省と外務省、ワシントンD.C.の英国大使館、オハイオ州の領事館、そして米国司法省などの官僚的な手続きを経て、FBIに書類が届いた。1990年2月初旬、スクールバスに乗ったポップの10歳の甥は、運転席のラジオから流れるニュース速報を聞いた。「ハーバードの天才児が逮捕されました」――それはポップだった。

スコットランドヤードでは、ピアースが10ポンド紙幣を厚紙に張り付け、「ジョセフ・ルイス・ポップ博士の逮捕を記念して、1990年2月」と記した。

「彼は喜んで賭けを払ってくれたよ」とボンチョシェクは語った。

FBIがポップのコンピュータを押収したところ、中からエイズ・トロージャンのプログラムが確認された。FBIはそれを英国に送り、CCUがハードディスクを分析した。エイズ教育に関する部分は「非常にきちんと書かれていた」とピアースは回想する。「教科書のような、レイアウトされたプログラムだった。ところがトロイの木馬の部分はまったく違っていて、本当にめちゃくちゃだった」

英国政府の要請を受け、米国連邦検察当局はクリーブランドの連邦裁判所にポップの身柄引き渡しの許可を求めた。しかしポップが裁判所に対し、自分は向精神薬を大量に投与されていて手続きがよくわからないと訴えたため、判事は2人の精神科医を指名して診察させた。そのうちの1人が、ポップは報道のショックで被害妄想と自殺願望を抱くようになったが、病状は改善しつつあると結論づけた。

検察側と弁護側は、この精神科医の報告書を基に、ポップの精神状態は彼が引き渡し審問に参加するのに十分なものであると合意した。[17] ポップの身なりは適度にみすぼらしいもので、空港のコーヒーに毒が入っていた、ノリエガが自分を殺そうとしていた、などといった自分の妄想を説明した。「私は偏執狂的な性格になったと言えるでしょう」と彼は判事に語った。[18]

ポップと彼の弁護士は、件のディスクは一般大衆を啓蒙し、エイズの蔓延を防ぐための正当な手段であったと訴えた。「彼がエイズを大規模な人道的危機と見ていたことを考えると、彼は自分のやり方が受け入れられると信じていたのだろう」と弁護士のキルロイは述べている。

ベイツはクリーブランドに飛んで、ディスクがどのように動くのかを実演した。法廷にコンピュータが運び込まれ、ベイツはディスクと、システムをフリーズさせるために必要な再起動回数を減らすための別のプログラムを挿入した。すると金を要求するメッセージが画面上に現れ、ベイツが暗号化を中断しようとすると、サイレンが鳴り響いた。「彼らは私をシャーロック・ホームズかその近親者だと思ったようです」とベイツは振り返る。「判事は『記録しなさい、機械が消防車のような音を立てている』と言いました」

米国から英国に誰かの身柄が引き渡されるには、申し立てられた罪が、両国で重大な犯罪であることが必要だ。ポップの身柄引き渡しをめぐる論争は、1990年いっぱい続いた。英国には「被告人の引き渡しを受ける権利がある」という理由で、彼は保釈されずに何か月もの間拘束された。[19] 8月には、裁判所内の公判前の手続きを担当する部門に毎日電話することを条件に、緊急用の避難所に2週間住むことが許された。12月20日、判事はポップの行為が米国の法律で重罪にあたると信じるに足る理由があると判断し、身柄の引き渡しを認めた。[20] またエイズ・トロージャンに同梱されていた警告文は非常に小さな文字で書かれており、ほとんどのユーザーは、ディスクを実行する前に読むことはなかっただろうと判断した。

ポップを英国まで護送するために、ボンチョシェクとピアースが派遣された。ピアースはクリーブランドの連邦保安官事務所で、この囚人が武器を持っていないかを調べるために裸にしたところ、小額紙幣で1万ドルが入った袋を腰につけているのを見つけた。「私の保釈金だ」とポップは主張した。英国では、被告人は保釈金を差し出すのではなく、払うと約束するのだとピアースは説明した。この現金は、護送の開始時と終了時に丹念に数えられ、一切紛失していないことが確認された。

ポップは機内でペーパーバックを読んでいた。「ポップに何か問題があるという印象は受けませんでした。彼は私に対し、精神的な病気を患っているような仕草をまったく見せませんでした」とピアースは語っている。「彼はとても静かで礼儀正しい人でした」

英国に到着すると、ポップの行動は異様になっていった。ウイルス・ブレティン誌は、「彼の最近のおふざけは、段ボール箱をかぶったり、『放射能』と『微生物』から身を守るために髭にヘアローラーを付けたり、鼻にコンドームを付けたりすることだった」と報じている。[21] 精神科医はロンドンのサザーク刑事法院に対し、ポップは「重度の精神障害」で「悪化している」と報告した。[22]

しかし、ピアースは信じなかった。ポップが収容されていた精神病院は、彼が裁判を避けるために「システムをだましてやった、と電話で誰かに自慢しているのが聞こえた」と警察に通報した、とピアースは言う。「彼は詐欺師だったんです」

ポップはケニアでは、国際的な無法者の烙印を押されたショックで一時的に精神が錯乱していたのかもしれないが、1991年に友人のジョン・オーガスティンに送った手紙では、穏やかで自信に満ちた様子だった。

その中で彼は、「サンディとグリニスという友達のところに泊めてもらっているんだ」と書いている。「毎日、地元の警察署でサインをしなくちゃならない。裁判の日程はまだ決まっていない。弁護人と私は、最終的に裁判になれば勝てるという自信がある。私はむしろ退屈している。複視のせいで読み書きがうまくできない。何度か荒野で楽しい散歩をしたよ。まぁ、私が世界の果てから落ちたのだと思われてしまわないように、こうして手紙しておこうと思ったんだ」

そもそもこのランサムウエアの公開は、ポップにとって決して異常な行為ではない。それはポップが生涯にわたっていたずらを楽しんだことや、適者生存の哲学を抱いていたことと一致していた。ハーバード大学でデボアのゼミの仲間であったジェームズ・マルコムは、「少しダーウィン主義者的なところがあったのは間違いありません」と指摘する。「彼は利己的で攻撃的でした。自分が研究していることを応用していたのです」

ダーウィン主義者として、また霊長類の個体間での社会的相互作用の専門家として、ポップは不安定な状況に自分の行動をどう適応させるかについて深く考えていたはずだ。狂気を装うことは、彼の私利私欲を満たすと共に、ユーモアのセンスをくすぐるものでもあった――それは罰から逃れるための戦略であり、同時に権威を笑いものにする戦略でもあった。

しかしサザーク刑事法院のジェフリー・リブリン判事はポップを信じた――あるいは単に、彼を裁判の日程から外し、国外に追い払うことを望んだ。1991年11月、リブリン判事は、ポップは裁判を受けられる状態ではないとの判決を下した。リブリンは、身代金を要求された被害者の側に正義があることを認めながらも、この「重病人」にできるだけ早く米国に帰るよう命じた。[23] それはちょうど、小さな町の警察が「誰かを隣郡行きのバスに乗せるようなものだ」とキルロイは言った。

しかし、この事件は英国で大きな反響を呼んだ。世間の注目が高まったことで、コンピュータのハッキングを犯罪であると定めた、1990年のコンピュータ不正利用法の議会通過に拍車がかかった。この法律により、許可なくコンピュータの動作を妨害したり、コンピュータ内のプログラムやデータへのアクセスを妨害したりすると、最高で5年の懲役が科せられることになった。この法律は、どこで発生したかにかかわらず、英国内のコンピュータに対するあらゆる攻撃が対象となった。

エイズ・トロージャンが大混乱を引き起こしたイタリアでは、当局はリブリンの責任逃れに満足しなかった。1993年、ローマの裁判所は、ポップに恐喝未遂で2年半の懲役を言い渡した。ポップはテキサスで安全に暮らしており、裁判に出廷することはなかった。2度目の身柄引き渡しが行われることはなさそうだった。

ポップがコンピュータ犯罪の実験をすることは二度となかった。米国に戻ると、彼はエイズ・トロージャンを過去のものとした。そして個人的にも公の場でも、そのことを話題にしようとはしなかった。プレイン・ディーラー紙の記者クリストファー・エバンスが、ヒューストンから南に約1時間のジャクソン湖にある、フェンスで囲まれたアパートまで彼を追跡したとき、ポップは丁重に取材を拒否した。「奇妙な事件だ、それは認めざるを得ない」と彼はエバンスに言った。[24]「過去はあまり気にしないようにしているんだ。未来はとても明るいと感じているよ」

これまで通り、ポップは経済的な援助は得られなかったようだが、仲間には不自由しなかった。妹のバーバラとその家族が近くに住んでいたし、また時々、地元のキリスト教原理主義者たちとコーヒーを飲み、彼らを困らせるのが楽しみだった。彼らのTシャツに「wwjd（What would Jesus do? イエスならどうするだろう？の略）」と書いてあったので、自分もシャツをプリントし、それを着て街を歩いた。そのシャツには、「wwdd」つまり「What would Darwin do?（ダーウィンならどうするだろう？）」とあった。

彼はその問いに、常軌を逸した本で答えようとした。国際的な屈辱を味わった後となれば、彼ほど傲慢でなければ、普通は論争からは距離を置こうとするものだ。しかしポップはそれを自ら招いた。2000

年に彼が自費出版した*Popular Evolution: Life-Lessons from Anthropology*（一般向け進化論：人類学から学ぶ人生の教訓）という本は、彼が四半世紀前にアーベン・デボアの居間で唱えた極端な見解を、さらに強化したものである。

そこでの彼のアドバイスには、論理的に見えるものもある。たとえば親族に家族のＤＮＡを広めることを奨励するために、お金は親族ではなく、生まれてくる子供に遺すことを勧めた。またスウィフトの風刺のような教えもあった。10代の若者は喫煙と飲酒をし、中学2年で学校を中退すべきである、と彼は書いた。なぜならこれらの行動は、性行為の回数と生まれてくる赤ちゃんの数と相関するからである。また母乳育児には避妊効果があるということで、それを禁止する法律を提案した。母親が赤ちゃんを粉ミルクで育てれば、「さらに多くの子孫を残すことができる」というのである。また少なくとも妊娠に至った場合には、レイプを容認すべしと訴えているかのように感じられる、不穏な一節もあった。「レイプは暴力の犯罪であって、セックスの犯罪ではないという主張をよく耳にするが、レイプの性的要素は現実のものである」と彼は書いている。「レイプの被害者は不特定多数の人ではなく、むしろ生殖年齢の女性である傾向がある。レイプ犯の傾向もランダムではなく、むしろ生殖年齢の男性である傾向がある」

ポップはこの本の執筆中にオーガスティンに宛てた手紙の中で、シングルマザーに育てられた人々は出生率が高いため、「米国で父親が子供のためにできる最善のことは、子供を捨てることかもしれない」とまで書いている。

皮肉なことに、彼は自分の哲学を無視し、子供を持たなかった。オーガスティンがその理由を聞くと、「その答えは、文化的な負担にある。私は比較的高い学歴と、西側諸国の繁栄という恐ろしい重荷を背負っているんだ」と答えた。

ポップの考え方は、彼が専門とする分野からも外れていた。社会生物学は成熟するにつれ、協力と利他主義の進化的な利点に焦点を当てるようになっていたのである。またサイバー犯罪という悪ふざけも、かつての仲間たちに知られていなかったわけではない。それでも彼は、ベストセラー作家やハーバード大学の恩師に自著の推薦を求め、彼らが自分と関わりを持ちたくないと感じていることには気づいていないようであった。ただ、高校の生物教師となっていた友人のシルブは、「スティーヴン・ジェイ・グールドの著書と同じ読者層にアピールできるだろう」とこの本の宣伝をしてくれた。

その自信満々な態度の裏に、不安の色が見え隠れしていた。ポップはライオンや人間に襲われる悪夢を何度も見ていたのである。オーガスティンに宛てた手紙の中で、「いろんな人に殴られて、殴り返そうとするんだけど、なかなか上手くいかないんだよ」と書いている。

そんな彼をリラックスさせてくれたのは、クリスティーン・ライアンとの関係が再燃したことだった。彼らが出会ったのは、ライアンが学部生の頃、ケニアでヒヒの観察をしていたときで、ポップが博士号取得のために米国に一時帰国した1970年代後半にもハーバード・スクエアで会っている。1998年に再会した後、ポップは彼女に「君がいつもインターネットを使っているのは知っている。読んだものをすべては信じないでくれ」と言った。エイズ・トロージャンの話は決してしなかった。

2002年、彼らはオネオンタに移り住み、ポップはクリスティーンの10代の娘の友人となって、彼女を指導するようになった。2004年、彼は*Popp's Concordance to Darwin's On the Origin of Species*（ポップによるダーウィンの『種の起源』に対する用語索引）という索引を出版している。そのタイトルは彼自身と、彼の憧れの人物との間に、ある種の等価性を暗示するものだった。

ポップが近隣の大学の教員募集に応募して不採用になる中、ライアンは「蝶の展示施設をつくろう」と思いついた。それは「楽しみと利益を兼ねたもの」だとポップはオーガスティンに説明し、約20マイル離れたクーパーズタウンにある、野球殿堂博物館を訪れる観光客や学校の団体の「かなりの割合」を引き寄せるだろうと予測した。「何百匹もの蝶が飛び交うジャングルの部屋に入れば、観光客は喜びの表情を浮かべるだろう」と彼は書いている。

しかしまずは、資金を用意しなければならない。歴史的な農家を購入し、改修したため、ポップとライアンは現金不足に陥った。銀行は彼らからの融資の依頼を断った。ポップはオーガスティンに4万ドルの融資を依頼したが、これも断られた。そうして資金集めに奔走し、蝶々園のオープンに向けて準備をしていた2006年6月27日火曜日のこと。その日の朝、雨の降る中でポップが走らせていた1993年製のホンダ・シビック（走行距離は13万マイル以上に達していた）は、横滑りしてトレーラーの後部に突っ込み、屋根の部分が切断された。55歳のポップは即死だった。

ライアンは娘の助けを借りて蝶々園を完成させ、以来、ポップを偲んでそれを維持している。彼女は特に、金魚の池に流れ込む、石づくりの滝の保存に気を配っている。「あの滝の石は彼が置いていったんです」と彼女は言う。「彼が死ぬ前にした、最後の行為なんです」

ポップは自分の発明が世界中で最も普及し、損害を与えるサイバー犯罪のひとつになる前に死んだ。ポップの言葉を借りれば、エイズ・トロージャンが「繁殖の成功率を最大化し、無数の子孫を残す」ようになったのは、それから数年後、ビットコインの登場により支払いの追跡が困難になってからのことだった。

第2章　イリノイ州ノーマルのスーパーヒーロー

ブローノ（BloNo）、すなわちイリノイ州中央部に位置するブルーミントン・ノーマル都市圏は、大学都市と企業城下町が融合した珍しい地域だ。この地域最大の雇用主であるステートファーム保険と、それに次ぐイリノイ州立大学のおかげで、住民の多くはホワイトカラーで中流階級、そして高学歴である。保険業も高等教育も安定した産業であり、景気後退期にも比較的強い。

住宅・自動車保険の全米最大手であるステートファーム保険は、あらゆる災害に対応して多くの契約者をカバーしており、２０１７年からはランサムウエア攻撃にも対応している。同社によれば、「この商品に対する需要は着実に伸びている」そうだ。

ブローノには誇り高い歴史がある。新進気鋭の弁護士であり政治家であったエイブラハム・リンカーンが、70マイル（約113キロメートル）離れた州都スプリングフィールドから、重要な支援者であったデイヴィッド・デイヴィスとジェシー・フェルを訪ねるため、しばしばこの地に足を運んでいたのだ。デイヴィスは判事で、１８６０年のリンカーンの大統領選キャンペーンを運営し、共和党の指名争いと選挙での勝利に貢献した。その2年後、リンカーンはデイヴィスを連邦最高裁判事に任命した。[1]また実業家で長年リンカーンの側近だったフェルは、1858年のスティーブン・ダグラスとの討論会を提案し、「レールスプリッター［リンカーンの愛称］」が初めて全米で注目されるきっかけをつくった。[2]

フェルは地元紙の「ザ・パンタグラフ」を創刊した人物でもある。曾孫のアドレー・スティーブンソン2世は、この家族経営だった新聞社で記者兼編集者として働き、イリノイ州知事になって民主党の大統領候補にも2度選ばれたが、いずれも選挙でドワイト・D・アイゼンハワーに敗れた。この地域は当時、共和党の牙城だった。その後は民主党が躍進し、ブローノは赤から青へと変わった［米国政治において、共和党支持が強い地域を「赤」、民主党支持が強い地域を「青」で表す］。マイケルとモーガンのギレスピー夫妻も、ヒラリー・クリントンとジョー・バイデンの両者に投票しており、この地域の政治的変遷の一端を担っている。

スティーブンソン、デイヴィス、フェルはブルーミントンのエバーグリーン墓地に埋葬されている。米国の映画史上、最も愛されたキャラクターのひとりにその名を与えた乳児も同様だ。ドロシー・ゲイジが1898年に、肺炎のため生後5か月で亡くなった後、彼女の叔父であったL・フランク・ボームは、亡くなった姪に敬意を表して、新しい小説『オズの魔法使い』のヒロインにドロシーという名前を選んだのである。[3]ドロシー・ゲイジの墓の近くには、小説のドロシーを模してつくられた、切り株から彫り出された像が立っている。像の目は遠くを見つめ、右手にはかごを持ち、足元には愛犬のトトがいる。

歴史あるルート66が、高級化の進むブルーミントンのダウンタウンを横切っており、自然食品やフェアトレードの店、そしてハンドドリップのコーヒーを売る店が並んでいる。毎年7月4日の独立記念日には、ミラーパークで花火大会が開かれる。ミラーパークは、野外ステージ、動物園、ミニゴルフ場、2つの戦争記念碑、高くそびえるオークの木、人工湖からなる、典型的な都市公園だ。マイケルとモーガンは、白い2階建てのクラフトマン風バンガローの玄関先でその花火を見ていた。バンガローはブルーミントンの西側の角地にあり、線路に近いため、シカゴに向かうアムトラックであるリンカーン・サービス線が轟音を立てて走っているのが聞こえる。

玄関先には祝日の旗が飾られ、不揃いな芝生用の家具が乱雑に置かれている。家の脇には、金属製のフェンスで囲まれた草地があり、ギレスピー家の犬たちはそこで匂いを嗅ぐのが好きだ。ガレージには、ナード・オン・コールの顧客が廃棄したコンピュータや機材が山積みになっている。かつてマイケルは、それらを修理して売りたいと考えていたが、ランサムウエアに暇を奪われてしまった。

＊＊＊

イリノイ州中部で人生の大半を過ごしてきたマイケルだが、実は生まれも育ちもブローノではなく、フロリダ州出身である。母方の祖父であるヒュー・トッドは、マイアミ郊外のコーラル・ゲーブルズで警察官として働き、警部補まで昇進している。口ひげを生やしたヒューは、自分の仕事に誇りをもっていた。また警察関係の映画やテレビ番組にエキストラとして出演しており、『ポリスアカデミー5／マイアミ特別勤務』では警察署長役で数秒スクリーンに登場し、『マイアミ・バイス』にも数話出演している。

ヒューの娘アリソンは、マイアミ・デード・カレッジでコンピュータの準学士号を取得した。空手という共通の趣味を持つジョン・ギレスピーと出会い、交際を始めた。妊娠が判明したのは、空手の合宿のためにニューヨークに車で向かう途中だった。１９９１年12月12日に生まれたマイケルは、生後6週間でワンピースのタキシードを着せられて結婚式に出席した。両親はアリソンが23歳、ジョンが20歳で、ロイヤルブルーのサテン地の空手着を身につけ、祖父のヒューが2曲ソロで歌った。

その後間もなく、ジョン・ギレスピーはフロリダの建設会社から解雇された。一家はイリノイ州イースト・ピオリアにあるジョンの母親の家に移り、それからピオリアへと引っ越した。ピオリアは、建設・鉱山機械メーカーのキャタピラー社の本社があったところで、広告主や選挙活動担当者らが愛用する言い回し"Will it play in Peoria?"（ピオリアで受け入れられるか？）［ある商品やプロモーションなどが市場で幅広く受け入れられるかを問うフレーズ］でも知られる、米国中部の代名詞的な都市だ。

マイケルが4歳の時、ギレスピー家はピオリアから南へ10キロのピーキンに引っ越した。人口3万2千人のピーキンは、貧しいブルーカラーの街で、覚醒剤であるメタンフェタミンの製造所と売人の拠点として知られている。ピーキンのメタンフェタミン使用者のビフォー・アフターの写真は、全米の反中毒キャンペーンで取り上げられた。[4]

ジョン・ギレスピーは、コンソリデーテッド・ランド・サーベイングという会社の現場作業員として、同社の主要顧客であるベライゾンのために、携帯電話の基地局の建設に関する仕事をしていた。アリソンは刑事司法と緊急事態管理についての大学のオンライン講座を受講し、横断歩道やホームセンターの警備員、学校の給食担当、小売店のレジ係などの仕事を転々とした。

ギレスピー夫妻は、教会や地域社会の活動に献身的に参加した。アリソンは生活困窮者に食べ物を届け、ジョンと一緒に州の緊急対応機関でボランティアをし、アマチュア無線で竜巻の監視員と連絡を取る仕事をした。夫婦は他のアマチュア無線ファンと一緒に「ハムフェスト」に参加し、自分たちの車である緑色で4ドアのシボレー・ブレイザーと赤い2人乗りのシボレー製ピックアップトラックに無線を装備した。トラックには、ルーフとバンパーに6本のアンテナ、そして災害を知らせるためのカラーライトまで取り付けた。

「子供の頃、家の中が会話で溢れていて楽しかったよ」とマイケルは言う。「警察無線や消防署のチャンネルだけでなく、機密無線やアマチュア無線の会話もいつも聞いていたんだ」

マイケルの両親は狂信的なほどの銃所持賛成派だった。2012年にコネチカット州ニュータウンのサンディフック小学校で、子供20人を含む26人が射殺されるという事件が起きると、アリソンは米国コンシールド・キャリー協会［コンシールド・キャリーとは銃を隠して携帯することで、米国ではそうした行為を権利として認めるべきだとの声がある］が出した「法律や管理が強化されても安全・安心とは言えない」という声明をネットに投稿した。

ジョンはソーシャルメディア上で、銃所持支持派のさまざまなミームを投稿したり、ブルーミントンでの「銃の権利を支持する草の根集会」への参加を呼びかけたりしている。この集会への参加者は、「イベントを妨害しようとする地元のアンティファ連中［アンティファ（ANTIFA）とはアンチ・ファシズムの略で、反ファシスト運動やそれに参加する人々を指す言葉だが、近年は特定の暴力的な極左勢力や、その存在を示唆する表現として使われている］への公正な警告となる」ように、武器を持つよう奨励されていた。

ギレスピー一家がフロリダに親戚を訪ねるとき、マイケルは任天堂のゲームボーイと猫のキティのぬいぐるみを持参した。両親の会話には耳を貸さず、ブレイザーの窓から建物の屋根や送電線を眺めながら、キティがパルクールをして都会の障害物コースを飛び跳ねる姿を想像していた。彼の母親はジャスティス・リーグ、特にワンダーウーマンのファンで、時おりイリノイ州のメトロポリスに寄り道をしていた。オハイオ川のほとりにある人口７千人足らずのこの街は、スーパーマンの故郷だと主張しており、１９９３年にはスーパーマンの銅像が建てられた。

銅像の前でマイケルと両親は、マン・オブ・スティール［「鋼の男」の意味でスーパーマンの愛称］への敬意を表した。そのスーパーヒーローは15フィート（約４.６メートル）の高さで逞しくそびえ立ち、茶色のカールした毛が額にかかり、上腕二頭筋を曲げ、腰に拳を当てている。そして赤いマントを広げ、台座の上にしっかりと両足を乗せて、米国流の真実、すなわち正義を宣言している。

＊＊＊

一家の家計は苦しかった。マイケルは使い古しの服を着て、食事は配給所からもらうこともあった。両親はピーキンの家のローンを滞納し、２００３年、マイケルが11歳の時に銀行が差し押さえの手続きを開始した。この訴訟は却下されたが、ギレスピー夫妻は２００８年に破産を宣言した。[5] ２０１８年にコンソリデーテッド社が閉鎖されると、ジョンは職を失った。

マイケルは苦難に直面したが、愛情に飢えることはなかった。家族はいつもペットを飼っていて、たいていは猫だった。野外や友人宅で遊ぶときは、一家はトランシーバーで連絡を取り合った。彼のテクノロジーに対する早熟な関心を促したのも両親だった。父親は彼に、アマチュア無線機のハンダ付けや電子機器の修理を教えたり、一緒にゲートウェイ２０００製のパソコンでビデオゲームの「ドゥーム」を遊んだりした。マイケルは、叔父から譲り受けた中古のスーパーファミコンで「ドンキーコングカントリー」を楽しんだ。彼は、ビデオゲーマーだった父方の祖母もよく訪ねた。2人は一緒に庭いじりや料理をしたり、祖母が「ルーンスケープ」などのオンラインロールプレイングゲームをマイケルに紹介したりした。

マイケルは「バイオニクル」というレゴのシリーズが大好きだった。[6] これは神話の世界でヒーローと悪者が対決するという内容で、秘密のコードが書かれている部品があり、そのコードをバイオニクルの公式ウェブサイトに入力することができた。「私はいつも暗号に夢中だった。誰にも解けない秘密を持てるということに、子供ながらに魅了されたのを覚えているよ」

マイケルはもっとレゴのセットを欲しがったが、両親には買う余裕がなかった。そこで彼は、近所の友達と一緒に、ヤードセール［個人が不用品を自宅の庭（ヤード）などで売る行為で、米国では一般的に行われている］で手に入れた大きな袋に入った不揃いのレゴで宇宙船を作った。

マイケルの小学校は彼の才能を認め、英才教育を施した。2年生の段階で、5年生の算数に取り組むようになった。両親は、「私がコーディングに夢中になっているのに気づいて」、12歳の時にイリノイ・セントラル・カレッジのプログラミングコースに入学させた、とマイケルは振り返る。1年後、彼はコンピュータに精通するようになり、オンライン個別指導サイトを通じて何千人ものユーザーを相手に、海賊版のグラフィックスソフトを使ってレッスンをするまでになっていた。

「8百ドルもするプログラムの海賊版を手に入れたのは悪いことだと思うけど、実際にお金を稼げるようになったらちゃんと買おう、とずっと思っていたんだ。でも、お金は稼げなかった。言い訳だけどね」

フリーランスの仕事では時おり、臨時収入を手にすることができた。インドのクライアントが、ウェブサイトの制作料として1000ドルを払ってくれたこともあった。

ある日の放課後、モーガン・ブランチは、ぶかぶかの服を着たやせっぽちの少年に気づいた。彼は、モーガンの親友の隣人の芝生を刈っていたのだが、そこの年配の女性が、きちんと仕事をしていないと彼を叱りつけていたのだ。「ここがまだ刈れていないじゃない」、彼女は彼に怒鳴った。

「あらまあ、可哀想に」と10歳のモーガンは思った。

その可哀想な少年こそ、マイケルだった。彼はギレスピー一家が特に困窮していたときにお世話になった、母子家庭の恩人を助けていたのだった。モーガンは、初めて見た未来の夫の姿を忘れることはなかった。

モーガンの子供時代は、むしろマイケルよりも波乱万丈だったが、その理由はマイケルとは違っていた。父親のボビー・ブランチはピオリア出身、母親のベス・ホールはピーキン出身で、小柄なブルネットの女性だった。2人は10代の頃、バケーション・バイブル・スクール［夏に1週間程度の期間で行われる、教会が子供たちを集め、聖書について教えるイベント］で出会った。母親は父親の卒業パーティーの夜に妊娠し、1992年のバレンタインデーの日、ピーキンでモーガンを生んだ。その時、母親は17歳で、父親も18歳になったばかり。祖母のリタ・ブランチは33歳で、モーガンの曽祖父母のうち2人がまだ生きていた。

その4か月後、ボビーとベスは結婚した。しかし、結婚と子育てという2つの責任を果たすには、2人はまだ若すぎた。「私は幼い頃から、自分が必要なもの、欲しいものなど気にしてもらえないのだと学んでいました」とモーガンは言う。「両親が必要なものと欲しいものの方が重要だったんです……彼らは子供をほとんど放任していました。誰も私の宿題を見てくれませんでした。朝、学校に行くために私が起きたかどうか、誰も確認しませんでした。目覚ましが鳴らなかったり、寝過ごしたりして起きられなかったら、私が怒られたんです」

モーガンが成長するにつれ、家族の機能不全は深まっていった。1995年には長男、1997年には次女が生まれていた。ベスは酒癖が悪く、ボビーとよく口論をした、とモーガンは明かす。彼女は母親代わりを務めざるを得なかった。モーガンが10歳になる頃には、弟や妹の子守をしたり、ペットの世話をしたりするようになった。弟は自閉症で、特に注意が必要だった。

そうした状況から逃れるために、祖母のリタ・ブランチの家に泊まりに行くこともあった。リタは複数の仕事を抱え、午前1時から5時まではピオリアで新聞配達をしていたので、モーガンはよく彼女の車に同乗した。モーガンは調和のとれた家庭生活に憧れ、それをテレビの中に見いだした。ケーブルテレビで放送されていた『ベイビー・ストーリー』というリアリティ番組を、彼女はほとんど欠かさず見ていた。その番組は、愛し合うカップルが妊娠の感動と不安、陣痛の苦しみ、そして出産後の疲れ切った喜びを味わう様子を追うという内容だった。

モーガンは大人になったら助産師になろうと心に決めていたが、すぐに考えを改めた。「死産のようなマイナス面に対応できないことに気づいたんです」しかし彼女は、子供を持つことを切望していた。「ずっと母親になりたかったんです。幼い頃、母が私の思うような母親になってくれなかったので、自分が母親になるのを夢見るようになったのです。そして、どうすれば、誰かのためにより良くできるのか、私が手に入れられなかった存在になってあげられるかを考えるようになりました」彼女はまた、人生シミュレーションゲームの「ザ・シムズ」に夢中になり、実際の人生よりも充実したファンタジーの世界をつくり出した。

2003年、美容院でスタイリストとして働いていたベスは、「極度の精神的虐待が繰り返された」として、離婚を申請した。[7] その申し立てが2004年に成立すると、床材会社に勤めていたボビーとは、彼が月200ドルの養育費を支払うこと、[8] 子供たちはピーキンの学校に通い、キリスト教の信仰に則って育てることで合意した。[9] ボビーとベスは親権を共有し、モーガンは週の一部をそれぞれの親と過ごすことになった。その状態は1年間続いたが、モーガンは母親の家の中が散らかり放題になっていることに耐えられなくなった。ある晩のこと、彼女は「不快なベッド」に横たわり、「不快な環境」を見渡しながら、「もうこんなのはごめんだ」と自分に言い聞かせた。

モーガンは、母親がまだ起きているリビングへと向かった。そして、「どうしてこんな場所で暮らしていられるの?」と言った。これほどあからさまに母親の権威に挑戦したのは初めてだった。ベスは怒り狂い、モーガンの腕をあざができるほどつかんだ。

モーガンはその手を振り払い、父親の家まで走って逃げた。彼はモーガンと一緒に母親の家まで戻り、「持てるものを全部持ってくるんだ」と言った。

中に入ると、母親が彼女をじっと睨んだ。「残っているものにさよならを言いな」とベスは言った。「慈善団体に引き取らせるから」

モーガンはお気に入りの小物や思い出の品々を二度と見ることができなかった。

一方、母親のベスは意気消沈し、ボビーと口論の後、バスルームに閉じこもって薬を飲んだ。友人がドアを叩き壊し、ベスは病院に運ばれた。2006年と2007年、彼女は飲酒運転の罪を認めた。その後、彼女は人生を変える強さを手に入れた。2010年10月、彼女は誇らしげに、フェイスブックにこう書き込んだ。「水曜日で禁酒2年。一滴も飲んでいません」

ほどなくして、ボビー・ブランチは社会から身を引いた。モーガンの父親は草を刈ったりゴミを出したりするとき、近所の人々に見られているような気がして、気後れしてしまった。モーガンはもう一緒に住んでいなかった。彼はガールフレンドとその娘と一緒に、人里離れた家に引きこもった。その家は、私有地であることと立ち入り禁止の標識が掲げられている、舗装されていない道を車で10分ほど走った行き止まりにあり、松や樫、カバノキ、ニセアカシアの木々が影を落とす丘の上に建てられていた。吹雪の後にはボビーが道を雪かきし、停電になると発電機を使った。

ある日の夜、ボビーは家の外に出て、星空の下、10代のモーガンの親として自分がどう対処してきたかを振り返った。「大変だったさ」と彼。「ベスが妊娠したとき、私はもう17歳だったんだ。それほど若いというわけじゃない。私の母の場合は14歳だった……で、『少なくとも僕は17歳じゃないか』と感じたんだ。もう大人なんだって」

モーガンは華麗なアルト（低音）ボイスの持ち主だ。ピーキンで小学校4年生だった頃、2001年9月11日のテロ事件発生後初めてとなった学校の演芸会で、彼女は愛国的なカントリーミュージックの賛歌「ゴッド・ブレス・ザ・USA」を歌った。その歌声は大喝采を浴び、親や教師たちからも賞賛された。

翌年、モーガンはデスティニーズ・チャイルドのケリー・ローランドが歌う「ストール」というR&B

の曲を選んだが、この曲は才能ある黒人の若者が、自分の可能性を発揮する機会を与えられなかったことを歌ったものだった。しかし人種的な不公正に対する心からの抗議は、観客にまったく響かず、モーガンは失望した。「誰も気に留めてくれませんでした」とモーガンは語った。

ピーキンにおける人種差別の歴史を知っていたなら、このような反応の違いは予想できたかもしれない。1920年代、クー・クラックス・クランがピーキンに地域本部を置き、彼らは日刊紙を一時的に乗っ取って、人種差別と移民排斥の主張を掲載させた。[10] ピーキンは長い間、日没後は黒人を歓迎しない「サンダウン・タウン」として悪名高かった。1970年代後半まで町の南側に設置されていた標識には、「黒人は日が暮れる前にイリノイ州ピーキンから出て行け」と書かれていた。[11] 2000年の米国の国勢調査では、ピーキンに住む黒人はわずか44人で、2010年には710人に増えたものの、町の95パーセントは白人のままだった。

こうした偏見は、他のグループにも及んでいた。ピーキン（Pekin）という名は、町の創設者たちが北京（Peking、現在はBeijingと表記されることが多い）にちなんでつけたもので、その理由は、イリノイ州の中心部から地球のちょうど反対側にあるのが北京だと誤解されていたためである。ピーキンの高校の運動部は、何十年にもわたって、中国人の侮蔑的な呼び名である「チンクス」と呼ばれていた。[12] 学校のマスコットは「チンク」「チンクレット」「ミスター・バンブー」で、地元のローラースケート場は「チンクリンク」と呼ばれた。スポーツ大会では、ピーキンの選手が得点すると、生徒たちがどらを叩いた。

1960年代、バスケットボールの州選手権で学校が2度優勝すると、この侮蔑的なニックネームがより広く知られるようになり、中国系米国人のグループが抗議を始めた。ピーキンの政界や財界のリーダーたちはこれに関与することを拒否し、生徒の団体も1974年に圧倒的多数で「チンクス」の名前を残すことを決議した。1980年になってようやく、新しい教育長の主張により、その後何年にもわたって繰り返された生徒たちのストライキと卒業生の抗議を乗り越えて、名前はドラゴンズに変更された。この町で育ったマイケルとモーガンは、偏見を実感していた。「そうした感情を人々から受けるよ」とマイケルは語る。「いくつもの南部連合の旗［19世紀に米国で南北戦争が発生した際、奴隷制度の存続を主張していた南部諸州が、合衆国を脱退して形成して結成したのが南部連合で、その旗は現在でもこうした歴史的背景や、人種差別を肯定する人々などによって使われることがある］が、街中に掲げられていたのを覚えている」

中学時代、音楽教師がマイケルと同級生をペアにして、ウクレレを弾いて歌うよう指示した。マイケルはこの楽器をそこそこ弾けたものの、パートナーの方が上手かった。そこで小学6年生の時に声変わりしていたマイケルが、ボーカルを担当することになった。

教師は思春期の少年からこのような深い声が出るのを聞いて驚き、歌の途中で駆け寄った。「バス（低音）の声なのね」と彼女は言った。「合唱団にバスが必要なの」それは運命的な瞬間だった。歌はマイケルの主な課外活動となり、将来の妻へと導いた。

マイケルは学校の友人が少なかった。内気で不器用なコンピュータオタクで、母親と洋服を共有していたため、いじめのターゲットになりやすかった。ズボンはいつも短くて、クラスメートは「洪水に備えて、丈の短いズボンをはいているんだ」とからかった。

他の子供たちは「彼にお金がないことを知っていました」とモーガンは言う。「学校に1人はいますよね。変わっているとか、ジョークのネタにされているとかいった理由で、みんなに知られている子供が。マイケルはそんな子供の１人でした」

マイケルとモーガンはピーキン・コミュニティ高校１年生の時、放課後の合唱プログラムに参加した。マイケルは同校のショークワイア［合唱とダンスを組み合わせたパフォーマンス、またそうしたパフォーマンスを行う合唱団］であるザ・ノータブルズの一員だった。彼らは歌とダンスをピーキンのマリーゴールド・フェスティバルや他のイベントで披露していた。一方モーガンは、女子生徒で構成される合唱団に参加した。練習後に二人が出会ったとき、モーガンはマイケルを嘲笑しなかった。彼女は太りすぎで、そのため自分がのけ者にされているかのように感じることが多かったのである。モーガンは、当時マイケルの親友だったザ・ノータブルズの別のメンバーと付き合い始めた。３人はよくつるんでいたが、マイケルはお邪魔虫のような存在だった。

モーガンがそのボーイフレンドと別れたとき、マイケルは彼女を慰めた。２人はお互いの家を行き来して、ボードゲームやビデオゲームをしたり、映画を見たりした。離れているときには、マイスペース［２００３年に立ち上げられたＳＮＳで、フェイスブック登場前の米国で大流行したが、その後伸び悩み、音楽に特化したサービスとして生き残りを図っている］で何時間もメッセージをやり取りしていた。マイケルはモーガンの親友になった。しかし他の友人の前では、彼女は彼を遠ざけた。コンピュータオタクと仲良くしていることをバカにされるのが心配だったのだ。マイケルは、自分にも不安があったことを、彼らしい率直さで彼女に打ち明けた。

ある夏の午後、彼は「太った女の子とは付き合えない」と言った。モーガンは傷ついたが、それを表に出すことはなかった。「わかったわ、私たちはただの友達」と彼に返した。「あなたの立場はわかってる」

マイケルはすぐに自分の無神経さを悔い、その後1年半かけて彼女を追いかけた。しかし人前での彼の間抜けぶりは、彼女を困惑させた。ある時、彼がモーガンの父親宅の裏庭にあるトランポリンの上で後方宙返りをしようとしたところ、膝が顔に当たり、歯で唇に穴が開いてしまった。また友人が湖畔でパーティーを開いたとき、マイケルはジェットスキーを借り、水上で危険なチキンゲームを行った。彼は競争相手にぶつかるのを、ぎりぎりのところで回避した。

それでもモーガンは彼を頼りにしていた。「他の友達はもっと気まぐれで、私はいらいらしちゃうんです」と彼女は言う。「彼らは頼りにならないのですが、マイケルと私は計画を立てると、それを守ろうとしました。そういうところが、お互いに好きだったんです」

モーガンは祖母のリタと、親友のトリシアに相談した。2人ともマイケルを推してくれた。リタは「あなた、親友は最高の夫になれるものよ」とアドバイスした。「ほら、今すぐ彼のところへ行きなさい」トリシアはのアドバイスは簡単だった。「やってみたら」

こうしてピーキン高校3年のクリスマス休み、モーガンとマイケルは付き合い始めた。

同じ頃、16歳のマイケルは仕事を探していた。彼はまず、花屋に応募した。「花屋で働けば、女の子と知り合えると思って。だからフランス語も勉強したんだ」

しかし彼は、家族の友人を介して、彼のコンピュータスキルに合った仕事に就くことになった。ギレスピー一家と同じように、ブライアン・フォードとその家族は、ピーキンの福音ルーテル教会であるセントジョンズ教会の常連だった。ブライアンは穏やかな微笑みを浮かべるタイプで、丸刈り、ハスキーな声でゆっくり話し、狩りや釣りを楽しむ温和なアウトドア派だった。また抜け目のない実業家であり、起業家としても成功していた。高校時代からイースタン・イリノイ大学在学中まで、自身の農園でトマトやピーマンを栽培し、それで賞を獲ったこともある。しかし野菜の栽培ではキャリアを積めないと考えた彼は、コンピュータを勉強し、キャタピラー社でプログラマーとして働くことになった。1989年、自宅の地下室でファセット・テクノロジーズという会社を設立し、キャタピラーを辞めるまでの12年間は、同社を副業として経営していた。当初ファセット社は、約100社の顧客のパソコン修理やネットワーク構築を行っていたが、2021年には全米5000社の企業に幅広い技術サービスを提供するまでになった。

ブライアンは、優秀な高校生にチャンスを与えることが大切だと考えていた。マイケルの成長ぶりを見てきた彼は、ギレスピー夫妻から、マイケルのコンピュータの腕前を聞かされていた。そしてマイケルがピーキン高校でネットワークの授業を受けていることも知っていた。ブライアンはビジネス・ソリューション担当ディレクターのジェイソン・ハーン（彼がファセットに採用されたのは16歳の時だった）に、マイケルに関心があることを伝えた。

「教会に、頭が良く、電子機器に強い子がいて、仕事を探しているんだ」とブライアンはジェイソンに言った。「うちに合うかもしれない」

彼らはマイケルを面接に招いた。マイケルは緊張し、少し諦めているようだった。このままでは彼やモーガンの父親が時おりしていたように、自分もカーペットを敷く仕事くらいしかできないかもしれない、と不安になっていたのである。しかしブライアンとジェイソンは彼を気に入り、採用した。

2003年、ファセットはナード・オン・コールというコンピュータ修理のチェーン店を買収した。マイケルはそこで、コンピュータの分解や修理といった基本的な作業を行う「ベンチテック」のパートタイマーとして働くことになった。ピーキンの店舗は高校の向かいにあり、マイケルは初日、自転車でやってきた。

「あの、自転車はどこに停めたらいいですか?」と彼はジェイソンに尋ねた。

マイケルはすぐに自転車が必要ではなくなった。ファセットから得た最初の給料で、その数か月前に運転免許証を手に入れていたマイケルは、古びた1989年製シボレー・ブレイザーを現金800ドルで購入したのである。学校が終わると、通りを渡って店に行くか、20分ほど北に行ったピオリアにあるナード・オン・コールに行くのが日課になった。「同じ月のうちに、仕事と、車と、ガールフレンドを手に入れたんです」と彼は言った。「大当たり!というわけです」彼の幸運はさらに続いた。ピーキン高校で、彼が授業でつくるのを手伝った高性能パソコンが、抽選で彼のものになったのである。ファセットの給料を使って100ドル分以上のチケットを購入し、見事当選したのだ。

ファセットでより責任のある仕事を任せられるようになるうちに、マイケルは問題解決の才能を発揮するようになった。古いハードディスクのデータを消去し、再販するための「ニューカー」と名づけた装置を考案し、それに虎のステッカーを貼った。その後さらに改良を重ね、「ニューカー2・0」と名づけた装置には、ライオンのステッカーを貼った。

ナード・オン・コールは、初歩的なチケット管理システム［1つの依頼や課題などを1つの「チケット」とし、それに依頼内容や期日、対応状況などをまとめることで管理する手法、またそのためのシステム］を使って、それぞれの仕事を追跡していた。マイケルが好きなプログラミング言語であるPHPで書かれたこのシステムを、自ら進んで改良していった。学校のプログラミングの授業では、１週間分の宿題を30分で終わらせ、残りの時間をチケット管理システムへの対応に使った。白黒で表示されていたのをカラーにしたり、アイコンを追加したり、現場作業員用のアプリを作ったりと、システムをバージョンアップしていったのである。やがてシステムの責任者になり、他のナード・オン・コールの店舗をシステムに統合した。その結果ファセットは、このシステムを他の企業にもライセンス提供するようになった。

「ほとんどの場合、マイケルは私たちのメインプログラマーでしたし、本当にいい仕事をしてくれました」とブライアン。「私たちは、かなり彼の好きなようにやらせていました」

マイケルが最も苦労したのは、技術的なことではなく、愛想よくすることだった。彼は無知な同僚や顧客への態度を、後に意図せずランサムウエアの被害にあってしまった人々に対するのと同様に、我慢しようとしなかった。何事にも我流を通し、アドバイスを歓迎しなかった。「彼はあまり他人を信頼していなかったのかもしれません」とブライアンは語った。「僕らは君を助けるためにここにいるんだよ、と言わなければなりませんでした」

ジェイソン・ハーンは、マイケルの「接客態度が少し粗い」ことに気づいていた。そこで彼はマイケルを脇に座らせ、合唱団の団員にもわかるような言葉で、いくつかのアドバイスをした。

「お芝居に出ているときのように振る舞って、特別に優しく接しなければならないこともあるんだ」と、ジェイソンはマイケルに教えた。「お客様に対面するとき、彼らはテクノロジーが怖くて、イライラしているんだ。私たちは、そうした人々を落ち着かせる理解者にならなければいけないんだよ」

「わかりました」とマイケルは答えた。「僕が悪かったんです」

顧客はマイケルが用心深いのを評価していた。セントジョンズ教会には行かなくなったが（「教会はカルト的な感じがするんです」と彼は言った）、同教会はファセットの顧客で、ブライアンが礼拝する場所でもあり、マイケルはそのITニーズに対応した。「セントジョンズ教会は、何でも彼に頼っていました」と、教会の秘書は振り返る。

マイケルは学校でも、同じように新しいことに取り組んだ。彼と数人のクラスメートがピーキン高校のホームページのリンクをクリックしたところ、生徒の社会保障番号などの機密情報が流出する弱点を発見した。彼らはすぐに、コンピュータの修理とネットワークを担当していた教師のエリック・マッキャンに警告を発した。

「それは誰も知らない脆弱性でした」とエリックは言う。「パスワードと生徒のアカウントを簡単に検索してみたら、なんとそのファイルが普通に置かれていたのです」学校関係者はこの一件を公にすることも、マイケルとクラスメートを発見者として感謝することもなく、脆弱性を修正して生徒全員のパスワードを変更した。

マイケルは、セキュリティの脆弱性を一掃する直感をさらに磨いていった。彼は他の生徒たちが、授業前にロッカーのダイヤル錠の数字を正しいものに合わせておき、授業が終わって帰ってきたらすぐに鍵が開けられるようにしていることに気づいた。ある朝、彼は廊下にあったロッカーを確認し、そうやって開けることのできた鍵をすべて開けて、中にその持ち主を諭すメッセージを書いたポストイットを残した。

放課後、マイケルがナード・オン・コールにいる間、モーガンはマクドナルドで働いた。高校3年生になると、2人はザ・ノータブルズに参加した。彼らはナッシュビルに行き、グランド・オール・オプリ

［ナッシュビルのラジオ局WSMで放送されている公開ライブ番組］が開催した全国大会で、ラモーンズの名曲「リッスン・トゥ・マイ・ハート」を披露した。ノータブルズは通常、伝統的なヒット曲や定番曲を選んで歌うのだが、マイケルはスレイヤーやメタリカなどのメタルバンドを好んで聴いていた。

モーガンは、3年生の学芸会でマイケルとデュエットをしたいと考えていた。しかしモーガンが、マイケルの音程が合っていないとからかうと（体重を批判されたことに遅れて仕返しをしたつもりだった）、マイケルは怒って辞めてしまった。

2010年の春、マイケルはピーキン高校を首席に近い成績で卒業した。その成績とACT［American College Testingの略で、米国の高校生が大学進学の際に受ける標準テスト］のスコアが評価され、彼はイリノイ州の奨学生に選ばれた。卒業アルバムの写真を撮るときには、ぶかぶかのお下がりのシャツを着た。ブライアンは、マイケルもジェイソンと同じように、大学に行ってファセットでアルバイトすることを勧めた。どのみちマイケルは、プログラミングの授業で眠っていたとしても平気でAを稼げるだろうとブライアンは考えたのである。

しかしマイケルは、年俸3万ドル以下でも、ナード・オン・コールでフルタイムの仕事をすることにした。両親は大学進学を勧めず、マイケルはたとえ学資を援助されても、お金がかかりすぎるのではないかと心配したのだ。「大学へ行く余裕がないのはわかっていたんだ」と彼は言った。「ローンや奨学金にたくさん申し込めば良いこともわかっていた。だけど、それでも経済的に厳しいと思ったんだ。そこまでの借金を背負いたくなかった」また彼には、教室で学ぶよりも、自分で勉強した方が良いという思いもあった。自分の好きな仕事に就くための準備をすること、それが大学に行く目的なら、彼はすでにその仕事に就いていた。高校生活最後の週、彼は掲示板に同級生の名前と進学先が掲載されているのを見た。「それがなんだ、僕はもうフルタイムの仕事に就いているんだぞ」と彼は思った。

マイケルとは違い、モーガンは大学に行きたがった。音楽を専攻しようと思った彼女は、イリノイ州ディケーターにあるミリキン大学に入学した。ディケーターはピーキンから南東に75マイル（約121キロメートル）のところにあるが、ファセットが新しいナード・オン・コールの店舗を開いたノーマルからは、車で南に1時間ほどだった。その店舗は、市街地の拡大と共にできた、ルート66沿いにある小さなショッピングモールの中にあった。マイケルはすぐにこのノーマルの新店舗に異動し、週末にはモーガンに会うために、そこからディケーターまで車を走らせた。彼はモーガンのためにディズニー映画をコピーし、彼女が学校用に買った新しいコンピュータにマイクロソフトのワードをインストールした。

モーガンはフェイスブックに、履修登録をするのが「すっっっっっっっごく楽しみ」と書いた。しかし経済的な現実が立ちはだかった。教科書代で貯金が底をつき、マイケルに借りなければならなくなったのだ。授業が始まる2か月前、彼女は5000ドルなければ、「完全に終わり。私はすっっっっっごく貧乏で大学にも通えない。お金のことが心配でたまらない」と投稿した。

彼女の親族は同情してくれなかった。ある日モーガンはフェイスブックで、「自腹で大学の本を買うと痛すぎる……来年の支払いはどうすればいいの?」と愚痴をこぼした。彼女の母方の祖父であるウェイド・ホールは、「昔の流儀に従えばいい。仕事しなさい」というアドバイスを投稿した。「バーバラおばさんはウェイトレスをしていたよ。それで新しい扉が開けるかもしれない」

「おじいちゃん、もう学校にいるときは仕事してるんだよ。ほとんど音楽科でだけど」と彼女は返信した。「けどそのお金は全部支払いに回って、副業する時間はないんだ」

「現実を見なさい、ハニー」とウェイドは答えた。

授業が始まると、彼女は歌だけでは音楽の学位は取れないということを、身をもって学んだ。「自分のピアノの演奏があんまり下手くそだから、音楽の先生になりたいってこと自体を考え直しちゃった」と彼女はフェイスブックに書き込んだ。「なんでだろう、私の脳は、十分な速さで楽譜を読むことをどうしても拒否してしまうんだ」ある日、教師がピアノ曲を演奏中の彼女を止め、「楽譜を読み違えているよ」と告げると、彼女は泣きだしてしまった。

彼女はまた、マイケルのことが恋しくなり、週末をディケーターで一緒に過ごした後、別れるのが嫌になった。「彼に別れを告げるたびに、内側から殺されるような気持がする」と彼女は書いた。そして「あぁ、なんで日曜の夜になると信じられないほど悲しくなるんだろう……今は純粋に、愛する人が去ってしまって、次に会えるのがいつになるかわからないから。私は絶対に兵士の妻にはなれそうにない」

彼女は音楽教師になるのを諦め、専業主婦になろうと決心した。2010年10月、ミリキン大学で2か月勉強した後、彼女は退学した。そしてマイケルと一緒に猫を飼い、アビゲイル・リリーと名づけ、ノーマルにアパートを借りた。「これから一緒に暮らすのだと思うと、指がうずいて、心の底から『これ以上正しいことはない、これ以上完璧なことはない』って感じる」

2011年のある日、マイケルはモーガンの父親に会いに行き、さまざまな名目で2時間もおしゃべりした。ボビー・ブランチは、モーガンが妊娠し、マイケルはそのことをなかなか切り出せずにいるのだなと感じた。実際はそうではなく、マイケルはモーガンに結婚を申し込み、彼女の父親に祝福してもらおうと、勇気を出して来ていたのである。ボビーは喜んでその通りにした。２人はその年の12月に婚約し、翌年の10月に結婚式を挙げることになった。

バチェラー・パーティー［結婚を控えた花婿が、独身最後の夜に友人たちと過ごすパーティー］を開くため、マイケルと友人たちは人里離れた農地に行き、そこでオタク的に羽目を外した。友人で同僚のデイブ・ジェイコブスは、自宅で焼いた10ポンド（約４・５キログラム）のポークショルダーを２つ持ってきて、自家製のロケット花火やその他の花火を打ち上げた。「まるで映画『リストラ・マン』のラストシーンか、それ以上でした」とデイブは言う。「作った装置のひとつが、古いXボックス３６０を６フィート（約１・８メートル）ほど空中に吹き飛ばしてしまったんです」

そしてマイケルの父親から手に入れた銃で（銃器の安全性については彼から簡単な説明を受けていた）、使い古されたパソコンを撃ちまくった。「酔いが回っていた人はライフルを持てませんでしたが、私たちは古いモニターに何発か撃ち込みましたよ」とデイブは語っている。

晴れた日の午後、紅葉の天蓋の下で、マイケルとモーガンはおよそ１００人の招待客とともに川沿いの公園で結婚式を挙げた。ベスが娘のヘアスタイルを整え、リタ・ブランチが司会を務めた。90年代音楽のカバーバンドでベースを弾いていたデイブは、式と披露宴でＤＪを担当した。乾杯の音頭をとったデイブは、マイケルがいかに誠実な夫になる可能性が高いかを説明した。顧客のパソコンをマイケルが修理しているとき、アダルト画像が開きっぱなしになっていることがあった。ナード・オン・コールの従業員はその画像に目が釘付けになったが、マイケルだけは見ようとしなかった。「彼はアダルト画像を見ることに罪悪感を抱いていたんだ」とデイブは参列者に明かした。

会場は州立公園なので、アルコールは禁止されていたが、デイブはトランクにビールを隠していた。彼ともう1人のナード・オン・コールの友人は、何度もトランクに足を運んだが、そのことはマイケルには内緒にしていた。「もし言えば、彼は激怒していたでしょう」とデイブは言った。

マイケルとモーガンはまだ21歳になっていなかったので、彼らの宿泊を断るホテルもあった。しかしピオリアのカントリーイン&スイーツは例外で、2人はそこに新婚旅行をした。ホテルが無料で提供したスパークリングワインを、マイケルはスタッフに自分たちが未成年であることを告げ、突き返した。

結婚式の翌朝、マイケルはこの上ない幸福感と共に目を覚ました。その目は涙で潤んでいた。朝食のビュッフェのためにロビーへと向かう前に、彼はモーガンに向かって、「結婚して初めての目覚めだよ」とささやいた。

それから2年後、2014年のある日の午後、ブライアン・フォードの妹から慌てた様子で電話がかかってきた。スパムメールの添付ファイルをクリックしてしまい、大切にしている写真も含め、パソコン内のすべてのファイルが開けなくなったというのである。ハッカーからのメモは、アクセスを回復したければ数百ドルを払えと要求していた。彼女は「ランサムウエア」という言葉を使わなかったが（この新しいタイプのサイバー犯罪を指す言葉は、まだ一般的に使われていなかった）、彼女はその被害者だった。

ブライアンは彼女に、身代金の支払いに応じないよう忠告した。そしてこの技術的に難しい案件を、マイケルに任せた。それは簡単な選択だった。マイケルはファセットの「万能ナイフ」と呼ばれるほど多才な男だったからである。彼はプログラミング、トラブルシューティング、ネットワークソリューション、ハードウエアの修理など何でもこなし、コミュニケーション能力も向上していた。ノーマルの店ではよく1人で店番をして、来店した顧客を助けたり、レジ係を担当したりしていた。独りでいる方が、作業に集中できるので好きだった。彼は、ある顧客のために、車の所有者がイリノイ州のナンバープレートを更新できるウェブサイトまでつくった。

ブライアンの妹のコンピュータに対する攻撃は、マイケルがランサムウエアについて触れる初めての機会ではなかった。数名の顧客がすでに被害にあっており、彼は解決策を導き出す助けになるようにと、スプレッドシートに被害状況を整理し始めていたのである。彼はブライアンの妹が残していったコンピュータを調べ、ファイルの拡張子から、このランサムウエアがフランス語で暗号を意味する「ル・シッフル(LeChiffre)」という種類であることを特定した。

ITに関する問題で困ったとき、マイケルは同僚とネットをあさった。マルウエアに関するアドバイスやツールを検索していると、ブリーピングコンピュータというサイトにたどり着くことが多かった。そこでマイケルは、このサイトにユーザー登録した。彼は、このサイトのプライベートメッセージ機能を通じて、欧州のサイバーセキュリティ専門家であり、ランサムウエアの解読ですでに名声を得ていたファビアン・ウサーにコンタクトを取った。ファビアンはル・シッフル用の復元ツールを開発していたが、それを使うには、ブライアンの妹のコンピュータを暗号化したマルウエアのサンプルが必要だった。しかし残念ながら、そのマルウエアは記録を残すことなく、自らを削除していた。

「ブルートフォースで何とかなりませんか?」とマイケルは尋ねた。ブルートフォースとは、高速処理のできるコンピュータを使い、あらゆる可能性をテストして答えを導き出すという、試行錯誤型の問題解決アプローチである。しかし、「それでは無理だ」というのがファビアンの答えだった。

突然連絡してきたこの米国人の若者が、「純粋にこの問題に興味を持っている」らしいことに感心したファビアンは、マイケルが疑っていたことを改めて説明した。つまりランサムウエアの痕跡がなければ、復旧は絶望的ということである。復元に必要なキーは、ブルートフォースで解決するには長すぎた。「宇宙の終わりまで時間がかかるだろう」とファビアンはマイケルに語った。

ブライアンの妹は、写真を取り戻せなかった。この失敗はマイケルにとって、自分がいかに多くのことを学ばなければならないかを痛感させるものだった。「その時はまだ、リバースエンジニアリングに取り組み始めていなかったんだ」と彼は言った。「ファビアンに頼り切っていたんだ」

しかしこの出来事は、マイケルにとってターニングポイントとなり、この先に待ち受けている事態を初めて味わった機会でもあった。彼はオフィスで、友人であり同僚でもあるデイブ・ジェイコブスに、新しい師匠の話をした。デイブもファビアンについて、世界的なアンチウイルスソフトウエア会社であるエムシソフトが開発したサイバーセキュリティツールを支える、創造的な頭脳であると耳にしていた。

「ちょっと待った、ほんとにファビアンと直接話したっていうのか?」とデイブ。「そいつはクールだ!」

「ああそうだよ、この件で彼と一緒に作業したんだ」とマイケルは答えた。

「彼の名前をソフトウエアで見たことがある」とデイブ。「すごいな、お前やるじゃん!」

第3章　集う追跡者たち

マイケルが次のランサムウエアに遭遇するまで、そう時間はかからなかった。ファセットの顧客に、セーラム4ユースという団体があった。ブローノの北東35マイル（約56キロメートル）のところに、イリノイ州フラナガンという風力発電とトウモロコシ畑の村があり、彼らはそこで、問題を抱えた10代の少年のための私立寄宿学校兼牧場を運営していた。

「馬の外面には、人の内面によい影響を与えるものがある」という、ウィンストン・チャーチルの言葉を引用した看板が、セーラム4ユースの訪問者を出迎える。この格言を実践し、12人の若者たちが、50エーカーのキャンパス内のコテージで暮らしながら、乗馬や馬の世話を学んでいる。セーラム4ユースは、授業料や寄付金のほか、馬の販売で運営資金をまかなっているのだ。

福音派のメノナイト教会と提携しているセーラム4ユースは、1つの教室に6台のコンピュータステーションを設置し、オンライン指導を行っている。[1] 生徒はキリスト教のホームスクールをベースとしたカリキュラムに沿って、自分のレベルやペースで学習する。単位の互換も可能で、ほぼすべての生徒が高校を卒業している。

ファセットの技術者は毎月この牧場を訪れて、ＩＴに関するあらゆる問題に対処していた。ある日のこと、オフィスに戻ってきた技術者が、マイケルの机に牧場で使われていた山吹色のサーバーを置いた。

「ファイルにアクセスできないんだ」

マイケルはハードディスクを取り出し、スキャンした。するとファイル名が変更されており、身代金を要求するメモも残されていることがわかった。そのメモは、「奇跡を待つうちに身代金が2倍になる」か、さもなければ今すぐ５００ドルを払って「簡単な方法でデータを復元しよう。お金を払う以外に、あなたのファイルを取り戻す方法はない」と、選択を迫っていた。

ファイルの拡張子をネットでググっていたマイケルは、すぐにこのランサムウエアが、「テスラクリプト」と呼ばれる種類であると特定した。テスラクリプトは２０１５年2月に登場し、主に米国と西欧の人々をターゲットにしていた。これには、変わった点として、コンピュータゲームを保存しているフォルダを暗号化するという特徴があった。

テスラクリプトは、当時のほとんどのランサムウエアよりも洗練されていた。楕円曲線暗号として知られる高度な暗号形式に依存しており、また相互に接続した一連の複雑な秘密鍵（キー）を使用して、暗号が解読されるのを防いでいた。つまりキーは1種類ではなく、テスラクリプトが攻撃するすべてのネットワークに対するマスターキー、個々の被害者に固有のキー、マルウエアが実行されている限り攻撃対象のコンピュータを再起動するたびに変化する「セッション」キー、そして捕らわれた個々のファイルに固有のキーが存在したのである。

テスラクリプトには複数のバージョンがあり、それぞれが前のバージョンよりも精巧になっていた。多くの被害者がブリーピングコンピュータに助けを求めたため、このランサムウエアに特化したフォーラムは数百ページにまで膨れ上がった。このサイトを創設し、運営を続けているローレンス・エイブラムスは、テスラクリプトを詳しく追跡していたのだ。

マイケルはローレンスと知り合いではなかったが、思い切ってセーラム4ユースへの攻撃について彼にメッセージを送ってみた。するとすぐに、ローレンスから返信があった。彼はテスラクリプトの被害者を救出するためのタスクフォースを立ち上げ、ボランティアを募集していたのである。マイケル、君は興味あるかい？——それは普通の招待状ではなかった。米国と欧州におけるサイバーセキュリティ分野のトップがブリーピングコンピュータに集い、拡大するランサムウエアの脅威と戦うため、積極的にそのスキルと創造力を捧げようとしていたのである。言語や地理的な障壁を乗り越え、彼らは協力し合い、それぞれが持つ唯一無二のスキルに詳しくなり始めていた。マイケルはこのプロジェクトに身を投じることにした。

ローレンス・エイブラムスはプログラミングの達人ではない。ランサムウエアを自分で解読することはめったにないが、「危険なことは十分に知っている」と語る。彼の才能は、次の大きなサイバーセキュリティ上の脅威を発見し、それに取り組む最も有望な人材を特定して、自分の仲間に引き入れるところにある。

ローレンスはブリーピングコンピュータを、サイバーセキュリティ分野における、18世紀のパリのサロンのような存在に変えた。そこでは最高の頭脳がアイデアや機知に富んだ言葉を交わし、彼らの崇拝者たちがその一字一句に注目する。彼はホストであると同時に、記録者でもある。彼の権威ある投稿は、ランサムウエア攻撃と、その対策の進展に関するニュースをいち早く伝える。

「私たちのサイトは、ランサムウエア問題について誰もが訪れる場所でした」とローレンスは言う。「ランサムウエア問題に取り組もうという志を持つ人々を引き寄せていたのです」

50代前半のローレンスは、マイケルよりも一世代上だ。肩幅が広く、赤ら顔で白髪混じりの彼は、妻と10代の双子の息子たちとニューヨーク市に住んでいる。しかし彼はまだ少年のようで、自分の人生が予想外にクールなものになったという事実に、周囲まで嬉しくなるような喜びを感じている。

ローレンスの両親は衣料品業界で働いていたが、彼はコンピュータに惹かれた。小学2年生の時に初めてコンピュータを手にすると、すぐにビデオゲームをしたり、オンライン掲示板を見たり、友人の両親のために経理用のスプレッドシートを作ったりしていた。10代の頃は、若者がビリー・ザ・キッドやブッチ・キャシディのような西部開拓時代の無法者に密かな憧れを抱くように、当時は目新しかったコンピュータハッカーにロマンを抱いたという。「ハッカーやサイバー犯罪者、サイバー攻撃には常に神秘性があります」と彼は続けた。

シラキュース大学で心理学の学位を取得したローレンスは、マンハッタンのコンピュータコンサルティング会社に就職し、出版社や会計事務所、ダイアモンド・ディストリクト［ニューヨーク・マンハッタン島の中にある地区で、ダイアモンドの問屋が多く集まっていることからこの名で呼ばれる］の店舗などが抱える、ITに関する問題を解決していた。２００2年のある日、ローレンスはオフィスのデスクである記事を読んだ。ハッカーをおびき寄せるために「ハニーポット」と呼ばれる偽のサーバーを設置し、その手口を観察する人がいることを知ったのだ。興味を持った彼は、自分もハニーポットを設置してみた。すると間もなく、何者かが彼の仮想マシンに侵入してきた。

ローレンスは、ハッキングをリアルタイムで見ていることに驚き、ハッカーと関わりたいという衝動に駆られた。メモ帳ソフトを起動して、ハッカーに自分が見ていることを知らせるメッセージを書いた。エンターキーを押し、次の行に移動したカーソルが点滅する。ローレンスが驚いたことに、ハッカーから返事が来た。「お前何してるんだ？」

「えっと、これを設置したばかりなんだ」とローレンスはタイプした。

2人はその後もやり取りを続けた。それは「とても奇妙な経験でした」とローレンスは言う。「彼はそれを面白がったし、私も面白いと感じました。彼は危害を加えてきませんでしたよ。とても友好的でした」この経験がきっかけとなって、ローレンスはセキュリティに興味を持つようになった。

官僚主義的な会社に嫌気がさしたローレンスは、起業家になることを夢見るようになった。2004年、まだコンサルティング会社に勤めていたとき、夜中に妻が寝た後で「電気を消してキーボードに没頭し」新しいサイトを制作した。サイト名を提案したのは彼女だった。ある晩、妻が「あなたのサイトは、パソコンで困っている人のためのサイトなのよね」と言った。「パソコンにトラブルがあったとき、あなたはどうしてる？　悪態をつくでしょう［ブリーピング（bleeping）には「ピー音を出す」という意味があり、放送禁止用語をピー音で隠しているという表現になるため、ブリーピングコンピュータは「この（ピー）なコンピュータめ！」といった意味になる］」

ブリーピングコンピュータは、初心者のためのサポートサイトとしてスタートした。ローレンスは、競合サイトが技術に詳しくないユーザーを対象にしておらず、初心者には理解不可能なマニュアルを紹介していることに気づいたのである。彼は、「画面が固まる」「起動しない」「ネットに接続できない」といった典型的な問題の解決方法についてのアドバイスを、簡単で理解しやすいものにした。ローレンス自身がそうであったように、ブリーピングコンピュータも一方的な判断をすることはなかった。「愚かな質問など存在しない」という考えを基本理念として運営されたのである。

不具合やハッキングの対処法を初心者に教えるという彼のビジネスモデルは、すぐに軌道に乗った。ウイルス、スパイウエア、アドウエアを検出するプログラム「ハイジャック・ディス」の使い方を紹介したところ、「サイトへのアクセスが殺到しました」彼はボランティアを連れてきて、自宅でパソコンを使うユーザー向けに、プログラムの使い方やコンピュータの「掃除」の仕方をアドバイスした。それ以来、ボランティアの専門家がこのサイトを支えるようになった。最終的には、数十人のボランティアがフォーラムのモデレーターやマルウエア解析のトレーニングセッションを担当するようになった。

トラフィックが増加するにつれ、2008年、ローレンスはコンサルティングの仕事を辞め、ブリーピングコンピュータに専念するようになった。このサイトは広告と販売手数料で収益を上げており、ユーザーは無料で利用できる。ローレンスは3人の記者をフルタイムで雇い、時おり寄稿者に依頼して、ランサムウエアとサイバーセキュリティに関する取材を行った。「誰かが私たちより先にニュースを流すのは嫌です」と彼は言う。彼のスケジュールはフレキシブルで、子供たちのスポーツイベントには必ず参加するが、休暇と思われているときでも、本当に現場から離れることはない。「何かあれば、すぐに対応します」

ローレンスがランサムウエアの存在を知ったのは、2012年にACCDFISA（Anti Cyber Crime Department of Federal Internet Security Agency、「米連邦インターネットセキュリティ庁サイバー犯罪対策部」の略）と呼ばれる攻撃による被害者からだった。この機関は架空の存在であり、そのマルウエアは

「児童ポルノがコンピュータ内に存在しているため、１００ドルを支払わない限りファイルへのアクセスをブロックします」と通知してくるのである。暗号資産がまだ広く使われていない時代だったため、攻撃者は被害者にプリペイドカードを使って指定された電話番号に支払うよう指示していた。当時、プリペイドカードは少額しか使えないものの、匿名性が高く追跡不可能だった。

ローレンスは、長方形の最初のバージョンを解読できた。しかしその後のバージョンに太刀打ちできなかった彼は、知人で、ウイルス対策会社エムシソフトを支える頭脳、ファビアン・ウサーに連絡を取った。

著名な架空の探偵であるシャーロック・ホームズは、特に巧妙な殺人事件に遭遇して困惑すると、兄のマイクロフトに相談することがある。がっしりとした体形で、あまり人前に姿を見せようとしないマイクロフト・ホームズは、「この国に最も欠かせない人物」であり[2]、シャーロックほど精力的ではないものの、さらに賢い人物である。作家のアーサー・コナン・ドイルは、マイクロフトの「扱いにくい体軀の上には、立派な眉と、繊細な表情、そしてひと目で印象に残る支配的な頭脳を持つ頭が乗っかっていた」と書いている。

ファビアン・ウサーは、その独創性、胴回り、世間に混ざりたがらない態度など、マイクロフト・ホームズに似ているところがある。そしてマイクロフト同様、ファビアンもマイケル・ギレスピーという愛弟子を指導している。幸いなことに、ファビアンが必要とする手がかりは自分のコンピュータからアクセス可能であり、彼は家にいながらにして、他の誰も歯が立たなかった謎を解くことができる。

青い目で、頭は禿げ、ひげを剃っていない青白い顔のファビアンは、ロンドン近郊にある2ベッドルームのアパートで毎日を過ごしている。真っ白な壁にはビデオゲームの場面を描いた色鮮やかなアートが飾られ、ソファには愛猫たちのために茶色の毛布が敷かれている。お気に入りのテレビ番組『ドクター・フー』の登場人物のフィギュアが本棚に整然と並んでいるが、これは親友で協力者のサラ・ホワイトからのプレゼントだ。

ファビアンはよく、冗談めかしたスローガンの書かれたTシャツを着ている。それはエムシソフトのロゴ入りTシャツで、「**セキュリティハッカーへ：**私たちは君が抱えていることに気づいていない問題を、君が理解できない方法で解決する」と書かれている。彼は正確で几帳面に話し、どんなに複雑な暗号でも初心者に理解できるように説明する。

ファビアンは不眠症で、巨大な曲面モニターと虹色に光るキーボードを使い、夜遅くまでランサムウエアを解析している。キーボードの横にあるのは、カフェインを補給するためのペプシマックスの1リットルボトルだ。作業中、彼はスポティファイで「Mr. Suicide Sheep（自殺羊のお気に入り）」と名づけられた電子音楽のプレイリストを流すこともあれば、『きっと、星のせいじゃない。』や『エターナル・サンシャイン』などの悲しい恋愛映画をつけておくこともある。

彼はＡＤＨＤ（注意欠如・多動症）で、それに伴う過集中の能力を持っている。ランサムウエアの問題に夢中になると、時間が経つのも忘れて30～40時間ぶっ通しで働くこともある。そして、常に足を動かしたり、椅子を前後に揺らしたり、そわそわしているのだ。

ファビアンはリラックスするために、時おり食事やマジックマッシュルームを口にする。そのためにマッシュルームの胞子をオンラインで購入し、小さな箱に入れて育てている。食事はほとんどデリバリーだが、ソーセージを焼いたり、ロシア風ツップフクーヘン（チョコレートチーズケーキ）をつくったりして、母国であるドイツの料理を楽しむこともある。彼は運転免許を持っておらず、外出にはウーバーを使うのだが、外出の理由の大半は医者に行くためだ。

知り合いからは、ファビアンは気さくでウイットに富んだ人物と見られている。しかしその仮面のすぐ裏側には、哀愁と憂鬱が潜んでいる。それは悲惨な子供時代の遺産だ。彼は１９８４年、当時ソ連が支配していた東ドイツで、両親が40代半ばの時に生まれた。「母は医師から、もう歳だから私（ファビアン）を中絶した方が良いと告げられたそうです」と彼は言う。父親はアルコール依存症で、毎日大量のビールを飲んでいた。「米国製の弱くて安いビールとは違う、ちゃんとしたドイツのビールでした」共産主義政権はすべての人々に職を保証し、ファビアンの父親は鶏肉の卸売として働いていた。しかしベルリンの壁が崩壊し、東西ドイツが再統一されると、父親は職を失った。ファセットの母親は、がんになり年金をもらうようになるまで、公衆トイレの掃除をしていた。

一家はロストックの郊外にあった、労働者階級の住宅街に住んでいた。ロストックはバルト海に面した港町で、移民排斥の暴動で悪名高い。ファビアンは幼い頃、ネオナチの若者たちが夜の街をうろつくのを目にしている。アパートはノミだらけで、バスルームは他の住人との共用だった。

ファビアンの両親は、貧しい子供時代を過ごした反動で物を貯め込むタイプであり、古いビンや新聞紙でアパートをいっぱいにしていた。ファビアンは締め付けも規則もない中で育った。「こうするのが普通だ、と言われたことは一度もありません。たとえば、毎日シャワーを浴びるとか」彼の両親は「他人に感情移入ができず」、愛していると言われたこともなかったという。「覚えている限り、初めてハグされたのは、16歳の時に同級生からでした」
両親は公然と姉の方を可愛がった。家族旅行には姉を連れて行き、彼は家で留守番をさせられた。父親は彼を身体的に虐待した。自分が反応しなければ、殴られるのも早く終わると思ったのだろう、ファビアンは自分の身を守れる10~11歳くらいまで、泣いたり反撃したりすることはなかった。その結果、彼は精神的ダメージを受けた。12歳になると、夜驚症［睡眠中に突然、悲鳴や叫び声をあげて目を覚まし、パニックに陥る病気］になってしまったのである。「ほとんど毎晩、家中の人を起こしてしまうほどの悲鳴をあげていました」と彼は振り返る。隣人から大家に伝えるぞと脅された彼の両親は、ファビアンを精神科に連れて行き、彼はそこで治療を受けた。

学校では、何週間も同じ服を着ていた。マイケル・ギレスピーが着ていたお下がりの服のように、ファビアンの服も貧相で、いじめの格好の餌食になった。しかし家での教訓を活かし、彼が反応しないでいると、いじめていた生徒たちは退屈してやめるようになった。また、学校の勉強も役立つことがわかった。「あいつには複雑なことをわかりやすく説明する才能がある、って皆に知ってもらえました」

ファビアンは教師に従わず、規則を破ったが、勉強は楽だった。「注意を払う必要すらありませんでした」と彼は語っている。「一度聞けばほとんど忘れませんでした。どの教科も、勉強なんて一度もしていません」彼はのけ者にされている他の生徒たちと仲良くなった。彼らはコンピュータゲームをしたり、飲酒年齢の引き下げといった自分勝手な政治的主張をしたりした。そして自らを「フリークス（変人たち）」と呼んだ。

＊＊＊

ファビアンが初めてコンピュータを目にしたのは、ドイツが再統一されて間もない1992年のことだった。父親が政府の職業訓練プログラムでコンピュータの授業を受けており、ファビアンはそこに父親を訪ねたのである。「コンピュータをとても魅力的に感じました。私にとって、本質的に理解できるものだったのです。そこで、どうしてもコンピュータを手に入れる必要がありました」彼は瓶や缶を集めて、11歳になるまでにコンピュータを買えるだけのお金を貯めた。そして1台を手に入れると、自宅のクローゼットに隠して使っていた。「まるで野獣でした」と彼が形容したそのマシンは、当時としては高性能な機種で、インテルのCPUを搭載し、14インチスクリーンとCD－ROMドライブを備えていた。彼は「ブートアップ（起動）」という言葉に戸惑いながらも（ドイツ語でブートとは船を意味するためだった）、英語のマニュアルを読破した。そして、さらにお金を貯めて、ゲームやソフトの体験版が載っているパソコン雑誌を買った。

コンピュータを買ってから2か月後、クラスメートが持っていたゲームの入ったフロッピーディスクが、「テキーラ」というウイルスに感染してしまった。ところがファビアンはそれに夢中になった。「初めてコンピュータウイルスを見た瞬間、完全に虜になってしまったのです」彼は最初、その機能を学ぶため、自分でもコンピュータウイルスをつくってみたいという衝動に駆られた。しかし、図書館から借りてきた本を何冊か読んでいるうち、「外傷外科医が弾丸を摘出する方法を学ぶために誰かを撃つ必要がないのと同じように」、自分もウイルスをつくる必要はないのだと気がついた。代わりに、彼は他の子供が切手を集めるようにウイルスを集め、それらを分析した。16歳の時、彼はトロイの木馬型マルウエア［無害なプログラムやファイルを装いながら、実際にはマルウエアとして機能するソフトウエアで、人々を安心させて自分のパソコンに保管させる手口がギリシア神話の「トロイの木馬」に似ていることからこの名が付けられた］に対抗するソフトウエアを開発し、オンライン掲示板で公開した。ユーザーに寄付を募ると、たくさんのお金が送られてきた。

それでも、落ち込みがちな彼の気分は晴れず、ファビアンは高校を中退して家を出た。父と会うことは二度となかった。18歳の時、作ったソフトの収益でウィーンに移り住んだ彼は、ウイルス対策会社に就職した。しかし会社に行く気力も、ベッドから出る気力もなくなり、数か月で辞めてしまった。「その頃の私は、本当にひどい状態だったんです」

その時、ファビアンが出会ったのが、クリスチャン・マイロールである。彼は2003年に、オーストリアでエムシソフトを設立していた。ファビアンとクリスチャンは意気投合した。クリスチャンはファビアンについて、「常に、専門分野における真のギークと言える存在で、私が開発したものも含め、ソフトウエアを分析するのが好きでしたよ」と語る。「お互い、（専門分野で）相手を上回るのは大変でした」

「いつの頃からか、私たちがチームを組んで互いの知識を融合させれば、大きな成果が得られると考えるようになりました。その意味で、私は彼を『雇った』のではありません。私はいつも、彼をパートナーとして見ていました。たまたま私が、会社の運営やビジネス面により重点を置いてCEO（最高経営責任者）になっただけのことです。その一方で彼には、マルウエアの分析とコーディングの技術的側面に、より深く踏み込む時間ができました」

クリスチャンがニュージーランドに農地を購入し、[3]羊や鶏、果樹の世話をするようになると、エムシソフトは本社を同国に移した。クリスチャンはファビアンの功績を誇りに思っている。「彼は地球上でこのような仕事ができる数少ない人間の1人です」とクリスチャンは言う。「それとも芸術と呼ぶべきでしょうか?」

エムシソフトのトップとして、ファビアンは、ランサムウエアという新しい現象を含め、自分が興味を抱いたテーマに取り組んだ。その過程で彼は、ブリーピングコンピュータとその創設者、ローレンスを知るようになった。ローレンスは最終的に、ACCDFISAについてファビアンに協力を求め、彼はこのランサムウエアをクラックした。するとハッカーは、その更新版をリリースしてきた。「まるでイタチごっこでした」とファビアンは語った。

父の死後、ファビアンは母の介護のためにドイツに戻った。子供時代に対する怒りは、徐々に解けていった。「自分にされたことについて人を責めてばかりいると、被害者意識に陥ってしまうのです」

ファビアンは、2013年9月に出現した、ある画期的なランサムウエアを分析した最初のセキュリティ研究者の1人だ。そのランサムウエア「クリプトロッカー」は、ランサムウエア、そしてランサムウエア追跡の新しい時代の到来を告げるものだった。クリプトロッカーは、デジタル資産での支払いを要求する最初の主要なランサムウエアだった。それはフェデックスなどの配送業者を装った偽のカスタマーサポートメールに、悪質な添付ファイルを付けるという手法でコンピュータシステムに侵入した。[4]攻撃者はビットコインで300ドルを要求し、3日以内に身代金が支払われない場合は、暗号化されたファイルが二度と取り出せないようにキーを破壊すると警告してくる。その暗号は解読不可能であることをファビアンは確認した。

　クリプトロッカーはブリーピングコンピュータにとって転機となった。ブリーピングコンピュータはささやかなヘルプサイトから、ランサムウエア対策のハブ（中心部）に昇格したのだ。「私たちのサイトには、どこからともなく、このクリプトロッカーに関する話題を投稿する人々が殺到するようになりました。それがどこから来るのか、誰もわからなかったのです」とローレンスは言う。

　ローレンスは「ゼットボット・トロージャン」と呼ばれるマルウエアがウィンドウズOSに侵入し、クリプトロッカーを解き放つことを知った。最も有名な「バンキング型トロイの木馬」のひとつであるゼットボットは、もともと金融口座のパスワードを盗むために開発されたものだ。ローレンスは義理の両親の家に家族で出かける前に、ゼットボットについての記事を書き、ブリーピングコンピュータに投稿した。そして、皆と過ごしているときに席を外し、そのサイトをチェックしようとしたものの、ログインができない。彼はパニックになった。「何が起きてるんだ？」

　ローレンスがウェブサーバーのログを確認したところ、「サイトに対するアクセス要求が殺到していました。ハッカー映画のように、リクエストがずらっと連なっていたのです。それが止まらない状態でした」

　それから彼は、自分が投稿した記事に対して、クリプトロッカーを使った悪者たちがＤＤｏＳ（分散型サービス拒否）攻撃で報復しているのだと気づいた。つまりボット、あるいはマルウエアに感染したコンピュータが、不要なトラフィックを送信することでブリーピングコンピュータに過大な負荷をかけ、返答できない状態にしていたのである。ローレンスは自分では対応できず、外部の会社に助けを求めた。彼のサイトは4日間ダウンした。「ひどいものでした。まったく嫌になりましたよ。冒瀆された気分でした」

それでもローレンスは、クリプトロッカーの一味がブリーピングコンピュータに気づいたことを光栄に思わずにいられなかった。「マルウエアの開発者たちが、私たちの書いていること、していることを読んでいるのだとわかったのです。私たちには、悪事に対応して、状況を変える力がありました。それで私は夢中になりました。この件以来、おそらく今までのすべてのランサムウエアがブリーピングコンピュータに掲載されています。最終的にはそれらを解析して、さらに先へと進むのです」

ファビアンにとって、ランサムウエアは魅力的な気晴らしだった。「ランサムウエアにはずっと興味があって、時々取り組んでいました。でも、誰かに背中を押される必要があったのです」と彼は言う。その誰かとは、彼の「右腕」であるサラ・ホワイトである。彼女はランサムウエアが、ファビアンが全力を傾けるに値するものだと直感していた。彼女がランサムウエアの流行を予期していたことは、ファビアンの言葉を借りれば、「um die Ecke denken（物事を違った角度から見る）」という、彼女が持つ確かな能力の一例に過ぎない。

サラは彼女の本名だが、ホワイトは違う。彼女はプライバシーを守り、ランサムウエアを使うギャングによる報復から身を守るために偽名を使っている。

2021年の秋、サラはロンドン大学の一部であるロイヤル・ホロウェイで、コンピュータ科学と情報セキュリティを専攻し、最終学年である4年目を迎えていた。3年次には授業を受けず、インテルのソフトウエア開発者としてフルタイムで勤務し、単位と給料を稼いでいた。また、高校在学中の2016年3

月からは、エムシソフトでパートタイムのランサムウエア・アナリストとしても働いている。

1998年生まれのサラは、小柄で、肩までの髪の毛は明るい茶色だ。マイケル・ギレスピーやファビアン・ウサーほどの技術力はないものの、ランサムウエアの進化やトレンドを大局的に理解できるなど、別の特技を持っている。マイケルとファビアンが分析するランサムウエアのサンプルをツイッターや他のオンラインソースから集めるのに、サラは非常に貢献しており、彼らがリリースする復元ツールの多くに彼女の貢献がクレジットされている。

サラはルームメートとアパートの部屋をシェアしている。孤独に慣れている彼女にとって、ルームシェアは重要なステップで、より「立体的な人間」になれたように感じられると彼女はいう。大好きなテレビ番組『ブリティッシュ・ベイクオフ』で「パン週間」の特集が組まれた際には、ルームメートにフォカッチャを焼いたそうだ。ファビアンと直接会うことはほとんどないが、毎日メッセージアプリのワッツアップで会話している。彼女がメッセージを送ると、彼の端末は通常のブザー音ではなく、「イェーイ!」という声を出す。

一人っ子のサラは、ロンドン南郊で育った。父親は地方自治体の職員で、公園の安全と衛生を監視する仕事をしていた。母親は、学習障害のある大人と子供の世話をしていた。両親はどちらも大学を出ていない。一家でフロリダのディズニーワールドに行ったのがきっかけで、彼女はディズニー映画に夢中になった。マイケルと同様、サラも『ライオンキング』が大好きだった。

幼い頃から、コンピュータはサラの生活の中心だった。彼女が4歳の頃、2002年のハロウィーンの写真には、ジャック・オー・ランタンと教育用ゲームが映るコンピュータの前で、オレンジ色のズボンを履いて微笑むサラの姿が写っている。その後すぐに、彼女は本物のジャック・ラッセル・テリアに加えて、「ネオペッツ」というウェブサイトでバーチャルなグレイハウンドを育てた。家では「頼りになるIT担当」になっていたと彼女はいう。学校では、数学と理科が得意だった。ある年のコンピュータ科学のクラスでは、23人の生徒のうち、女子は彼女1人だった。

サラは他の面でも変わっていた。彼女は自分自身を、「ニューロダイバージェント［ADHDなどの疾患や脳に関する障害を、多様性（ダイバーシティ）と捉え、個性として受け入れようとする考え方が「ニューロダイバーシティ」であり、その考え方に則って、脳の傾向が他人と異なることを個性として示唆する表現］」だと表現している。教師は彼女が内向的であることに気づいていた。また彼女は、マルウエアのようなニッチな話題に強い関心を抱く傾向があった。2013年4月、祖父のコンピュータがマルウエアに感染した。サラは解決法を探しているうちにブリーピングコンピュータのことを知り、そこで無料のツールを手に入れ、ハードドライブをスキャンしてファイルを復元することに成功した。そこで知り合ったボランティアに、コンピュータを元通りにするのを手伝ってもらったのである。「すごい！これって本当にクールじゃない？」と彼女は思った。「私も参加してみようかな」

その後すぐに、サラはブリーピングコンピュータのトレーニングプログラムに登録し、コンピュータセキュリティに関する本を読んで、演習に参加した。放課後、家に帰ると、フォーラムで何時間もマルウエアの駆除について学んだ。「とても熱心に勉強しました」と彼女は振り返る。彼女の最終試験では、講師が「ゼロアクセス」と呼ばれるマルウエアを仮想マシンに侵入させるというシミュレーションを行った。ゼロアクセスはそれまでに数百万台のシステムに侵入していて、被害者がそれに感染したファイルやリンクを開くと攻撃が開始されるというのが一般的だった。サラは見事ゼロアクセスを除去してテストに合格し、11か月でトレーニングを修了した。２０１４年、このプログラムを最年少で卒業した彼女は、ブリーピングコンピュータのマルウエア対策チームに加わった。

彼女はまだ訓練生という扱いだったが、マルウエアに関するオンライングループチャットに参加した。そのチャットのもう1人のメンバーは「ＦａＷｏ」という人物で、彼はほとんど発言しなかった。しかし彼がようやく意見を述べると、彼女はその内容に興味を引かれた。このＦａＷｏとは、もちろんファビアン・ウサー（Fabian Wosar）のことである。最初のうちは、「彼が返事をするより、私の方が発言するのに精一杯だった」とサラは語っている。

サラとファビアンは、ゲーム実況ユーチューバーの動画を楽しむなど、同じ趣味を持っていることに気がついた。サラはファビアンと一緒だと、ありのままの自分でいられた。ファッションや音楽など、10代の典型的な関心事に自分があるなどと、偽らなくて良かったのである。

ある年のクリスマス、サラは両親から、隙間風の入る家の中でも暖かく過ごせるようにと、大人サイズのシロクマのワンピースをプレゼントされた。彼女はそれを着て自撮りし、ファビアンに画像を送った。それ以来、シロクマ（ポーラーベア）は彼らのマスコットになった。彼らのツイッターのアイコンには、シロクマのワンピースを着た姿が描かれているが、それはあるアーティストからお礼として描いてもらったものだ。２０１６年、アーティストのポートフォリオ（作品集）が暗号化されてしまったのを、2人が助けたのである。ファビアンは彼女をベイビー・ポーラーベア、自分をビッグ・ポーラーベアと呼んでいる。

ファビアンは次第に、サラの助言を頼りにするようになった。彼女がマルウエアの撲滅を仕事にしたいと話すと、彼はエムシソフトに2つのインターンシップを用意した。ランサムウエアが野放図に蔓延するようになると、サラはファビアンにランサムウエアに集中するよう促した。2015年、サラは彼に「これだけランサムウエアが大量に出現していると、そのいくつかを調べて、解読可能かどうか確認した方が良いかもしれない」と伝えた。

翌月、ファビアンは当時ダークウェブで広く販売されていたランサムウエアの一種「ラダマント」の暗号化アルゴリズムに欠陥があることを発見した。[5] 彼がその最初の2つのバージョンを解除するツールを作成すると、ラダマントの作者は明らかに不快感を抱いたようだった。その次のバージョンのコードに、「ThxForHlpFabianWosarANDFUCKYOU!!（ありがとよファビアンウサーこのくそったれ!）」および「emisoft fuckedbastardsihateyou（エミソフト くそ野郎大嫌いだ）」という余分なテキストが含まれていたのである。またC&Cサーバー［コマンド・アンド・コントロール・サーバー、マルウエアに感染したコンピュータに対し、さまざまな指示を出して操るための司令塔となるサーバー］には「emisoftsucked.top（エミソフトは最悪.top）」という名前が付けられていた。

ファビアンはブリーピングコンピュータへの投稿の中でこれに反応した。「あなたの世界ではどうなのかよく知らないが、私の世界では、マルウエアの作者から侮辱されるのは最高の名誉とされている。なので、どうもありがとう」と彼は書き、[6] リクエストをひとつ付け加えた。「ただ次回は、会社名を正しく表記してほしい」

ファビアンとサラは、ツイッター上で「MalwareHunterTeam（マルウエアハンター）」として知られている、ハンガリーの秘密めいた研究者をフォローするようになった。20代後半のマルウエアハンターは、1ダース以上のランサムウエアを解読し、さらに多くの種類を破壊する手助けをしてきた。彼は政府から銀行まで、あらゆる権威に対して不信感を抱いており、極度の迷信家でもある。

彼は2021年7月、ツイッター上で大勢のフォロワーに向け、「非常に重要な小さな勧告」とツイートした。「どんな種類でも、鏡のある（少なくとも寝ているときに完全に覆われていない）部屋では寝ないように」

また彼は、人類は近いうちに誰も想像できない神秘的な「大きなもの」に直面するだろうという予言も行っている。「もしいま自殺を考えている人がいたら、本当に生きて何が起きるか見ていてほしい」と、同じ年の8月にツイートしている。「地球上で頻繁に起きることではないから。数千年に一度ですらないんだ」

テクノロジー企業がランサムウエアの脅威を真剣に受け止めていないことに、彼はしばしばツイッター上で不満を表明していた。2020年8月、8つのマルウエアアプリがグーグルプレイ経由で入手可能であることをツイートし、「これはグーグルの『セキュリティ』とやらが、いかにふざけているかを改めて示すものだ」と述べている。また別のIT最大手の欠点と見なしたものについても、彼は揶揄している。「何だって？マイクロソフトにマーケティングよりはるかに重要でないことに集中してもらいたいっていうのか？」4か月後、彼はランサムウエアの爆発的な増加の原因について、こんなふうに述べた。「セキュリティ、パッチ、その他の基本的な対応を大切にしないゴミ企業のせいだ。そして、彼らが何とかするだろうと言わんばかりに、何の行動も取ろうとしない当局にも責任がある」

サイバーセキュリティ分野で働くダニエル・ギャラガーも、ツイッター上でマイケルとファビアンと知り合い、彼らの支援を始めた。そしてマルウエアハンターの信頼と友情を得るという、珍しい偉業も成し遂げている。ダニエルはマルウエアハンターについて「マルウエアを解析し、その動作を理解して、コードに隠された詳しい情報を見つけ出すことが得意なんです」と言う。「マルウエアハンターは毎日ノンストップで、週7日、常にマルウエアを狩ることに取り組んでいます」

数年前、マルウエアハンターのツイートを目にしたダニエルは、彼の友人が経済的な苦境に立たされていることに気づいた。「何かありそうな気がするんだけど」というメッセージを送ったことをダニエルは憶えている。「僕に手助けできることはない？」彼はお金を渡そうとしたが、マルウエアハンターは何度も繰り返し拒否した。そしてようやく、ダニエルは彼に現金を受け取るよう説得できた。１００ドルを送ったが、それは彼にとって小さな額だった。「そのくらいは毎月スターバックスで使っています」しかしハンガリーでは、それは大きな金額だった。またファビアンも、マルウエアハンターをエムシソフトでパートタイムのソフトウエア・アナリストとして雇うことで協力した。

マルウエアハンターとダニエルは、ちょっとしたブラックユーモアを交えながら、良心の呵責を捨ててサイバー犯罪に身を投じれば、どれだけ裕福になれるかについて冗談と言い合った。「ランサムウエアの実行者が、週末だけで50万ドルを稼ぐのを座って見ているんだ」とダニエル。「それで『僕らにだって同じことができるはずだ』ってなるんです。疲れ果てて、世の中であまりにも多くの犯罪が行われていることにイライラするとき、冗談でそんなことを言います。負け戦を戦っている心境ですよ。しかし戦い続けなければなりません。勝てそうにないからって、やめるわけにはいかないんです」

マルウエアハンターは、ランサムウエアに関心を持つようになったきっかけなど覚えていない、と気難しそうに語った。ランサムウエアとの戦いで最大の成功を収めたのは、「私が渡したサンプルのおかげで、マイケルがランサムウエアを解読できたとき」だったと彼は言う。「私が彼のためにサンプルをクリーニングしたんだ」

「BloodDolly（ブラッドドリー）」というハンドルネームで知られるもう1人の東欧の研究者は、ローレンスのタスクフォースが注目していたランサムウエアであるテスラクリプトについて、そのキーの保護方法に欠陥があるのを発見した。一般的なアプローチでは、開発者は大きな素数を掛け合わせてキーをつくろうとする。数学者を長い間魅了してきた素数は、それ自体と1だけで割り切れる数で、多くのユニークな性質があり、特に情報の暗号化において価値を持つ。

しかし、テスラクリプトは間違いを犯し、素数ではない数を使っていたのである。さらに通常であれば、2つの極めて大きな素数を掛け合わせて保護されたキーをつくるのだが、彼らはそうせず、多くの小さな素数を掛け合わせていたためにキーの安全性が低くなっていた。ブラッドドリーは数体ふるい法と呼ばれる、小さな数で有効なアルゴリズムを活用することで、使われた素数を絞り込んだ。あとは十分な計算能力を用意することで、テスラクリプトのキーを特定し、暗号化されたファイルのロックを解除することができたのである。

ブラッドドリーの本名はイゴール・カビナといい、アンチウイルス会社で検出エンジニアとして働くスロバキア人である。彼のハンドルネームは、ビデオゲーム「ゴシック」で彼がプレイした魔法使いの名前から来ている。普段は黒い服を着て、深くくぼんだ目、神秘的な微笑み、肩の下まである長い黒髪を持つブラッドドリーは、魔術師のように見える。2015年5月、彼はブリーピングコンピュータに、自らが開発したツール「テスラデコーダー」へのリンクを掲載した。「誰かの役に立てば幸いです」と彼は書き、笑顔の絵文字を添えた。

その後ブラッドドリーは、テスラクリプトの一味が、自分が編み出した対策に対応してランサムウエアを進化させていることに気づき、被害者向けにファイルのロックを解除する方法について説明する記事を投稿するのをやめた。そして彼は、更新版のツールをローレンスのタスクフォースと共有した。ローレンスは自身のウェブサイトで、テスラクリプトをクラックできる可能性があることを報告したが、攻撃者側が弱点を特定し修正することを恐れて、その方法を説明することは避けた。

マイケルはブリーピングコンピュータを通じてブラッドドリーとつながり、このスロバキア人研究者からテスラクリプトのクラック方法と被害者の救済について、学べることをすべて吸収した。一緒に仕事するようになってから、「マイケルはキーをブルートフォースで解明する手法に苦労していた」とブラッドドリーは振り返る。その理由は、マイケルが低速なプログラミング言語を使っていたからだった。ブラッドドリーは彼に、コードを高速化する方法を教えた。

マイケルはブラッドドリーのツールを使って、セーラム4ユースと、テスラクリプトの被害を受けていた別のファセットの顧客のために、解除用のキーを手に入れた。彼は2015年8月、ブリーピングコンピュータ上で「今週あった、ある顧客のシステムで起きたサクセスストーリーについて投稿させてください」と誇らしげに発表している。「私は自宅で、いくつかのサンプルファイルの解読に成功したところです……私の顧客は、彼らの写真を取り戻せることに感激するでしょう」

セーラム4ユースはテスラクリプトに身代金を支払うことなく、ネットワークへのアクセスを回復できた。このプログラムのエグゼクティブディレクターを務めるテリー・ベンジは、「悪に対抗するための皆様のお力添えに感謝いたします」と述べている。

ファビアンは他のランサムウエアへの対応で手いっぱいだったため、テスラクリプトの新しい被害者への対応をマイケルに委ねていた。被害者は暗号化されたファイルを提供し、マイケルはそれをブラッドリーのツールに投入する。彼はすぐに、仕事場と自宅の両方のコンピュータを使って、24時間体制でテスラクリプトのキーを抽出するようになり、妻のモーガンを困らせることになった。モーガンが「ザ・シムズ」をプレイしていると、アバターの動きが遅くなるのである。それはマイケルのプログラムが、テスラクリプトのキーをブルートフォースで抽出するために、コンピュータの処理能力の大半を占有してしまうことが原因だった。

キーの中には、ノートパソコンを使って数分で解読できるものもあれば、高性能なサーバーを使ったとしても1週間かかるものもあった。タスクフォースは1日に10～15人の被害者を救済するようになっていた。「被害者一人ひとりに対応する必要があった」とマイケルは言う。「マスターキーで全員のファイルを復元できるわけではないんだ」

長いキーをあまり時間をかけずに抽出するには、マイケルが自由に使える分を超えた計算能力が必要だった。すると偶然にも、ダニエル・ギャラガーがサイバーセキュリティを担当していた、ミッション・ヘルスというノースカロライナ州の病院チェーンが、高性能のサーバーを2台購入したところだった。その最高情報セキュリティ責任者は、それをタスクフォースのために使うことをダニエルに許可していた。「なぁ、1万ドルするサーバーがあるんだけど、まだ使われてないんだ」と、ダニエルは他のメンバーにメッセージを送ったことを思い出した。「それを使おうじゃないか」

マイケルはこの申し出に飛びつき、ダニエルにスクリプトを送った。「OK、これを実行してくれ」とマイケルは彼に伝えた。「CPUパワーが必要なんだ」

「お安い御用だ」とダニエルは返答し、一緒にキーの抽出を始めた。

マイケルは多くのテスラクリプトの被害者を救い、100人を超えたあたりで数えるのをやめた。ローレンスはブリーピングコンピュータ上で、「テスラクリプトの被害者を助けるために貴重な時間を捧げたボランティアたち」に感謝し、ブラッドドリーとマイケルを特別に称えた。

「それは途方もない数で、狂気の沙汰でした」とローレンスは回想している。「私たちは片っ端からキーを解除して回りました。マイケルはそれに夢中になっていたのです」

ローレンスは、被害者に代わってテスラクリプトのハッカーと直接やり取りすることもあった。一度だけ、戦死した米兵の写真をその母親から奪ったことをハッカー一味に知らせたところ、彼らは彼女にキーを無償で渡した。

2016年5月、ブラッドドリーはダークウェブ上にあったテスラクリプトのサイトが閉じられようとしていることに気づいた。好機と感じた彼は、テスラクリプトの一味に対して、被害者がファイルを取り戻せるように、マスターキーを公開するよう求めた。1日半後、彼らは活動停止を発表し、最新のマスターキーを提供した。そしてダークウェブ上に「プロジェクト終了」という記事を投稿した。[7] その末尾には「ごめんなさい！」と書かれていた。

＊＊＊

彼ら、ランサムウエアの追跡者たちは、まだ正式なチームのメンバーというわけではなかったが、ブリーピングコンピュータとツイッターのプライベートメッセージで連絡を取り合いながら、クリプトロッカーやテスラクリプトといった初期の敵と戦っていた。こうしたプラットフォーム上に散在する彼らのチャットは、断片的で無秩序なものだった。新しいランサムウエアが毎日出現し、苛立った被害者たちがブリーピングコンピュータのドアをノックし続けていたにもかかわらず、彼らは重複した作業を行い、誰が何に取り組んでいるのかを把握するために無駄な時間を費やしていた。

「そんな状態だったので、なぜフォーラムのプライベートメッセージでやっているんだ？という話になったんです」とローレンスは振り返る。

追跡者たちは集う必要があった。テスラクリプトの一味が去ったのと同じ2016年5月、スペイン・バルセロナ出身のマルウエアアナリストでロックドラマーのマルク・リベロ・ロペスは、コミュニケーションの壁を取り払うアイデアを思いついた。

熱心で愛想の良いマルクは、ローレンス、ダニエル、マルウエアハンター、マイケルとつながりがあり、新たな脅威の分析を手伝っていた。しかし連携が取れていないことが気になった。「人々が自分のサイロにこもって仕事しているのが目につくようになりました」とマルクは言う。「それで『おいおい、一緒に仕事してないじゃないか。コミュニティを立ち上げよう。プライベートなやつを』と思ったのです」

どんなチームでも、メンバーだけがアクセスできるコミュニケーションネットワークが必要だ、とマルクは考えた。そして5月5日、彼はブリーピングコンピュータの仲間に次のメッセージを送った。「やぁみんな、非公開のリストをつくって、ランサムウエアに関する情報をシェアしないか？ 新しいランサムウエアの追跡を始めて、その最新情報をコミュニティに提供できると思うんだけど、どうかな？」

ダニエルが反応し、「スラック［Slack、2013年にリリースされたチーム用コミュニケーションツールで、米国のIT企業やスタートアップ企業の間で人気を集めている］で話す？ それなら複数のチャンネルを設置できるだろうし」と提案した。実際に彼らは、メッセージングプラットフォームであるスラックを使い、さまざまなランサムウエアの種類について議論するためのチャットルームを作成することができた。

マルウエアハンターは興味をそそられたが、慎重だった。「ふーん……そんなに良いなら、後で試してみようか」

「検討に値するね」とダニエルは書いた。

「みんな、チャンネルをつくって招待していいか？」とマルクが聞いた。「まずはお試しってことで」彼は笑顔の絵文字を付けた。

マルクがスラックを設定し、ここにランサムウエア追跡チームが結成された。

マルク、ダニエル、マルウエアハンターのほか、このとき参加した立ち上げメンバー、あるいは初期メンバーには、マイケル、ローレンス、ファビアン、サラ、そしてイタリアのシステム管理者で、彼の勤めていた会社がランサムウエアの攻撃を受けた後、2014年にブリーピングコンピュータに加わったジェームスがいる。ブラッドリーはチームに参加しなかった。彼は自分を「提携者」だと考えており、今でも時々マイケルと共同作業を行っている。「ランサムウエア追跡チームへの私の関与は間接的なものです」と彼は言う。「人々を助けるためにブリーピングコンピュータに加わりました。ランサムウエア追跡チームも同じ目標を持っています」

メンバーがさまざまな時間帯に分散しているため、チームのスラックは常にアクティブな状態だった。彼らはすぐにスラックの無料版から、より多くの機能を提供するプロフェッショナルサービスへとアップグレードした。年会費は当初マルクが負担していたが、やがてメンバーが1人100ドル程度を負担するようになった。マイケルは払えなかったため、その分はマルクが負担した。「マイケルは本当に良い奴で、良い仕事をしているんです」とマルクは理由を説明した。「できるだけ彼を助けたいんです」

マルクは、チームのミッションにもうひとつ重要な貢献をした。彼は疑わしいマルウエアを収集してテストするオンラインデータベースサイト「ウイルストータル」に友人がいた。ウイルストータルはスペイン沿岸部のマラガで誕生し[8]、2012年にグーグルに買収されていた。マルクの要請で、ウイルストータルはチームに無料のプライベートアカウントを提供した。この好意がなければ、チームは高額な料金を支払わなければならなかっただろう。

チームはあまり目立たないようにした。「このグループが存在することは、世界で誰も知らないと思います。それについて公の場で発言したことがないので」とマルクは明かす。「このグループがあることをどこにも言っていませんし、誰がメンバーなのか、どうすれば入れるのかも同様です」チームには正式な行動規範はないが、メンバーは一定の不文律を守っている。ランサムウエアを解読した際には、ハッカーに知られないよう、できるだけ目立たない形で被害者に知らせるというものだ。

「私たちは多くの機密データを扱っています」とダニエルは言う。「誰を仲間に加えるかについては、非常に慎重です。本当に相手を100パーセント知っているのか？　何かおかしいと感じるところはないか？　自慢話をすることはないか？　あるいはデータを悪用して、自分が勤めている会社に持ち込み、金銭的な利益のために利用しようとするタイプではないか？」

チームメンバーは当初から、無償で被害者を支援することで合意していた。その後何度か有償化が検討されたが、そのたびに却下されている。「後味の悪い思いをしました」とローレンスは語っている。

ローレンスは、チームのプロジェクトマネージャーとしての役割を果たした。スラックの管理者は当初、マルク1人だったが、その後ローレンスとダニエルが加わった。またマルクは管理チャンネルを設置し、3人で新たなメンバーの候補について話し合った。チームへの参加を呼びかける募集があるわけではない。新たなメンバーとなるためには、既存メンバーから推薦される必要がある。またマルウエアのサンプル取集や脆弱性の発見など、特定のスキルを持っていることが条件となる。「候補者には、なぜこのチームに入りたいのか？　どのような価値をもたらすことができるのか？と尋ねます」とマルクは言う。「もしあなたがランサムウエアについて学びたいだけの学生であれば、このグループはあなたが探している場所ではありません。ここではグループの全員が何らかの役割を担っているのです」

候補者が推薦され、吟味された後で、チーム内で投票が行われる。承認は全会一致でなければならない。つまりメンバー全員が拒否権を持つわけだ。ランサムウエアの専門家の間では、ランサムウエア追跡チームへの招待は名誉なことだと考えられている。この数年間で、チームは半ダースの候補者を拒否し、ほぼ同数の候補者を承認してきた。

「チームの力学は非常に重要です」とダニエルは語った。「迷惑をかけるような人物はいりません。その点では、どんなに頭が良くても関係ないのです」

以前、マルクがチームにメッセージを送り、彼が推すマルウエア研究者の承認を求めたことがあった。マルクによれば、このときあるチームメンバーが、「この男がグループに入るなら私は辞める」と答えた。しかしマルクは、その場を和ませた。「私はグループのみんながハッピーでいてもらいたいんだ」と彼は書き込んだ。「だから問題があるのなら、彼は入れない。以上！」

チームはローレンスが推薦した、マイクロソフトの社員も拒否した。「以前、マイクロソフトは研究者からそれほど好意的に見られていませんでした」とローレンスは振り返る。「（バグが多くて）セキュリティ・アップデートが頻繁に提供されていたためです。個人的には、それは間違いだったと思います。彼らはもっと多くの貢献ができたはずです」

管理する立場でありながら、マルクはチームメートに一度も会ったことがない。「当初は直接会って会議をする予定でしたが、結局しませんでした」その代わりに、彼らはオンラインで絆を深めた。２０１７年、サラ、ファビアン、マイケルの3人は、日曜日の夜に、コンピュータ上でバーチャルパーティーゲームを始めた。「始めたきっかけは私です」とサラ。「一緒に遊ぶ人がほしかったんです」

彼らは「カード・アゲンスト・ヒューマニティ」のような、無礼で楽しいゲームを楽しんだ。このゲームは、プレイヤーが質問をされ、下品あるいは政治的に正しくない回答をカードの中から選択するというものだ。「ブロークン・ピクチャーフォン」はピクショナリー［示されたお題を絵に描いて、自分のチームの仲間に当ててもらうというボードゲーム］に似ているが、プレイヤーは絵を描くだけでなくフレーズもつくる。そして「シークレット・ヒトラー」では、1933年頃のドイツの国会を舞台に、プレイヤーがリベラル派とファシストに分かれて戦う。ファシストはヒトラーを首相に任命すること、リベラル派はヒトラーを特定して暗殺することが目的だ。ポーカーのように相手の心理を読み、ハッタリかどうかを判断する「社会的演繹力」が要求される。[9] マイケルはこのゲームを理解するのに時間がかかったが、ファビアンは「恐ろしく上手」だったとサラは言った。

チームがまとまりつつあった頃、マイケルはひとつの重要な成果を挙げた。初めてランサムウエアをリバースエンジニアリングし、復元ツールを開発したのである。

映画『ソウ』に登場する殺人鬼にちなんで「ジグソウ」と名づけられたこのランサムウエアは、スパムメールの添付ファイルを通じて拡散した。コンピュータが感染すると、ジグソウの操り人形（映画に登場するもので、ほほに赤いらせん模様があり、蝶ネクタイをしている）が画面に登場する。[10] そして身代金を要求するメモが表示され、解除キーと引き換えに、24時間以内に150ドル分のビットコインを渡すよう求める。

ソウの悪役に倣い、このメモは「君とゲームがしたい」と告げる。「ルールを説明しよう。これから君の個人的なファイルが削除される。写真、動画、文書、などなどだ。しかし、心配しないでいい。そうなるのは、君が要求に応じないときだけだ……さぁ、ゲームをしよう。私の小さなゲームを一緒に楽しもうじゃないか」

通常のランサムウエアと異なるのは、身代金が支払われないと、1時間ごとにファイルを削除して被害者にプレッシャーとかけるという点だ。3日間支払いがないと、残っているファイルもすべて消去される。

しかしジグソウの暗号は雑なものだった。すべての被害者に同じキーを使っているだけでなく、ファイルのロックを解除するためのキーも、ランサムウエア自体のコードの中に「パスワード」という名前で隠されていた。2016年4月、マイケル、マルウエアハンター、ローレンスの3人が協力してジグソウを破った。

ところがジグソウは消え去らなかった。それどころか、何十もの亜種が出現した。[11] スクリプトキディ（自分でプログラムのコードを書くのではなく、既存のコードを流用する経験の浅いハッカー）がジグソウに手を加えたのである。彼らは身代金要求のメモを、ベトナム語やトルコ語などに翻訳し、またソウの人形も、ビデオゲームに登場するプロの暗殺者「ヒットマン」や、スティーブン・キングのホラー小説に登場する殺人ピエロ「ペニーワイズ」などさまざまなキャラクターに置き換えた。しかし、こうした亜種にも欠陥があり、マイケルはそのほとんどを解読できた。

第4章　おかしな戦争

2016年5月、ランサムウエア追跡チームが公式に結成されたのと同じ月、アポカリプスという名の集団が、コンピュータのユーザーが他のコンピュータにリモート接続できるようにするソフトウエアへの侵入を始めた。ただ、標的となったコンピュータのデフォルト（標準）言語がロシア語、ウクライナ語、ベラルーシ語のいずれかに設定されていた場合、このランサムウエアはファイルを暗号化するのではなく、動作を停止するようになっていた。[1]

マイケル・ギレスピーの師匠であるファビアン・ウサーは、アポカリプスの活動に注目した。ファビアンはすぐに、彼が「アマチュアのコード」と呼んだ、アポカリプスが開発したランサムウエアの3種類のバージョンを解読し、そのキーを被害者と共有した。アポカリプスがさらに6種類のバージョンを放つと、ファビアンはそれらも解読した。

8月下旬、アポカリプスはこのランサムウエア追跡者の知識に敬意を表して、新しい亜種を「ファビアンサムウエア（Fabiansomware）」と名づけた。[2] そのコードには、次のような啖呵（たんか）が書かれていた。「クラックしてみろ、この野郎！」

ファビアンは軽く受け流した。「彼らは僕に夢中のようだ」と彼はツイートした。「彼らが最悪の開発者でなければ、光栄に感じるのだろうけど」

この新しい名前によって、一部の被害者はファビアンが恐喝しているのだと誤解してしまった。ある被害者はツイッターを通じ、彼に対して「あなたは私のサーバーを暗号化して、身代金を要求していますね」と文句を言った。

「恥をかき続ける前に、私が何をしているのか調べてみるといい」とファビアンは言い返した。「私はマルウエア研究者で、ランサムウエアを放った一味を怒らせ、彼らのくそみたいなランサムウエアを繰り返し解読し、被害者が無料でファイルを復元できるようにしているんだ」

アポカリプスの挑戦を受けて、ファビアンは自分の名前が付けられたランサムウエアの最初の2つのバージョンをクラックした。すると2016年10月、いらだったこのランサムウエア開発者は、3つ目のバージョンをリリースする前に、時間を節約するための行動に出た。ファビアンにそれを実行してもらい、解読不可能かどうかを確認させようとしたのである。

「やぁファビアン、新しいバージョンが完成したんだけど、サンプルいる？ 送信してあげるけど」

「もちろん」とファビアンは答えた。

すると開発者から、サンプルにアクセスするためのリンクが送られてきた。「クラックできないって100パーセント自信があるよ」そして11分後、「答えが知りたい。私のコード、気に入ってくれたかな？」というメッセージが送られてきた。

ファビアンはこのバージョンに、自分のツイッターのプロフィール画像（アバター）（ふくよかな顔、丸刈り、黒縁のワイヤーメガネ、そしてあごひげ）が含まれていることに気づいた。ただひとつだけ違ったのは、自分に向けたペニスが追加されている点だった。彼は個人的な侮辱をスルーして、ランサムウエアの分析を開始した。

「部分的に（クラック）できたよ」とファビアンは返事を書いた。「まだ全部じゃないけど」

するとハッカーは口調を変え、これまでのバージョンを「まるで神のよう」に破ったファビアンを称賛し、なぜこの新しいバージョンをすぐに解読できたのかと尋ねた。

「あなたのつくる仕組みは単純なので、理解するのにそれほど時間がかからないんだ」とファビアンは説明した。

「なるほど、回答ありがとう」とハッカーは書いた。「それじゃ、このおかしな戦争を続けよう」

ファビアンは、この修正されたアバターをツイッターに投稿して、ファビアンサムウエアの次期バージョンに掲載されると説明した。「これはファンアートと言えるのだろうか」と彼は書いている。

1週間後、アポカリプスの開発者はファビアンとの会話を再開し、彼を採用しようと試みた。「優秀な頭脳を持っているなら、実業の世界に移って大金を稼げるのに、なぜそうしないんだ？」

ファビアンは「私には快適な生活を送るのに十分なお金がある」と答えた。「自分の仕事が好きで楽しいし、ＳＷＡＴチームがドアを破って入って来る心配もないしね」

＊＊＊

アポカリプスが行ったような誘いは、珍しいものではなかった。ランサムウエアの開発者たちは、追跡者たちを操ろうと、褒めたり、侮辱したり、冗談を言ったりした。彼らは追跡者と同様に、ランサムウエアに魅了され、多くの似たようなスキルを有していた。彼らはブリーピングコンピュータの熱心な読者であり、特に自分たちの悪事に関するニュースが流れたときには、その記事をチェックしていた。アポカリプス開発者の指摘は正しい。ファビアンは世界最高のランサムウエア追跡者ではなく、世界最高の攻撃者になっていたかもしれないのである。ファビアンとハッカーは「気の合う仲間」に近いとローレンス・エイブラムスは指摘する。「ほとんど仲間内で競争しているようなものです」

追跡者もハッカーも、独学でスキルを身につけた、企業の正社員ではない技術オタクである。時に社交性に欠け、ビデオゲームが好きで、同じ映画に親しんでいた。たとえばランサムウエアの「ハクナマタ」は、マイケル・ギレスピーの愛する映画『ライオンキング』に登場する、オスカーにもノミネートされた曲にちなんでいる。また攻撃者の多くは、ランサムウエア追跡チーム同様、若い男性だ。彼らは世界中に散らばっているものの、特に東欧に集中している。ロシアや北朝鮮のような国では、一部のギャングが政府の保護を受け、布告しないで進められるサイバー戦争の武器になっているケースもあると見られる。

ハッカーの中には、倫理規範を遵守していると自負する者もいる。たとえば彼らは通常、身代金を受け取ればアクセスを回復させるなど、取引の際の約束を守る。自分たちが裏切り者だという評判が流れると、将来の被害者が金を払う可能性が低くなることを、ハッカーたちは認識しているのである。また彼らは、あらゆる方法で自分たちの強奪を正当化する。しかし「金のためではない」と言っても、ほとんど金のためなのだ。その貪欲さが、ランサムウエア追跡チームとの最大の違いである。

ファビアンは無数のランサムウエアの解読を手がけ、ハッカーを妨害することが毎日のルーチンのようになった。そのため時おり、悪者から芝居がかった賞賛や抗議の言葉が飛び出し、彼はそれを面白がった。ランサムウエアのコードに、宿敵へのメッセージを埋め込むハッカーもいた。あるいはファビアンを称賛する者も。2016年の終わりには、「Nモレイラ」というランサムウエアのコードに、その開発者が「Fウサー、君は最高だ！」と書き込んでいるのが確認された。「僕は自分のしていることを理解している奴に刺激を受けるんだ。君のブルートフォースツールは本当に素晴らしくて、感動しているよ……ランダム・ナンバー・ジェネレーターを試してみなかったのは、本当にバカだった。君がこいつも破れるように願っている。皮肉じゃなくて、本当に感動しているんだ。ハグを贈るよ」

ファビアンはこの賛辞をソーシャルメディアに転載し、「少なくとも、今回は礼儀正しいバカたちだ」と書いた。「それでもバカだけどね」

彼に泣きつくハッカーもいた。「お願いだファビアン、私をクラックしないでくれ！」ある攻撃者はこう書いている。[3]「これが最後のトライなんだ。もしこのバージョンがクラックされたら、ヘロインを摂取してやる！」

ファビアンはこの訴えを一顧だにせず、ランサムウエアを解読し、復元ツールをつくり上げた。しかしこうしたケースは稀で、ハッカーたちはたいてい彼を侮辱した。数字や文字列が並ぶコードの中に、「またクラックしてみろ、ファビアン！根性を見せな！」といった罵倒の言葉が現れるのである。[4]

DDoS攻撃でブリーピングコンピュータがダウンした際のローレンスと同様、ファビアンもハッカーたちに意識されるのを喜んだ。「彼らは時間と労力をかけてメッセージを書いています。きっと私がそれに気づくだろうし、イライラするだろうと思っているのです」と彼は言う。[5]「私の仕事が、本当に厄介なサイバー犯罪者集団を動揺させていることを知るのは、かなりモチベーションが上がります」

しかし侮辱が脅迫のように感じられることもあった。ある攻撃者は彼に、「チーズバーガーはやめろ、太ってるぞ！」と忠告した。[6]彼が太っているのは秘密でも何でもなかったが（ツイッターのプロフィール画像は太って見え、ツイートでダイエットに言及したこともある）、ファビアンは狼狽した。外見に興味を持ったハッカーが、自分の住所や家族まで調べているかもしれない。

さらに、何者かがツイッター上で罠を仕掛けていることもわかった。それはファビアン・ウサーを騙る偽アカウントで、暗号化されたメッセージをツイートしていた。それを解読すると、IPアドレス（インターネットに接続されている機器を識別するための一連の番号）を追跡するウェブサイトのアドレスが見つかった。もしファビアンが自宅のパソコンからこのサイトにアクセスすれば、自宅の市区町村まで特定することができるだろう。その時、彼はまだ故郷であるドイツのロストックに住んでいた。

さらに彼を不安にさせたのは、ランサムウエア「クリプトン」を放ったギャングがオンラインフォーラムを通じて送ってきたメッセージである。クリプトンは個人と企業の両方を攻撃していたが、そのアルゴリズムのひとつに弱点があった。２０１７年、ファビアンはその欠陥を発見し、最初の3つのバージョンをクラックした。するとロシア語を話すと思われるクリプトンの開発者から、ファビアンに対し、ドイツのハンブルクにいる彼を「友人が訪ねたがっている」というあからさまな警告が送られてきたのである。彼はリンクトイン上で、自分の居住地としてハンブルクを設定していた。ハンブルクはロストックから車で2時間ほどの距離で、知名度も高かったからである。ファビアンいわく「その気になればお前に近づくことができる、だから俺たちのビジネスに関わらない方が身のためだ、と彼らはほのめかしていたのです」

ファビアンはリンクトインなどのソーシャルメディアから自分の個人情報を削除した。しかしこの出来事によって、自分の仕事が、被害者のファイルの復元を助ける以上のものであると、はっきりと思い知ることになった。ランサムウエア追跡チームのメンバーからはうかがい知れないが、彼らが仕事することで、ハッカーの生活は破壊されるのである。ファビアンがランサムウエアを解読すると、彼らの収入は途絶えてしまう。ハッカーによっては、それは家族を養えなくなることを意味した。あるいは高級車が買えなくなるかもしれない。また非友好的な外国政府とつながりがある場合には、ハッカーとファビアンの双方にとって、この争いに賭けられているものはずっと大きかったのである。

ファビアンの心には、すでにロシア系マフィアの存在が浮かんでいた。ロストックは組織犯罪の巣窟になっていることで有名だったのである。ファビアンの自宅からそう遠くない場所にある造船所「ウェイダン・ヤード」のロシア人会長は、２０１１年のモスクワにて、契約殺人と見られる事件で射殺されていた。[7]伝統的な組織犯罪グループとサイバー犯罪者が重なるという証拠はほとんどないが、ファビアンは次第に疑心暗鬼になり、カフェで誰かに見られているのではないか、近所の食料品店で尾行されているのではないかといった被害妄想を抱くようになった。

彼は、自分がロストックに縛られていると感じた。そこで母親と一緒に、「母親が育った場所と同じ地域にある、とてもいいアパート」に引っ越した。彼女は脳腫瘍で余命いくばくもなく、引っ越しで混乱させてしまうのをファビアンは恐れたのである。しかし彼女が２０１７年末に亡くなると、彼は自分の身を守るために、ドイツを離れざるを得ないと考えた。英国を選んだのは、厳しい個人情報保護法を制定しているためだ。バルト海沿岸や涼しい気候、ドイツの伝統的なソーセージが恋しくなることはわかっていたが、それ以外に故郷に留まる理由はなかった。

海辺の町で育ったファビアンは、水泳が大好きだ。そこで英国南岸のリゾート地ブライトンにある、有名な小石（ペブル）のビーチの近くに引っ越そうかとも考えた。また月の平均気温がロストックに近いスコットランドも候補のひとつだった。しかし最終的に、サラ・ホワイトの近くにいることの方が、過去とのつながりを感じるよりも大切だと考えた。彼女が大学に入学することになり、ロイヤル・ホロウェイを選ぶと、ファビアンはロンドン近郊に引っ越した。そして彼は、できるだけ匿名で暮らそうと決めた。

ファビアンがドイツを離れる準備をしていた頃、マイケルはランサムウエアの一味と初めて共同作業を行うという、奇妙な状況に陥っていた。

イタリアのコンピュータエンジニア、フランチェスコ・ムローニが、個人ユーザーを狙う「ＢＴＣウエア」というマルウエアに脆弱性を発見したと、マイケルに連絡してきた。キーの生成方法が十分にランダムではなかったのである。フランチェスコはマイケルに復元ツールを制作するよう依頼してきた。

「（マイケルが）私のコンセプトを実証し、より信頼性の高いものにしてくれたのです」とフランチェスコは語る。「私が彼と一緒に作業したのは、私の方が技術的な知識が少し深かったからです。しかし彼は、その知識を人々が使えるように変換するのが信じられないほど上手でした」

ＢＴＣウエアの一味はブリーピングコンピュータのフォーラムを読み、復元ツールの存在を知った。対抗するために、ランサムウエアの修正を行った。「彼らは暗号部分を必死に直そうとしていたけど、毎回失敗していた」とマイケルは言う。「僕らがそれを破ると、新しいバージョンがリリースされ、また破るという繰り返しだった」そのたびにマイケルは復元ツールを調整しなければならなかった。

この攻防は6か月間続き、9回ものアップデートが行われた。マイケルとフランチェスコは最初の5つのバージョンをクラックできたが、残りのバージョンでは乱数の幅が広げられたため、暗号を破ることができなくなった。その時点で、ほとんどの被害者は身代金を支払うしかなかった。ところが、支払ったとしても、被害者は新たな問題に直面した。BTCウエアが提供するキーを使ったとしても、すべてのデータを復元できなかったのである。

このランサムウエアにはいくつかの不具合があり、誤ってファイルを破壊してしまうのだ。そのひとつで「パディング・バグ」と呼ばれる不具合は、ファイルの末尾の16バイトを消してしまうというものだった。また別の不具合は、暗号化されたファイルをゼロで上書きしてしまい、そうなると情報は永遠に失われてしまうのである。

八方ふさがりとなった被害者を救うという目的を達成するため、マイケルは宿敵と協力することにした。彼はBTCウエアの一味にメールを送り、ある取引を持ちかけた。彼が破ることのできなかった、このマルウエアの古いバージョン（それはもう大金を生み出すものではなくなっていた）のマスターキーを提供してもらう代わりに、最新バージョンで被害者のファイルが削除されてしまわないよう、その不具合を修正する方法を教えると約束したのである。そうしないとBTCウエアは信用を失い、身代金の支払いに応じる人が減るだろうと彼は指摘した。

ＢＴＣウエアの一味は、ファイルの拡張子が「.aleta」のバージョンのキーを提供することに同意したが、ひとつ条件があった。それは彼らが行った取引の内容は秘密にしておくこと、というものだった。ハッカーたちは２０１７年９月、「.aletaのバージョンのキーだけは送ることができるが、『ＢＴＣウエアの.aletaのキーがリリースされた』というニュースを書くのは駄目だ、わかったか？」と書いている。

マイケルは自分の宣伝についてはどうでも良かったが、.aletaの被害者に復元ツールが利用可能になったことを知らせる必要があった。「ニュース記事にはしないけど、せめて被害者に連絡を取るよう公に呼びかけても良いか？」と彼は答えた。

「いいだろう」とＢＴＣウエア側は答え、それから24時間経たないうちに、「進捗はどうだ？」というメッセージが来た。

マイケルはオリジナルのファイルと暗号化されたファイルを要求した。彼は「今夜、デバッガーでテストできるかどうか確認してみる」と書いた。ここで言うデバッガーとは、マルウエアを分析するツールのことだ。

ＢＴＣウエア側はこれに応じた。マイケルは「了解。時間ができたときに確認する」と返事した。彼はその日のうちにバグを特定し、それを取り除く方法を伝えた。

「ＯＫ」と一味は答えた。「君のためにすべてのキーを用意するから待っていてくれ」

引っ越し後、ファビアンがハッカーたちから直に称賛されたりバカにされたりすることは少なくなった。彼らの目に留まらなくなったわけではない。むしろランサムウエアがビジネスとして成熟し、ハッカーたちがよりプロフェッショナルになっていったのだ。

ファビアンは、これまで自分に接触してきたハッカーのほとんどは、単独で活動する者か小さなグループのメンバーであると感じていた。しかし彼が引っ越した頃には、ランサムウエアの開発者の多くは、より大規模なギャングの一員として行動していた。

「ランサムウエア・アズ・ア・サービス」方式では、開発者はランサムウエアを開発し、それを実際に拡散させる作業は別のハッカーが担当する。このモデルは2014年に始まった。「CTBロッカー」と名づけられたランサムウエアがダークウエブ上に広告を出し、このソフトウエアに興味のある「協力者（アフィリエイト）」に対して、1万ドル（約140万円）で販売したのである。[8] この初期費用に加えて、協力者は手に入れた身代金のおよそ30パーセントを、手数料として開発者に払う必要があった。当時のランサムウエアは、個人ユーザーをターゲットにした「薄利多売」型のビジネスだったため、この広告は「ボットネット」を管理するハッカーたちを惹きつけた。ボットネットとは、その所有者が知らないうちに感染して乗っ取られたコンピュータで構成されたネットワークで、スパムを介して無差別にランサムウエアを拡散できる。「既製品」のキットを購入したハッカーには、深い専門的知識は必要ない。数年にわたり人気を博した「ダーマ」や「フォボス」といったランサムウエア・アズ・ア・サービスには、ハッカーをターゲットに誘導するスキャナーまで含まれていた。

ダークウエブ上のフォーラムには、ランサムウエア・アズ・ア・サービスの広告が溢れ、このモデルは人気と精巧さを増していった。[9] またランサムウエアについては、1回限りのライセンス料を支払うだけで使えるものや、毎月の利用料が請求されるものなどが登場し、ギャングはさまざまな方法で収益を得られるようになった。特に身代金の要求額が膨れ上がると、多くの開発者は、それぞれの支払い額の一部を受け取る利益分配契約と、被害者が送金する暗号資産のウォレットの管理権を要求した。

最終的に、ランサムウエアの協力者になるための競争率は高くなった。野心的なギャングたちは、自分たちのランサムウエアを大企業や政府、教育機関、そして医療機関に侵入させる専門知識を持つ協力者を好むようになったのである。そうした組織は、個人ユーザーよりもはるかに大きい資金力を持つからだ。

求人広告では、「雇用主」となるハッカーたちが、求められる特定の資格について解説するようになった。たとえばハッカーが標準的に使っているツールで、システムの脆弱性を特定するために使用される「コバルトストライク」に精通していること、[10]などといった具合である。また彼らは、クラウドバックアップシステムの経験者も求めた。企業が保管するバックアップを暗号化できれば、「身代金を払わずにバックアップで復元する」という選択肢を奪うことができる。広告では応募者にポートフォリオの提出を求め、有望な候補者は面接に招かれた。

2019年7月、「レヴィル」として知られる特に野心的な一味が、活動の拡大を始め、「限られた数の新メンバー」を募集した。ロシア語で書かれたその求人広告は、無能な初心者は応募しないよう警告していた。

「面接の準備をし、自分の能力を証明する証拠を見せてほしい」と広告には書かれていた。[11]「我々は試験場ではないので、『学習中』や『やってみます』といった候補者は応募しないでほしい」

レヴィルは候補者に対し、ロシアを含む独立国家共同体（ＣＩＳ）加盟国内でのランサムウエアの拡散は許可されないと伝えていた。採用された場合、身代金の分け前は60パーセントで、最初の3回の支払い後、その割合は70パーセントまで引き上げられるという。競合する組織や警察官、セキュリティ研究者が広告を見ていることを意識して、レヴィルは作戦の詳細については簡潔に説明していた。「より詳しい情報は、インタビューの際に提供する」と、求人広告には書かれていた。

レヴィルのようなグループは、自分たちのランサムウエアを広めるために何十人ものハッカーを必要とし、大量に採用した。そのライバルとなる開発者たちは、最も有望な協力者の候補を求めて競争しなければならず、そうした需要に応えられる人物は、雇用主よりも立場が有利になった。また協力者が複数のギャングと契約するのを防ぐこともできないため、同じ被害者を何種類かのランサムウエアで攻撃するという事態も発生した。

優秀な人材を獲得するために、多額のビットコインをダークウエブのフォーラム運営者が管理するエスクロー口座［エスクローとは、契約当事者間の間に第三者が入り、彼らが代金を管理することで、契約が約束通り履行された場合のみ振り込みが行われるようにするサービス。エスクロー口座はそのような取引に使用される口座を指す］に預けるギャングもいた。その金額は、誠意を示すために求人広告に掲載され、ギャングの間で名誉を確立するための手段として使われた。仮に取引が上手くいかなかった場合には、協力者はフォーラムの管理者に訴え、エスクロー口座から金を得ることができる。レヴィルの中心人物である「アンノウン」は、そのような口座に100万ドル（約1・4億円）を預けていた。[12]

アンノウンは競合組織に差をつけるため、型破りで大胆な手法に訴えることも厭わない。米国のサイバーセキュリティ会社、レコーデッドフューチャーのインタビューを受け、そのニュースサイトに記事が掲載されるのを認めるという、極めて稀な対応に出たこともそのひとつだ。アンノウンはこのインタビューが、レヴィルというブランドの話題を生み出す斬新な方法だと考えたのである。

アンノウンはこのインタビューの中で、レコーデッドフューチャーのディミトリー・スマイリアネッツ（彼自身もハッカーだった）に対し、広報活動について「なぜその必要があるんだ？という声もある」と述べている。[13]「一方で、競合する組織よりも宣伝した方が良いという声もある。「奇抜なアイデア、新しい手法、ブランドの評判、すべてが良い結果をもたらすんだ」

誰も彼らを「良い」とは表現しないだろうが、レヴィルは確実に成果をあげ、世界で最も活動的なランサムウエア・ギャングのひとつにまで昇りつめた。真偽はともかく、アンノウンは自分たちの協力者が、弾道ミサイル迎撃システム、米海軍の巡洋艦、原子力発電所、兵器工場といったターゲットへの侵入に成功したと自慢げに語っている。ただアンノウンは、レヴィルがこれらのターゲットにランサムウエアを放つことはないだろうと示唆した。「戦争を始めるのは十分に可能だ」とアンノウンは言い放った。「しかしそうする価値はない——その結果は利益を生まないんだ」

アンノウンは優秀な協力者を獲得する競争が厳しいことを認めている。合法的なビジネスの世界と同様、より高い報酬を求めて、この人気組織を去っていく者もいた。「もちろん不愉快だが、それが競争なんだ」とアンノウンは言う。「つまり彼らが戻って来るようにしないと、という意味だ。他の場所では得られないものを提供しないといけない」

アンノウンはおそらく、レヴィルの成功によって手に入れた贅沢なライフスタイルを自慢することで、採用希望者にアプローチしようとしていたのだろう。このハッカーは、世界的な大企業の活動を停止させたこともあり、検証不能だが魅力的なサクセスストーリーを語ることに喜びを感じているようだった。「子供の頃は、ゴミの山をあさって、タバコの吸い殻を吸っていたよ」とアンノウンは言う。「片道10キロメートルの道のりを歩いて学校に通った。半年間、同じ服を着ていたこともある。若いころはコムナルカ［ソ連時代に建てられた共同住宅で、1つのアパートを複数の家族で共有する］に住み、2日も3日も食べないときがあった。今の私は億万長者だ」

レヴィルをはじめとするランサムウエア・ギャングは、資金が集まるにつれ、合法的なビジネスの真似をするようになった。既存のメーカーが物流やウェブデザインを他社に依頼するように、ランサムウエアの開発者も自分たちの管轄外の業務を外注するようになり、その代わりにランサムウエアの品質を高めることに注力するようになったのである。ランサムウエアの品質が向上すると、ランサムウエア追跡チームが解読できないケースが増え、被害者からより多くの身代金を、より頻繁に巻き上げられるようになった。ギャングはそうした巨額の支払いを、自分たちのビジネスに再投資できるようになった。そしてより多くの専門家を雇うようになり、彼らの成功は加速していった。

犯罪者たちは、急成長するランサムウエア経済に参加しようと躍起になった。開発者がカスタマイズされたサポートを望むようになると、彼らを補助するアンダーグラウンドのサービスも繁栄し、他の犯罪から軸足を移す者も多かった。[14]「クリプター」プロバイダーは、ガンドクラブのようなギャングたちと提携し、ランサムウエアが標準的なマルウエア対策スキャナーで検出されないようにしている。「初期アクセス仲介業者」は、認証情報を盗み、標的となったネットワークの脆弱性を見つけ、そのアクセス権をランサムウエアの運営者や協力者に販売することを専門としている。ビットコインの「タンブラー」は、支払われた身代金をマネーロンダリングするベンダーであり、自らを優先的に利用するギャングに対し割引料金を適用している。あらゆるギャングに協力することに前向きな業者もあれば、独占的な提携関係を結ぶ業者もいる。

カリフォルニアに本社を置くサイバーセキュリティ会社トレリックスでサイバー調査の責任者を務めるジョン・フォッカーは、「これは通常の世界と似ています」と語る。「人々が専門化し、ビジネスが成長すると、以前は自分たちでやらなければならなかった特定のサービスを外部に任せるようになります。アンダーグラウンドの世界でも同じです」

その広大なアンダーグラウンド経済は、大部分の被害者からは見えないところにあった。しかし一部のアウトソーシングサービスは、ビジネスの世界でいうところの「顧客対応」に該当するものだった。ランサムウエア・ギャングの中には、インドにあるコールセンターを共有するところもあり、そこから身代金を支払おうとしない被害組織の従業員や顧客にコンタクトしていた。コールセンターのオペレーターはハッカーから渡された台本に沿って会話し、場合によっては攻撃が行われたことさえ知らない相手に対して、被害内容を説明した上で、身代金を支払うよう圧力をかけるのである。

レヴィルがこのインドのコールセンターを利用したかどうかは不明だが、アンノウンはスマイリアネッツによるインタビューの中で、直接電話をかけることで「非常に良い結果が得られる」と述べ、「それぞれのターゲットだけでなく、そのパートナーやジャーナリストにも電話をかける。すると圧力が大幅に高まるんだ」と付け加えている。

中には専門のプロバイダーに交渉を委託しているギャングすら存在する。ハッカーの多くは英語ができないため、被害者とのコミュニケーションを専門家に依頼することは、ビジネス面で賢明な判断と思われた。しかし合法的なビジネスと同様に、アウトソーシングは逆効果になる場合もある。複数のグループが同じサービスを利用することで、交渉が混乱することがあったのだ。ある業者は、「メイズ」と「ドッペルペイマー」という2つのグループの被害者と同時にオンラインチャットで交渉していた。台本に頼り切っていたこの交渉担当者は、ドッペルペイマーの被害者との交渉中、「ドッペルペイマー」と言うべきところを間違って「メイズ」にしてしまい、混乱と遅延を招く結果となった。

このメイズとドッペルペイマーの取り違えに関して、被害者側に詳しい米国在住の交渉人リジー・クックソンは、ギャングの外注が「このプロセス全体に頭痛の種」を増やしたと述べている。[15]「もはやランサムウエアの開発者本人と『面と向かって』交渉することはなくなったと、ずっと前からわかっていました」とクックソンは言う。「昔は物事がずっと単純だったのに、残念です」

ランサムウエアが他のサイバー犯罪よりもはるかに儲かるという情報がダークウエブのフォーラムで広まると、ハッカーたちは裏社会の仲間にこの商売に参加するよう勧めた。盗んだクレジットカード番号を現金化するような、リターンの小さい仕事に固執する必要はない、というわけである。犯罪の道も、時代の変化に合わせて歩むことができるのだ。伝説的な武道家で映画俳優、そして監督でもあったブルース・リーの有名な言葉、「水になれ（Be water）」のように。

さまざまなサイバー犯罪の首謀者であるマクシム・ヤクベツは、まさに「水」であった。[16]ランサムウエアが登場する4年前の2009年、当時22歳だったヤクベツは、マルウエアを大量に開発し始めた。[17] ヤクベツとその共犯者たちは、彼らが「ゼウス」と名づけた悪質なソフトウエアを数千台のコンピュータに感染させ、それを通じてパスワードや銀行の口座番号、そのほかオンラインバンキング口座にログインするために必要な情報を収集したとされる。これはランサムウエアと比べると手間のかかるプロセスで、ゼウスの共謀者は不正に入手した情報を使い、被害者の銀行口座からマネーミュール［ミュールとは英語でラバのことで、犯罪行為における「運び屋」の意味もある。マネーミュールといった場合には、犯罪で得た資金をある口座から別の口座へと移動させる役目の人物を指す］が保有する口座へと、電子的に資金を移動させたのである。ミュールはその資金を他の口座に移動させたり、引き出したりして、ヤクベツとそのグループに利益を運んでいた。ゼウス計画を通じて、このウクライナ生まれのロシア人とその共犯者たちは、米国中の自治体、銀行、企業、非営利団体から数千万ドルを奪ったという。しかし、ヤクベツはもっとうまくやれると考えていた。

ランサムウエアが急増するにつれ、ヤクベツ（オンライン上での通り名は、偶然にも「アクア」だった）は、水のように流動的な存在になった。彼はブガットと呼ばれるマルウエアを開発・拡散した共犯者グループを率いていたとされる。[18] ブガットはウイルス対策ソフトの防御を突破し、オンラインバンキングの認証情報を、他の個人情報と共に盗むために特別に作られたものだ。このグループは、冗談で「イビルコープ（邪悪な企業）」という名前を使ってサーバーを登録し、[19] その後自分たちもこの名前で呼んで、数十人のハッカーを雇ってモスクワのカフェの地下から作戦を実行した。[20] ヤクベツとその一味は、後に「ドライデックス」と呼ばれるようになるマルウエアを継続的に改良し、その最も重要な特徴となる、ランサムウエアのインストールを支援する機能を持つコンポーネントを追加した。この機能拡張により、イビルコープは「ビットペイマー」と呼ばれるランサムウエアで英国の国民保健サービスや米国の全米プロゴルフ協会といった組織を攻撃し始め、20万ドル（約2800万円）もの身代金を要求するまでに至った。

ビットペイマーの暗号は異常なほど洗練されていた。何層にもわたる暗号化と、ウィンドウズOSとの複雑な相互作用が特徴で、追跡者たちは複雑なリバースエンジニアリングに取り組まなければならなかった。マイケル・ギレスピーはサンプルを入手できたものの、何の進展もなかった。2017年7月、彼はイタリアの研究者フランチェスコ・ムローニとともに、このマルウエアを分析した。結局マイケルは、「ビットペイマーの暗号は解読できないことが確認された」とツイートすることになった。

モスクワの街を我が物顔で闊歩するヤクベツは、宣伝など眼中にないようだった。ネット上には、イビルコープのメンバーが高級車を急発進させて白煙を巻き上げたり、車を使ったバカ騒ぎをしたりする動画が出回っている[21]。ヤクベツ自身は、「Thief（泥棒）」と読むことができるナンバープレートの付いた、カスタマイズされたランボルギーニを乗り回していた。マイケルがビットペイマーについてツイートしたのと同じ年、ヤクベツはモスクワ近くのゴルフクラブで、豪華な結婚式を挙げた[22]。その祝宴では、有名なロシアのポップ歌手であるレオニード・アグーチンがパフォーマンスを披露したそうである。彼はこの結婚式に33万ドル（約4620万円）以上を費やした。新しい家族の絆は、彼の無敵感を増したかもしれない。新婦の父エドゥアルド・ベンダースキーはロシア軍の特殊作戦部隊「スペツナズ」の元将校だったのだ[23]。

イビルコープはランサムウエアを使った犯罪に軸足を移すことで、その事業を時代に合わせた。それこそ、金が稼げる分野だったのである。しかしヤクベツの犯罪行為は、ランサムウエアがハッカーの一攫千金の手段から、国家が敵対勢力に危害を加えるために行使するツールへと進化した、歓迎しがたい変化の一部でもあった。

アポカリプスの開発者とファビアンが繰り広げた「おかしな戦争」とは程遠く、ランサムウエアは、実際のサイバー戦争の武器として使われる可能性を見せるようになっていた。2017年、米政府当局はランサムウエア「ワナクライ」による攻撃が引き起こした壊滅的な被害について、北朝鮮を非難した。[24] セキュリティ研究者のマーカス・ハッチンズが、この異常なランサムウエアを無力化するキルスイッチを発見して有名になるまで、ワナクライは英国の国民保健サービスに感染するなど、150か国にもわたって多くの被害者を出すこととなった。猛威を振るったのは短期間だったが、被害は数億ドルにも達した。

2019年11月、数年にわたる調査に基づいて、米司法省はヤクベッツとその共犯者たちを、ゼウスおよびドライデックスに関連したコンピュータハッキング、銀行詐欺、その他の罪で起訴した。[25] イビルコープの攻撃をプーチン政権の指示によるものとするまでには至らなかったが、それでも国際法執行当局は、ヤクベッツが犯行グループを率いている間に「ロシア政府に直接的な支援を提供した」ことを明らかにした。[26] 2017年の時点で、彼はソ連のKGBの後継組織であるロシア連邦保安庁（FSB）のために働いていた。

翌年には、ヤクベッツはFSBの機密情報を扱うライセンスを申請するまでに至っていた。彼について米財務省は、「ロシア国家のために、サイバー攻撃を利用して機密文書を入手する、政府に代わってサイバー攻撃による作戦を遂行するなど、さまざまなプロジェクトに取り組むよう命じられている」と述べている。

2018年にサイバーユニットのチーフを退任するまで、ヤクベツに対するFBIの捜査を監督していたキース・ムラスキーは、ロシア政府はイビルコープのランサムウエアのようなサイバー犯罪を、「諜報活動の観点から情報を集めようとしているときに」隠れ蓑として使っていると指摘する。「ヤクベツは国家の仕事をしているんだ」とムラスキーは語った。

ロシアは米国と犯罪人引渡し条約を結んでいないため、ヤクベツは拘束されなかった。財務省は起訴の時点で、イビルコープがドライデックスを使って、世界中の被害者から少なくとも1億ドルを不正に得ていたと発表している。しかし加速するランサムウエアの増加による被害は、カウントされないままだった。財務省はFSBとのつながりを理由に、イビルコープを制裁下に置いた。[27] それは今後、イビルコープに身代金を支払ったランサムウエア被害者は、犯罪行為を支援したという理由で、罰金などの民事罰を受ける可能性があるという意味だった。

しかしながら、起訴も制裁もイビルコープの勢力をそぐことはできなかった。制裁措置によって身代金の支払いが減少するとわかっていた彼らは、回避策を考え出した。密かにビットペイマーのコードに手を加え、「ウェイステッドロッカー」という名前に変更したのである。この「新しい」ランサムウエアはまだイビルコープと結びつけられていないため、被害者が身代金を支払っても、米国の制裁措置に違反したと非難されることはない。セキュリティ研究者がこの新種とされるランサムウエアの背後にイビルコープがいることをつかむまで、支払いは妨げられることなく続けられたのである。

それから数年にわたり、ランサムウエア追跡チームのメンバーを含むさまざまな研究者の粘り強い分析により、イビルコープと新種のランサムウエアの関連性が繰り返し明らかにされた。粘り強かったのは彼らだけではない。イビルコープも同様に、ランサムウエアの偽装を執拗に繰り返し、主にフィッシングメールを活用して、製造業からヘルスケア、消費財に至るまでさまざまな業界を攻撃した。中にはGPS機器メーカーのガーミンのように、巨額の身代金を支払うはめになった企業もある。[28] ファビアンとマイケルは、イビルコープが自分たちのランサムウエアを、「バブク」や「ペイロードBIN」といったライバルのランサムウエアに偽装しているのを発見したこともあった。

2021年6月、ファビアンは「イビルコープは今回、バブクになりすまそうとしているようだ」とツイートしている。「イビルコープはウェイステッドロッカーを再びリブランドして、今度はペイロードBINを名乗っている。被害者をだまして、OFAC（米財務省の外国資産管理局）の規制に違反させようとするためだ」

マイケルも同じ日に、ツイッター上で次のようにコメントしている。「ウェイステッドロッカー→ハデス→フェニックス→ペイロードBIN、すべて同じマルウエアグループが背後にいる。これらの間にいくつか入っているかもしれないが、現時点ではすべて思い出せるかどうかは重要ではない」

再び偽装がばれたイビルコープは、組織の再編成を行った。2021年10月、「マコーロッカー」という新しいランサムウエアが、2つの大きな目標を攻撃した。光学機器メーカーであるオリンパスの米国部門と、米国のテレビ局運営会社の最大手、シンクレア・ブロードキャスト・グループである。身代金を要求するメモには、テキストアートで雑なオウムの絵が描かれており、被害者をダークウエブ上のサイトに誘導していた。そのサイトにアクセスすると、「データを復元しようとして時間を無駄にしないこと――

無理だから」とアドバイスされる。「復元ツールを購入したい場合、チャットウィンドウからメッセージを送るように」マコーロッカーはそれぞれの被害者に対し、数千万ドルを要求した。

ファビアンはコードを分析し、マコーロッカーはイビルコープの最新の生まれ変わりであると断定した。ローレンス・エイブラムスはこの発見についてファビアンにインタビューし、ブリーピングコンピュータに記事を書いて、この制裁下にある犯罪組織を再び暴くことで、被害者が意図せず連邦法を犯してしまうのを防いだ。ローレンスは怒りをにじませながら、こう記した。[29]

マコーロッカーがイビルコープの亜種であることが明らかになった今、私たちはおそらく、この犯罪者が再びランサムウエアのブランドを変えるのを目にすることになるだろう。

イビルコープがランサムウエア攻撃を停止するか、制裁が解除されるまで、この絶え間ないいたちごっこは終わらない。

しかしそのシナリオのどちらも、当面は実現しそうにない。

ローレンスは別の理由からも、ランサムウエア攻撃を行う犯罪者が持つ、悪意に満ちたしつこさに頭を抱えていた。彼は自分のサイトに、犯罪者自ら投稿を行うことがあるのを知っており、それを面白く感じる一方で困惑していた。しかしランサムウエア・ギャングのひとつであるメイズがブリーピングコンピュータ上で初めて展開した不穏な新戦術は、ローレンスの背筋を凍らせるものだった。そしてそれは、彼のサイトを、ランサムウエアの最も劇的な進化の舞台に変えることとなった。

メイズがどこに拠点を置いていたのか、また誰が背後にいたのかははっきりしていない。しかし他のハッカーがファビアンに執着したのと同じように、メイズもローレンスに執着していた。２０１９年5月にメイズが登場し、ローレンスとマイケルがコードを解析すると、その中にブリーピングコンピュータのドメイン名を発見した。[30] 同じ年の10月、メイズはイタリアでの攻撃で使用したコードにローレンスのメールアドレスを含めることで、再び彼を挑発した。[31]

しかしこのからかいは、すぐにより邪悪なものへと変わった。11月中旬の金曜日の夜、ローレンスが仕事を終えようとしていると、午後6時半過ぎに思いがけない電子メールが届いた。[32]「メイズの一員より」という署名が入っていたそのメールには、カリフォルニア州に本社を置き、約20万人の従業員を抱える警備人材派遣会社、アライド・ユニバーサルに対して彼らが行った、まだ公になっていない先駆的な攻撃について書かれていた。彼らはアライド社のネットワークに侵入、そのデータを暗号化する前に、大量のデータをダウンロードしてそれを利用できるようにするという、ジョーカーのような仕掛けを試みていたのだ。メイズはアライド社に対し、身代金を支払わない場合はファイルを流出させると告げていた。そしてローレンスは、まだその方法はわからないものの、この一味が自分を悪質な新計画の手先として使おうとしていることを察知した。

メイズはローレンスへのメールの中で、「我々はまた、彼らに対し、もし身代金の支払いに応じなければ、この状況について君にメールで伝えると告げてある。警備会社がシステムに侵入され、ランサムウエアの被害にあうなど恥ずべきことだろうからだ」と書いている。「彼らには今日まで考える時間を与えたが、支払いを放棄したようだ……もし来週の金曜日までに要求した金を送ってこなければ、メイズを実行する前に、彼らのネットワークからダウンロードしたデータをすべて公開し始める」

彼らが本気であることを示すために、メイズはローレンスに大量のファイルを送り付けてきた。それらには「秘密調査報告書」や「診断書　暴行」、「解雇契約」などといったタイトルがふられており、彼らによれば、すべてアライド社から盗んだものとのことだった。ローレンスはその内容をチェックし、本物らしいことを確認した。

その後の電子メールで、メイズはローレンスに対し、自分たちは圧力をかけるために常にファイルを流出させていると語り、アライド社に対しては300万ビットコイン、当時の価値で約230万ドル（約3億円）分を要求していると説明した。ローレンスは返信の中で、身代金を払えば盗んだデータをすべて削除してもらえると、アライド社や他の被害者がどうして確信できるのかと尋ねた。盗んだデータを圧力にする手法を用いるのは、アライド社への攻撃が最後ではないだろうから、というのがメイズの返事だった。

「単なるロジックさ」とメイズはローレンスに答えた。「それを公表したら、誰が我々を信じるだろうか？　それは我々の利益にはならないし、何の得にもならないのだから公表するのはバカげている」

つまりメイズが約束を守らなければ、将来の被害者に知られ、身代金を払う動機がなくなってしまうということだ。ローレンスはアライド社にコンタクトを取り、メイズから聞いたことについて警告した。しかしアライド社は、ローレンスをセキュリティ研究者というよりメディアの一員と見ていたのか、広報担当者は彼に対し、「当社システムへの不正アクセスを含む可能性のある状況を認識している」と、簡潔な返事を送ってきた。内部のＩＴスタッフと外部のコンサルタントがこの事件を調査し、社内のサイバーセキュリティを強化しているという。

ローレンスは、この新たな脅威の詳細をアライド社に伝えようと必死になり、改めて彼らにコンタクトを取ったが、広報担当者は「現時点では追加のコメントを差し上げることはできません」と答えた。その後数日間、メイズは攻撃に関してローレンスと連絡を取り続けた。さらに彼らは、まだアライド社のサーバーにアクセス可能な状態である証拠を見せた。その上でメイズは、初めてローレンスに対し、アライド社に連絡するよう直接促した。この件について記事にすることを提案せよ、というのである。

彼らにこう聞くがいい。来週の月曜日、（メイズが）アライド・ユニバーサルになりすまして、スパムを拡散することを望むか（？）……笑。君がこの件について驚くような記事を書くべきだとも思うよ。その名も「セキュリティ会社をぶ×××す最も簡単な方法」だ。

ローレンスは、自分がいかに利用されていたかに気づいた。彼がそれまでアライド社にコンタクトしていたのは礼儀として行っていたことだが、それはまさに、被害者への圧力を強めるためにハッカーたちが望んでいたものだったのである。これで彼らの目論見が明らかになった。ローレンスとブリーピングコンピュータを動かして、アライド社が公の場で恥をかくようにすることで、交渉に応じない被害者への警告になるようにしていたのだ。

ローレンスは、このような事態にますます不快感を抱くようになった。彼はアライド社が身代金を払ったか、そしてメイズが本当にファイルを流出させたか、についてわからない限り、記事を書くのをやめることにした。アライド社の身代金支払い期限である金曜日が迫る中、彼は自分のメールやウェブサイトに動きがないか注視していた。そして、メイズの最初の電子メールを受け取ってから6日後、ローレンスはブリーピングコンピュータのフォーラムで忘れることのできない投稿を見つけた——メイズはアライド社への侵入についての説明と、彼らが盗んだデータおよそ700メガバイト分へのリンクを掲載していたのである。流出したファイルには、契約解除の合意書、契約書、医療記録、サーバーのディレクトリのリスト、暗号化証明書などが含まれていた。

「我々はすでに金曜日の朝を迎えた」と、ハッカーはフォーラムに書き込んだ。「そう、アジアではもう金曜日なんだ。締め切りが米国時間じゃなくて、我々の現地時間での金曜日であることを伝え忘れていたよ」

何年も前から、ハッカーたちはコンピュータのセキュリティシステムを破って情報を盗み出し、ダークウエブ上で売っていたが、身代金を要求することはなかった。ローレンスは「身代金を払わないならデータを公開する」という脅しを聞いたことがあったが、彼の知る限り、ハッカーがそれを実行に移したのは今回が初めてだった。メイズがブリーピングコンピュータを使って盗んだデータを配布していることに激怒したローレンスは、この投稿を削除した。そして法執行機関に連絡し、もう一度アライド社とコンタクトを取った。ローレンスがメイズによるアライド社についての投稿を自分のサイトから削除した後、メイズはそれを、ロシアのハッカーとマルウエアのフォーラムに再投稿した。そのフォーラムでメイズは、攻撃と流出したデータについて再び説明した。

「アライド社は我々に連絡してきて、データ流出に関する証拠を受け取った後、そのまま姿を消した」とメイズは書いている。「我々は彼らに考える時間を与え、彼らは決断を下した。それは本当に愚かな決断だったと、我々は考えている。我々が要求したお金は、彼ら『セキュリティ』会社が失う信頼やその後の影響を考えると、大した額ではなかったからだ」

このダークウエブ上での新しい投稿はローレンスに言及していなかったが、ランサムウエア追跡チームの別のメンバーについて触れていた。それはいかにメイズが、チームのソーシャルメディア・アカウントをしっかりと監視していたかを示すものだった。

メイズはこう記していた。「追伸　マルウエアハンターへ。君が荒らし行為や、セキュリティの突破について語ることが好きなのは知ってるよ。聞いてくれる? 僕らはまだ彼らのシステムに侵入できるんだ」

その夜、ローレンスは記事をまとめ、11時少し前に投稿した。その記事で彼は、読者に対し「これは不運な話であり、ブリーピングコンピュータにとって喜ばしいことではない。それでもメイズの行為について伝えなければならない」と呼びかけた。「攻撃がエスカレートしたことで、被害者は暗号化されたファイルの復元だけでなく、盗まれた暗号化前のファイルが一般に流出したらどうなるかを心配する必要が生まれた」

2019年5月に初めてメイズについての記事を書いたとき、ローレンスは読者に対して、「緊急時の復元を可能にするために、信頼性が高くテスト済みのバックアップ」を用意しておくことで、「何よりもまず」自分を守るようにと助言していた。[33] 今となっては、その助言は無意味なものに思えた。バックアップは暗号化からは被害者を救うかもしれないが、アライド社への攻撃が示したように、大規模なデータ流出からは救えない。たとえバックアップがあっても、身代金を支払わなければ、機密情報がダークウエブ上に掲載されることになる。それは知的財産、警察の証拠、軍事機密、医療情報、教育や雇用に関する記録などが公開されることを意味する。

この「二重の脅迫」によって、ランサムウエアはこれまで以上に危険で予測不可能な存在となった。またそれは、ランサムウエアの攻撃がデータ流出として扱われ、被害者は関連する州法や連邦法に従って、データが流出した従業員、顧客、患者などに通知する必要があることを意味する。このように責任が重くなるにつれ、攻撃から回復するためのコストは上昇し続け、データのプライバシーとセキュリティに対する社会の信頼も損なわれ続けている。

メイズはブリーピングコンピュータがお気に入りのメディアであることを公言していた。「間もなく良いプレスリリースができるだろう」と、メイズはあるターゲットの交渉担当者に語っている。「ブリーピングコンピュータを読めば、どのメディアも我々の共有する情報を掲載してくれると信じている（笑）」彼らはローレンスを共犯者にしようとし続け、頻繁に勝手なメールを送ってきた。ジャーナリズムの立場から、彼はそのやり取りはどう処理すべきか悩んだ。読者に対して透明性を保つ義務があると感じながらも、ハッカーが被害者に圧力をかけ、恐喝するために使う道具にはなりたくなかったのだ。

メイズはキヤノン、LGエレクトロニクス、ゼロックスなど、有名企業を次々と襲っていった。[34] フロリダ州ペンサコーラ市への攻撃では、メイズは身代金として100万ドル（約1・3億円）を要求した。[35] そしてローレンスに対し、同市のファイルを盗んだと連絡してきた。ローレンスがこの件を報じると、他のメディアもそれを追い、メイズが主張するほど多くのデータが盗難されたのかと疑問を投げかけるところもあった。それからおよそ2週間後、メイズはデータの暗号化を行う前に、市から強奪したとするファイルの10パーセントを公開し、議論に決着をつけた。メイズは再びローレンスに連絡を取り、自分たちの主張の証拠として文書を流出させたと述べた。

「我々が数ファイル以上のデータを抜き出すことができない、と書いたマスメディアが悪いんだ」とメイズはローレンスに書いている。[36]「我々が本気であることを示したまでだ」

自らをロビン・フッドとして描き、大きな政府や製薬会社を倒して普通の人々を高揚させる多くのギャングと同様に、メイズはその強欲さを、反資本主義というマントで覆い隠していた。２０２０年、メイズの代表は、被害者の1人の交渉人であるヴィンセント・ダゴスティーノに対し、「ヨットやプライベートジェットを持つカルテル、というステレオタイプなイメージとは違う」と自身を語り、さらに「金だけが目的ではない」と付け加えた。メイズは、攻撃を回避できなかった「バカな政治（イディオクラシー）」を罰したかったのだ。

「本当の犯罪者は政府と企業だ」とメイズの代表は言った。

メイズはサイバーセキュリティ会社ブルーヴォヤントでサイバーフォレンジック［サイバーセキュリティに関する事件が発生した際に、それに関連する情報や証拠を収集して確保すると同時に、それを分析して事件の経緯や攻撃の手法などを把握する行為］とインシデントレスポンス［事件・事故やそれにつながるミス等が発生した際に適切な対応を行うこと、またそのための準備を進めておくこと］の責任者を務めるダゴスティーノに対し、「企業のリーダーはセキュリティに金をかけようとせず、データを雑に保存している」とメールで訴えた。「政府も国民のことなど気にしてはいない。彼らにとって、国民とは単なる数字にすぎない……だから彼らと話すには、我々も数字を使わなければならない。そして彼らが最も良く理解する数字は損失だ」

メイズの交渉担当者は、盗んだデータを流出させると脅したにもかかわらず、ペンサコーラ市の当局など一部の被害者が身代金を支払わなかったことに苛立っているようだった。メイズは、被害者団体が支払いを拒否したのは、犯罪者に報いることを嫌ったからではなく、データ侵害通知法〔データ侵害が発生した際に、それを隠すのではなく、顧客や当局などの関係者に通知することを義務付ける法律〕を遵守していることで守られているように感じるからだと考えている。

メイズはダゴスティーノに「『この件は通知した、データが公開されることは気にしない』などと言ってくる企業がどれほどあったか数えきれないくらいだ」と語った。「それが何を意味するかわかるか？　彼らは、データの公開による損失から自分たちを守るために法律を利用し、顧客のことなど気にしていないんだ。我々はそれが気に入らないし、そうした企業を罰するのが好きなのだ」

すぐに他のランサムウエアもメイズに続いた。２０２０年末までに、20以上のグループがこの「二重の脅迫」戦術を使うようになった。[37] メイズをはじめとするほとんどのグループは、ダークウエブ上に「リークサイト」を設け、一般の人々が被害者の名前や盗まれたデータを無料または有料で閲覧できるようにした。メイズはそうしたリークサイトで、「ここに表示されている企業は、我々と協力することを望んでおらず、彼らの資産に対する我々の攻撃が成功したことを隠そうとしている」と述べた。「彼らのデータベースと機密情報をここで公開していくので、お楽しみに。ニュースを見逃すな！」

メイズと同様に、レヴィルも盗んだデータをハッカーのフォーラムに掲載した後で、「ハッピーブログ」と名づけられたリーク用サイトを立ち上げた。そこでは被害者の名前と、彼らから盗んだデータが公開された。被害者の中には、レディー・ガガをはじめとする有名人の弁護士事務所、外貨両替チェーンのトラベレックス、米国のファッションブランドであるケネスコールなどが含まれている。[38] レヴィルは2021年4月、未発売のマックブックを含むアップル製品の設計図を公開し、テクノロジー界を震撼させた。[39] 彼らはアップルの主要サプライヤーであるノートパソコンメーカーのクアンタ・コンピュータから文書を盗んだと述べている。

レコーデッドフューチャーのインタビューで、レヴィルのアンノウンは、リークサイトでファイルを公開するのは「極めてゴージャス」だと語っている。[40] 無敵感を漂わせながら、このハッカーは被害者に圧力をかけるための他の可能性を指摘した。

「この戦術は、企業のCEOや創業者に対する攻撃にまで拡大されるはずだ。個人に対するOSINT(オープンソース・インテリジェンス)〔合法的に入手可能な情報を収集・分析することで行う諜報活動〕や嫌がらせ。これらも非常に楽しい選択肢になるだろう。しかし被害者は、身代金が支払われるまでに我々が費やす資源が増えれば増えるほど、そのすべてがサービスの費用として請求されるようになることを理解する必要がある。(笑)」

シカゴの弁護士で、データプライバシーを専門としているマイケル・ウォーターズは、こうした嫌がらせを受けた患者のいる美容整形外科グループの弁護を担当した。同グループに対する二重の脅迫攻撃で盗まれたデータの中には、豊胸手術を受けた患者のビフォー・アフターの写真が含まれていた。ハッカーは、そうした患者に電子メールで連絡し、メッセージに個人的な写真を添付した。「支払いがなければ、写真をオンラインに掲載すると脅したのです」とウォーターズは言う。

データ流出戦術にシフトすることで、ギャングは交渉に有利になっただけでなく、よりクリエイティビティを発揮してターゲットを探すようになった。レヴィルは保険会社のネットワークに侵入し、サイバー犯罪保険の契約企業リストを探そうとした。そうした保険は身代金の支払いにも適用されることが多いため、レヴィルは発見した契約企業をターゲットにした。「そう、これは最も美味しい相手のひとつだ」とアンノウンは語っている。[41]「最初に保険会社をハッキングして、その顧客リストを手に入れ、そこからターゲットを絞って活動する。それが一通り終わったら、最後に保険会社そのものを攻撃するんだ」

メイズが起こしたもうひとつのイノベーションは、ローレンスが「カルテル」と呼ぶ、他のギャングと結束して共通のリークサイトを共有するというものだ。[42] ２０２０年6月、メイズはローレンスに対し、リソースを統合することで「実行グループと企業の双方に有益な結果がもたらされるだろう……ビジネスの成功の裏側には、常に組織的な問題の解決があるものだ」と語っている。

メイズがアライド・ユニバーサルを攻撃してから1年後の12月、ローレンスはブリーピングコンピュータに記事を投稿し、「どうすれば被害者は、身代金を支払った後で、盗まれたデータを消去してもらえると確信できるか」という当初の疑問を再び取り上げた。彼のたどり着いた結論は「確信はできない」だった。[43] レヴィルはデータを削除するための対価として被害者から金を受け取った数週間後に、彼らを再び「データを公開する」と脅していたのである。他にもいくつかのグループが、身代金の支払いに応じた企業のデータを公開した。メイズですら、約束したにもかかわらず、手違いで被害者のデータをリークサイトに掲載してしまったことがある。ローレンスはアライド社に関する最初の記事で、二重の脅迫は「注意すべきこと」だと読者に伝えていた。そして今、彼は最悪の事態を覚悟しておくよう読者に呼びかけている。

「ランサムウエアを使う一味が、身代金の受け取り後に盗んだデータを削除したかどうかを、被害者が確実に知る方法はない」とローレンスは書いている。「企業は、身代金を支払うかどうかにかかわらず、自社のデータが複数の犯罪者の間で共有され、将来的に何らかの形で利用される、あるいは流出することを想定すべきだ」

2021年初頭、ランサムウエアの知名度が上がり、ギャングたちの手口がさらに凶悪化したことに危機感を覚えた中小の犯罪者たちは、活動を考え直すようになった。その1人が、メッセージングプラットフォームのテレグラム上で、「アドリアーン（ロシア語版のエイドリアン）」という名で活動しているハッカーである。[44]

アドリアーンは父親がロシア人で、威圧感を出すためにロシア名を好んで使っていた。「最も危険なハッカーはロシア出身なんだ」しかし彼が実際に住んでいたのは、中東のとある国で、そこでもハッキングが盛んに行われていた。

アドリアーンはコンピュータ好きで、「カウンターストライク：グローバルオフェンシブ」や「フォールガイズ」などのビデオゲームを遊びながら育った。高校は卒業したものの大学には行かず、まともな仕事にも就かなかった。彼は「私の世界はすべてコンピュータに関係している」という理由で、家からあまり出なかったという。そしてITへの興味から、テレグラムのハッキング・チャンネルに参加した。そこからサイバー犯罪の世界に足を踏み入れ、脆弱なパスワードで保護されたサーバーにブルートフォースで侵入するようになった。

2020年、アドリアーンはランサムウエアに軸足を移した。その理由は、ランサムウエア以上に「簡単に稼げる手段はなかった」からだった。ランサムウエア追跡チームの多くの敵と同様、彼は本やオンラインン動画で学びながら、独学で暗号技術を身につけた。そしてフォボスを基として、独自のランサムウエアを開発した。彼はそれに、ラオスで2016年に発見された新種の蛇にちなんで「ジギー」と名づけた（その蛇自体は、故デビッド・ボウイの分身にちなんで「ジギー・スターダスト」と名づけられていた）[45]。

ジギーによる攻撃で、アドリアーンは食料や新しいパソコンを購入できたが、金額よりも政治的な動機が大きかったと述べている。彼は米国とイスラエルのユーザーをターゲットにして、身代金を200ドルしか要求しなかった。これは、他のグループが7桁や8桁の金額を要求していたのと比べると、極めて少額といえるだろう。そして、ターゲットの情報をもたらした協力者と売上を山分けしたのである。マイケルと共にジギーを分析したマルウエアハンターは、珍しい「ホワイトリスト」を発見した。このリストに載っている国のユーザーが感染した場合、暗号化ではなく自動的に活動停止するようジギーが設定されていたのである。その国とは、イラン、シリア、レバノン、そしてパレスチナだった。

それからおよそ1年後、アドリアーンは被害者から合計で約3000ドルの身代金を得ていたが、一方で罪の意識と恐怖に襲われるようになった。米国と各国の法執行機関は、ちょうど「ネットウォーカー」と呼ばれるランサムウエアと、ランサムウエアを拡散する大手ボットネットの1つを撃退したところだった。またアドリアーンの師匠に当たる、小規模なランサムウエア開発者が、「フォニックス」という自らのランサムウエアを最近放棄していた。彼はテレグラム上でアドリアーンに対し、人を傷つけてしまったことを悲しく思う、と伝えた。アドリアーンはその言葉を噛みしめ、導きを求めて祈ったという。そして自分がしたことを両親や友人が知ったらどう思うだろう、と心配した。

アドリアーンはこの状況から逃げ出そうと決心した。そこで彼は、ランサムウエアに興味を持つ他の人々と同様に、ブリーピングコンピュータに目を向けた。そしてこのサイト上で、demonslay335（マイケル・ギレスピー）がすでにジギーを解析していることを知った。彼はツイッター上でマイケルを見つけた。

「やぁ兄弟」と彼はマイケルにメッセージを送った。「調子はどう？ 私はランサムウエア『ジギー』の作者なんだけど、すべてのキーを公開したいんだ。解除キーを皆と共有するのを助けてもらえないか？ 私のしたことを申し訳ないと思っている。どうか助けてくれ」

その頃、5〜6種類のマルウエアの作者がマイケルに接触し、復元ツールの開発に使える秘密キーを渡していた。彼はアドリアーンのキーを喜んで受け取った。それはジギーの犠牲者がファイルを復元できることを意味するからである。それでもマイケルは、日曜日に余計な仕事を押し付けられたことに対して、彼特有の諦めたような苛立ちを口にした。「ただでさえ週末は忙しいのに、くそったれのランサムウエア開発者が店を閉めるとはね」彼はその日のうちに復元ツールを作成し、公開した。[46] その翌月、ブリーピングコンピュータは、ジギーの作者が身代金を支払った被害者に返金を申し出ていることを報じた。「彼らは金を返した後、鞍替えしてランサムウエア追跡者になるつもりだ」と記事は伝えている。[47]

償いを終えて心が軽くなったアドリアーンだったが、それでも法執行機関に逮捕されるのを恐れていた。「人が不幸になるのを見るのは好きではありません」と彼は言った。「とても嫌な気分になります。私たちの宗教では、人を傷つけることは『ハラム』と呼ばれます……でも、今は諦めました。私は犯罪者なのでしょうか？」

アドリアーンは、もし当局に捕まらなければ（彼の期待通りになる確率が高いだろう）、自分のＩＴショップを開いて、人々が抱えるコンピュータの問題、特にランサムウエアの問題を解決する手助けをしたいと語っている。償いをし、自分のスキルを悪ではなく善のために使いたいと夢見るアドリアーンは、反省せずランサムウエアを拡散し続けているハッカーたちを哀れんだ。

「ランサムウエアの作者たちは、みないつか、自分のしたことを残念に思う日が来ると思います」

ランサムウエアの大物開発者が反省していたとしても、ファビアンがその証拠を見つけることはなかった。それでもファビアンは、彼らの気が変わったときに、ランサムウエア追跡チームがその機会を利用できるようにしておきたかった。そこでファビアンは、「バーチャル懺悔室」を設けるというユニークな対応を行った。ハッカーはこのサイトにアクセスして、匿名で解除キーを送り、自らの罪を悔い改めることができる。具体的には、サイバー犯罪者が好んで利用するメッセージングサービスのアカウントを設置し、それを懺悔室としたのだ。２０２１年7月、彼は1万人を超えるツイッターのフォロワーに向けて、その詳細をツイートした。

「キーを匿名で送ってもらいやすくするために、ＸＭＰＰのアカウントをつくりました」と彼は書き込んだ。「なので、もし自分の活動を停止しようとなったときに、キーデータベースをオフロードしたければ、遠慮なくfabian.wosar@anonym.imまでご連絡ください。何も聞きません」

ファビアンはこのツイートを発信する前に、サラからの了解を得た。「いいんじゃない？」と彼女は言った。「何か得るものがあるかもしれない」しかし彼が投稿すると、すぐに懐疑的な意見が寄せられた。「スパムを楽しめよ」と、あるフォロワーは返信した。「これは荒れるぞ」

翌日ファビアンは、「今のところ何もない」と報告した。「実際のところ、これが上手くいくかどうかわからないんだ」

別のフォロワーは彼を「完全なマッド・ラッド（狂っているという意味のスラング）」と呼んだ。「スパムを浴びせかけるように頼んでいるんだから」と、このフォロワーは投稿している。

ファビアンは気にせず、こう答えた。「ランサムウエア被害者のデータを取り戻すためなら何でもするさ」

退屈な神父のように、ファビアンは懺悔者が名乗り出るのを辛抱強く、そして希望を持って待ち続けた。その期待通り、アカウントを開設してから1か月で、少しずつ連絡が来るようになった。しかし罪人たちは赦しではなく、復讐を求めていた。

ファビアンに連絡を取ってきた人物の大半はハッカーで、犯罪仲間から金をだまし取られた、あるいは不当な扱いを受けたと訴えていた。また、競合する別の集団を破滅に追い込むような情報をもたらす者もいた。彼らは誰かがどこかのコンピュータに侵入したとか、もうすぐ攻撃が行われるとかいった詳しい情報をファビアンにもたらし、過去の攻撃の解除キーを渡した。このようなコミュニケーションは、両者にとって有益なものだった。ファビアンは標的となった人物や組織に対する攻撃の阻止や、復旧に協力することができ、一方でハッカーは、バレるリスクを冒さずに、敵の妨害工作を行うことができたのである。

8月下旬、ランサムウエアグループの「エルコメータ」に関係するハッカーがファビアンに接触してきた。以前は「シナック」と名乗り、2017年から被害者を出していたこのグループは、2021年8月にエルコメータとして現れた。[48] 彼らの内部では激しい内紛が起きていて、ファビアンに接触したハッカーは脆弱なターゲットを発見する役割を務めており、パートナーの1人に金をだまし取られたと感じていた。そして恨みを晴らすために、彼らの活動全体を弱体化させようと考えたのである。ハッカーはファビアンに、エルコメータの被害者の暗号解除キーと、被害者のデータが保存されているクラウドストレージのログイン情報を渡した。

さらにこのハッカーは、システムへの侵入に成功しているものの、まだ暗号化を行っていない標的の詳細と、継続的な侵入を可能にするためにそうしたネットワークに設置した「バックドア」（侵入者へ将来のアクセスを可能にする秘密の入口）の証拠をファビアンに渡した。攻撃が迫っている標的の中には、ノースカロライナ州に本社を置く七面鳥製品の会社、バターボールが含まれていた。

ハッカーはファビアンに、バターボールの社内ネットワークの詳しい情報と、ドメイン管理者の認証情報のスクリーンショットをファビアンに見せたが、そこに載っていたパスワードは「Butterball1」や「G0bb1er」［gobblerは英語で「七面鳥の雄」を意味し、oとlをそれぞれ0と1に換えた単語をパスワードにしているが、こういった変換は推測されやすい］など笑ってしまうほど簡単なものだった。ファビアンは夜通しでバターボールに連絡を取り、自分が知ったことを警告しようとしたが、上手くいかなかった。ロンドン時間の午前1時頃、彼は強迫観念と苛立ちから、ツイッター上で愚痴をこぼした。

彼はバターボールの名前も、なぜこの会社が危機に瀕していることを知ったのかも明かさず、「ある会社がランサムウエアにやられそうになっているのに、誰も話を聞いてくれず、電話にも出てくれないのはうんざりする」と書いた。「彼らのセキュリティはすでに破られていることをつかんでいる。間もなくランサムウエアに感染させられるだろう。売上高10億ドル以上の米国企業だ」

2日後、ファビアンはフォロワー向けに最新情報をツイートした。「なんとかその会社と連絡が取れ、持っていた情報を渡した」と彼は書いている。「彼らはすでに適切な措置を講じているところだった。これは素晴らしいニュースで、侵入を独自にキャッチした同社のＩＴスタッフに賛辞を送りたい」

バターボールはその後、「個人情報にアクセスされた可能性のある個人」に対し、何者かが同社のネットワークに侵入し、クラウドサーバにファイルをアップロードしようとしたことを通知した。[49]同社は「不審な活動」を、それが開始されてから1時間以内に検知し、アップロードを停止させ、転送されたファイルを削除したと述べた。

侵入についての詳細をバターボールと共有したファビアンは、ようやく満足感を覚えた。ランサムウエア追跡チームは、エルコメータのハッカーが名前を挙げた被害者全員と連絡を取った。

ファビアンはツイッター上で、「私たちは被害者および潜在的な被害者の全員とコンタクトできた」と述べている。「すでにランサムウエアが展開されてしまっている被害者に対しては、無料の復元ツールを提供し、入手したすべての情報を、被害者のＩＴチームと法執行機関に引き渡した。結局のところ、良い1週間だった」

その後しばらく、新たなハッカーが数週間おきに現れ、ファビアンにメッセージを送ってきた。ファビアンは懺悔を聞く「司祭」の役割を忠実に果たし、善悪の判断を下すことはない。ハッカーたちが恥じることなく自分の罪を打ち明けられる場所を提供すれば、彼らは安心して秘密を明かしてくれるだろうと彼は信じていたのである。また情報を引き出すには、自分がハッカーたちの汚れ仕事を引き受ける用意があることを明らかにし、「私が彼らを利用しているのではなく、彼らが私を利用しているのだ」と思わせるのが最も効果的であることも学んだという。

ファビアンは敵対勢力と再び定期的に接触するようになり、状況がどのように変化したかを間近で見ることになった。彼が主に相手にしていたのは、独立して小規模な活動を行うハッカーではなく、むしろ大規模なグループの中にいるハッカーだった。ハッカーは組織に対して忠誠心を持たず、その逆もまた然りであることを彼は理解した。彼とやり取りしたハッカーたちの忠誠心を維持していたのは、金以外の何物でもなかった。

しかしまったく変わらないものもある。ファビアンやハッカーたちが共有する、暗号技術への憧れなどだ。時にハッカーたちは、敵に復讐するといった状況においてですら、ファビアンに自分たちの仕事を認めてもらうため、あるいは彼のランサムウエアの祭壇に参拝するため、時間を割いた。そうしたメッセージは、数年前にアポカリプスの開発者が彼を「神」と呼んだときのやり取りを、ファビアンに思い出させた。

「ランサムウエアの作成者は、私たちランサムウエア追跡チームが行っている活動に必要な技術や知識を、ある程度評価しているのです」とファビアンは語った。「私のところに来るのは、彼らなりの敬意の表れなのです」

それでも、ハッカーと被害者の両方から、ファビアン、マイケル、その他のチームメートたちにかけられるプレッシャーは相当なものだった。そして、この面白くない戦争のストレスは、彼らや彼らの愛する人々に思いがけない形で影響を及ぼした。

第5章　執着の代償

ランサムウエア追跡チームが公式に設立される前から、マイケルは自分自身、ファビアン、マルウエアハンターといった面々に必要なのは、メンバー間のコミュニケーション手段だけではないことに気づいていた。被害者に暗号化されたファイルをアップロードしてもらい、攻撃しているランサムウエアの種類を特定して、ハッカーに身代金を払わずにデータを回復できるかどうかを伝える、ランサムウエアの分類に特化したウェブサイトも必要だった。そうした自助努力のためのサイトがあれば、被害者の役に立つと同時に、ハンターたちは新種のランサムウエアの解読に専念できるだろう。

マイケルは、ナード・オン・コールのオフィスと自宅で、その解決策に取り組み始めた。「僕はプログラマーなんだ」と彼は言った。「何をするかって？　自動化さ」

事実を重視するという彼らしいアプローチによって、マイケルはこのサイトにその目的から名前を付けた。2016年3月、彼は「IDランサムウエア」を立ち上げ、ツイッターとブリーピングコンピュータを通じて発表した。「ランサムウエアの攻撃を受けたとき、最初の問いは『何がファイルを暗号化したのか』、その次は『ファイルを復元できるのか』であることが多いものです」と彼は記述した。「このウェブサービスの目的は、これらの質問に答える手助けをし、被害者が感染についての正しい情報を得ることです」

彼はひとつだけ、ちょっとした飾りをこのサイトに加えることを自分に許した。それはG・I・ジョーに登場する名言で、「知識があれば、戦いは勝ったも同然だ！（Knowing is half the battle!）」である。それ以外は、このサイトは名前と同じように単純明快だった。被害者に、暗号化されたファイルと、身代金を要求するメッセージの提供（そうしたメッセージが見当たらない場合は、攻撃者が示したメールアドレスやリンク）を求める。また、既知のランサムウエアの種類を列挙し、次のような、よくある質問に答えている。

データを復元できますか？

できません。このサービスは、皆さんのファイルを暗号化した可能性のあるランサムウエアの特定に特化しています。皆さんに正しい方向を示し、ファイルを復元する既知の方法があるかどうかを知らせるのが目的です……

データの秘密は守られますか？

……ファイルの機密が100パーセント守られるという保証はできません。ファイルは共有のホストに一時的に保存されますので、このデータに何か起きても、責任を負いかねます。

IDランサムウエアはすぐに多くの注目を集めるようになった。被害者、研究者、法執行機関、コンサルタントはみな、解析のために暗号化されたファイルを提出した。これまで確認されていなかった種類のランサムウエアが検出されると、マイケルはそれを自分のデータベースに追加していったが、これは大変な作業だった。IDランサムウエアが立ち上がってから1か月間で、1日あたり1500件もの報告を受けるようになったのである。そのほとんどが米国以外からで、世界中のボランティアがスウェーデン語からネパール語に至るまで翻訳を行い、最終的にそうした言語の種類は20を超えた。またIDランサムウエアは、情報が集まる中心的な場所となり、新たに発見されたランサムウエアの分析と解読を行うチームメンバーにとって、非常に貴重な存在となった。

マイケルはローレンスに、IDランサムウエアに集まるすべての一次情報への完全なアクセスを許したが、速報を出すことには使わないよう約束させた。マイケルは不注意によって、法執行機関の捜査が妨げられることのないようにしたかった。彼はジャーナリストとしてのローレンスではなく、同僚としてのローレンスに情報を共有していたのである。

「私はそうした情報の一部を記事にしたいとうずうずしているのですが、ダメなことも理解しているので書きません」とローレンス。「記事を書いていると時々、『くそっ、この質問の答えはわかっているのに、何も言えない。マイケルの信頼を裏切りたくない』という気持ちになります」

それでも集められた情報によって、ローレンスはランサムウエアの進化を初めて目の当たりにできた。「大勢の人々がこのサイトを使っているので、（マイケルは）素晴らしいデータを集めています」とローレンスは言う。「彼は膨大な量の情報を持っています。そこから統計やトレンド、どのような攻撃がいつ起きているのかを見て取れます」

マイケルはすぐ、被害者のために別の無料アプリケーションを開発した。「ランサムノートクリーナー」は、感染後にシステムに残る、身代金要求書（ランサムノート）を削除する。それを手作業でしようとすると、非常に時間がかかるのだ。「クリプトサーチ」は暗号化されたファイルを見つけ出し、簡単にバックアップを作成できる。いつか解決策が見つかるかもしれない、という期待からだ。

またＩＤランサムウエアは、コンピュータの脆弱性を示すサイト「ショーダン」と、被害者のＩＰアドレスを相互参照した。ショーダンがハッカーの侵入を許すような脆弱性を見つけると、ＩＤランサムウエアはその警告を発して、マイケルが高校時代にクラスメートのロッカーにメモを貼り付けたように、問題の修正を提案した。

マイケルのサイトのＵＲＬは、彼が望んだ簡潔な「idransomware.com」ではなく、「idransomware.malwarehunterteam.com」という、長くて使いにくいものになっていた。それは、お金がないという個人的な理由からだった。

「idransomware.com」というドメイン名は空いていて、前金で少額を支払えば使用できたが、マイケルは購入できなかったのだ。支払いには小切手かクレジットカードが必要で、マイケルはクレジットカードの支払いを滞納しており、銀行も彼の当座預金を凍結していたのである。その代わりに、彼にお金がないことを知り尽くしているマルウエアハンターが、マイケルに無料でドメイン名を共有することを許可してくれた。

そのような状態にもかかわらず、マイケルはＩＤランサムウエアの立ち上げ直後から訪問者に対し、このサイトが「これまでも、そしてこれからも、一般に公開された無料のサービスであり続ける」と断言していた。さらに、「私は自分のサービスに対して金銭を要求しません。しかし、将来的に被害者にならないよう、適切なバックアップに投資しておくことを強くお勧めします……とはいえ、もし私やこのサイトがあなたのお役に立ち、本当にお返しをしたいと思われるなら、遠慮なく1ドルでも2ドルでも恵んでください」と付け加えていた。この文言の下には、サイト運営費のための寄付のリンクを添えた。

ＩＤランサムウエアを非営利団体として登録すれば、寄付金を税金から差し引くことができるのだが、マイケルはそれを考えなかったし、その余裕もなかった。寄付はほとんどなかった。それでも、あるときペイパルを通じて、3000ドルという多額の寄付が贈られてきた。彼は興奮したが、この天の恵みは詐欺であることが判明した。彼が無効化したランサムウエアのハッカーによる復讐だと考えられ、ペイパルは支払われた金を返還するよう求めてきた。マイケルはそれを返すことができず、他のサービスに切り替えざるを得なくなった。

被害者にその救済費用を請求しないという、自ら掲げた原則によって、彼は代償を支払うことになった。ナード・オン・コールの給料だけではやっていけなくなったのである。ナード・オン・コールの親会社であるファセット・テクノロジーズでは、若手社員は十分な経験と指導を得られたが、金持ちにはなれなかった。2008年に主任技術者として入社したデイブ・ジェイコブズの初任給は、年俸2万ドル（約280万円）だ。「この分野では安い方です。それでも、ルームメートと一緒に住んでいたので、何とかやっていけました」10年後、ジェイコブズのファセットでの給料は3万2000ドルになっていたが、彼はキャタピラーに転職した。

マイケルは給料にほとんど不満を持たず、昇給を要求することもなかった。技術者からプログラマーへ、さらにプロジェクトマネージャーへと昇進し、ウェブサイトやアプリケーションを構築するオフショアチームを監督するようになった。しかし彼はこの新しい役割が嫌だった。ファセットは他社のウェブサイト構築部門を吸収していたが、新人の能力はマイケルが求める水準に達していなかった。「彼らがつくったものをたくさん直したよ」

肩書が変わっても、マイケルが担っていた仕事は変わらなかった。プログラミングはもちろん、電話や来客の応対など、ショップの運営も行っていた。こうしたマルチタスクを抱えた結果、ランサムウエアに費やす時間は少なくなった。しかし彼には、より高い報酬の仕事を探す自信とモチベーションがなかった。変化を好まない彼にとって、ファセットは唯一の雇用主だったのである。彼は「インポスター症候群」に悩まされていた。「自分には、もっと評価されたり、もっと大きな仕事をしたりする資格がない」という不安感だ。

「彼が面接に行って自分のことを話すなんて、想像できないよ」とデイブは言う。「そんなの彼じゃない」

マイケルとモーガンは結婚以来、経済的に苦しんでいた。モーガンは子守の仕事で収入を得ていたが、それでも十分ではなかったのである。彼女はフェイスブックで、自分たちの不安定な状態を記録している。「私たちのライフスタイルに余裕ができるように、心から祈ってる（笑）」と、彼女は2013年3月に書いている。「しばらくの間、給料日から給料日まで食いつなぐ生活を送らないといけないかも（笑）……

服や余分なものに予算を回すなんてできそうにない」

彼らはその月、連邦住宅局の低所得者向けローンを使って、ブルーミントンに自宅を11万6千ドル（約1624万円）で購入した。彼らは「家のために少し無理をしていた」とデイブは言う。「1か月の家計を考えるとき、立てた計画は素晴らしく見えるかもしれないが、もしものことや予想外のことを考慮するのは難しいものです」

2015年6月、モーガンは「誰か1200ドル（約17万円）持ってない？」と投稿した。その翌月、彼女が乳母をする子供たちを乗せるために3列シートの車が必要だと訴え、2人は日産のパスファインダーを中古で購入した。「彼女は時々、本当は必要ないものを、これは自分たちに必要だと考えてしまうんです」とデイブは指摘する。月々の支払いは450ドルだった。

マイケルはデイブに言った。「このくらいなら大丈夫だ」

「だけど、もう1台の車は超古いし、問題も山積みじゃないか。パスファインダーのローンを完済する前に、古い方を処分して買い替えなければいけなくなったらどうするんだ？　もう1～2年したら、2台目の車の支払いに追われるかもしれないぞ」

「まぁ、僕は目の前の問題を処理したいんだ」

「おい、言っとくけどこれは悪いアイデアだ」

案の定、もう1台の車はすぐに壊れてしまった。

彼の上司であるブライアンとジェイソンは、彼がお金に苦労していることを知っていた。大切なクライアントとの打ち合わせのために、マイケルに身なりを整えてもらおうと、散髪代まで払うほどだった。マイケルがポニーテールにするまでに、「何度も散髪代を出したよ」とブライアンは語っている。またブライアンは、決めておいた予算を守るためのアドバイスもした。「自分自身で解決しなければならない人もいるんです」と彼は言う。

ジェイソンは、マイケルの自宅の地下室を貸し出すことを提案した。そこには家具があり、台所と寝室、浴室も付いていた。友人や親戚が家賃を払って泊まることはあったものの、マイケルとモーガンは見知らぬ人を借主にはしたくなかった。

ナード・オン・コールの給料を補うために、マイケルはパンタグラフという新聞の配達の仕事を始めた。彼は幼い頃、放課後に楽しみながら、近隣にピーキン・デイリータイムズ紙を配達していた。しかしパンタグラフ紙は朝刊であり、配達ルートは彼の家から離れていた。毎朝3時に起床し、自転車を車の後ろに積んで、パンタグラフ社のビルに向かわなければならない。そこで150部の新聞を受け取り、1部1部を折り畳んで輪ゴムと袋で包む。そして真っ暗な道を北へ15マイル（約24キロメートル）ほど走ったところに車を止め、自転車を下ろして、家々を回る。新聞は箱の中やポーチなど、指定された場所に置いていく。芝生を踏むと苦情が来るので、歩道を走るようにした。配達を終えると、家に戻って仮眠をとり、ナード・オン・コールに向かうのだ。

ガソリン代、輪ゴム代、袋代を差し引くと、この仕事は月に200ドル程度しか稼げなかった。クリスマスの少し前、彼は新聞配達を辞めた。ホリデーシーズンにはチップがはずむのだが、彼は疲れすぎて、それまで持ちこたえることができなかった。さらに彼は、自分の健康状態も心配になり始めた。尿に血が混じっているのに気づいたのだ。

「そのせいで、マイケルはひどく打ちのめされたんだ」とデイブは言う。「彼は疲れ切って、本業を続けられなくなったよ」

モーガンは孤独だった。マイケルは仕事とランサムウエアで頭がいっぱいで、彼女と過ごす時間はほとんどなかった。

2人は性格が正反対だった。マイケルは理性的で引っ込み思案、物事に集中し過ぎで、一方のモーガンは社交的で感情的、そして率直だった。しかし、彼らは互いに依存していた。マイケルは自分を引き出し、他人や自分自身の感情と結びつけてくれる彼女を必要としていた。家庭の事情で気分が変わりやすい彼女には、彼の平静さと揺るぎないサポートが必要だった。また2人はガレージセールめぐりをするなど、同じ趣味を楽しんでいた。

モーガンはかつてフェイスブックに、「私は夫を愛してる。そして、彼の周りでは完全な自分でいられて、批判されたと感じたりせず、彼の目には私が完璧に映っていると感じられるという事実を愛してる」と書いた。「私の人生で、こんなに自分に自信を持たせてくれる人はいなかった」

しかしその彼は今、ナード・オン・コールに夜遅くまで残ることが多くなっていた。彼のデスクには、机の上にノートパソコン、その下にはもっと高性能のパソコンが置いてあった。彼はその2台のコンピュータを使ってランサムウエアを解読していた。同僚たちは、彼が部屋に鍵をかけてしまうのを放っておくこともあった。ある晩のこと、彼は猛吹雪に見舞われた。家に帰ろうとしたときには雪が積もっていたので、彼は受付の引き出しからスナックを取り出してむしゃむしゃ食べながら、オフィスで一晩を過ごした。

「彼にずっと会えていない気分でした」とモーガン。「夕方に一緒にいると、彼は『大変だ、あれをやらなきゃ』と言い出して、そのまま何時間もいなくなってしまうんです」

彼が帰ってくるのを待つ間、モーガンはペットの世話をし、テレビを見て、ソーシャルメディアをながめ、塗り絵をした。しかし彼女は、次第にやる気を失っていった。「目覚めたとき、いったい何の意味があるんだろう、という実存的危機〔自分の人生には意味がないのではないか、という不安感を覚えること〕を感じることが多いんです」と彼女は言う。「携帯電話を見るのも、歯を磨くのも、シャワーを浴びるのも、何のためなんだろうって。自分が無価値に思えて、普通の人間が日常にすることを何もする気になれないんです」

新しい友人をつくるために、モーガンは地元の女性グループに参加し、一緒に食事やスパに行った。彼女が最も望んでいたのは子供を産むことだったが、不妊に苦しんでいた。そのため、「私の赤ちゃん」と呼んでいた猫たちや、子守をしていた男の子には、母親としての愛情を惜しまなかった。「おちびのジェームズちゃんが、私と彼が雪の中で遊んでいる様子を初めて紙に書いてくれたの！　めっちゃ感動した！とっても幸せ」と、彼女はフェイスブックに書いている。

モーガンは金のかかる習慣に溺れることで、ストレスを解消しようとした――マリファナである。妹が彼らの家に一時的に滞在し、地元のハーディーズ〔米国のレストランチェーン〕で働いていたときに、友人たちと一緒にマリファナを吸っていたのを見て、モーガンも「やってみよう、どんなものか体験してみたい」と思い立ったのである。初めてそれを吸ったとき、「喜びに満ちた幸福感、何の不安も感じないリラックス感、集中して自分のやりたいことができるようになる感覚が得られました」と彼女は振り返る。「マリファナが私に人生を取り戻させてくれたんです」

最初のうち、彼女は週末だけマリファナを吸っていた。しばらくすると、子守の仕事が終わった夕方にも吸うようになった。彼女はマリファナの売人を自分で見つけて、隔週で「ハーフ」サイズを購入した。「その14グラムで最後にしようと思うんだけど、そうすると大変なストレスを感じるの」残りがわずかになると、彼女はパニックになった。『もし今むしゃくしゃしたり、発作が起きたりして、なのにマリファナがなくて、手に入れるお金もなかったらどうしよう』って思ってた」

医療用マリファナを手に入れるための医師の処方箋がなかったため、モーガンは路上販売の値段で購入していたが、それは1か月に2000ドルもして、家計への大きな打撃となった。「次に気づいたのは、銀行口座の残高の変化だった。ここで500ドル、ここで200ドルといった具合に引き出されていた」とマイケルは言う。「幸いなことに、1回に引き出せる額には制限があったんだ」

2人はオリンピックの陸上競技であるかのように、給料の使い道を競い合った。彼は各種の請求書に、彼女はマリファナに。「光熱費も、家も、車も、正直言って何も気にしていませんでした」とモーガンは言う。「自殺してしまうことや、暗い場所にいることの方が心配でした」彼らの結婚は、「彼が請求書の支払いをする前に、私がどれだけ早くお金を手に入れられるかにかかってた。彼はまた、私がマリファナを切らしたら何が起きるかも知っていた。私が機能停止状態になって、抜け出せないことを」

請求書の支払いは、次第に滞るようになった。しかしマイケルが許せなかったのは、マリファナに金がかかることだけではなかった。彼はまっすぐな性格で、モーガンはイリノイ州の法を破っているのだ。ランサムウエアを解読するために、論理的な分析と明晰な思考を重視していた彼は、頭がぼんやりした状態の人と一緒にいるとイライラしてしまうのだ。「彼は私と関わりたくなかったんです」とモーガンは振り返る。

マイケルは自分の仕事に没頭し、モーガンのストレスは増すばかりだった。彼女は子供の頃、両親が酒を飲みに出かけると見捨てられたような気分になっていたが、夫の不在も同じような不安を引き起こした。「彼が仕事に没頭して、私にメールを送ろうとしないこともあった」とモーガン。「私は、彼が帰ってくるのをただひたすら待ってた。パニックになって彼に電話したり、彼が帰ってきたときに自分を傷つけてやると脅したりもした。自分が大切にされていないように感じていたから。でもそんなことはなくて、彼は浮気とかバカなことはしていなかった」

「彼が『1時間後に帰る』と言ってくるときもあった。けれど1時間が過ぎ、2時間が過ぎ、3時間が過ぎという具合で、私は座りながら『メッセージを送るべきだろうか、だけど重荷になりたくないから彼に迷惑をかけたくない』と迷ってしまう。なので、自分の気持ちを押し殺すしかなかった」

とうとうモーガンは、マイケルに最後通牒を突きつけた。彼は彼女と別れるか、彼女のマリファナを吸う習慣を受け入れるか、どちらかを選ばなければならなかった。「実際のところ、それが問題の原因でした」と彼女は言う。「私はもう、彼が私を憎むことに耐えられないところまで、きていました。最終的に依存するもの（マリファナ）を見つけたわけですが、彼は受け入れられなかったんです。彼はマリファナ依存を嫌い、私を憎んでいました」

彼女の強い要望で、彼は一度だけマリファナたばこを吸うことに同意した。しかし散らかったガレージで行われたこの試みは、散々な結果に終わった。モーガンはいつもの量を吸ったのだが、マイケルは一服しただけで錯乱状態に陥ってしまったのである。彼はいつもと違って饒舌になり、自分の考えや感情、脳の働きについてしゃべりまくった。そして、グリルとその上の大きなファンに目を向けると、まるで魔法のように、それらが翼のある神話上の生き物に変身した。

「くそっ、ドラゴンがいる！」と彼は叫んだ。

彼は家に戻って横になり、「気が狂ってしまった」と思った。「もう元には戻れないのだと、完全にパニックになったんだ」彼は潜在意識への潜入を描いた2010年のレオナルド・ディカプリオ主演の映画を引き合いに出して、「『インセプション』に閉じ込められたような気分だった」と付け加えた。「人生で一番怖かった瞬間だった」

子供を持つことはできないように思えたモーガンだったが、家族を持つという願いを一時的にかなえることができた。学校の2017年度に、彼女はマイケルと共に、タンという名のタイからの交換留学生を受け入れた。彼女は空き部屋に寝泊まりして、ブルーミントン高校に通った。[1]

「子育てを経験したいと思ったとき、それは当時の私たちが取れる数少ない選択肢だったんだ」とマイケルは語った。

当時25歳のマイケルは、高校生を育てることに気後れした。タンは学校のサッカーチームとボーリングチームに所属し、マイケルは彼女のスポーツイベントにすべて参加した。「それも奇妙だったね」と彼は言う。「私は髭を生やした10代のように見えるのに、本当の10代の子供を持つ40代の親たちと一緒にいるのだから」

モーガンはこの新しい役割を味わい、タンと一緒にいるのを楽しんだ。マイケルが会社に行っている間、彼女はタンのそばに座り、宿題を手伝った。学校のホームカミングデーのダンス［学校が在校生や卒業生、その家族を招いて行う行事がホームカミングデーで、パーティーやダンス、スポーツイベント等が行われる］に付き添い、教師とタンの成長について話し合った。「素晴らしい保護者面談だった！」と彼女はフェイスブックで報告した。「タンは……とっても勤勉な生徒で、自分から積極的に発言し、他の生徒を助けているって！彼女をとても誇りに思う！」モーガンは、タンが初めて見る雪の中で、彼女の写真を撮った。

外向的で人当たりのよいタンは、新しい環境によくなじみ、コンサートやテーマパークに行ったり、友人とシカゴを訪れたりした。交換留学のルールから、彼女は家賃を払っていなかった。そのため、マイケルとモーガンの経済的な問題は深刻化していた。ギレスピー夫妻は光熱費や水道料の請求書を広げて、どの支払いを先にすべきかに頭を悩ませた。後回しにされたサービスはもちろん、停止されてしまうからである。

電気がなければ、マイケルは冷蔵庫を空にして、中身をクーラーボックスに詰め、車で職場に行き、オフィスの冷蔵庫に食品を保管する。暖房がなければ、家を空ける時間を長くして（マイケルは夜遅くまで会社で働き、モーガンとタンは友人の家に行く）、夜は毛布を重ねて暖かくする。水がなければ、トイレの水を流さず、マイケルは裏庭で小便をする。彼とモーガンは職場で水を使い、猫たちのためにペットボトルの水を買い置きしていた。お金ができても、いったん止まったサービスを再開するのには手間がかかる。クレジットカードや銀行口座が停止されているため、マイケルはそれぞれの会社に現金を持参するか、ウエスタンユニオンのような送金サービスを利用しなければならなかった。

ここには、タンが映画やテレビで見た、高級車と緑豊かなキャンパス、豪邸のある豊かなアメリカはなかった。彼女はホストファミリーを気の毒に思い、タイにいる両親に窮状を知らせた。するとタイの両親は、米国の家族を助けるために、通常の慈善活動の流れに逆らい、ガス料金を支払うことを申し出た。しかしギレスピー夫妻はそれを断った。「彼女の両親にそんなことはさせられない」とマイケルは言った。彼は請求書の支払いをし、翌日には暖房を入れられるようになったものの、「それでもかなり恥ずかしい思いをしたよ」

モーガンの親族は、夫妻の経済的苦境をマイケルのせいにしていた。ファセットが彼を利用しているのだ、と彼らは言い、もっと儲かる仕事、たとえば企業内のＩＴ専門家の職を探すように勧めた。「彼らはいつも私にプレッシャーをかけてきた」とマイケルは言う。「『ステートファームで働けば、3倍は稼げるぞ』ってね」

少なくとも、ＩＤランサムウエアのユーザーから料金を徴収すべきだと、義理の両親は彼に言った。マイケルが「グラニー（おばあちゃん）」と呼び、彼が一番信頼できる存在である妻の祖母のリタでさえも、その話を持ち出した。「私は口を出さないようにしていたのですが」とリタ・ブランチは語る。「時々分別がなくなって、彼に『ねぇ、あなたは充電が必要よ、お金持ちになれるのに』などと言ってしまいました」

マイケルにとって、自分が敗者であるかのように言われるのは、クラスメートから陰で変人呼ばわりされていた高校時代の嫌な記憶を呼び起こさせるものだった。それでも彼は、自分の理想を貫いて、義理の家族からの忠告には従わなかった。自分にもモーガンにも大きな犠牲を強いることになったが、ランサムウエアの被害者に金を請求したり、フォーチュン500企業の官僚機構の歯車になったりする気はなかった。「たとえ初任給が20万ドルだったとしても、ステートファームの第1線のサポート部門では働きたくない」と彼は言う。「自分が直せるとわかっていることでも、修正は自分の管轄外なので、別の誰かに任せなければならないんだ」

またマイケルは、体調不良の兆候を無視した。助けを求めるべきだとわかっていても、怖かったのである。医療に関するいかなるかかわりも、彼の気分を悪くさせた。それが人生を狂わせ、ランサムウエアとの戦いに影響を与える恐れがある場合はなおさらだった。「彼は人体が気持ち悪いんです」とモーガンは言う。「脈拍や鼓動、眼球や血液の話になると、マイケルはそわそわし始めるんです」

マイケルの不快感が増すのと、活力がなくなっていくのを心配したモーガンは、ついに病院の予約を入れた。2017年10月、外科医は彼にあった腫瘍を摘出した。それは当初良性だと思われていたが、組織サンプルが戻ってくると、若い成人がかかることはほとんどない膀胱がんであることが判明した。

「みんな、マイケルのことを思っていてくれるかな?」と、モーガンはフェイスブックに投稿した。「今日、悪い知らせがあったんだ」

マイケルはファセットを2日だけ休んだ。1日は手術のため、もう1日は回復のためだった。同僚を失望させたくなかったのである。

「かわいそうに、だけどがんの件では、マイケルはよく頑張りました」とデイブは言う。「ものすごいストレスを感じていても、彼はそれをあまり表には出さないんです」

幸いなことに、がんはまだ初期段階であり、マイケルは完全に回復する見込みだった。しかし主治医が勧めた免疫療法は、彼にとって試練となった。およそ2か月の間、毎週、看護師が結核菌の入った液体を膀胱に注射したのである。この菌は、がん細胞を攻撃する免疫細胞を活性化させるのだそうだ。モーガンは彼を押さえつけ、足をさすって落ち着かせなければならなかった。そして家に帰り、排尿を1時間待つのである。その後、トイレを漂白した。

11月に初めて治療を受けた後、マイケルはフェイスブック上の友人に「怖い」と打ち明けた。「過去最悪の経験をした。あと5回も（治療を）受けるのは嫌だ」

免疫療法が終わり、医師からがんが完全寛解したという朗報が届いた。マイケルは、ピオリアのゴルフクラブで開催されたファセットのクリスマスパーティーで、長い間我慢していた感情を解放させた。普段の彼とは異なる、大酒を飲むという形で。めったに酒を飲まないマイケルが、バーに向かったのである。

彼はバーテンダーに話した。「自分の好みがわからないんだ」「何か甘いものを作ってくれないか」

バーテンダーは、ロングアイランド・アイスティーをつくった。ウォッカ、ラム、テキーラ、ジン、トリプルセックという5種類のアルコールを使った強力なカクテルだ。マイケルはそれを飲み干し、30分もしないうちに、もう1杯、さらにもう1杯と飲んだ。

「あの可哀想な彼が、どんな状態だったか想像がつくでしょう」とデイブは語った。「あいつは少し羽目を外したかっただけで、自分の限界を知らなかったんです。そのカクテルに何が入っているのか知りませんでした。ただ、すごく美味しいと」

隣に座っていたデイブは、マイケルのシャツの襟をつかんで倒れないようにした。「大丈夫か、相棒？」デイブは何度も彼に尋ねた。モーガンがマイケルの父親に電話すると、彼が来てマイケルを家まで送ってくれた。

ランサムウエアのことで頭がいっぱいになり、私生活に負担がかかっていたのは、マイケルだけではなかった。ダニエル・ギャラガーも同じように苦労していた。彼は本業で要求されることと、ランサムウエアを使う攻撃者を追跡して恥をかかせることへの執着との間で、板挟みになっていた。

ダニエルは、ファビアンやマイケルと同様、大人になってからADHDと診断され、1つの作業に長時間執着する性質がある。また「色字共感覚」として知られる性質を持ち、文字や数字を特定の色として認識する。たとえばDという文字は灰色がかった青で、9という数字はワインレッドになる。彼によれば、数字の羅列は「ある種の雰囲気」を持つという。「秋の色とか、寒色とか暖色とか。なのでたくさんのテキストやIPアドレスに目を通すとき、それらを特定の色として認識することで、探しているものをより速く見つけ出せるのです。データにざっと目を通しても、実際に読むことはできませんが、色が付いている部分を見つけるのは簡単です。だから私はデータ分析が得意なのだと思います。つながりがポンと出てくるんです。そうしたつながりが見つかるたびに、ドーパミンが湧くような感覚がします」有名なアーティストや、ミュージシャン、科学者といった多くのクリエイティブな人々が、同じタイプの共感覚を持っている。ノーベル賞を受賞した物理学者のリチャード・ファインマンは、彼の見る数式には「薄茶色のj、やや紫がかった青のn、濃い茶色のxが飛び交っている」と書いている。[2]

ダニエルはチーム内で2つの役割を負っていた。ひとつは、マルウエアのサンプルを見つけること。彼は「YARAルール」として知られるものを作成した。これはウイルストータルの巨大なマルウエア・データベースを検索し、条件に合致するサンプルを探すよう指示するためのものだ。また、サンプルを自動的に共有するためのツールも作成した。「私は映画『ショーシャンクの空に』に登場するレッドのように、頼まれたものを手に入れられる男としてスタートしました」

そしてもうひとつの役割こそ、彼が本当に情熱を傾けるものだった。ローレンスが攻撃者に興味を引かれ、ファビアンが彼らをあざ笑う一方で、ダニエルは彼らを罰することを心に誓った。他のハンターたちは、誰かがランサムウエアを開発している疑いがある場合、そのことをダニエルに知らせた。「彼は兎の巣穴を追うハンターのような人物です」とマイケルは言う。

ダニエルはよく、サイバー犯罪者と思われる人物をツイッター上で糾弾している。彼がツイッターのプロフィールに使っているのは、グランピー・キャット［米アリゾナ州で飼われていた雌猫で、不機嫌そうに見える表情が話題となり、その画像が2012年から13年にかけてネット上で広く拡散された］の画像だ。「よくクソカキコします」しかしその攻撃性が反感を買った。「ツイッター上で誰かを一喝することが何度かあったので、私はネットではいじめっ子や嫌な奴という印象を持たれていたようです」と彼は言う。「でも、その裏には理由があるんです。誰かが公の場で非難され、デジタル空間で叩かれる必要があるんです。彼らは自分が与えている影響を理解していないですからね」

1981年生まれのダニエルは、幼少期のころ遊牧民のような生活を送っていた。ファビアンと同様、父親はアルコール依存症で、家の塗装をする仕事をしていた。一家はテキサス、フロリダ、マサチューセッツと塗装の仕事を追って移動し、母親はレジ係として働くこともあったが、ダニエルと5人の兄弟姉妹の荷造りと引っ越しに多くの時間を費やした。高校を卒業するまでに、ダニエルは7つの州を渡り歩いた。

それほど転校が多かったため、ダニエルは友達をつくるのに苦労した。

8歳のとき、叔父からＩＢＭのコンピュータをプレゼントされたものの、趣味は車いじりだった。ケープコッドの職業高校で自動車技術を学び、その最終学年にはこの分野の州や国のコンテストで優勝し、電子工学に精通していることを証明した。のちに彼はオートクロスレースに出場し、より馬力が出るようにプログラムし直したフォルクスワーゲンＧＴＩを走らせた。その後、２０２０年型のアウディＲＳ３を購入した。「今でも私が情熱を傾けているのは、運転すること、レースすること、速い車を持つことです」と彼は言う。

１９９９年に高校を卒業した後、彼はマサチューセッツ州ハイアニスのキャデラック販売店に就職した。その4年後、両親の離婚を機に、ノースカロライナ州のブルーリッジマウンテンにあるリゾート地に移り住み、育ての親である姉と一緒に暮らすようになった。専門であるカーエレクトロニクスの仕事はほとんどなく、小洒落たレストランで10年近くウエイターをしていた。夏の収入は週に１０００ドル、冬は季節労働の失業手当を得ることができたダニエルは、サービス業で「良い金額が稼げることに満足してしまっていた」それでも、「自分の頭脳を無駄にしているような気がしました」と彼は振り返る。「自分がするべきことではなかったのです」

そこでダニエルはコミュニティカレッジに通い、準学士号とサイバー犯罪技術に関する修了証を取得した。彼は法執行機関のキャリアを歩むことを思い描いていたが、児童ポルノのような事件を扱うのは精神的負担が大きいことに気づき、進路を変えた。そして２０１２年、地元の病院でサイバーセキュリティを担当するネットワークエンジニアとして採用された。その病院がミッション・ヘルスに吸収されたとき、彼は「いま私がしている仕事は誰がしているんですか？」と尋ねた。誰もいない、が答えだったため、自分で新たな役割を考案した。「およそ1万5000人の従業員を抱える医療機関で、2年間ほど1人でサイバー防衛チームを務めていたのです。大変でしたよ」

ダニエルがランサムウエアの脅威に優先して取り組み始めたのは、2016年に「サムサム」というランサムウエアが拡散したことがきっかけだった。それは感染の規模において、前代未聞の存在だった。多くのギャングが無差別に個人のコンピュータ使用者から数百ドルや数千ドルを求める「乱射」戦術の時代において、サムサムは特定の組織のコンピュータネットワーク全体を標的とし、数万ドルの身代金を要求してきた。その後3年間、サムサムは北米や英国のコンピュータシステムを標的として、ジョージア州アトランタ市やニュージャージー州ニューアーク市、カリフォルニア州サンディエゴ港など、少なくとも200の組織に3000万ドル（約42億円）以上の損害を与えた。[3] サムサムのハッカーは少なくとも600万ドル（約8・4億円）の身代金を手にし、そのコードは解読不可能だった。

サムサムは特に病院を攻撃し、患者が診察の予約を取ったり、治療を受けたりするのを遅らせた。ミッション・ヘルスは助かったものの、ダニエルは「気をつけないと私たちも被害者になるかもしれない」と考えた。そして、ネットワークが遮断されることを想定した机上演習を実施した。

ダニエルは、サムサムを使う攻撃者を全力で追った。「私は彼らを追うために全力を尽くしました」彼は夜な夜な、ソーシャルメディアやダークウェブで追跡を試みたものの、すべて無駄足に終わった。しかしこの追跡劇は、ランサムウエア狩りへの欲求をかき立てた。彼は朝6時に家を出て、アッシュビルにあるミッション・ヘルスのオフィスまで車を走らせる。そこで1日中働いて夕方に家に戻ると、ソーシャルメディアでランサムウエアに関する情報を探し、調査する。そして、追跡に没頭するのである。

そうした追跡の初期の成功例は、２０１６年10月にマルウエアハンターが「エキゾチック」と呼ばれる新しいランサムウエアを確認した後で生まれた。エキゾチックは開発過程にあるマルウエアのようで、３つの亜種が立て続けにリリースされた。そのうちの１つの亜種の身代金要求書には、ヒトラーの画像とナチスの旗が描かれていた。さらに「あなたはエキゾチック・ウイルスに感染しています」というメッセージが書かれている。[4]「お金を払わないと、あなたのファイルは消えてしまいます!良い一日をお過ごしください:)」

ダニエルは、ネット上でエビルツインと名乗るハッカーを追跡することに決めた。エビルツインは「運用セキュリティの面で間抜けなミス」をしていたため、ダニエルは彼の身元を突き止めることができた。秋たけなわの土曜日の午後、ノースカロライナの紅葉を楽しむために外出する前に、ダニエルはチームに進捗状況を報告した。

「この少年と彼のマインクラフト仲間は、ほぼ完全に特定できた」と彼はスラック上に書いた。「名前も、住んでいる町も。予想通り、みんな15～16歳くらいだ」彼によると、このスクリプトキディは、ミュンヘン近郊にある小さな町、グラーフィングに住んでいる。

ファビアンはドイツの州に言及し、「もちろん……バイエルンだね」と返した。「バイエルンはドイツのテキサス州のようなものだ。金持ちのバカが多くて、伝統的で信心深いんだ」

次に発言したのはサラだった。「彼らが15歳か16歳だとしたら、法執行機関はきちんと対応してくれるかな？」

「残念ながら、そうは思えない」とダニエルは答えた。「僕たちに唯一できるのは、彼らを変えようとすることだ。経験上、それは報酬または罰によってのみ達成できる。しかしこのガキたちに報酬を与える手段はないので、厳しい罰を受ける可能性があるのだと納得させたい……自分たちがどれほど危険にさらされているかを教えられるだろう。上手くいけば、彼らは行動を起こす前に疑問を持つようになれる」

サラはエビルツインの両親や、他の家族に連絡を取ることを提案した。彼らはドイツに住んでいるので、ファビアンがメッセージの下書きをすると言った。

ダニエルは懐疑的だった。「それでも、自分の子供は天使だと思う親はいるものだ。彼らは子供を非難する私こそ悪者だと思うだろう」と彼は書いた。

ダニエルは数週間、この問題を放置していた。しかし11月中旬、エビルツインが別の種類のランサムウエアを実験していることを知り、彼はもう十分だと判断した。

「ツイッター上で呼びかけるときは、ファーストネームで呼ぶことにしよう」と、ダニエルは仲間内で呼びかけた。そしてエビルツインにツイートし、そのファーストネームである「デビッド」で呼びかけた。

ダニエルはデビッドにプライベートメッセージを送った。ダニエルはこの10代の若者に、自分がしていることをやめるよう促した。それは法執行機関が自宅にやってくるリスクに見合わない行為なのだ、と。

「ランサムウエアを書くな」とダニエルは説得した。「ランサムウエアを止めるようなものを書くべきだ」

デビッドが渋ると、ダニエルは欧州の当局に情報を流すと告げた。「君には教訓が必要だな」

デビッドのアカウントは活動を停止した。それからおよそ3年後の２０１９年12月、ローレンス・エイブラムスが毎週発表していた感謝のリストには、ランサムウエア追跡チームのメンバーや、その他の有名なセキュリティ研究者に加えて、ブリーゼラングにランサムウエア情報を提供した、無名の貢献者の名も含まれていた。それはデビッドだった。彼は帽子の色を、黒から白に変えていたのだ［攻撃的な行為を行うハッカーをブラックハット（黒帽子）、逆にそうした攻撃から守る行為を行うハッカーをホワイトハット（白帽子）と表現することがあり、ここではデビッドがハッカーから人々を守る側に立ったことを示唆している］。

ツイッターのハンドルネームからこのことを把握したマルウエアハンターは、ランサムウエアの開発者を賞賛しているとローレンスに苦言を呈した。ローレンスは情報を集め、ダニエルが数年前にこの元スクリプトキディをツイッター上で非難していたことに気づき、彼に詳しい情報を求めた。

「彼は私が公の場で、君たちは間違ったことをしていると非難して、生き方を変えるよう伝えた子供のひとりだ」とダニエルは答えた。「尊敬されたいと思うのなら、ランサムウエアをつくるのではなく、それを破る手伝いをすべきだとさえ言った。それが今、彼がやっていることなのであれば、私たちは人が自分の進む道を変えることに寛容であるべきだ」

「私もそう思う」とローレンス。「彼は私にとって、役立つ存在でしかなかった」

「私が見たところ、彼らは自分たちがやっていることに真摯に向き合っているようだ」とダニエルは語った。「正直なところ、彼らを正しい道に導くために、何らかの形で責任を負うことができるかもしれないと思うと、ちょっと良い気分だ」「ああ、そうすべきだ」とローレンスは答えた。「彼は今、良い行いをしようとしているんだ」

２０１７年６月、ダニエルは新たなターゲットに目をつけた。オンライン上でＷａｚｉｘと名乗るある開発者が、ダークウェブの犯罪フォーラムで新種のランサムウエア「テスラウエア」を販売していたのである。Ｗａｚｉｘは１００ドル分のビットコインを身代金として要求して、72時間以内に支払われない場合は被害者のファイルを削除していた。ローレンスはテスラウエアのサンプルを分析し、ブリーピングコンピュータ上で「完全な失敗作で、非効率かつ恐ろしく遅い」と報告した。[5] その暗号には「多数の欠陥」があり、簡単に解読できた。ローレンスは被害者に対し、身代金を払わず、ブリーピングコンピュータに連絡して復元の手引きを受けるよう助言した。

ダニエルはインターネットを調べ、このハッカーが自分の痕跡を完全に消していないことを発見した。彼はフランスに住んでおり、本名はヨヴァン（Jovan）だった。ダニエルの目にはこの名前が、灰色がかった紫色のＪからオレンジ色のｎまで、さまざまな色が並ぶ文字列に見えた。「この名前がまたどこかで出てきたら、その色を頼りにすればいいんです」

ダニエルはいつもの得意技で、ツイッター上で彼をファーストネームで呼び捨てにした。「さてさてヨヴァン、お昼寝の時間かな？」ダニエルは7月17日、ハッカーにこうツイートした。

するとこのハッカーは、罵詈雑言を並べたツイートを連発した。

「テスラウエアの開発者（Ｗａｚｉｘ）がツイッター上で精神崩壊を起こしている」と、あるセキュリティ研究者はコメントした。

ハッカーが活動を停止した後、ランサムウエア追跡チームのメンバーで、ロシアのサイバーセキュリティ会社カスペルスキーのオランダ人研究者であるヨルント・ファン・デル・ヴィールは、フランスの警察に連絡した。「OK、彼らは興味を持っている」とヨルントはチームに語った。「今日の夜、すべての情報を集めないと」

チームは有頂天になった。「やった！やった！すべて万々歳だ！」とマイケルは書いた。

「本当にその通り！」とサラが続く。

ファビアンは、Wazixの運用面でのセキュリティに「彼のランサムウエアと同じくらい穴があるようだ」と指摘した。

ヨルントは警察からの連絡で、Wazixが少年であっても起訴される可能性があることを知った。しかし捜査官が上司と検察官を説得して起訴に持ち込むためには、Wazixの活動を「明確に把握」する必要がある、とヨルントは言った。

通常の仕事に追われているにもかかわらず、ダニエルはその気になっていた。「これはすごいことだ」と彼は書いている。「今の仕事量では2、3日かかるかもしれないが、喜んで協力しよう！」

数日後、ヨルントから新たな報告があった。「(警察は)この男を告発する可能性が高い」と彼は言う。

「私たちは今、警察と対応を協議している」

「素晴らしい」とサラが応えた。「できれば、このまま最新情報の共有を続けてください」

「私が手伝えることがあったら教えてほしい」とダニエルは書いた。「犯罪者を刑務所に入れるためなら、いくらでもスケジュールを調整する」

8月22日、フランス警察からの連絡を受けて、ヨルントはグループに報告した。「Wazixは先週逮捕されたとのことです……ご協力ありがとうございました」捜査官は、警察がWazixの関連会社を捜索しているので、逮捕のことは黙っているようにとチームに頼んだ。彼らはそれを了承した。

ヨルントはチームメートに祝福の言葉を送った。「ここにいる全員が素晴らしい仕事をしたんだ」

ファビアンもまた、世界最高峰のランサムウエア追跡者としての重圧を感じながら、苦しんでいた。彼は自らの専門知識を共有し、被害者を救うことで、自尊心を得てきた。しかし被害者からの重圧に耐え、彼らを救えなかったときの落胆に向き合うという生活を何年も続けてきたことが、彼に重くのしかかるようになっていた。ランサムウエアによって倒産の危機に陥った、オハイオ州のとある家族経営企業のオーナーは、ハッキングされたストレスで心臓発作を起こし、病院のベッドからファビアンに助けを求めるメールを送った。当時、そのランサムウエアのコードは解読不可能であり、ファビアンにできることは何もなかった。

また別の被害者は、ファビアンがデータを取り出せなければ自殺すると脅した。「助けてくれなければ私は死ぬ……あなたは私にとって最後の希望なんです」

ファビアンは、そのメッセージのスクリーンショットをツイッターに投稿した。「こういう依頼には耐えられません」と彼は書いた。「私が誇りに思うことはあまりないのですが、私に連絡をくれたランサムウエアの被害者全員に、まだ同情を感じている自分に誇りを持っています。ランサムウエアの被害者から毎日のように、むごくて手間のかかる、『無礼な要求』を受ける状態が何年も続いているにもかかわらずです」

末期症状にあると宣告された患者のように、「ランサムウエアの被害者は、悲しみの7段階のすべてを経験します」と、ファビアンは後に振り返っている。「否認、取引、悲嘆、抑うつ、これらすべての段階を経て、最終的に受容の域に達するのです」

彼が自分のストレスを医師に相談すると、メンタルヘルスに関するサービスのパンフレットを渡された。ところが申し込みをして2週間たっても返事がなかったため、彼は自分の苦境を公にすることにした。「まったく酷い1か月だった」と、彼は2019年7月にツイートしている。「自分に火をつけて、一緒にすべてを焼き尽くしたくなるような、そんな月だったよ。怒りと悲しみで溢れていて、終わりが見えないんだ」

同じころ、彼はランサムウエアに関する権威として知られるようになり、その刺激的な洞察をメディアと共有していた。彼がサイバー保険会社を相手取って、攻撃者に金を払うことで「ランサムウエアを存続させている」と糾弾すると、[6]業界のリーダーたちは動揺しながらも感銘を受け、ポルトガルのリスボンにある5つ星リゾートで2019年10月に開催された、とあるカンファレンスでの講演を依頼した。[7]彼はこの招待を光栄に思い、期待に胸を膨らませながら参加した。しかし会場に到着してみると、自分が場違いな感じがした。彼は太陽が降り注ぐホテルのバルコニーに向かい、人ごみから逃れるように鉢植えの木のそばに立った。「何もかもが派手だ」とつぶやいた。「みんなスーツを着ているのに、私はTシャツとジーンズで汗だくになっている。ここに属する人物じゃない」

講演の感想を聞かれると、ファビアンは「大丈夫じゃないかな。何しろ比較対象がないから」と答えた。彼は他の参加者とほとんど交流せず、ほとんどの時間をホテルの質素な部屋で過ごした。彼はひとりっきりで、自分に助けを求めてくるランサムウエア被害者のことを考えていた。彼は4日間も眠ることができず、精神病の症状も出てきた。「実際には存在しない人々と会話するほどでした」

ファビアンが英国に戻る頃には、エムシソフトの同僚が彼の異変に気づき、オンラインで彼の様子を確認していた。やがて彼の研究を読んだオックスフォード大学の博士課程の学生から、コンピュータ科学の授業で講演をしてほしいと依頼があった。ファビアンはそれに興奮しながらも緊張し、そして自分が正式な教育を受けていないことを痛感しながら、申し出を承諾した。「部屋に入った瞬間、炎上すること間違いなしだ」しかし彼の率直な意見と、自らが取り組むテーマに対する明確な理解は、学生たちを夢中にさせた。「質問攻めで40分も時間オーバーしちゃったよ」と、講演後に彼は語った。それは、人を喜ばせることに熱心なファビアンが必要としていた慰めだった。

彼にとってさらなる慰めとなったのは、2匹の猫だった。その夏、劣悪な環境で猫を繁殖させていたブリーダーから、彼が救出したのである。1匹は青い目、もう1匹は緑の目だったので、サファイアとエメラルドと名づけた。彼は時々、猫の心理学者のところに彼らを連れて行き、保護する前に負った心の傷に対処するよう手助けしてもらった。やがて彼自身にもセラピストが見つかった。

被害者からのプレッシャーは、ファビアンだけでなく、マイケルにも重くのしかかっていた。「彼らは、僕がイエス・キリストだと思い込んでいるんだ」とマイケルは言った。「何でも解決できると思っているんだろう」それでも、被害者からの絶え間ない要求へのいら立ちも、家計、結婚生活、体調で直面する問題も、彼にランサムウエア狩りを思いとどまらせることはなかった。マイケルとブラッドリーは、彼らがテスラクリプトに対して達成した初期の成功を、「ホワイトローズ」といった他のランサムウエアでも繰り返していた。このランサムウエアは、当時はすでに時代遅れとなっていた、ウィンドウズサーバー2003オペレーティングシステムを使用するコンピュータをハッキングするものだった。被害者のほとんどは、新しいサーバーを買う余裕のない欧州の中小企業だった。

身代金要求書の多くは、ファイルを暗号化したことを知らせ、金の支払い方法を説明する、わかりやすく簡潔なものだ。しかしホワイトローズの要求書は奇妙だった。ローレンス・エイブラムスが「文芸創作の授業で出た課題」だと例えたこの文章は、卑劣な現実を、自然の美しさに関する高尚な瞑想で覆い隠したものだった。[8]

私の後ろには夢の空き家があり、前には白いバラが咲き乱れている。庭は平和で静寂に包まれている……すべてが自然だ。私はハッキングとプログラミングにほんの少し興味があるだけ……信じてくれ、この庭の白いバラが、私の唯一の財産なのだ。私は日々を思いながら、夜に書き物をする――物語、詩、コード、エクスプロイト［コンピュータの脆弱性を利用して攻撃する手法、もしくはそうした攻撃を行うための手段］、あるいは売れた白バラの数。そして私は、財産とは人種、言語、習慣、宗教の異なる友人がいることだと自分に言い聞かせる。ここにしかない白いバラでいっぱいの、素敵な庭にいることだけではないのだ。

私からのこの贈り物を受け取ってほしい。そして、もしあなたに届いたのなら、目を閉じて広い庭で木の椅子に座り、この美しい光景を感じて、不安や日々の緊張をほぐしてほしい。

私を信頼してくれてありがとう。では、目を開けて。あなたのシステムには、小さな庭のような花が咲いている。それは白いバラの花だ。

ホワイトローズの開発者は、庭ではなく暗号に力を入れるべきだったかもしれない。このランサムウエアの乱数生成方法は不完全なものだった。ホワイトローズはブルートフォース攻撃に対する防御策を備えていたが、マイケルとブラッドドリーはそれを回避し、いくつかのキーを取り出すことができた。

マイケルはホワイトローズ、ならびに他のいくつかのランサムウエアに関する復元ツールを作成し、ブリーピングコンピュータに掲載した。しかし被害者がそれをダウンロードしようとすると、ウイルス対策ソフトが不審なツールと見なしてしまうという事態が頻発した。自身のサイトでこの問題を耳にしたローレンスは、マイケルが困っていることを知り、400ドルを払って、信頼できるソースから復元ソフトをダウンロードしていることをユーザーに知らせる証明書を取得した。

「マイケルは多くのことをしてくれているのだから、彼を支援しない手はないだろう?」とローレンスは語っている。

そんな中、ギレスピー夫妻の貯蓄が底をついた。2018年6月に交換留学生のタンがタイに帰国したため、支出は減ったものの、その1か月後にモーガンが子守の仕事を失ってしまったのである。この仕事から得られていた収入は、家計のおよそ3分の1を補うものだった。彼女はマイケルの病気や自分の体調不良に対処するため、あるいはタンと一緒の時間を過ごすため、あまりに多くの休みを取ってしまっていた。その結果、モーガンを雇っていた家族は、彼女が信頼できないと判断したのである。「私がずっと一緒にいようとしなかったのを、彼らは気に入らなかったんです」とモーガン。さらに悪いことに、その家族はモーガンを不正行為で解雇する根拠があると述べたため、彼女はイリノイ州法の下で失業手当を受ける資格を得られなかった。モーガンは他の子守の仕事にも面接に行ったが、適当なものを見つけられなかった。

ギレスピー夫妻はホームセキュリティーシステムの契約を解除し、月々50ドルを節約することにしたが、それでも足りなかった。パスファインダーのローンの支払いもままならなくなった。彼らはこの車を諦めて銀行に引き渡し、銀行はそれを競売にかけ、売却してローンの残高を補填した。夫妻は残されたヒュンダイのエラントラを共有しなければならなかった。自宅のローンも4回滞納し、差し押さえの通知が届くようになった。

このときも、ランサムウエア追跡チームの仲間が手を差し伸べた。マイケルの自宅のパソコンが使えなくなったことに気づいたファビアンは、彼に何が起きているのか尋ねた。マイケルはためらいながらも、インターネットを止められたこと、自宅を失うかもしれないことを認めた。

友人の生活と、マイケルの24時間体制の仕事に依存しているチームのことを心配したファビアンは、IDランサムウエアへの寄付を始めた。また彼は、エムシソフトがマイケルをパートタイムで雇い、同社ブランドの復元ソフトを開発するよう手配した。エムシソフトのクリスチャン・マイロールは、「マイケルのような人物は、公の掲示板では見つけられません」と語っている。「彼のウェブサイト、IDランサムウエアは、ランサムウエアの活動を追跡する上で非常に価値のあるものなので、ファビアンは一日も早く彼を入社させるよう勧めていました……私たちは採用の際、正式な資格はあまり求めません。世の中には独学でつかんだ能力を持つ人々が大勢いて、そのスキルはエリート大学を出た人々よりもずっと成熟しています。特定の専門分野に心血を注ぐような人物にはかなわないのです」

この仕事から得られた収入によって、マイケルとモーガンは住宅ローンの返済を挽回できた。「ああ、あれは最高の気分だったね。銀行に行き、4000ドルをきっちり支払って、延滞を完全に解消できるなんて」とマイケルは振り返る。ペットを手放したり、大好きなバンガローを諦めたり、庭に出入りしていたリスやウッドチャック、オオカバマダラに別れを告げたりする必要はなくなったのだ。

第6章 「ストップ」を止めろ

レイ・オレンデスは、デスクトップパソコンの画面を見つめながら、壁を殴りそうなほど頭に血が上っていた。一瞬にして生活の糧を奪われたのに、自分にできることは何もなさそうだったからである。

それは、フィリピンの首都マニラの6月では典型的な、蒸し暑い日のことだった。時おり雷鳴が響き、雨が窓を濡らしていた。2階のコンドミニアムで夕食をとった後、「写真家、バスケットボール愛好家、愛情深い父であり夫、開業医」を自称するレイは、自宅のオフィスに引きこもった。生活費を稼ぐために、レイは2つの仕事を掛け持ちしていた。病院で介護の仕事をする傍ら、フリーのカメラマンをしていたのである。

オフィスにはパソコンやニンテンドーWii、ゲームキューブなどの電化製品が散乱している。レイはわずかな時間を使い、レトロゲームでリラックスするのが好きだった。彼はナイトクラブで行われたパーティーや、バスケットボールの合宿や試合など、クライアントのために撮影した最新の写真を編集しようと思っていた。ところがいざ作業に取り掛かると、写真を保存しているフォルダが開けない。2014年以降に撮影した、数十万枚にも及ぶ写真と動画のすべてにアクセスができなかったのである。

「パソコンにあった写真のファイルがすべて壊れていて、どうしたらいいかわかりませんでした」とレイは振り返る。「その時はすべてのファイルを復元できないのでは、という感じでした」

レイはマニラで育った。母親は生物学の教師で、父は三輪タクシーのドライバーだった。高校3年生のとき、彼は自分の人生で何がしたいのかわからなかった。叔母が看護師をしていたので、レイも看護師になったらどうかと母親に勧められた。そこで彼は、マンダルヨン市のホセリサール大学で看護学を専攻した。

卒業後、レイは看護師免許を取得するために国家試験を受けた。結果を待つ間、たまたま参加した誕生日パーティーで、友人がニコンのカメラで写真を撮っているのを目にし、興味をそそられた。そこで大学の写真コースを受講し、母親から初めてのカメラ、ニコンD5000を買ってもらった。

看護師免許の試験は不合格だった。レイは看護師にはなれず、代わりに公立病院の看護助手として、大人や子供の世話、バイタルサインのチェック、赤ちゃんのオムツ替えなどに従事した。人を助けるのは好きだったが、給料は最低賃金しかもらえなかったので、彼は趣味を活かすことにした。仕事から帰った夜や週末に、結婚式や誕生日、洗礼式、バスケットボールの合宿やトーナメントなど、あらゆるイベントの写真を撮り始めた。追加料金をもらって、動画の撮影も行った。顧客に用意するアルバムには、よく聖書の言葉を引用した。ある退職記念パーティーでは、『箴言』の16章31節「白髪は栄光の冠であり、それは正しく生きることで得られる」を選んだ。レイは多くの顧客を獲得し、やがて本業よりも副業で稼ぐようになった。

そして2019年6月、ある蒸し暑い夜のこと、レイはお金を払わずにビデオゲームをダウンロードしようとした。皮肉なことに、彼が入手した〝海賊版〟のゲームは、海賊のアバターが登場するものだった。「海賊になろうとするだけで、業を受けることもあるんです」とレイは振り返る。ここで彼が受けた業は、悪いものだった。ファイルがロックされただけでなく、「.gerosan」という見慣れない拡張子に変更されたのである。

画面には身代金を要求するメモが表示された。「写真、データベース、文書、その他の重要なファイルはすべて、強力な暗号化手法と固有のキーで暗号化されています。ファイルを復元する唯一の方法は、復元ツールと固有のキーを購入することです……お支払いいただけなければ、データの復元はできませんのでご注意を」要求された身代金は980ドルで、それはレイに出せる金額ではなかった。彼はファイル名を変更することでファイルを復元しようとしたが、駄目だった。

これまでの実績となる写真や動画がなければ、自分のベストな作品を顧客に見せることができない。また、紛失したり破損した写真の焼きまわしの注文に応じることもできない。

「私の業績がぶち壊しにされていました」とレイは言った。「ふざけたランサムウエアのせいで、写真の仕事を辞めるところだったんです」

妻のマーラ・ヤン・オレンデスは、ヒステリックになるのはやめるよう彼に言った。すべてが失われたわけではない、と。彼女は、レイが「私の大好きな被写体」「私だけの子役モデル」と呼ぶ、巻き毛の幼子マディのかけがえのない愛らしい写真を、自分のノートパソコンに保存していたのだった。

さらにマーラは、誰かが助けてくれるかもしれないという。レイは、警察に電話するのは時間の無駄だと感じたと同時に、自分がソフトウエアの海賊版を買ったと伝えるのも気が引けた。そこで彼は、グーグルで検索してみることにした。ファイルは暗号化されていたものの、パソコンからインターネットにアクセスすることはできたのだ。その結果、ブリーピングコンピュータのサイトにたどり着き、そこで.gerosanをクラックするためのツールを見つけた。

レイがそのプログラムをクリックすると、解析のために、暗号化されたファイルのサンプルを提出するように、という指示が表示された。そして、彼のコンピュータに紐づけられたメディアアクセス制御（ＭＡＣ）アドレスが表示された。その数字と文字の羅列はレイにとって何の意味もなかったが、彼はツールの開発者であるdemonslay335に、ツイッターのプライベートメッセージで送信した。

「どうか助けてください」とレイは懇願した。「私はマニラにいる者で、ランサムウエアに感染してしまいました」

それから4時間も経たない、マニラ時間の午前12時22分。マイケルは簡潔に答えた。「キーを手に入れたよ」

レイのコンピュータが感染していたのは、世界で最も拡散したランサムウエアのひとつである「ストップＤｊｖｕ」だった。このランサムウエアは、ウイルス対策会社やメディア、法執行機関からほとんど注目されていなかったが、レイのような何十万人もの被害者に損害を与えていた。

ランサムウエア追跡チームが取り組んできたランサムウエアとの争いの中で、ストップＤｊｖｕとの戦いはマイケルにとって最も長く続いた戦いだった。ストップＤｊｖｕは２０１８年初頭に発生し、すぐに世界中で大混乱を引き起こした。マイケルが作成した復元ツールは２５０万回以上、つまり１日に

1000回以上ダウンロードされてきた。2020年と2021年には、ストップDjvuによって暗号化されたファイルが、IDランサムウエアおよびエムシソフトに寄せられるファイルの80パーセントを占めるまでに至った。ストップDjvuがあまりに蔓延したため、エムシソフトはランサムウエアに関するデータを報告する際に、ストップDjvuを含むものと含まないものの2種類を用意するほどだった。

ストップDjvuには500以上の亜種があり、マイケルは最初の145種類を「旧ストップDjvu」、残りを「新ストップDjvu」と呼んでいる。古くても新しくても、似たような身代金要求書が使われており、被害者へ連絡先として提示されるメールアドレスもほとんど変わらない。「いつも同じ攻撃者グループだと思う」とマイケルはみる。

この攻撃者グループは、少額の支払いを大量に集めるというビジネスモデルを採用しているため、身代金の要求額は平均を大きく下回る1000ドル未満となっている。被害者の多くはアジア、南米、東欧の学生や労働者で、レイと同様、ソフトウエアを海賊版で手に入れようとして、誤って自分のコンピュータにストップDjvuを感染させてしまっていた。多くの場合、身代金を支払う余裕がなく、失ったものは卒業論文の下書きや機械の設計図など、学業やキャリアにとって重要なものだった。しかし彼らは自ら法を犯すつもりだったため、警察に通報することはなく、警察はストップDjvuの普及に気づかないままだった。ストップDjvuは知名度が低く、身代金の額も小さかったため、警察やサイバーセキュリティ会社がストップDjvuの阻止を優先することはほとんどなく、その結果、このランサムウエアは野放図に広がっていった。ある時マイケルは、ストップDjvuのサーバーのアドレスを発見し、FBIに報告した。しかし、「FBIは何もしてくれなかった」とマイケルは言う。

マイケルは当初、ストップＤｊｖｕにあまり興味を示さなかった。しかしそれが「ブリーピングコンピュータのサイトで爆発的に注目されるようになった」とき、彼は「ＳＴＯＰ（Ｄｊｖｕ）に取り組む世界で唯一の人物」になった。２０１９年の半ば、ストップＤｊｖｕによる混乱がピークに達したとき、彼はレイ・オレンデスのように絶望した犠牲者から、ツイッターで1日に20〜50件ものダイレクトメッセージを受け取るようになった。ブリーピングコンピュータのサイト上で、論文やデータベース、家族の写真を取り戻してほしいと懇願する人もいた。

絶え間なく寄せられる要求にマイケルは疲れ、ファイルのバックアップを取らないという犠牲者の不注意が、彼をいらだたせた。ストップＤｊｖｕの被害が最も多いインドでは、フェイスブックでモーガンと友達になり、マイケルに連絡を取ろうとする人まで現れた。そんな行為に彼女は「ひどく動揺していた」とマイケルは言う。「そいつを叱りつけて、ブロックしました」

それでもマイケルは、ストップＤｊｖｕの被害者を助けるためにすべてを投げ出した。夕食の最中でも、誰かがＭＡＣアドレスなどの必要な情報を送ってくれれば、（モーガンを困らせながら）飛び出してパソコンに向かい、そのデータを解析する。嫌々ながらも、彼は大勢の被害者たちに共感したのだろう。彼らと同様、マイケルもその日暮らしを送っており、ストップＤｊｖｕの比較的少額の身代金すら払えそうになかった。「被害者の多くは４００ドルも持っておらず、それは自分のことのように感じられたんだ」とマイケルは言う。

マイケルも10代のときに、アドビのフォトショップなど、買う余裕のなかったソフトウエアを海賊版で入手することがあった。彼はその頃、ウェブサイトのモデレーターとして、グラフィックデザインのチュートリアルを提供する仕事をしていて、フォトショップの使い方を教える機会もあったのだ。「海賊版を入手するとき、最初に見つけたリンクは避けてたよ」とマイケルは振り返る。

モーガンは、フェイスブック上で一度、「マイケルの素晴らしいコンピュータスキルと、私が望むテレビ番組、映画、本、音楽を何でも入手できる能力」を称賛する投稿をしたことがある。さらに「本当に100万ドルは節約できているかもしれない」と付け加えている。

マイケルはストップDjvuとの戦いをたった独りで行っていたわけではない。ランサムウエア追跡チームの仲間であるカーステン・ハーンも参戦した。彼は主に、ウイルストータルのデータベースを通じて新種のランサムウエアを発見し分析することで貢献した。カーステンは、すでに知られていたストップDjvuの亜種の約70パーセントを最初に特定し、その都度マイケルに通知していた。

トランスジェンダーのカーステンは、ポーランドとの国境付近にあった、ソ連支配下の東ドイツで、スーパーヒーローになることを夢見て育った。幼い頃、カーステンは母親が作ったバットマンのコスチュームを着るのが大好きだった。しかし、そのコスチュームを着てスーパーマーケットに行き、他の子供たちがギャングに襲われているという設定で彼らを助けようとしたとき、母親はそれを恥じた。「母は私に、バットマンのコスチュームを着ることを禁じました」

カーステンの母親は医師で、父親は東ドイツの秘密警察「シュタージ」の幹部だった。ドイツ統一後、シュタージは解体され、残忍だったという悪評から、カーステンの父親には仕事の選択肢がほとんどなかった。父親は倉庫で働いたり、クリスマスツリー用の木を育てたりしていた。カーステンが8歳のとき、両親は離婚。その後カーステンは母親とその彼氏と一緒に暮らすようになったが、彼氏はティーンエージャーとなったカーステンに、感情的な言葉の虐待を加えた。「自分自身と、自分の能力に対して疑問を抱くよう、彼は常に仕向けたのです」とカーステンは言う。「自分が愚かで、無価値な存在だと思うようになりました」カーステンはパニック障害に苦しみ、何年も心理療法を受けた。

「ずっとコンピュータに興味がありました」とカーステンは明かす。しかし母親と彼氏は、その興味を抑え込もうとした。「『女の子はコンピュータはやらない』というようなことを、いつも言われていたんです」彼は最初、大学には進まずに幼稚園の先生になったが、向いていなかったようだ。「その仕事をするにはいろんな事柄に注意を向ける必要があるのですが、私は目の前の作業だけに集中してしまうのです」

カーステンは勇気を出し、「大学でコンピュータ科学を学びたい」と母親に告げた。母親はそれを受け入れた。「うちの子はみんな、一度は進路を変えていいんだよ」と言い、経済的な支援もしてくれた。そうして入学したライプツィヒ応用科学大学では、マルウエア解析に関する修士論文を書き、それが２０１５年にドイツ国内の最も優れたコンピュータ科学の論文として選ばれ、カーステンは１０００ユーロの賞金を獲得した。[1]彼はユーチューブ上で、マルウエア解析を教えるチャンネルを立ち上げた。サラ・ホワイトはそれを見て感銘を受け、彼をランサムウエア追跡チームに推薦した。数少ない大学院卒メンバーの１人であるカーステンは、このサービスが無料であることからチームに参加した。「その考え方に惹かれたんです。もしお金を取っていたのであれば、彼らを助けようとは思わなかったでしょう」

２０１６年にトランスジェンダーであることをカミングアウトしたとき、カーステンは結婚しており、3歳の息子がいた。「母は少なくとも2年間は泣き続けました。彼女にとっては、娘が死んでいくようなものだったんです。夫も、同じように、私が死んでいくような感じだと言っていました」2人は離婚し、カーステンは1人で子供を育てることになった。彼は息子を学校に送り迎えするために、リモートワークができないか勤務先に相談した。彼が勤めていたのは、ドイツのサイバーセキュリティ会社だったが、すぐには返事をもらえなかった。その間にファビアンに窮状を説明したところ、彼はエムシソフトのリモートワークの仕事を、より高い給料で紹介してくれた。しかしカーステンは結局、勤務時間を調整してもらい、ドイツの会社に残った。

マイケルと同様、カーステンも苦境に立たされた経験があることから、ストップＤｊｖｕの被害者に共感している。そうした被害者はソフトウエアの海賊版を手に入れようとしてランサムウエアに感染してしまったわけだが、彼らに対する非難は不当だとカーステンは主張する。「海賊版を入手する人に対する偏見があるため、彼らは助けてもらいにくいのです」続けて彼は言う。「しかし、そうするのはどんな人でしょう？ ソフトを買う余裕のない貧しい人々なんです。違法なプログラムをダウンロードすることが、貧困から抜け出す唯一の道である場合もあるのです」

ストップＤｊｖｕの亜種が発生すると、カーステンがそれを特定し、マイケルがリバースエンジニアリングに取り掛かる。彼は謎の病気を診断する医師のような忍耐力と技術を用いて、ランサムウエアを分析する。[2] 診察台となるのは仮想マシンで、患者は感染したシステムというわけだ。診察する症状は、身代金要求のメモ、見慣れないファイル名、乱雑ででたらめのように見えるテキストなどである。ＭＲＩやＣＴスキャンに相当する彼のツールは、ランサムウエアを保護する外側の層を透視して、その奥にある根本的な構造を見抜くソフトウエアだ。

暗号化が完璧だった場合、ランサムウエアはほぼ難攻不落となる。しかしランサムウエア追跡チームにとって幸いなことに、攻撃者は時々ミスを犯す。それは暗号化を正しく行うことだけが優先事項ではないからだ。攻撃中に被害者が気づき、ランサムウエアをブロックしないよう、暗号化は高速に、しかも気づかれないよう進める必要がある。そのため攻撃者は、ユーザーのファイルをより速く暗号化できるよう、ソフトウエアのコードをできる限り短くするなどの省力化を行う。また、コンピュータのメモリ上からキーを消去せず、マシンがシャットダウンされるまでアクセス可能な状態にしておくこともある。

ランサムウエアは一般に、ファイル名の末尾にある拡張子を変更する。それに続いて、ファイル自体を暗号化する。この際に「暗号（サイファー）」が使われるわけだが、これはある文字列を別の文字列に変換するための一連の命令が含まれたアルゴリズムの一種だ。たとえば単純なシーザー暗号では、テキスト中の各アルファベットが、指定された数だけ後にある別のアルファベットに置き換えられる。[3] AをDに、BをEに、といった具合だ。

ランサムウエアを用いる攻撃者は通常、2種類の暗号化方式のいずれかに頼っている。「ストリーム暗号」では、キーがテキストを変換し、途切れることのない数字の連続（ストリーム）を生成する。一方「ブロック暗号」では、テキストを同じ長さのセグメントに分割し、それぞれを異なった、しかし関連する方法で暗号化する。いずれの方式でも、ランサムウエアのコードに含まれるアルゴリズムが数学的演算を行い、キーと元のデータを結合して暗号化されたファイルを作成する。

作成されるファイルのファイル名や拡張子は、ランサムウエアを使用するギャングのサインになる場合が多く、マイケルが彼らを特定するのに役立つ。しかし彼の最大の関心事は、ファイルの復元だ。その最初のステップは、対象となるランサムウエアのコード（それはカーステンやマルウエアハンターによってウイルストータルから発掘されることが多い）を、いわゆる「ベイト（おとり）ファイル」に対して実行することだ。このファイルはマルウエアをおびき寄せるように設計されているが、マイケルは別の目的で使用する。感染する前のベイトファイルは大量のゼロから構成されているため、暗号化によって数字がどのように変化するかを確認しやすいのだ。「バイナリエディタ」と呼ばれるプログラムがあり、これはバイナリコード（数字の0と1から構成されるコード）をより多様な数字や文字に変換してくれるため、その変化がより劇的に表現される。バイナリエディタを使えば、長さの異なるベイトファイルに対してランサムウエアをテストしてみて、同じパターンで暗号化されるかどうかを確認できる。同じパターンだった場合、それは攻撃者が複数のファイルに対して同じキーを使い回している可能性があり、潜在的な脆弱性となる。

また新種を発見した際には、「クリプトテスター」[4]と呼ばれるプログラムを用いて、既知のランサムウエアのアルゴリズムにどれだけ近いかをチェックする。クリプトテスターを開発したのはマイケル自身で、彼は個人的な利益を度外視して、それを無料で公開している。

マイケルは自分のマシンで別ウィンドウを開き、ランサムウエア自体を詳しく調べる。そして「デコンパイラ」と「ディスアセンブラ」を使って、ランサムウエアをプログラミング言語のコードに変換し、それを「非難読化」する。これは彼のお気に入りの表現で、つまり誰かに解析されないよう難読化されたコードを、再び解析可能な形に戻すというわけだ。一定のスキルと幸運さえあれば、解除キーがどのようにつくられるのかを把握し、クラックするにはどうすれば良いのかを判断できる。
「またあのマジックを試してみよう」と彼は言い、パズルの答えに近づくにつれて表情も明るくなる。
キーを隠す暗号は、エイズ・トロージャンの時代と比べて大きく進化している。ジョー・ポップはそれを把握すらできないだろう。ポップはファイルのロックとアンロックで同じ秘密鍵を使用する、「対称暗号化」と呼ばれる基本的な形式を使用していた。より複雑なキーが使用されているものの、概念的には、対称暗号化は何世紀にもわたってスパイがメッセージの暗号化と解読に使用してきた手法と何ら変わりはない。第2次世界大戦の際に英国が解読したことで有名なナチスのエニグマ暗号は、対称暗号化に頼っていた。

１９７０年代、暗号技術に大きな進歩があった。「非対称暗号化」の登場である。この手法は、数学的な関係性を持つ2種類のキーに依存している。通常、ファイルの暗号化には、誰でもアクセスできる「公開鍵」が使用されるが、それではアンロックはできない。それには別の「秘密鍵」が必要になるのだ。この秘密鍵は公開鍵と数学的なつながりを持つが、暗号の作成者だけが知っていて、サーバーやオンライン上で保管されているとは限らない。

最も有名な非対称暗号は、素数を巧みに利用したＲＳＡだ。この名はコンピュータ科学者のロナルド・リベスト、アディ・シャミア、レオナルド・エーデルマンにちなんで名づけられた。エーデルマンはこのＲＳＡアルゴリズムを開発したことで、コンピュータ科学のノーベル賞とも呼ばれる、権威あるチューリング賞を受賞した。[5] １９８０年代初頭には、対称暗号と非対称暗号を組み合わせ、安全性をもう一段階高めた「ハイブリッド暗号」が誕生した。

しかしエイズ・トロージャンを除いて、これらの暗号方式は純粋に防御を目的としていた。安全保障に関わる通信や財務記録などの貴重な情報を敵や泥棒から守り、そのデータが本物であることを保証するよう設計されていたのである。そんな中、1996年に開催されたある学会で、コロンビア大学のアダム・ヤングとモチ・ユングという2人の研究者が、ハイブリッド暗号を恐喝に利用する方法を示す画期的な論文を発表した。

彼らのアイデアは独創的だった。そこで示されたモデルでは、ハッカーはコンピュータに侵入し、対称鍵を使って被害者のファイルを暗号化する。このキーを知っている人であれば、後でそのファイルの暗号を解くことができる。対称鍵はランダムに生成されるため解読が難しく、さらにランサムウエアプログラムに組み込まれた公開鍵によって2回目の暗号化が行われるため、強固に保護される。身代金が支払われると、攻撃者は秘密鍵を使って対象鍵を復号し、ファイルを復元するのである。

このハイブリッドなアプローチは、ハッカーに明確な利益をもたらす。対称暗号は非対称暗号に比べ、数百倍から数千倍高速である。しかし同じキーで暗号化と復号を行うため、対称暗号は脆弱になりやすい。ヤングとユングのハイブリッドモデルは、対称暗号のスピードと非対称暗号の強固さという望ましい組み合わせを提供するように思われた。

彼らの論文はランサムウエア攻撃の青写真となったが、それが意図していたのは、潜在的な犯罪の脅威を社会に警告することだった。ヤングとユングは後に、この論文は「革新的であると同時に、いささか低俗だ」[6]と学界から非難されたと書いている。しかし、もともと採掘や建設に使われていたダイナマイトが、やがて爆弾の製造に使われるようになったように、暗号技術も攻撃を目的として使われるようになる。またデジタル通貨の登場は、ハッカーが支払われた身代金の追跡から逃れることを可能にした。そして、ヤングとユングの学術的なコンセプトは、世界中の人々と企業を脅かすようになった。

ヤングとユングは2017年に、「20年以上前に私たちが説明した内容が、今日のランサムウエア業界における『ビジネスモデル』と正確に一致していることを、私たちは目の当たりにしている」と書いている。

しかしそのモデルは、絶対に確実というわけではない。複数のレイヤーで守られているものの、ハイブリッド暗号の強固さは、そこで使われている対称鍵と同程度でしかない。ランサムウエア追跡チームが利用する脆弱性の中で、最も一般的なのが、攻撃者が標準的な暗号技術の実践において犯すミスである。それは対称鍵として乱数を利用することだ。

キーが乱数で、かつ十分に大きな数であれば、解読は不可能になる。しかしそのためには、キーは十分にランダムで、とても大きな数でなければならない。半世紀前であれば、256個の0と1で構成されるランダムな対称鍵は安全だった。それほど多くの数を、合理的な時間で処理できるコンピュータが存在しなかったからである。ところが今日のスーパーコンピュータの前では、キーが安全であるためには少なくとも2128個の2進数を必要とする。これより小さいキーに対しては、ブルートフォースが可能になる。つまりすべての可能な数を順に試してみることで、正しいキーを発見できるのだ（クルマのオドメーターに0か1が表示されるようになっていて、それを右端から順に変化させていくようなイメージである）。研究者はブルートフォースするために複数のコンピュータを用意し、それぞれに異なる範囲をチェックさせることもある。

ハッカーは、乱数ではないキーでファイルを暗号化することもあり、その場合にはチームの作業は楽になる。コンピュータは処理が一定になる機械であり、偶然に左右されないように設計されているため、乱数を生成することは想像以上に難しいのだ。乱数をつくるための手法のひとつでは、ラバランプを利用して、ガラス容器の中で熱せられたロウが泡立つ様子を写真に撮り、そのカオスな動きを数字に変換する。[7]

ラバランプだけでは十分なデータが得られないため、ラバランプから生成される乱数は、いわゆる「疑似乱数生成器」の出発点として使うのが最も効果的だ。それは一種のアルゴリズムで、初期値（「シード」とも呼ばれる）を使って膨大な数の、しかし最終的には繰り返される数列を生成する。ブラックジャックのディーラーは、プレイヤーがカードを数えて有利になるのを防ぐために、複数のデッキを使用する。それと同様に、ランサムウエアの開発者は、疑似乱数生成器が吐き出す大量の数字が、暗号を解読しようとする者を撃退できるほど巨大で、その中にパターンが含まれないものにしようとする。それが達成される場合もある。たとえばウィンドウズを含むいくつかのオペレーティングシステムには、現在のコンピュータでは解読できない疑似乱数を生成する機能が組み込まれている。

しかし、シードが予測可能な場合もある。よく使われるシードのひとつは、１９７０年1月1日から現在の時刻までの経過秒数で、これはＵＮＩＸ時間として知られている。[8]ランサムウエア追跡者は、攻撃者がこの手法を使ったと推測することで、コードを解読するためのシードと乱数の範囲を狭めることができる。このように、ハッカーはさまざまなテクニックを駆使するが、時に安全なキーをつくり出すことに失敗する。

マイケルは何度も、ストップDjvuの弱点を探った。さらに「極度に絶望した」被害者が殺到し、彼は自宅と職場の両方で、起きている時間のほとんどをこのランサムウエアに費やすようになった。「このランサムウエアだけだ。他の種類ではこんなことはなかった」と彼は言う。

ストップDjvuが使用する対称暗号の脆弱性のひとつは、「オフラインキー」を使っていることだ。ファイルを暗号化するキーはその復号にも使用できるため、攻撃者はその暗号化キーが入手されてしまうことを懸念し、ターゲットの端末に最初に侵入するランサムウエアには暗号化キーを含めていなかった。その代わりに、ランサムウエアはデータを暗号化する準備が整うと、インターネット経由で攻撃者のサーバーに暗号化キーを送信するように指示する。しかし何らかの理由（たとえばウイルス対策ソフトが接続を遮断している、攻撃者がサーバーを切り替えている、単に不具合がある）などにより、ランサムウエアが一時的にインターネットから遮断されることがある。その場合、このランサムウエアはコードに埋め込まれたオフラインキーを使用するように設定されている。しかし、ちょうど玄関のドアマットの下に置いてある予備の鍵のように、オフラインキーは安全性に欠けるものなのだ。

マイケルはストップDjvuのコードの中に、どのファイルがインターネットから遮断されている間のオフラインキーで暗号化されたものかを示すパターンを発見した。そこからオフラインキーを抽出するのは簡単だった。また、ストップDjvuは攻撃したコンピュータごとに固有のオンラインキーを作成していたが、オフラインキーの場合は1種類だけだった。複数のストップDjvuの亜種が、同じオフラインキーを共有することもあった。マイケルは抽出したオフラインキーを使って、多くの被害者を救うことができたのだ。

次にマイケルは、ストップＤｊｖｕのサーバーをだましてオンラインキーを取得するという巧妙な方法を考案した。その発端は、ある奇妙な発見だった。ストップＤｊｖｕは、ランサムウエアの中でほぼ唯一、被害者のＭＡＣアドレスを使ってそのキーを生成していたのである。ネットワークに接続されたハードウエアはすべて独自のＭＡＣアドレスを持っているため、ストップＤｊｖｕの作成者はそのアドレスを使い、被害者のオンラインキーがどれになるかを特定できた。暗号化の準備が整うと、ランサムウエアのプログラムは被害者のＭＡＣアドレスを攻撃者のサーバーに送信し、その返信としてオンラインキーを受け取る。

そこからマイケルは、あるアイデアを思いついた。ランサムウエアのプログラムがＭＡＣアドレスを使ってサーバーからオンラインキーを入手できるのであれば、自分もできるのではないか？　マイケルは自分の身元を隠すために、Ｔｏｒ（ダークウェブを閲覧するためのウェブブラウザ）を使って、匿名でリクエストを行うことにした。するとサーバーは、彼がファイルを暗号化しようとしているランサムウエアだと勘違いして、オンラインキーを送ってきた。ストップＤｊｖｕは対称暗号を使っているため、サーバーがファイルを暗号化するために使用したオンラインキーは、ファイルの復号に使うこともできる。

マイケルは、被害者のコンピュータからＭＡＣアドレスを自動的に抽出するツールと、マルウエアから割り出したサーバーのＵＲＬにアクセスして、オンラインキーを手に入れるボットを作成した。サーバーは、この活動を不審に思うようなプログラムになっておらず、忍耐力のない人間とは違って、何度オンラインキーを要求されても飽きることがない。被害者の中には複数のＭＡＣアドレスを持っている人もいて、その場合、ボットはそれぞれのアドレスを順番に試し、どのアドレスからキーが得られるかを確認した。

この方法の難点は、攻撃者がサーバーのＵＲＬやドメイン名を変え、その痕跡を消している場合が多いことだ。その結果、ボットが古いサーバーにアクセスしてしまい、無効なリクエストであるという反応が返ってくることがあった。ボットがまだサーバーにアクセスできるうちに、ボットにＭＡＣアドレスを入力するため、マイケルは迅速に行動しなければならなかった。「サーバーがシャットダウンされる前に、素早くアクセスする必要があったんだ」と彼は語っている。間に合わない場合もあった。被害者から６つのアドレスが送られてきたため、サーバーがディレクトリを切り替える前に、それらをすべて試す時間がなかったのである。それでも、彼が「楽しい冒険」と呼んだ6か月間で、レイ・オレンデスを含む３７５人が身代金の支払いから救われた。

レイは、偶然にも、タイミングに恵まれた。わずか8日前に、マイケルが被害者のＭＡＣアドレスを取得するためのツールを更新していたのである。レイのコンピュータの場合、ツールが特定したアドレスは５つあった。その木曜日の朝、マイケルはナード・オン・コールのオフィスで、それらのアドレスをボットに入力した。ボットはサーバーを欺いてオンラインキーを取得し、マイケルはそのキーをレイに送った。レイはまだいくつかのファイルを開けずにいた。マニラ時間で金曜日の夕方、彼はマイケルにメールを送った。「先生、一部のファイルは復号できませんでした」

マイケルは、暗号化の最中にランサムウエアとサーバーの接続が一時的に途切れたため、その時に暗号化されたファイルではオフラインキーが必要なのだろうと推測した。ちょうどその週、マイケルは偶然にも、レイのパソコンをロックしたストップＤｊｖｕの亜種のオフラインキーを発見していた。暗号化されたレイのファイルの拡張子「.gerosan」は、古いストップＤｊｖｕのバージョン１０１によって変換されたことを意味していた。

「スキップされたファイルは、すべてオフラインキーによって暗号化されているんだ」とマイケルは答えた。「昨日、アップデート版をリリースしたよ」

「了解です、本当にありがとうございました」とレイは返信した。

もしオフラインキーがなく、MACアドレスがすぐにサーバーに送信されなかった場合でも、マイケルはストップDjvuの最大の欠点を利用した、第3の選択肢を用意していた。ストップDjvuは同じキーを使用してすべてのファイルを暗号化しているという点で、ランサムウエア追跡チームのメンバーであるサラ・ホワイトが2019年に行った、「暗号の傷口に塩を塗る：ランサムウエア開発者のようにバカにならないために（Pouring Salt into the Crypto Wound: How Not to Be as Stupid as Ransomware Authors）」と題された講演で述べた内容に反していた。それは、ストリーム暗号の「黄金律[9]」として示された、「キーは絶対に再利用しないこと！」である。

この第3の方法を実行するためには、被害者はマイケルに、同じファイルのオリジナル版と暗号化版の「ファイルペア」をひとつ提供する必要があった。被害者の多くはシステムのバックアップを取っていなかったが（そうしていればそもそも助けは必要なかっただろう）、メールや携帯電話の中に、破損したファイルのオリジナル版を偶然にも持っていた。マイケルは論理演算の「排他的論理和」を使って、2つのファイルを比較し、暗号鍵を導き出すことができた。ストップDjvuは対称型であるため、そのキーは感染したファイルのロックを解除できる（復号できる）。さらにストップDjvuは、サラの黄金律を破り、同じキーを使ってコンピュータ内の他のデータも暗号化していたため、そのキーはすべてのファイルのロックを解除できたのである。

「『すべてのデータが暗号化されてしまった』と被害者は言いがちだ」と、マイケルは回想する。「そこで僕は、『すべてのファイルのバックアップは必要ない。オリジナルと暗号化されたファイルが1組あれば、残りを復元できる』と答えるんだ」

2019年10月、マイケルは、被害者がファイルのペアをアップロードすると自動的にキーを取得できる、自助用のポータルサイトを開設した。これにより彼は、ストップDjvu被害者からの絶え間ない要求を減らし、他のランサムウエアに対応するための時間を得た。

被害者が身代金を払わないようになれば、ストップDjvuの開発者は必然的に、新たな亜種がクラックされたことに気づく。最終的に彼らは、古いストップDjvuで使われていた対称暗号を、対称型と非対称型のハイブリッド暗号に置き換えた。ファイルの暗号化にはSalsa20というストリーム暗号を使い[10]、Salsa20のキーの暗号化には非対称型のRSAを使った。今では「ランサムウエアの99パーセントは、何らかの方法でRSAを利用している」とマイケルは指摘する。

RSAのセキュリティは、数学的な難問に依存している。十分な性能を持つコンピュータであれば、非常に大きな数であっても、素数を掛け合わせることができる。しかしその逆、つまり大きな数を素因数分解する近道（素早い処理方法）は、誰も見つけていない。たとえば35を、素数の7と5に因数分解するのは簡単だ。しかし、

1,034,776, 851,837,418,228,051,242,693,253,376,923 =
1,086,027,579,223, 696,553 × 952,809,000,096,560,291

という計算式を簡単に導き出すことはできない。

ＲＳＡの公開鍵は、２つの素数の積で表される「半素数」である。マイケルは公開鍵を見つけられるが、秘密鍵を計算するためには、その２つの因数を知る必要がある。ところがストップＤｊｖｕはＲＳＡを利用して巨大な素数を生成しており、それらを掛け合わせると、現代で最も強力なコンピュータを用いたとしても、一生かかっても因数分解は終わらない。そのためマイケルは、ストップＤｊｖｕのサーバーをだましてファイルの暗号化に使用したオンラインキー（これが公開鍵となる）を入手できても、そのキーを使ってロックを解除できなくなった。さらに「ファイルペア」方式も、もはや通用しない。

　それでも、ストップＤｊｖｕにはただひとつ、欠陥が残っていた。ストップＤｊｖｕの各亜種は、攻撃対象のコンピュータがサーバーと連絡を絶ったとき、依然として１つのデフォルトキーに依存していたのである。そのキーはＲＳＡで生成されていたため、マイケルはもはやキーを取り出せなかった。しかし彼は、身代金を支払ってオフラインキーを受け取った人から、それを入手できた。彼はそのキーを使い、同じタイプのストップＤｊｖｕの犠牲者となった他の人々を救出できたのだ。

「新しい種類のストップＤｊｖｕでも、オフラインであれば、被害者は希望を持てる」とマイケルは言う。

　オフラインキーを利用する、攻撃者のサーバーを欺く、ファイルのペアを比較する——これらの方法を発見することで、マイケルは何人ものストップDjvuの被害者を救ってきた。しかし、その全員が失敗から学んだわけではない。古いストップDjvuに痛い目に合わされた後でも、彼らはソフトウエアの海賊版を手に入れ、ファイルのバックアップを取らなかった。マイケルが救済した人々のうち何人かは、新しいストップDjvuや他のランサムウエアの被害にあった。ランサムウエアがより巧妙になったため、もう助けることができないと説明すると、被害者たちは動揺した。マイケルは恩知らずな彼らを嘆いた。「ランサムウエアから被害者を救ったのに、1年後にまた対処不能なランサムウエアと共に現れたら、本当に腹が立つ」と彼は打ち明ける。

しかしレイ・オレンデスは違った。彼は自分が幸運だったことを理解し、もう運命に翻弄されたくないと思っていた。レイはソフトウエアの海賊版を使うのを止め、フェイスブックのページ上では、見込み客に対して「写真はフラッシュドライブに保存しています」と告知した。

パンデミックの間、レイは自分のビジネスを中断していた。彼が撮影対象である、さまざまな種類のイベントや祝賀会のキャンセルが相次いだからだ。病院の仕事では新型コロナウイルス患者の看病にあたり、自分も感染したが、幸いにも症状は軽かった。2021年、レイは「この2年間は、私たち医療関係者にとって苦闘の日々だった」と語る。

レイは、ストップDjvuから解放されたことに対する感謝の気持ちを忘れなかった。「(マイケルがいなかったら)パソコン内の写真と動画は、あのふざけたウイルスのせいですべて失われていたでしょう」と彼は振り返る。また、次のように付け加えた。「マイケルが私に何も請求しなかったことに驚きました」

第7章　リュークの君臨

ストップＤｊｖｕが世界中の学生や労働者から身代金を奪う一方で、別のギャングがランサムウエアの脅威を劇的に高め、はるかに大きなターゲットを麻痺させ、はるかに大きな金額を要求していた。リューク（Ryuk）として知られ、ロシアを拠点としていたこのグループは、ストップＤｊｖｕから6か月後の２０１８年8月に現れた。

リュークはランサムウエア革命の先陣を切った。彼らは身代金として6桁にも及ぶ高額を繰り返し要求、そのターゲットを慎重に選んだ最初のギャングだ。リュークがその道を示したことで、ランサムウエアを使う犯罪組織は、1台のコンピュータを持つ個人１０００人から1人当たり１０００ドルを要求するよりも、１０００台のコンピュータを持つ1企業の業務を妨害する方が、簡単で効率的であることに気づいた。また、医療機関や地方自治体など数十の顧客組織のＩＴ管理を行う「マネージド・サービス・プロバイダー」と呼ばれる企業を標的にすることで、破壊的な影響を倍増させるグループも登場した。身代金の平均支払額は、リュークが登場した２０１８年第３四半期には６０００ドル未満だったものが、[1] 2年後には23万ドル以上に急騰した。[2] ２０１９年4月、身代金の交渉サービスを提供する企業コーブウエアは、「リュークは他のタイプのランサムウエアとは桁違いの身代金要求額で、その記録を更新し続けた」と報告している。[3] またリュークは、２０１９年を通して、ストップＤｊｖｕを除くすべてのランサムウエア攻撃の20パーセント以上を占め、最も活発に活動するギャングになった。

リュークがターゲットとする組織は、大きな収益をあげながらサイバーセキュリティが脆弱で、業務が停止した場合にその再開が急務となるようなところだった。ストップＤｊｖｕが他のどのランサムウエアよりも多くの家庭内コンピュータユーザーを攻撃していたように、リュークは企業、非営利団体、学校、重要インフラ、特に医療機関に壊滅的な打撃を与えた。アラバマ州タスカルーサで唯一の総合病院であるＤＣＨ地域医療センターも、そのひとつだった。

タスカルーサは、ウォーターオークが街路樹として立ち並ぶことから、この木陰を崇拝する異教徒の神官にちなんで「ドルイド・シティ」と呼ばれている。１９２３年に地域住民の出資により「ドルイド・シティ病院（ＤＣＨ）」として設立された。[4] ５８３床を持つこの医療センターは、アラバマ大学のメインキャンパスのすぐ東に位置している。がんセンターと外傷センターを備え、ロボット手術も行っている。「酔っぱらいの大学生も、小さな老婦人も、皆この病院のドアを開けて入ってきます」と、同センターの元看護チームリーダー、リサ・マリー・カーガイルは言う。同センターは、ブラックウォリアー川を挟んだ対岸の町ノースポートにある小さな病院と、北西へ35マイルのところにあるファイエットの病院ならびに老人ホームを含む、ＤＣＨヘルスシステムの中心地でもある。

ストップＤｊｖｕがレイ・オレンデスのファイルを暗号化してから3か月後にあたる、２０１９年10月1日。その日の早朝、ランサムウエア攻撃によってＤＣＨの３つの病院全体のコンピュータが停止した。

その脅威の規模がどれほどのものになるかを素早く認識したDCHの幹部たちは、病院内部で危機が発生したことを宣言した。攻撃を食い止めるため、DCHは大部分のサーバーと仮想プライベートネットワーク（VPN）接続をシャットダウンした。午前8時の緊急会議において、管理者は不要不急のイベントをすべてキャンセルすることを決め、[5] 重要な業務をサポートするために補助スタッフを配置し、さらにFBIとシークレットサービスに通報した。シークレットサービスのエージェントは、その日のうちに病院に現れた。

DCHは午前中に、「患者の安全を第一に考え」、3つの病院では「深刻な状態にある新規患者以外」は受け付けず、地元の救急車は他の医療機関に回すとウェブサイトで発表した。[6] 外来診療の予約や検査を予定している人は、事前に連絡するように指示された。救急外来に来た患者は、容態が安定した後で、他の病院に移されることになった。

病院側は、この思い切った行動の理由について、まだ加害者側と交渉する可能性のある組織としては珍しい直接的な言葉で説明した。「DCHヘルスシステムの3つの病院は、ランサムウエア攻撃を受けました。犯人は、まだ詳細を確認できていない身代金の支払いと引き換えに、私たちのコンピュータシステムの能力を制限しています」

午後2時22分、アラバマ州公衆衛生局の緊急対応コーディネーターは、この地域にある他の3つの病院、老人ホーム、緊急事態管理機関に対し、DCHの患者を受け入れる準備をするように警告した。「DCHの3施設は現在、ランサムウエア攻撃のため、他の施設に代替されなければならない」と彼は書いている。[7]「病人や怪我人が転送されてくる可能性があるため、地区内のすべての病院で、現在の病床使用状況を更新する必要がある」

アラバマでランサムウエアの被害にあった病院は、DCHが初めてではない。その3か月前には、アラバマ州モービルにあるスプリングヒル医療センターでコンピュータシステムが攻撃され、患者のバイタルサインを表示するナースステーションのモニターなどが停止する出来事があった。同病院はメディアに対し、「ネットワーク上の出来事」であり、「患者のケアに影響はない」と説明した。[8]実際にはこの攻撃により、分娩室で胎児の心拍をモニターするナースステーションの電子機器など重要な機能が失われた。

2019年7月16日にテイラニ・キッドがスプリングヒル医療センターに入院したとき、彼女はハッキングのことを聞かされていなかった。その翌日、出産を間近に控えた彼女が寝るベッドの横に置かれていた、胎児心音計からのプリントアウトだけが、胎児の容態が悪化していることを示していた。その警告は、彼女を担当する産科医には届かず、もし届いていれば帝王切開で出産できていたかもしれない。

キッドは病院を訴え、その訴状によれば、「胎児の容態を追跡していた情報には、ナースステーションからはアクセスできず、またテイラニの分娩室に物理的に居合わせなかった、すべての医師やその他医療従事者にも不可能だった」[9]とされる。

キッドの娘、ニコ・シラーは脳に重度の障害を負って生まれ、2020年4月に亡くなった。それはランサムウエアに関連した最初の死だった。スプリングヒルは過失を否定し、ランサムウエア攻撃後も営業を続けたのは、「患者が私たちを必要とし、私たちが……そうすることが安全であると判断したため」と述べた。[10]病院は攻撃者を特定していないが、ウォール・ストリート・ジャーナル紙はリュークである可能性が高いと報じている。[11]

患者の病歴やその他のデジタル記録を奪われたＤＣＨの病院は、同じように苦境に立たされた。がん患者は３日間、放射線治療を受けることができなかった。手術や痛み止めの処置が延期されたこともあった。攻撃後の２０１９年10月１日から同10日までの９日間で、救急車は２３７回、他の施設に回された。[12] ３つの病院の救急病棟で１日に診察された患者の平均数は、９月と比較して急激に減少した。

看護婦たちは患者に薬を与える際、彼らがすでに服用している薬と矛盾したり、重複したりすることなく、正しい薬を正しい用量で投与しているかどうかを確認するのに苦労した。「まさに地獄でした」とカーガイルは言う。彼女は休職中だったが、常にチームと連絡を取り合っていた。「看護師になって10年未満の若手看護師は、紙のカルテを作成したことがない人ばかりで、控えめに言ってもこの状況に圧倒されていました。私の同僚は、新しいシステムを立ち上げて事態を収拾するのに4～6か月かかると言われていました。私の考えでは、身代金を払うことが、この病院に残された唯一の選択肢でした」

犯人の特定までに時間はかからなかった。10月2日、ＤＣＨは「ランサムウエア『リューク』がファイルの暗号化に使用された、と捜査当局は判断した」と発表した。

リュークという名前は、日本の人気アニメ・漫画シリーズに登場する悪魔のキャラクターから取られた。そのコードは、北朝鮮に関係しているランサムウエア「ヘルメス」に似ていた。ロシアのグループがダークウェブでヘルメスのコードを購入し、改良したと言われている。[13] たとえばリュークはヘルメスと異なり、暗号化するのはすべてのファイルではなく、感染したコンピュータを使用不能にする程度の量だった。そのため、暗号化の時間を短縮して検出を回避できた。また暗号化したファイルには、拡張子「.ryk」を追加するようになっている。

2019年5月までに、リュークは100以上の米国内または国際的な組織をターゲットとし、それは主に物流会社やテクノロジー会社、あるいは小規模な都市だった。[14] その結果、FBIや英国の国家サイバーセキュリティセンターから警告が出ていた。[15] 自らの活動拠点であるロシアもターゲットにしており、2019年に彼らが狙った国で6番目に多かったのがロシアだった。リュークは2020年、ロシアでの攻撃を劇的に減らしたが、それはプーチン政権の保護を求めたり、受けたりしていたからかもしれない。同年7月、リュークを含む犯罪組織のリーダーが、「政府関連のネタを扱う」オフィスの設立について仲間にメッセージを送っていたことが確認されている。[16]

リュークへの身代金支払い額は、2019年と2020年を通じて、すべてのランサムウエアの平均を大きく上回っていた。彼らの経験則では、(ターゲットにした)会社には収益の10パーセント(ロシア語でデシャチーナ)を支払わせるべきで、これは大きな金額ではあるものの、会社が倒産するほどではない。リュークが提供した暗号復号ソフトには欠陥があったため、会社は身代金を支払っても、ファイルを復元できない場合があった。

リュークは当初、身代金要求書にその金額を記載していた。その後、この方式は廃止され、代わりに連絡用のメールアドレスを記載するようになった。彼らは5つのメールプロバイダーを利用し、そのひとつがスイスのサービスで、安全に使えることで知られていたプロトンメールだった。2020年10月、プロトンメールがリュークの2万にも及ぶアカウントを停止すると、彼らは他のプラットフォームあるいはプライベートチャットに切り替えた。リュークは被害者と交渉することもあったが、その返事はいつも簡潔で、10語以下か金額だけだった。

他のギャングよりも冷淡で冷酷な彼らは、冗談や会話も嫌がる。ただごく稀に、リュークがその簡潔な会話を止め、なぜ欧米の企業を攻撃しているのかを説明することがある。被害者に宛てたメッセージには、17世紀フランスの慣用句「À la guerre comme à la guerre（戦場では戦場らしくせよ）」が引用されている。これは「苦難の時には持てるものを最大限に活かせ」という意味だ。[17] この言葉は、ウラジーミル・レーニンが１９２０年に発表した、貧困、飢餓、病気に対する戦いを促したエッセイのタイトルでもある。

マイケルがリュークを初めて目にしたのは、見慣れぬランサムウエアによって暗号化されたファイルがＩＤランサムウエアにアップロードされたときだった。それは米国内の2社を含む、３つの大企業を襲ったばかりのものだった。ギャングが要求する身代金の額は、6桁に達していた。彼とランサムウエア追跡チームはすぐに、自分たちが危険な敵に立ち向かっていることを理解した。杞憂であれという願いも打ち砕かれ、その後の数か月間、リュークは彼らの白鯨［ハーマン・メルヴィルの同名小説に由来する表現で、克服するのが困難な問題を意味する］となった。他の大規模で、大金を稼ぐランサムウエアが現れては消えていく中、リュークは強力な存在であり続け、その頻繁で有害な攻撃は、チームのメンバーに力の限界を感じさせることとなった。

実は、ファビアンは先手を打っていた。彼はリュークの前身である、北朝鮮で開発されたヘルメスの最初のバージョンを解読していたのだ。２０１7年2月にカーステン・ハーンがヘルメスに遭遇すると、ファビアンはオンラインのライブで、このランサムウエアを解析することにした。コードを熟読し、視聴者に分析結果を話すうちに、彼は欠陥を発見した。他のランサムウエアでも見られるミスだが、生成する乱数が十分にランダムではなかったため、キーをブルートフォースで得られたのである。マイケルはファビアンの研究成果を基に、復元ツールを開発した。

おそらくこの一件を、ヘルメスの開発者も見ていたのだろう。次のバージョンでは、乱数生成機能が強化されていた。しかしファビアンは、その新しいバージョンの中に、複数の被害者に同じキーを使うというミスを発見した。

この弱点は、ロシア人がヘルメスをリュークに作り替えた後も続いていた。ごく一部のケースだったが、誰かが身代金を払ってキーを受け取ると、チームはそれを使って他の被害者のファイルのロックを解除し、支払いを不要にすることができたのである。また、ＦＢＩが同じ脆弱性を独自に発見したとの情報もチームに入った。しかしリュークはすぐにその欠陥を発見し、身代金を払った被害者にそれぞれ異なるキーを送るようになった。

リュークの追跡を続けるうち、ファビアンは、リュークが小規模な分派を生み出したように見えることに気づいた。チームはこの分派の被害者およそ6人から話を聞くことができた。ファビアンによって「カウボーイ・リューク」と名づけられた彼らは、チームがそれまでにリュークから受けていた印象、つまり口数の少ないプロの敵というイメージとは正反対の「完全にいかれた」集団だった。侮辱的な言葉を吐き、ファイルを破壊し、機密データを盗み出し、身代金を払ってもそれを公開してしまう。カウボーイ・リュークは、リュークのコードの古いバージョンを使っており、独自の身代金要求書やファイル拡張子を使っていたため、チームにとって発見しやすい存在だった。その暗号技術は洗練されていたが、まるで被害者に送るキーが機能するかどうか気にしないかのように杜撰で、彼らは短期間しか活動しなかった。

リュークの登場は、ランサムウエアの脅威をエスカレートさせる、もうひとつのシナリオを具現化するものだった。リュークは大きな標的を攻撃して大金を得るだけでなく、より大きな犯罪組織の一部でもあった。ある1つの組織が、リュークだけでなく、「トリックボット」と「エモテット」という2つの悪名高いマルウエアを運用していたのである。これらのマルウエアは、金融口座に侵入するために開発されたため、元々は「バンキング・トロージャン（バンキング型トロイの木馬）」と呼ばれていた。まるで会社のような指揮系統の下、雇われた作業員が人材管理からコード開発、フィッシングメール作成に至るまで、そのスキルに基づいてさまざまなタスクを遂行していた。このトリックボット、エモテット、リュークを運用していた組織が使用していたオンライン上のユーザー名は、およそ400人分が確認されているが、複数の名前を使う者もいたため、実際のメンバー数はもっと少ないと見られている。そのうち約半数が、リュークを担当するグループに属していた。

トリックボットとエモテットは、ターゲットの従業員がクリックしたくなるようなフィッシングメールを作成するため、事前調査を行っていた。それらのマルウエアは、フィッシングメールやリモートデスクトップサービス（他のコンピュータにアクセスすることを可能にするウィンドウズの機能）を介して、家庭や企業、官公庁のコンピュータに侵入し、管理者権限を取得した。このようにして、マルウエアに感染した数百万台のコンピュータからなる、世界規模のボットネットを構築したのである。

トリックボットとエモテットは、侵入したシステム内を人知れず徘徊し、盗むべき重要な情報を探した。またズームインフォやアウラーなど、企業リサーチサービスの有料アカウントを利用してターゲットの収益に関するデータを収集し、ランサムウエア攻撃を行うかどうか、要求額をどの程度に設定するかを決定した。スパイ活動が完了すると、彼らは通常、被害者のタイムゾーンの真夜中にあたる時間にリュークのペイロード［積載物を意味する英単語で、マルウエアの場合、そのコード内で暗号化など感染したコンピュータに悪影響を与える部分を指す］を投下した。そうすることで、ランサムウエアが発見される前により広く拡散するようにしたのである。そのコードには、バックアップシステムの削除や暗号化、ウイルス対策の無効化などの指示が含まれていた。

ダークウェブの奥深くに設置された、秘密のコントロールパネルの前で、ギャングたちは進行中の作戦を監視し、指示を出していた。サイバー犯罪者たちによって毎日アップデートされるこのパネルには、テキサス州の警察署からカリフォルニア州の都市部の学区に至るまで、さまざまなターゲットに関する情報、たとえば標的のＩＰアドレス、ネットワークに接続されているコンピュータの数、パスワード、影響を受けるユーザーの電子メールアドレス、作戦の目的（データの盗難や身代金の徴収など）が並んでいた。そして緑、黄、赤のいずれかで表示されるシグナルが、攻撃の状況を示していた。多くの項目の横には、ロシア語で「調べる」を意味する「razbor」というコメントが書かれている。また「crypt」というコメントは、被害者がすでに、あるいはトリックボットがゲートウェイを提供したランサムウエアによって、これから暗号化されることを意味している。通常、そのランサムウエアとはリュークだった。

ウクライナ出身でロシア語を話し、ウィスコンシン州ミルウォーキーでホールド・セキュリティ社を設立したアレックス・ホールデンは、トリックボットと逆の行動に出た。彼の顧客である会社への攻撃を回避するため、ホールデンと、米国および中央ヨーロッパで活動している30人のアナリストが、あたかも人間版マルウエアのようにギャングに潜入したのである。彼らは3000人分もの偽のID（それぞれに犯罪歴が偽装されていた）を利用してハッカー仲間を装い、コントロールパネルにアクセスした。また組織のメンバーと会話し、彼らの活動方法を学んだ。

「サイバー犯罪者の多くは孤独です」とホールデンは言う。「彼らは理解してくれる人と話したいのです」

彼のアナリストの大半は女性だったが、トリックボット、エモテット、リュークの背後で活動する人々のほとんどが男性であり、彼女たちも男性のふりをしていた。「親近感を持たせるため」というのが、その理由だ。不慮の事故を防ぐために、彼女たちが送信するロシア語のメッセージをチェックして、語尾が正しい性別になっていることを確認するソフトウエアも用意された。

アナリストたちは情報を探りながら、ハッカーの嗅覚、触覚、味覚に訴えた。「これらのセンサーは、人の脳に『真実』を告げるのです」とホールデンは語る。たとえばこんなふうに。「俺は今キッチンのテーブルに座っているんだが、集中できない。昨夜はウォッカを飲み過ぎた。頭が重くて、口は安物のタバコでいっぱいの灰皿のような感じだ。女房は怒鳴ってるし、ガキどもは走り回っている。すぐにでも眠りたいが、このアクセスが必要なんだ。あるいはもっとウォッカを飲むか」

アナリストの話に説得力があり過ぎて、ギャングが彼らに攻撃協力を依頼することもあった。そこでアナリストは、自分たちの仕事には多くの需要があり、忙しくて他のサイバー犯罪に手を染めている暇がない、という口実でその申し出を断った。

他のランサムウエアを使った犯罪行為と同様、リュークでも責任とリスクを関連組織に委ねるというケースがあった。しかし彼らは手にした身代金のうち、開発者の慣例となっている5分の1や3分の1以上の多くの分け前を確保していた。ホールデンの話によれば、あるサイバー犯罪者集団がネバダ州にある保険会社のシステムに侵入し、「ランサムウエアによる攻撃という選択肢を模索」し始めた。リュークを運用するギャングから分け前として利益の半分を要求された彼らは、リュークがその保険会社だけでなく自分たちも脅していると不満を抱いたが、とにかく実行に移した。

コントロールパネルにないデータのひとつに、被害者がサイバー保険に加入しているかどうかがある。しかし犯罪者たちは、保険金が自分たちの利益の大部分を占めていることをよく知っていた。「リューク一味はこんなジョークを交わしていました」とホールデンは言う。「身代金要求書には『保険金を請求する』という選択肢を付けるべきだ」

身代金を払った被害者は、大切な顧客と見なされた。ギャングは自らの約束を果たそうとしており、送信するキーの不具合に頭を悩ませていた。あるときリュークのボスが関係者に対し、「良い知らせと悪い知らせがある」と連絡してきた。悪い知らせは、リュークの復元ツールに潜在的なバグがあることで、良い知らせは、リュークが新しいツールを開発中であることだった。その口調は、まるで製品の不具合を渋々認めるCEO（最高経営責任者）のようだった。

競合の多い市場で勝ち抜こうとする一般の企業と同様に、トリックボット・エモテット・リュークの組織も常に拡大を目指していた。2020年8月、リュークの組織はロシアを拠点とする別のランサムウエア集団、コンティと協力し始めた。[18] コンティは被害者から数億ドルを集めると、トリックボットのボスであるスターンに手数料を払った。[19]

コンティは、米国の法執行機関がランサムウエアに対して取るアプローチのギャップについて、高度な理解を示した。コンティのメンバーの1人は、別のメンバーに向けて「公共部門と民間部門では、すべてが非常に分散化されており、これを変えようとする動きがあるものの、今のところ成功していない」と書いている。[20]「攻撃された場合、理論的には政府に訴える必要があるが、誰に対してかはまったく不明である」それからこのハッカーは、ＦＢＩ、国土安全保障省、そして地元の警察署の役割を説明した。

この提携は実を結び、コンティはトリックボットの傘下で、大きな収益を上げる一連の攻撃を開始した。トリックボットの経営陣は、その利益をビジネスに還元していった。２０２１年4月から8月にかけて、トリックボットは２５００万ドルを再投資し、物理的なオフィスとハードウエアを調達して、従業員も増やしたとホールデンは述べている。彼らは誰を攻めるべきか、どうすれば効率を上げ、収益を最大化できるかを議論した。２０２１年、スターンのアシスタントであるマンゴは、彼に向けて「もっと畳みかけましょう。電話で煩わせ、パートナーを困らせ、メディアで取り上げられるようにならないと」と書いている。[21]

「私は仕事を組織化し、攻撃対象を分析した完全な報告書が期日までにできあがるようになることを提案します。攻撃対象の経営層、その個人情報、関連組織、そして何より、どのように圧力をかけるか、どのターゲットに対して何が許されるかに関する戦略がまとめられた報告書です。……我々は身代金をもっと現実的な金額に設定し、それを貫く必要があります」

マイケルと頻繁に共同作業している人物のひとりであるヴィタリ・クレメスは、リュークのことで頭がいっぱいになっていた。彼はこのマルウエアを分析し、アレックス・ホールデンのようにギャングの構造と財務に切り込んだ。

ヴィタリはベラルーシで育った。大学中退後、米国に移住し、建設業の仕事をしながらバーでギターを弾き、サイバーアナリストとしてマンハッタン地区検察局に入局した。その後、ニューヨークを拠点にサイバー犯罪の調査を専門に行うフラッシュポイント社に入社した。ヴィタリはマルウエアを精査し、ハッカーフォーラムでの会話を盗み聞きして、サイバー攻撃とその背後にいるギャングのつながりを探る活動をしている。

ヴィタリはツイッターを通じてマイケルと出会い、2019年に「ゲットクリプト」というランサムウエアへの対応で一緒に仕事をするようになった。ヴィタリの研究を武器として、マイケルはこのランサムウエアをブルートフォースし、復元ツールを開発した。彼らのスキルは補完的だった。「私はマルウエアがどのように検知を逃れるのか、どのようなサービスをターゲットにしているのかを分解、分析します」とヴィタリは語っている。「マイケルは暗号の分野によりフォーカスしていました」

2019年の後半、ヴィタリはフラッシュポイントを離れ、ライバル会社のセンチネルに移った。その後彼は、自らの専門会社であるアドヴィンテルを立ち上げた。そしてローレンスの招待と他のメンバーの承認を得て、2020年3月にランサムウエア追跡チームに参加した。

ヴィタリにとって、トリックボット・エモテット・リュークの集合体は究極の挑戦だった。彼は別の研究者と共に、リュークが儲けた金を預けていると思われる61のビットコイン・ウォレットを追跡した。[22] その結果、リューク一味は仲介者を通じて、アジアの2つの取引所でビットコインの大半を現金にしていることが判明した。他にもかなりの額が、現地通貨や別のデジタル資産に変換するマネーロンダリングサービスに流れていることも判明した。

リュークを何年も研究してきたヴィタリは、その結論が「痛いほど明確」であると指摘した。「リュークの背後にいる犯罪者は非常にビジネスライクで、被害者の地位、目的、支払い能力に対する同情心は皆無だ」

リュークの対応に困り果てたFBIは、被害者にランサムウエア追跡チームを紹介した。2021年初めにリュークが整形外科医療を提供する組織であるオルソバージニアを攻撃したとき、そのCIO（最高情報責任者）であるテリ・リプリーは、リッチモンドのFBIサイバー捜査官に電話で連絡した。対応した捜査官は、適切なバックアップがあるかどうか尋ねた。彼女は「いいえ、バックアップも感染しています」と答えた。

電話を切ったあと、FBIのサイバー捜査官は彼女にメールで紹介状を送った。FBIにできることは、他にほぼなかったのである。「すでに確認されたかどうかわかりませんが、リューク（の復元ツールが使えるかどうか）をチェックする機能を提供している民間組織があります」と彼は綴り、IDランサムウエアのリンクを共有した。『『このランサムウエアは、特定の状況下で復元できる可能性があります』というメッセージが表示されたら、復元を支援してくれるはずの連絡先も表示されるはずです」

テリのチームは、この攻撃をＦＢＩのインターネット犯罪苦情センターに正式に登録した。オルソバージニアのＣＥＯは「毎日、昼休みにＦＢＩに電話していました。でも、何もしてもらえませんでした。彼らにできることは何もなかったのです。ただ『皆さんの情報はすでにいただいていますので、何かあれば連絡します』と言われただけでした」と語る。

オルソバージニアは、リュークのランサムウエアが解除不可能であることを知ると、ハッカーと交渉を開始した。しかし、バックアップまで暗号化されていたにもかかわらず、最終的には身代金を支払うのではなく、システムを再構築することを選択した。

＊＊＊

オルソバージニアと同様に、ＤＣＨは行き詰まりを感じていた。２０１９年10月5日、同病院は降参した。そして「私たちは法執行機関、ならびにＩＴセキュリティの専門家と協力し、すべての選択肢を評価した上で、患者にとって最適な解決策を実行しました」との発表を行った。「これには、システムの復旧を迅速化し、公共の安全を確保するために、攻撃者から暗号化キーを購入することも含まれています」支払額は明らかにされなかったが、当時のリュークが一般的に要求していたのは、6桁台半ばの金額だった。

5日後、ＤＣＨは通常業務を再開した。しかし攻撃の代償を払うだけでは終わらず、ＤＣＨはさらに、自らの患者たちから金銭を要求されることとなった。ランサムウエアの被害にあった病院を訴えるという、新しいタイプの訴訟に直面したのである。

データ漏洩をめぐる訴訟は、何年も前から頻発していた。しかし訴えた側が、自分の情報が盗まれたことによって、金銭的、あるいはその他の損害を受けたことを証明するのは難しい場合が多かった。病院へのランサムウエア攻撃が増加する中、シカゴのメイソン・リーツ・アンド・クリンガー法律事務所の弁護士たちはあるアイデアを思いついた。それは一般的なデータ漏洩訴訟を拡大して、より具体的な被害を含むようにする、つまりデータが漏洩していなくても、医療サービスが中断されたことを訴えるというものだった。

「データ流出による損害はない、という主張を回避するために考え出したものです」と、ゲイリー・クリンガーは言う。

２０２０年末までに、彼らはランサムウエアに感染した病院などを相手に、攻撃を防げなかった過失を主張する訴訟を約30件起こしている。被害者を非難していると考える人もいるかもしれないが、連邦裁判所に提出され、タスカルーサ郡巡回裁判所に移送された訴訟では、ＤＣＨがコンピュータネットワークとシステムを適切に監視しなかったことにより、患者の健康を危険にさらし、個人情報を流出させたと訴えている。[23] また訴状には、「ランサムウエアによって医療記録へアクセスできなくなった結果」、患者たちは「治療やケアを受けられなくなるか、代替を探さなければならなくなった」と書かれている。一方ＤＣＨは、原告側が過失や被害を立証しておらず、訴えを棄却すべきであると反論した。

原告の中には、ガブリエラ・マクローという7歳の少女がいた。10月5日、彼女はアレルギー反応に見舞われた。彼女の目は腫れ上がり、顔中に赤い跡が現れた。彼女の法的保護者であるシェネカ・フリーソンは、彼女をノースポート医療センターに連れて行った。

そこで看護婦がリュークの攻撃について話し、病院は身代金の支払いに同意したものの、まだ大部分の患者を診ることができないと告げた。ガブリエラは治療のために4〜5時間待たされることになった。訴状によれば、その結果、「マクローの腫れが引くまで3日間かかった」

2021年6月、DCHは患者たちと非公開の金額で和解した。一方、彼らの困難の根源である犯罪組織は、米国の司法制度が及ばないロシアに居を構えていた。

第8章　FBIのジレンマ

サイバー犯罪の捜査は、テロと防諜に次ぐ、FBIの3番目の優先事項であるはずだった。[1] しかし2015年、FBI長官のジェームズ・コミーは、サイバー部門が頭脳流出に直面し、捜査に支障をきたしていることに気づいた。

この部門の人材確保は慢性的な問題だったが、同年の春、それが深刻化した。若手や中堅のサイバー捜査官十数人が、政府外のもっと魅力的な仕事に惹かれ、退職を申し出たり検討したりしていたのだ。辞職者が続出する中、コミーは辞めたサイバー捜査官の1人であるアンドレ・マクレガーから、おせっかいなアドバイスが書かれたメールを受け取った。この若い捜査官は、そのメールでサイバー部門を改善する方法を提案していた。

コミーは日頃から門戸を広く開いていることをアピールしていたが、入社6年目の捜査官が実際に彼に物申したと聞いて、幹部職員は愕然とした。そんな彼らを尻目に、コミーはアンドレのメールと他のサイバー捜査官の退職を真剣に受け止めた。「彼らに会ってみたい」

彼は全国の支部からサイバー捜査官をワシントンに招き、プライベートな昼食会を開いた。[2] この会合のニュースが本部、各部署、そして現場に伝わると、幹部たちは公然とサイバー捜査官たちを「12人の怒れる男」「ダーティーな12人」「あのバカども」と蔑んだ。FBIに命がけで奉仕してきた人々を含む古参の職員にとって、サイバー捜査官は甘やかされたプリマドンナであり、本物のFBIではなかったのだ。

サイバー捜査官たちは、コミーに謁見できたことに誰よりも呆然としていた。バージニア州クアンティコにあるFBIアカデミーで尋問の訓練を積んできたにもかかわらず、彼らの多くは長官から何を聞かれるのか不安で仕方なかったようだ。「捜査官として長官に会うことはめったにありません」と、昼食会に参加した捜査官、ミラン・パテルは言う。「長官のことは有名だから知っています。でも長官はこちらのことを知らないんです」

またジョン・エドガー・フーヴァー・ビルの7階（事務局のオフィスがある）に行くこともほとんどない。しかしその日、サイバー捜査官たち（すべて男性で、多くは30代半ば、スーツにネクタイ姿で散髪したてだった）は一列になって7階のホールを歩き、コミー専用の会議室へと向かった。彼らは緊張した面持ちで、コミーが来るのをじっと待った。そこにシャツの袖をまくり上げ、ランチを手にしたコミーが入ってきた。

「みんな座ってくれ」と切り出した。「コートを脱いで、くつろいでくれ。君が誰なのか、どこに住んでいるのか、そしてなぜ辞めるのかを、教えてほしい。満足して去っていくのか、それとも失望して出ていくのかを理解したいんだ」

部屋にいた皆が順に答えていった。どの捜査官も幸せだと話し、FBIの任務を称賛した。

「まぁ、口火を切るのには良かったかな」とコミーは言った。

しかし最終的には、真摯な態度の方が勝った。それから1時間、ランチを食べながら、捜査官たちは思いの丈をさらけ出した。

彼らはコミーに、自分たちのスキルが局内の他の捜査官や上司から無視されたり、誤解されたりしていると話した。FBIには高校時代を彷彿とさせるような派閥があり、サイバー捜査官は「ギーク・スクワッド（オタク部隊）」と揶揄された。

SWATの隊員たちからは「銃なんて必要ないだろ？」とからかわれた。また幹部からは、全捜査官が受ける体力テストのことを指して、「キーボードをバックパックに入れたまま腕立て伏せしなければならないのか？」と揶揄された。こうしたジャブは、彼らからすでに希薄になっていた帰属意識を失わせると共に、サイバー捜査官は他の捜査官より重要な役割を担っていない、という考えが局内に広まっていることを物語るものだった。

この会合では、FBIに文化として根づいているさまざまな期待、たとえば捜査官は「どんな場所でも、どんな仕事でも」こなせる能力があるべきだ、といった信条に対する反対意見も出た。コミーもこの信条を抱いていて、在任中、FBIの全員にコンピュータのスキルを持たせたいと公言していた。しかしサイバー捜査官たちは、この考え方は間違っていると思っていた。情報源の開拓から潜入捜査まで、従来のスキルはサイバー犯罪の事件にも応用できるが、コンピュータ科学に興味も適性もない人を一流のサイバー捜査官にすることは不可能だった。また1990年代から行われていた、非技術系捜査官のサイバー部門への配属は、サイバー捜査官の間で「再教育疲れ」と呼ばれる問題を引き起こしていた。技術的な専門知識をほとんど持たずにやってくる新人捜査官（上司やサイバー部門に配属された他の捜査官）を教育するために、彼らは常に捜査を中断せざるを得なかった。

私生活に関わる問題もあった。ＦＢＩで昇進するには、捜査官は転勤を受け入れなければならなかった。そうした転勤の多いライフスタイルは、ＦＢＩ全体で、捜査官の家族にとって頭痛の種となっていた。あるサイバー捜査官は、ウィチタなど遠く離れたオフィスでの勤務になると、ビジネスウーマンである配偶者にキャリアアップの機会がなくなってしまうのを嘆いていた。サイバー捜査官たちは口々に、自分のスキルはすぐに民間企業に転用でき、需要も高いので、昇進のために国内を「移動」する必要はないのだとコミーに語った。彼らはＦＢＩの給与の何倍もの報酬が支払われる、注目度の高い仕事のオファーを受けていた。競争力の維持に悩む民間の雇用主とは異なり、ＦＢＩは優秀なサイバー捜査官を確保しなければならないにもかかわらず、厳格な給与体系を崩そうとはしなかった。

失うものは何もないのだと理解した捜査官たちは、変革を提案した。彼らはコミーに対し、サイバー捜査官を全米に56あるＦＢＩの支局に配属するのではなく、ワシントンに集中させることで、彼らの離職率を下げることができるだろうと伝えた。銀行強盗のような物理的な犯罪の捜査とは異なり、証拠収集のために必ずしも現場近くにいる必要がないため、この提案は理にかなっていた。しかも、容疑者は海外にいることが多いのである。

最も重要なのは、彼らがＦＢＩの中で尊敬を得たかったという点だった。

コミーは話を聞き、質問し、メモを取った。そして彼らを、自分専用の執務室に案内した。彼らの多くは、ここまで深く権力に接する機会は二度とないだろうと思いながら、周囲を見渡した。コミーのデスクには、額に入った妻や子供たちの写真が飾られていて、カーペットにはＦＢＩの紋章が描かれていた。捜査官たちはＦＢＩに敬意を払っていたため、その紋章を踏まないように身を寄せ合っていた。

このオフィスで最も印象的だったのは、壁の一面に張られたホワイトボードだろう。そこにはＦＢＩ指導部の組織図が描かれ、幹部や支局を担当する特別捜査官の名前と顔写真がマグネットで貼られていた。その多くは、２００１年9月11日の同時多発テロ以降に出世したテロの専門家たちだった。

コミーはこの訪問者たちに共感し、ＦＢＩの将来にとってサイバーの専門知識が重要であることを認識した。しかし同時に、ＦＢＩのあり方を徹底的に見直して組織でまだ日の浅いこれらの人びとを喜ばせることで、強大な守旧派を敵に回すつもりもなかった。

ホワイトボードを見ながら、コミーはサイバー捜査官たちに向かって、「いいか、ここのリーダーシップに問題があることはわかっている」と言った。「それを解決したいが、十分な時間がない。私は限られた時間しかここにいないんだ。この文化的な問題を解決するには、もう一世代かかるだろう」しかしランサムウエアのような深刻化するサイバー脅威に立ち向かうには、ＦＢＩがもう一世代待っている余裕はないことを捜査官たちは理解していた。

攻撃はますます巧妙になっていたが、ＦＢＩの職員は、国土安全保障省をはじめとする連邦政府の関係者に、ランサムウエアは被害額も容疑者逮捕の可能性も小さすぎるため、優先事項ではないと話していた。[3]ＦＢＩはこの脅威に対して積極的に行動する代わりに、ランサムウエアについて一般市民に警告し、予防を促し、ハッカーへの支払いを控えるよう訴える「ベストプラクティス」文書を率先して作成した。[4]

ＦＢＩの指導者たちにとって、ランサムウエアは「ガキのする犯罪」だったと、コミーとの会合に出席した捜査官は述べている。

「彼らはランサムウエアをギーク・スクワッド的なものとして捉えていて、それ故に重要ではないと見なしていたのです」と彼は言った。

＊＊＊

サイバー捜査官たちがコミー長官との面会で提起した問題の多くは、目新しいものではなかった。実際、サイバー犯罪に対するFBIの惰性的な姿勢は、国家によるコンピュータ侵入が初めて記録された事件にまでさかのぼる。

1986年、ローレンス・バークレー国立研究所のシステム管理者であったクリフォード・ストールは、上司から、研究所の計算能力に対する課金システムに75セントの不足があることを解決するよう依頼された。ストールは、このエラーを不正ユーザーによるものだと突き止め、米国の政府や軍のコンピュータシステムへの大規模な侵入が行われていたことを明らかにした。そして最終的には、ソビエト連邦の諜報機関KGBから報酬を得ていたドイツのハッカーへとたどり着いた。ストールは、1989年に出版された*The Cuckoo's Egg*（邦題『カッコウはコンピュータに卵を産む』）という本の中で、彼の活動を不朽の名作として記している。捜査の過程で、彼は7回にわたってFBIの注意を引こうとしたが、そのたびに断られた。

FBIは彼に「いいか小僧、お前は50万ドル以上の金を失ったっていうのか？」と尋ねた。[5]

「えっと、違います」とクリフォードが答える。

「機密情報が盗まれたのか？」

「えっと、違います」

「なら帰りな、小僧」

ストールは後に空軍の調査官と話したが、彼はＦＢＩの立場を要約してこう言った。「コンピュータ犯罪は簡単じゃない。誘拐や銀行強盗のように、目撃者がいて、明らかな損害が発生するようなものではないんだ。明確な解決策のない、難しいケースを前に尻込みしているからといって、彼らを責めないでやってほしい」

米連邦政府がサイバー犯罪の脅威への対応を組織化するのに初めて大きな一歩を踏み出したのは、それから約10年後のことだった。１９９５年にオクラホマシティのアルフレッド・Ｐ・マラー連邦ビルが爆破された後で、クリントン政権は政府全体から12人の関係者を招集し、国の重要インフラの脆弱性を評価させた。[6]医療や銀行などの重要サービスのオンライン化が進んでいたことから、この委員会はすぐに、ティモシー・マクベイの悪名高い自動車爆弾のような物理的脅威から、コンピュータに関係する脅威に目を向けた。

彼らは１９９８年に、社会基盤防衛センター（ＮＩＰＣ）と呼ばれる組織の設立に貢献した。ＮＩＰＣはＦＢＩ、シークレットサービス、情報機関、その他の連邦政府各部からの代表者で構成され、コンピュータ侵入の防止と調査を任務とした。ＦＢＩはＮＩＰＣを監督する役目を負うことになったが、それは彼らが犯罪を捜査する最も広い法的権限を持っていたからである。

しかしすぐに、縄張り争いが始まった。ＮＩＰＣの立ち上げを主導した、当時のマイケル・バティス司法副長官によれば、国家安全保障局と国防総省は、高度なコンピュータ犯罪をＦＢＩに報告することに憤慨したという。ＦＢＩではそうした犯罪に対処できない、と彼らは考えていたのだ。

「『いやいやいや、ＦＢＩのはずがない』と彼らは言いました」とバティスは回想している。『彼らが知っていることといったら、犯罪現場を黄色いテープで囲んで、悪人を倒すことだけだ。しかも情報を共有しないことで有名じゃないか』」

一方で、捜査官という資源をめぐる内輪もめが、ＦＢＩを混乱させた。バティスは「サイバー犯罪が現実の脅威かどうか、深刻かどうかを議論していたのは、昔ながらの人々ばかりでした」と語った。「組織犯罪やロシアの防諜活動でキャリアを積んだ人々です。彼らは『これはティーンエイジャーによる迷惑行為に過ぎない。現実のものではない』といった考えを抱いていました」

当時、コンピュータ犯罪の捜査に携わった経験や、それに対する関心を持つＦＢＩ捜査官はわずか数十人しかいなかった。ＮＩＰＣで募集された数多くの職種を満たすには、技術に精通した捜査官の数が足りなかった。そこでＦＢＩは、バックグラウンドに関係なく、局内から志願者を募った。その中に、ニューオリンズ在住のステイシー・アルーダ捜査官がいた。１９９９年に行われた最初の分隊会議で、上官が「Ｕｎｉｘはこうなっていて、Ｌｉｎｕｘはそうなっている」と話すのを聞いて、彼女は自分の思考が追い付いていないことを悟った。

「アルーダ、君は私が何を話しているか理解しているか？」と上官が聞いた。

「まったくわかりません」

「ではなぜ頷いて、笑っているんだ？」

「バカに見られたくないからです」

そう認めるのは簡単なことだった。何しろ新しくＮＩＰＣに配属された人々のほとんどが、彼らが捜査する分野について何も知らされていなかったのである。

ＮＩＰＣに参加するボランティアがいなくなると、捜査官たちは「自発的に参加」するよう命じられたとステイシーは言う。スコット・オーゲンバウムがその1人だった。ＮＩＰＣに配属されたのは、ニューヨーク州シラキュースのオフィスで「少しでも技術的な素養がある」、つまり「電話ジャックに接続したノートパソコンを使ってネットに接続できる」唯一の捜査官だったからだ。彼はこの任務に失望した。それは「ＦＢＩの中でクールでも、楽しくも、魅力的でもない仕事」だからだった。ＦＢＩの同僚たちは彼をからかった。「『サイバーはお前のキャリアを傷つけるぞ』と言われました」

2001年9月11日の同時多発テロ事件後、ＦＢＩのロバート・モラー長官は、コンピュータを使った犯罪に対抗するため、同局内にサイバー部門を創設した。[7] 同部はＮＩＰＣの捜査業務を引き継ぎ、予防業務は2002年11月に設立された国土安全保障省に移された。しかし国土安全保障省は、物理的な攻撃の抑止に重点を置いたため、コンピュータ犯罪の防止は何年も後回しにされた。[4]

新部門の立ち上げにあたり、ＦＢＩは各支局にサイバー班を配置し、既存の捜査官の転向を支援するトレーニングプログラムを開始した。また「愛国者効果」もあり、国に貢献したいと感じた優秀なコンピュータ専門家が応募してきた。その中に、後にコミーとの会合に参加することになった2人の捜査官、ミラン・パテルとアンソニー・フェランテがいた。

大学を卒業したばかりのアンソニーは、同時多発テロ事件の発生時、アーンスト・アンド・ヤングでコンサルタントとして働いていた。ミッドタウンの超高層ビルにあるオフィスから、貿易センタービルが倒壊するのを目撃したのである。その後、彼は自分のコンピュータ技術をテロとの戦いに役立てようと決心した。彼はコンピュータ科学の修士号を取るために、フォーダム大学に通う一方で、新設されるサイバー部門向けにデジタルの専門家を獲得しようとしていたＦＢＩの採用担当者に会った。採用担当者はアンソニーに、どんな言語を知っているか尋ねた。

「HTML、JavaScript、C++、Visual Basicです」と彼は答えた。

「それは何だね？」と、採用担当者が戸惑いながら言った。「ロシア語やスペイン語、フランス語って意味なんだけど」

アンソニーがＦＢＩに誤解されたと感じたのは、これが最後ではなかった。２００４年にクアンティコに着任したアンソニーは、40人ほどの新米捜査官の研修で、銃器の授業に参加することになった。そこで教官が尋ねた。銃を撃ったことのない人はいますか？」

視線を下に向け、メモを取ることに集中しながら、アンソニーは手を挙げた。すると部屋が静まり返った。周りを見渡すと、挙手しているのは自分１人しかいない。皆がじっとこちらを見ている。

教官は「君の経歴は？」と尋ねた。

「コンピュータハッカーです」とアンソニーは答えた。

新人が冗談めかして「銃のある大学」と呼ぶキャンパスで、この答えはあまり歓迎されなかった。教官は首を振って目を丸くし、先に進んだ。

ミランは2003年にニュージャージー工科大学でコンピュータ科学の学位を取得し、FBIアカデミーに入学した。クワンティコからニューヨークのサイバー班に配属されたが、新しい上官はミランをどう扱っていいのかわからなかった。ミランは上官から、携帯電話、ランドマクナリー社製の地図、そして「バグダッドで爆撃されたような」1993年製フォード・エアロスターのバンの鍵を渡された、と語る。さらに別の捜査官が、彼にかなり古いバージョンのウィンドウズを搭載したパソコンを用意した。

「なんてこった、これじゃまるで石器時代じゃないか」と彼は思った。

時間が経つにつれ、サイバー事件に関して上官に説明するのがいかに面倒なことか、ミランは思い知ることとなった。コンピュータに詳しくない上官が多いので、「素人向けのような」報告書を書かなければならなかった。

「コンピュータを自動車にたとえて説明する必要がありました」と彼は言う。「自分の健康状態に関する判断を下そうとしている責任者に対して、外国語で話すようなものでした」

ミランはステイシーやスコットのようなサイバー部門の同僚のほとんどが、技術的なバックグラウンドを持っていないことに気づいた。クアンティコを卒業したときに募集があったとか、昇進のための腰掛けでサイバー部門を選んだという捜査官もいる。よくあるケースが、年配の捜査官や管理官が50歳の定年を迎える前に、FBIで最後に一花咲かせようとしてやってくるというものだった。その経歴があれば、FBI卒業後に民間企業へ移る際に、自分をより魅力的に見せられることを知っていたのである。

「FBI各支部に設けられたサイバー班には、暗号解読やネットワークトラフィック解析、プログラミング、その他の難しい作業をこなせる人物が、運が良ければ1人か2人います」とミランは語った。「またサイバー犯罪における捜査方法を熟知していて、コンピュータ科学の学位を持つ人が2、3人います。残りの人々、チームのおよそ半数は、サイバープログラムに所属しているもののサイバーについて何も知らないという状態でした」

そうした捜査官の中にはなんとか成功する者もいたが、それは例外だった。

内部的には逆風が吹いていたが、ミランはＦＢＩの重要なサイバー犯罪捜査のいくつかに携わった。彼は違法な商品やサービスが匿名で売買される闇市場であった、「シルクロード」と呼ばれたサイトの捜査を指揮した。[9] このダークウェブに設けられたマーケットプレイスに対する広範な捜査の一環として、米国の法執行機関は、シルクロードが世界各地に設置していた6つのサーバーを発見し、２０１３年10月に閉鎖される前にサイトに侵入することに成功した。サンフランシスコ在住のロス・ウルブリヒトは、サイトの作成と運営に関わったとして、後に麻薬取引とハッキングの罪で有罪判決を受けた。彼は２つの終身刑と40年の懲役刑に服している。

ミランは優れた捜査活動に贈られるＦＢＩ長官賞にノミネートされた。そしてサイバー部門のユニットチーフとなり、技術戦略について助言を行った。その後、コミーとの「ダーティーな12人」会議の直後にＦＢＩを退職して、民間企業でより高給な仕事に就いた。

アンソニーは、世界中で最も重要なサイバー事案に対応して展開する、ＦＢＩのサイバーアクションチームに選ばれた。そして管理官として、ＦＢＩのサイバー部門のチーフスタッフになった。コミーとの会談後、アンソニーはさらに2年間ＦＢＩに留まった。そして２０１７年に退職すると、ＦＴＩコンサルティングのサイバーセキュリティ部門でグローバル責任者となり、ランサムウエアの被害に遭った企業との協働作業を行った。

アンソニーは犯罪と戦うＦＢＩの公的な行動を監視し続けた。ＦＢＩは時おり成功を収めたものの、２０１５年のコミーとの会合に続く数年間、ランサムウエア関連の起訴件数がわずかだったことに失望した、と彼は２０２１年に語っている。

「彼らは事件の捜査をしますが、それに続くのは空回り、空回り、空回りです」とアンソニーは言った。「いや、彼らは真剣に取り組もうとしていません。何年もチェックされずに放置されていたので、今では制御不能になっています……ＦＢＩも司法省も、誰も理解していませんでした。理解していなかったからこそ、適切なリソースを投入することができなかったのです。そして、適切なリソースを投入しなかったために、捜査された事件が進展することも、相応の注目を浴びることもなかったのです」

オランダのベーフェルウェイクは、海岸の近くにある人口４万１０００人の都市で、アムステルダムから北西に20マイルほど離れたところにある。17世紀、裕福な商人たちがこの地に邸宅を構えた。[10] 現在は欧州で最大級のエスニックマーケットであるデ・バザール・ベーフェルウェイクで主に知られており、そこには数十の屋台や、アラビアのスパイス、トルコの絨毯、衣類、骨董品などを売る２千以上の業者が軒を連ねている。[11] ベーフェルウェイクのすぐ西にある小さなビーチリゾートは、地元ではサーフィンに適していることで知られており、そこで日光浴する人々はオランダ最大の砂浜を満喫できる。[12]

北海のきらめく水面の下には、あまり知られていない、ある魅力的なものがある。それは世界中からランサムウエアのギャングを呼び寄せ、オランダの法執行機関が積極的かつ革新的にその対策に乗り出すきっかけとなったものだ。ベーフェルウェイクには、米国と欧州を結ぶ大西洋横断光ファイバーケーブルの上でオランダに集まってきているのだ。

陸揚局があるのだ。[13] オランダの海岸は傾斜が緩やかなこともあり、高速インターネットの実現に貢献する海底光ファイバーケーブルの陸揚げ地として人気がある。自分の住んでいる場所ではネット接続が遅く、信頼性が低いことに不満を持ったハッカーたちが、犯罪に使用するサーバーを設置するために、デジタル上でオランダに集まってきているのだ。

法的な条件も、ハッカーにとって好都合だった。インターネットプロバイダーは、自分たちがホストしているサーバーのコンテンツに責任を負うことはなかった。ハッカーは強力な個人情報保護法の恩恵を受け、自分の身元を明かすことなくサーバースペースを購入できた。それだけではない。サイバー犯罪者には、最悪のケースを想定してオランダにインフラを置く理由があった。ダークウェブ上に裏社会版イェルプ〔米国の口コミサイト〕と呼べるようなサイトがあり、そのフォーラムでハッカーたちが世界の刑務所の状況をランク付けした際、オランダの刑務所が最高の評価を獲得していたのである。[14]

オランダ国家警察と法務省は、オランダに次々と現れるハッカーに対応する必要に迫られた。法務省の指導者たちは、国家警察に独立した予算を与え、新たにハイテク犯罪ユニット（ＨＴＣＵ）を組織させた。それがいかに重視されているかは、ユトレヒトの南東に位置する国家警察本部の中に設置されたことでもわかる。２００７年の発足以来、同ユニットは世界有数のサイバー犯罪対策組織として世界的な評価を得ている。

ＨＴＣＵは設立当初から、ＦＢＩのサイバー部門とは大きく異なる存在だった。マリジン・シュルビアスのような初期のリーダーは、このユニットをスタートアップ企業のように扱い、ナイキのスローガンである「Just do it」を合言葉として採用した。マリジンは大学で情報学の学位を取得し、数年間は普通の警察官として働いていた。彼は従来の警察官の多くが、サイバーのスキルに関して、「(コンピュータ科学を)勉強してそれをずっとやり続けてきた若者には到底かなわない」と理解していた。そこでHTCUは、既存の法執行官に高度なサイバースキルを教えるというFBIのアプローチをとるのではなく、警察官としての経歴を持たない技術専門家を採用することにした。さらにHTCUのリーダーたちは、スタッフの半数をそうしたコンピュータのスペシャリストにするという指針を打ち出した。HTCUは、彼らが部隊の文化を形成することを望み、それは彼らが集団として強い声を持つことによってのみ実現されると理解していた。コンピュータ科学者たちはすぐに自己主張するようになり、「捜査は従来の警察の調整官が指揮する」というルールに抗議した。HTCUは彼らの反発に押されて方針を変更し、デジタル捜査官に調整と意思決定の役割を与えた。

個々のサイバー専門家は、従来の警察官とペアを組み、チームとして事件を解決していく。前面が高速道路、背面が庭になっている明るいオフィスでは、パートナー同士背中合わせや横並びの机が置かれ、いつでもメモを交し合える。容疑者の取り調べもペアで行われた。国家警察の他の部署では、デジタルの専門家が日常業務から切り離されて別のオフィスに座っていることが多かったが、それとはまったく違っていた。

後にランサムウエア対策に特化したHTCU内チームのデジタルコーディネーターに就任したジョン・フォッカーは、「容疑者が何かをごまかそうとしたとき、そこに尋問のテクニックを身につけた人物と、デマを見破ることができる人物がいました」と語っている。「古いやり方と新しいやり方の組み合わせで、上手くいったのです」

ＨＴＣＵが32人のスタッフでスタートした当時、コンピュータの専門家は警察の試験に合格する必要があった。彼らは銃とバッジを携えた、正規の法執行官になった。しかし優秀なデジタル人材が体力テストに合格できなかったり、武器を使いたがらなかったりするケースが発生したことで、指導者たちはその必要性がないことに気づいた。そこで常に機敏に行動するＨＴＣＵは、コンピュータの専門家が従来の警察官試験に合格しなくても採用されるよう、条件を変更した。しかし職種は変えず、デジタル担当者がＨＴＣＵのほぼすべての職種に昇進できるようにした。

ジョンはランサムウエアに特化した彼のチームのメンバーについて、「実際の区別はありませんでした」と語る。「銃を持っていないデジタル担当者が、同僚である従来の警察官を凌駕することもありました。彼らは互いに尊敬し合っていました」

２０１３年、ＦＢＩがサイバー部門の人材流出に悩む中、ＨＴＣＵはコンピュータ科学者の採用活動に乗り出した。60人から90人への増員を目指し、ＦＢＩの採用担当者には理解できないような型破りなアプローチを採用して、「キャプチャー・ザ・フラッグ」と名づけられたセキュリティコンテストを開催した。[15] このコンテストでは、現実のデジタル犯罪がシミュレートされている。それをオランダ国民が、自分の好きな時間に、自身のコンピュータを使って解決するよう求められる。このコンテストは、参加者がプログラミングやデジタルフォレンジック［犯罪などの捜査を行うために、電子機器や電子情報を解析することやその手法］、マルウエア解析、リバースエンジニアリング、暗号技術などの能力をどの程度持っているかをテストできるよう設計されている。そしてチャレンジを成功させた人は、ＨＴＣＵの仕事に応募できる。

当時ＨＴＣＵのチームリーダーだったピム・タッケンバーグは、英国のある情報機関がコンピュータの専門家を集めるために同様のコンテストを開催していることを知り、この企画を提案した。彼はこのコンテストが2つの目的を達成できると考えた。まず、ＨＴＣＵが求める高度な技術力を持たない候補者を排除すること。そして、マイケル・ギレスピーのように正式なトレーニングを受けていない、あるいは履歴書からは才能を読み取ることのできない、いわば「ダイヤの原石」を発見することだ。

しかしこのコンテストは、多くの人々が参加して初めて成功するものだった。ピムは、オランダ各地のカルチャーセンターで開催される「ハックトーク」という技術系イベントの常連客だった。このイベントには、ゲーム好きから技術アナリスト、サイバーセキュリティの専門家まで、コンピュータに情熱を燃やす何百人もの人々が、ビールを飲みながらゲストスピーカーの講演やパネルディスカッション、ライブ音楽に耳を傾けていた。ピムはＨＴＣＵが同様のイベントを主催し、彼が「オンラインサイバー犯罪ゲーム」と名づけたものを開始することを提案した。偶然にも「トロイの木馬」という名のハーグにある会場で開催されたこのイベントは、チャレンジに関する話題を盛り上げた。会場には１０００人以上が集まり、さらに多くの人がライブ配信でキックオフを見守った。

最終的に、ＨＴＣＵは30人の募集枠に１２００人もの応募者を集めることに成功した。面接では候補者たち（自分のスキルや経験を話すことに抵抗を感じていた人もいたかもしれない）が、チャレンジをどのように解決したかについて生き生きと語った。ＨＴＣＵは特に、変わったアプローチを取る志願者に興味を持っていた。

２０１３年末に採用活動を終えたＨＴＣＵは、当時ＦＢＩが大した問題ではないと軽視していた犯罪へ含まれていた。

の対応を強化した。新たにいくつかのチームが設立され、その中にはランサムウエアに特化したチームも

自閉症スペクトラム障害を持つ人々の多くは、未就労か不完全雇用の状態にある。彼らは自分のニーズに合った仕事を見つけられないことが多い。あるいは面接官と目を合わせなかったり、社会的な合図を見逃したりするため、面接で上手くコミュニケーションできない。しかしランサムウエア追跡チームのメンバーの何人かが証明しているように、神経学的な違いは、数学、問題解決、集中における優れた能力と関連している可能性がある。マリジンは、HTCUスタッフの多様化は継続的なプロセスであると考え、すでに型にはまらない採用方法を取り入れていた。そのため、自閉症の技術専門家を採用してはどうかという提案があったとき、マリジンと同僚はその提案に注目した。

この提案をしたのは、オランダで自閉症の技術者を育成・指導する団体「ITフィター」のディレクター、ピーター・ファン・ホフヴィーゲンだった。60代前半の若々しい男性で、黒ぶちの眼鏡にふわりと広がるスカーフを身につけたピーターは、2013年にITフィターを設立した。この学校は、従来の教育や仕事の場になじめない自閉症の志願者を受け入れている。ピーターたちは彼らの優れた才能を生かし、スキルを磨き、データサイエンスやサイバーセキュリティなどの分野で専門知識を磨くよう支援する。そして、その技術力を求める雇用主との出会いを実現する。

何年も前から、学生の就職先を探すために雇用主に連絡を取っていたピーターは、彼らから「ノー」という返事を受けるのを嫌がった。その粘り強さの結果、有名企業やサイバーセキュリティ会社から、学生

たちに有利なオファーが届くようになった。トムという学生がHTCUで働きたいと言い出したとき、ピーターはこれまでITフィターからそこに人を送り込んだことがないにもかかわらず、彼の夢を実現させる決意をした。

しかしピーターは、精鋭ぞろいであるHTCUに学生を入れるのは無理があるとも考えていた。トムは高校を卒業していない。彼がもう1人の候補者として考えていたマーク・クーマンス（トムより先にトレーニングを修了しようとしていた）も、大学を中退している。そして2人とも就職に失敗している。HTCUの型破りな採用方法を考慮したとしても、普通なら採用されないだろう。しかしマークとトムの2人には、サイバー犯罪に対抗するための特別な能力があった。

大人になってから自閉症と診断されたマークは、若い頃にIT関係の仕事をしていたことがある。しかしITフィターに入るまでの10年間は、仕事から遠ざかっていた。彼はその間、幼い子供たちの世話役やサッカーチームのコーチとして充実感を得ていた。サラ・ホワイトのように、長距離走のパフォーマンスを最適化する方法など、ニッチなテーマに没頭することもあった。

こうした経歴が、サイバー捜査官としてのキャリアにつながるわけではない。しかしピーターは、彼らしい粘り強さで、マークの履歴書を読んで話を聞いてほしいとHTCUに訴えた。「誰か1人、信じてくれる人がいればいい」とピーターは考えた。「私たちの働き方に価値を見いだしてくれる人が1人いれば」

HTCUで自閉症の人々に特別な配慮ができるのか、心の広いマリジンもピーターの提案に疑問を抱いていた。しかしHTCUのプログラムコーディネーターであるイヴォンヌ・ホルストは、ピーターが必要とした「信じてくれる人」だった。彼女の働きかけで、HTCUはマークに試用期間として6か月のインターンシップを提供することになった。

マークはHTCUで、データサイエンスのインターン生として働き始めた。彼と同時に、3人のプロのデータサイエンティストが採用されていた。彼らは大学で学位を得て、卒業後は大手会計事務所KPMGなどの大企業でキャリアを積んできた人々だった。マークの未熟さと、彼らの高度なスキルは対照的だった。「ITフィターでの半年間の入門コースは、大学での4年間の勉強とは比べ物になりません」とマークは認めた。

4か月後、イヴォンヌはピーターに、マークについての経過報告をした。

「大変残念なのですが、マークはここにいられません」と彼女は告げた。「6か月が過ぎたら、何か別の仕事を見つけてあげてください」

それから間もなくのことだった。ある金曜日の午後、イヴォンヌはHTCUのメンバーに、重大な脅迫事件に関係していると思われる不審なバンの所有者を特定するよう指示した。手がかりはバンの粗い画像だけで、その車体には変わったロゴが描かれていた。多くの捜査官がこのロゴに注目し、逆画像検索をすることでそれが何か特定しようとした。「皆が同じことをしたら、全員が一斉に『わかった』と叫ぶか、誰も叫ばないかのどちらかになってしまいます」とマークは振り返る。

そこでマークは、別の方向に進むことにした。バンの車種やモデル、その他の特徴に着目し、オランダで登録された同じ特徴を持つ車両を絞り込むことに成功した。彼は週末も働き、結果を月曜日にイヴォンヌに報告した。結局、この脅威は当初考えられていたほど深刻ではないと判断された。そして上司たちは、マークの姿勢と決断力に感心した。

しばらくして、イヴォンヌが別の犯罪捜査班の同僚から、長い間眠っていた未解決事件に誰か協力できないかと相談されたとき、彼女はマークを推薦した。ランサムウエア追跡チームの一部のメンバーと同じような過集中の能力を持つマークは、事件の記録を隅々まで読み込んだ。オープンソース調査［従来型の諜報活動のように、秘匿されている情報を入手して分析するのではなく、公開されている情報を分析することでさまざまな知見を得る手法で、近年ではＯＳＩＮＴ（オープンソース・インテリジェンス）とも呼ばれる］も行い、警察が想定していなかった容疑者を特定する報告書を作成した。警察はこの事件の詳細を秘密にしているが、ＨＴＣＵはマークの仕事に心を奪われ、彼の解雇を取りやめた。

イヴォンヌはピーターに電話をかけ、「信じられないことが起きた」と説明した。

「マークは特別です」と彼女は言った。「ここには彼のための仕事があります」

ＨＴＣＵはマークをＯＳＩＮＴの調査員として採用し、ひとつのテーマについて深く掘り下げるという彼の天性の能力を活かした。彼はその後、正式な警察官として活躍するようになった。体力テストに合格する必要はなかった。「容疑者を追いかけるような立場にはならないんです」とマークは言う。最終的にランサムウエア犯罪者の逮捕につながった事件など、ＨＴＣＵの最大の事件を担当したことに、彼は誇りを感じていた。

マークから1年後、ＩＴフィターからトムがＨＴＣＵで働くことになった。そして門戸が開かれた。オランダ国家警察は、最も多くＩＴフィターの卒業生を雇う組織のひとつになったのである。マークとトムは精鋭部隊であるＨＴＣＵで働いた。しかしオランダ国家警察は、より日常的な事件を扱う、10の地域サイバー部隊の候補者も求めていた。そのためＩＴフィターは、20数名の学生をその地域分隊に送り込んだ。

ある者は、防犯カメラの映像を確認するなどの面倒な作業をこなし、他の者なら見落とすような細かい部分にまで目を配ることができた。またデータサイエンティストや、デジタル捜査官として活躍する人もいた。

「マークが未解決事件を進展させられなかったら、トムは警察で働くという夢をかなえられなかったでしょうし、他の25人もチャンスを得られなかったでしょう」と、声を震わせながらピーターは言った。「彼らははみ出し者です。けれどあなたの組織にとって、彼らはとても、とても大切な存在なのです」

＊＊＊

2012年になると、FBIの指導者たちは、ほとんどの犯罪に何らかの技術的要素（電子メールや携帯電話の使用など）が関わっていることを認識した。そこでFBIは同年、捜査官ではないコンピュータ科学者を優先的に採用し、事件の捜査に協力させるようになった。全米の支局で働くこれらの民間サイバー専門家は、武器を持たず、定期的な体力テストに合格する必要もない。しかしHTCUのジョン・フォッカーが示した評価のような、銃を持たない技術専門家に対する敬意は欠けていた。彼らを見下す態度が蔓延していたことは、NIPCの初期のエージェントで、その後サイバー部門のスーパーバイザーとしてキャリアを積んだステイシー・アルーダが技術専門家につけたあだ名「イルカ」にも表れている。

「高度な知性を持ちながら、人間とのコミュニケーションが取れない人物」と、2018年にFBIを退職したステイシーは言う。「どこかに行くときには、イルカを連れて行きました。そして相手がキーキー言い出したら、私たちのイルカにキーキー言い返させるんです」

ミランやアンソニーのような捜査官でもFBIの組織的な尊敬を勝ち取るのに苦労していたとしたら、イルカたちにはそれはほとんど不可能だった。彼らはサイバー事件だけでなく、あらゆる事件の技術的な側面を担当していた。しかしサイバー事件の捜査において重要な役割を担っていた（時には現場で事件の技術的背景を理解する唯一の人物だった）にもかかわらず、民間のコンピュータ科学者は捜査官のサポートスタッフと見なされ、二流市民として扱われていた。

ランディ・パーグマンがシアトル支局のイルカになるまでには、紆余曲折があった。ランディとマイケル・ギレスピーは、多くの点で似た者同士だった。物柔らかな話し方をする自称オタクで、公共サービスへの情熱は控えめだった。マイケルと同様、ランディもアマチュア無線や祖母の影響でコンピュータを愛するようになった。

子供の頃カリフォルニアに住んでいたランディは、テクノロジーに関心のある祖母とよく遊んでいた。彼の祖母は簡単なプログラムが載っている雑誌を買ってきて、それをランディがアタリ社のゲーム機にコピーするのを手伝ってくれた。それがランディにとって、コンピュータプログラミングの始まりだった。その後10代になったランディは、地元のイベントでアマチュア無線愛好家が開いていたブースに引き寄せられ、すぐに３００ドルの無線機を買うためにお金を貯めるようになった。それは１９９０年代初頭のことで、当時はまだインターネットが普及していなかったため、ランディは無線機を通じて日本の図書館のページにアクセスしたり、原始的な電子メールを送ったりすることに興奮した。

高校卒業後、ランディは無線技術を活かしてワシントン州警邏隊の通信指令係になった。仕事の内容には含まれていなかったが、彼は2つのコンピュータプログラムを開発した。

派遣システムの効率を高めるためのものと、自動車登録の不正を調査するプロセスを自動化するためのものである。この経験がきっかけとなり、ミシシッピ州立大学でコンピュータ科学を学ぶことになった。2000年の夏、大学在学中にFBIのインターンシップに参加したランディは、それを通じてFBIの使命に深い理解を示すようになった。そして卒業後、国防総省や民間のソフトウエア会社で短期間働いたのちに、捜査官になることを志願した。彼は2004年、ミランやアンソニーとほぼ同じ時期に採用された。

この2人の捜査官と同様、ランディは着任早々、FBIの「デジタル石器時代」ぶりに衝撃を受けた。FBIアカデミーでは、コンピュータの教官が、1980年代後半に人気を博したワープロソフト「ワードパーフェクト」を使って、インタビューやレポートの入力の授業をしていた。ランディにとって、FBIがワードパーフェクトを使うこと以上に許せなかったのは、このような基本的なプログラムについて捜査官に指導する必要がある、という考え方だった。授業が始まって1週間目、教官はまたもや驚きの言葉を口にした。

「よし、ここにいるITオタクは誰だ?」と彼は言った。

ランディと別のクラスメートが手を挙げると、教官は直接彼らに話しかけた。

「君たちはサイバー犯罪の捜査に携わることはない。FBIが君たちにやってほしいと思う仕事をするだけだ」

その場にいたもう1人のテクノロジーに精通した新入生は、後でランディに、FBIアカデミーを退学して民間企業に戻ると打ち明けた。「こんなはずじゃなかった」と言い残して。

ランディも同じように悩んでいた。彼はＦＢＩの使命を信じながらも、サイバー犯罪に特化した仕事に就くことを希望していた。またアンソニーと同様、銃の使用経験がなく、この仕事には銃も関係してくるのだという側面にどう対処すべきか迷っていた。そんなときあるＦＢＩ関係者が、同局で働く上で最も困難な点、たとえば暴力的な事件や捜査官の自殺率・離婚率の高さなどについて語る講演を行い、彼は自問自答することになった。

ランディはＦＢＩのカウンセラーやチャプレン〔軍や警察など、何らかの組織内で聖職者として活動する人物〕に相談した上で、捜査官になることを望まないという判断を下した。その代わり、民間人としてＦＢＩに残り、ＦＢＩアカデミーでソフトウエア開発者として働いた。８年後、ＦＢＩがコンピュータ科学に関係する職種を設置したとき、彼は胸を躍らせてそれに志願した。２０１２年10月、彼はシアトル支局の専任コンピュータ科学者となった。

「もともとＦＢＩに入ったのは、このためだったんです」とランディは言う。「サイバー犯罪の捜査だけに集中できて、バッジや銃に煩わされることもありません」

ランディはシアトルで仕事を始めると、大きな夢を抱くようになった。彼のビジョンはこうだ——ＦＢＩのサイバー部門は、世界で最も成功したコンピュータ犯罪撲滅のための法執行機関である、オランダのＨＴＣＵをモデルにすることができる。彼はＦＢＩがいかに伝統的で閉鎖的な組織であるか、ＨＴＣＵやその革新的な文化とはいかに異なるかを知っていた。しかし理想主義者である彼は、ＨＴＣＵ

の目覚しい実績がＦＢＩの目を覚まし、彼らがオランダのアプローチの要素を取り入れることを望んでいた。

ランディは、ハッカーを逮捕し、そのインフラまで壊滅させるＨＴＣＵの評判をずっと前から聞いていた。ＦＢＩの中途採用者向けプログラムを通じてオランダの警察官と知り合った彼は、彼女にＨＴＣＵの成功の秘訣を聞いた。その答えは明快だった。ＨＴＣＵが上手く機能したのは、従来の警察官とコンピュータ科学者を組ませた、つまりＨＴＣＵの創設時の優先事項であったパートナーシップを実現させたからだ、と。

ＨＴＣＵが数多くのコンピュータ科学の専門家を雇っていることにランディは驚き、それを素晴らしいと感じた。ランディはこのオランダ式アプローチを、コンピュータ科学に関する新しいコースを監督している、ＦＢＩのオペレーション・テクノロジー部門の管理者たちに提案した。彼らはそれを一笑に付した。「そんなに大勢のコンピュータ科学者を雇う予算はない」と彼らの1人はランディに告げた。「めちゃくちゃな話だ」

ＦＢＩのサイバー部門はオランダ国家警察のＨＴＣＵよりもはるかに大きいため、一対一のパートナーシップを確立するのは無理があることは、ランディも認めている。しかしＦＢＩの場合、コンピュータ科学者の数が圧倒的に少ないため、ＨＴＣＵのように技術者たちが声を上げることができない。ランディはシアトルでサイバー捜査に携わるうちに、ＦＢＩの人員配置のアンバランスさが、民間のコンピュータ科学者や、ミランやアンソニーのような技術に精通した捜査官のサイバー専門家に負担をかけているのだと理解した。

ランディがシアトルで一緒に仕事をしたサイバー捜査官の多くは、会計士、弁護士、警察官といった職業に就いていた。デジタルの世界に慣れるために、彼らはサイバーセキュリティのトレーニングを請け負うSANSインスティテュートが提供する、応急措置的な講義(人気のコースは「サイバーセキュリティ入門」や「セキュリティ・エッセンシャル・ブートキャンプ」などだ)を受講した。組織的な観点からは、コンピュータ犯罪を捜査するために現場の仕事から学ぶのは、ホワイトカラーやギャングによる犯罪の捜査について仕事から学ぶのと何ら変わりはなかった。しかしFBIの指導者は、オランダ国家警察のマリジン・シュルビアスがHTCUの設立当初から知っていた、「技術的背景を持たない人に高度なコンピュータスキルを教えるのは容易ではない」という事実を考慮に入れていなかったのである。

サイバー捜査官がランディに依頼してくるのは、メールのヘッダー(そこに記されたメッセージに関する技術的詳細は有益な手がかりになる場合があった)を分析するような基本的な作業だった。

「これは簡単だから、どうすれば良いか知っておくべきだ」とランディはある捜査官に勧めた。そして彼は、ヘッダーからIPアドレスを探し出してみせた。

「どういう意味だ?」とその捜査官は答えた。「このIPアドレスっていうのは何なんだ?」

ランディはそんな彼らを助ける時間をつくらねばならなかった。そうしなければ、「よくわからないから」という理由で、一般に公開されている情報に対する召喚状を出してしまうといったような、何か恥ずかしいことをしてしまいかねないからである。

FBIでは、特定の種類のランサムウエアに対する調査が、各地の支局によって組織された。たとえばアラスカ州アンカレッジではリュークに関する通報を、イリノイ州スプリングフィールドでは「ラピッド」と呼ばれるランサムウエアに関する通報をそれぞれ捜査していた。しかしランディは、時おりシアトルのオフィスに、新種のランサムウエアに関する被害者からの通報が寄せられていることを知った。何らの事件が起きた際、それが直接コンピュータ科学者に割り振られることはないため、彼は捜査官たちにそれを担当するよう働きかけた。

「おっと、これは誰も対応してないやつだ」とランディは同僚に話しかけた。「これに取り組もうじゃないか」

「それはすごいな」と、その捜査官は答えた。「けどこれで手一杯になって、他のことができなくなってしまうよ」

ランサムウエアの歴史の初期、ハッカーの要求額が数百ドルを超えなかった頃には、FBIは被害額が少なかったため興味を示さなかった。これはローレンス・バークレー国立研究所のクリフォード・ストールが直面したジレンマと同じだ。その後被害が拡大すると、捜査官にはランサムウエアの捜査を避けたい別の理由ができた。FBIでは、起訴されたり有罪判決を受けたりしてニュースになるような、大きな事件を扱う捜査員として成功することが名声につながる。しかし、ランサムウエアの事件は、ランディのようなコンピュータ科学者の熱心なサポートがあったとしても、長期的かつ複雑で、犯人が逮捕される可能性も低い。

ランサムウエアのハッカーのほとんどが米国外にいるという事実が、捜査プロセスを当初から困難なものにしていた。海外から証拠を収集するために、捜査官は刑事共助条約（MLAT）プロセスを通じて、連邦検察官、FBI司法担当官、および国際法執行機関と調整を行う必要があった。疑わしいサーバーの情報を入手するなど、一見簡単そうに見える作業でも数か月かかることがあった。しかもそのサーバーがイランや北朝鮮など敵対する国にある場合、捜査官はお手上げだった。そうした国際的な迷宮を意識して、連邦検察官の中にも、複雑なサイバー捜査を手がけることを控える者がいた。

ランディがシアトルのコンピュータ科学者だった頃、シアトル支局は技術的に高度な案件を数多く担当した。特に彼は、悪名高いハッキング事件「Fin」[16]に関係したとして告発された、あるハッカーをめぐる対応について誇りを感じていた。このハッキング行為は、100社以上の米国企業に侵入し、1500万件以上のクレジットカード情報を盗むというもので、それに関与したハッカーを司法省に起訴させるまでに至ったのである。しかし彼がシアトルにいた7年間、同支局はランサムウエアを扱うことができなかった。

「ランサムウエアを追うことに時間を費やし、何年も1人の逮捕者も出せなければ、失敗と見なされます」とランディは言う。「情報を共有し、人々を守る手助けをするなど、どれだけ良い行為をしていたとしても、誰も逮捕していないのだから捜査官として失格だというわけです」

ランサムウエアに積極的に取り組もうとしていなかったにもかかわらず、FBIはランサムウエアの捜査を担当するもうひとつの連邦機関、シークレットサービスと対立していた。シークレットサービスは1894年から大統領を警護しているが、[17]それよりも前から、金融犯罪に対抗するという任務を担当してきたことはあまり知られていない。それは1865年4月にエイブラハム・リンカーンが暗殺された日にまで遡る。[18]リンカーンはフォード劇場［ワシントンD.C.にある劇場で、1865年4月14日にリンカーンが暗殺された劇場として知られる］に向かう前に、この機関を設立し、偽造通貨の撲滅という任務を与える法案に署名した。

金融犯罪が進化し、オンライン化されるにつれ、シークレットサービスとＦＢＩは事件をめぐって争うようになった。シークレットサービスもコンピュータ犯罪と闘うという連邦政府の任務を担っていたが、それは自分たちの管轄だとＦＢＩから主張されることがあったと、シークレットサービスの管理官だったマーク・グランツは振り返る。

「彼らはこんなふうに言うんです。『ああ、その件ならすでに捜査に着手している。5年前に彼を調べていたよ。君たちが手にした情報を全部渡してくれ。そこから先に進むから』って。それが彼らの手口でした」マークは不思議だった。「5年間もこの事件に触れていないのに、なぜ私の事件簿を要求するんだろう、ってね」

２０１７年1月、グランツはドナルド・トランプ大統領就任式の8日前に起きたランサムウエア攻撃の調査を指揮した。この攻撃は、大統領パレードのルート沿いを含むワシントンＤ.Ｃ.全域の公共空間を監視する、ビデオ監視システムの１２６台の街頭カメラにリンクされたコンピュータを無効化した。[19]要求された身代金の額は5桁に達した。ワシントンＤ.Ｃ.はそれを払わず、代わりにカメラの再起動に奔走し、大統領就任式の3日前にオンラインに戻した。シークレットサービスは他の法執行機関の協力も得て、２人のルーマニア人がハッキングしたことを突き止めた。彼らはヨーロッパで逮捕された後、米国に送還されて電信詐欺罪で有罪となったが、米国の法執行機関がランサムウエアの運用者に対して成功を収めるのは異例のことだった。

また、シークレットサービスによる捜査は、捜査官が警護のために不在になり、停滞することもあった。「そこがフラストレーションのたまるところです」とマークは言う。「誰かを訓練したとしましょう。その人は5年間、デジタルフォレンジックに携わります。5年あれば、その腕前は相当なものになります。そして、その人を大統領警護のために送り出さなければならないのです」

＊＊＊

ランディ・パーグマンは、FBIが民間のサイバーセキュリティ研究者と有意義な関わりを持とうとしないことにも不満を募らせていた。FBIが民間の専門家とつながった場合も、機密情報は通常、民間からFBIへという一方向にしか流れない。

米国内の標的に対する大規模なサイバー攻撃の後、FBIは日常的に、こうした攻撃の防止や情報収集に役立つ官民パートナーシップへの注力を表明している。しかし捜査官の中には、このようなレトリックは空虚であると考え、銃乱射事件の後に公務員が「思いと祈り」を捧げることになぞらえる者もいた。実際には、多くのFBI関係者が民間の研究者に深い不信感を抱いていたのである。

「ほとんどの捜査官が、民間の研究者と少しでも情報を共有すれば、その情報はインターネット上に流出し、悪者の目に触れて事件全体を台無しにしてしまうという思いを抱いています」とランディは明かした。

ランディはランサムウエアを扱うことができなくても、差し迫ったサイバー攻撃から組織を守るための支援を行うなど、自分の仕事にやりがいを感じていた。MLATで情報を入手したマルウエアのC&Cサーバーを調査し、被害者に攻撃が迫っていることを警告するのである。「多くの侵入を阻止することができたので、非常に良い気分でした」と彼は言う。FBIのリーダーは彼の努力に報いた。ランディは、FBI長官賞（技術進歩部門）とFBIメダル・オブ・エクセレンスの両方を獲得した。

しかしランディは「捜査官のヘルパー」という従属的な役割に飽き、FBIがオランダのHTCUのような存在だったらどうなっていただろうかと考えるようになった。FBIでは、サイバー部門のリーダー的な役割は捜査官だけに開かれていたため、彼は昇進することができなかった。また捜査官は50歳で退職して年金を満額もらえるのに、彼は62歳まで待たなければならず、受け取る金額も少なかった。2019年、ランディはFBIを辞職し、「変化を提案するだけでなく、それを実現できるような役割に就きたい」と上官に告げた。

「FBIで働くのが大好きです」と彼は上官に言った。「とても有意義で充実しています。しかし私は、捜査官でないというだけの理由で、指導的な立場に就けないのです。なので私がリーダーになって変化をもたらし、チームをつくって大きなことを成し遂げられるような仕事に就くことを、咎めることはできないはずです」

オランダ語でコンピュータへの不正侵入は「computervredebreuk」という。これは「コンピュータの平和な状態を乱すこと」という意味で、家庭内での物理的なトラブルを指すオランダ語と似ている。その言葉通り、HTCUはランサムウエアを攻撃と見なした。2014年にランサムウエアに特化したチームのデジタルコーディネーターに就任したときから、ジョン・フォッカーは自身が「最も深刻なサイバー犯罪のひとつ」と考えるものに対する捜査に熱中した。当時、ランサムウエア被害者のほとんどが自宅のパソコンに侵入され、写真や大学の卒論など失っていた。「私の母や父も被害者になっていたかもしれません」とジョンは言った。

ジョンがＨＴＣＵ参加資格をかけたキャプチャー・ザ・フラッグ［チームに分かれて敵チームの陣地を攻撃するゲームの総称で、サイバーセキュリティの分野ではハッキングのコンテストを指す言葉として使われ、ＣＴＦと略される場合もある］の大会に合格したとき、彼はすでにオランダ国家警察のデジタル捜査官だった。ＨＴＣＵの任務は大きな注目を集めていた。彼のチームが最初の大きな事件を担当するまで、長くはかからなかった。２０１４年末、スウェーデンのＩＫＥＡでＩＴを担当していた従業員が、「コインヴォールト」というランサムウエアに感染しているのを発見した。このランサムウエアは海賊版ソフトを通じて拡散し、およそ２００ドルを要求するというもので、欧州と米国で被害者を出した。あるスウェーデンの被害者が、自分の感染の原因がオランダにあるハッキングされたサーバーにあることを突き止め、その所有者である小さな通信会社に連絡した。その会社から、ＨＴＣＵに対してハッキングの通報がなされたのである。捜査官がサーバーを調べたところ、コインヴォールト被害者のファイルを復元できるキーが無数にあることがわかった。

捜査の最初のステップは、ランサムウエア追跡チームのメンバーのような、民間の研究者と協力するというＨＴＣＵの指針に沿ったものだった。そうした連携は、事件の手がかりと専門知識の両方を得るのに役立つと、ＨＴＣＵのリーダーたちは考えていた。「彼らはみな、パズルのピースを持っていて、それをひとつにまとめなければ全体像を見ることはできません」とピムは言う。

コインヴォールトを捜査するにあたり、ＨＴＣＵはオランダを拠点とするカスペルスキーの研究者であり、後にランサムウエア追跡チームのメンバーとなるヨルント・ファン・デル・ヴィールに連絡した。コインヴォールトのキーを入手した捜査官は、ヨルント（マリジンはあるカンファレンスを通じて彼と知り合っていた）に、被害者がファイルのロックを解除するための復元ツールの作成を依頼した。またハッカーを追跡するために、ランサムウエアのコード解析にも協力してほしいと頼んだ。

ヨルントがランサムウエアのサンプルを調べたところ、コードに2つのユーザー名が埋め込まれているのを発見した。「そんなバカはいない」と彼は思った。念のためその情報をHTCUに伝えると、HTCUは彼を本部に招いて、情報を交換した。捜査が終わるまでこの件を公の場で話すことはしないと、ヨルントはジョンに改めて約束した。「ブログ記事は一切公開しません」とヨルントは言った。「あなたの同意なしにツイートすることもありません」

ジョンはそれを理解した上で、ヨルントにHTCUがつかんだ情報を渡した。それはランディがFBIで願っていた、双方向の情報交換だった。ハッカーたちはミスを犯していた。VPNではなく、親の端末のIPアドレスから、ランサムウエアをばらまくサーバーに接続していたのである。そのIPアドレスは、ヨルントが暗号の中で見つけた苗字で登録されていた。HTCUは事件の捜査を進め、最終的にオランダ人の兄弟である2人の容疑者を逮捕した。彼らは犯行を自供し、有罪判決を受けた。この一件は、ランサムウエア事件で初めて逮捕者が出たケースのひとつとなった。

逮捕後、カスペルスキーはコインヴォールトの復元ツールをアップデートし、兄弟から押収された1万4千個の新しいキーを含めるようにした。その後オランダ警察は、カスペルスキー、ユーロポール（欧州刑事警察機構）、カリフォルニアに拠点を置くウイルス対策会社のマカフィーと協力し、一般の人々がコインヴォールトやその他の新しいランサムウエアの復元ツールを無料でダウンロードできるウェブサイトを設置した。マイケルのＩＤランサムウエアの4か月後に開設されたこのサイト「ノーモア・ランサムウエア」も、無料の復元ツールを見つけるための人気の場所となった。[20]

ＨＴＣＵは成功を収めたものの、民間企業に引き抜かれそうな優秀なサイバー捜査官を引き留めるという課題とは無縁ではいられなかった。ピム・タッケンバーグは警察で14年間働いた後、２０１３年に退職し、ジョン・フォッカーは6年間働いた後、２０１８年に退職した。ピムもジョンもサイバーセキュリティ関連の仕事を続け、最終的に１７０人のメンバーになったかつてのチームと定期的に情報を交換していた。ピムはユトレヒトに拠点を置くノースウェーブ社のマネージャーとなり、ＩＴフィターの学生を対象とした、高度なサイバー訓練プログラムを監督した。

また、敵対国にいる犯罪者をどう捕らえるかも課題だった。ＨＴＣＵでは「オフセンター・ターゲティング〔ターゲットの中心部分ではなく、その周辺部分を狙う戦術や戦略を指す用語で、たとえば軍事分野では、周辺部分を狙うことで目標物を無力化するような対応を指す〕」と呼ばれる戦略でそれに対応した。ランサムウエアの運営者を捜査する一方で、オランダ国内のランサムウエアサーバーを定期的に押収したり、ランサムウエアを拡散するボットネットを破壊したり[21]、攻撃が迫っていることを被害者に通知したりと、「ハッカーの投資対効果を低くするためのあらゆる手段を講じています」と、民間とのパートナーシップを監督するマタイス・ヤスパースは言う。たとえばヨルントとランサムウエア追跡チームは、２０１６年にオランダで被害者を出した「ワイルドファイアサンアック」[22]というランサムウエアを分析した後、その結果をＨＴＣＵに伝えた。するとＨＴＣＵはハッカーのＣ＆Ｃサーバーを押収し、約５８００個の復号化キーを回収した。この一件でヨルントのスキルと人脈に感心したランサムウエア追跡チームは、彼をチームに招聘した。

2021年1月、HTCUが世界中の民間研究者グループと協力し、リューク攻撃を容易にした悪名高いボットネットのひとつであるエモテットを妨害したことで、彼らのオフセンター・ターゲティング戦略は世界的な注目を集めた。世界中の当局（その中にはFBIも含まれ、全体を主導したのはHTCUだった）が研究者の助けを借りて、何百ものエモテットのC&Cサーバーを乗っ取り、ボットネットを崩壊させたのである。また警察は、被害者のシステムにエモテットのアンインストーラーを配布した。[23] エモテットの破壊後、この成功によって得た威厳をもって、HTCUはある人気のダークウェブフォーラムに英語とロシア語のメッセージを投稿し、ハッカーに直接語りかけた。[2]

エモテットは、過去10年間で最も活発に活動したボットネットのひとつだった。しかし最終的に、オランダ警察とその国際的なパートナーの手を逃れることはできなかった。オランダで犯罪インフラをホストしようなどというのは、無駄な努力だ。

私たちはアンダーグラウンドの情報源と、サイバーセキュリティ業界を糧にしている。……誰もがミスを犯す。あなたがミスを犯す日を待っている。

ランサムウエアに関しては、FBIには自慢できるような大きな実績はなかった。この課題により効果的に取り組むには、彼らはサイバー犯罪に対する時代遅れのアプローチを見直す必要があった。FBIはそうしようとせず、代わりに従来の文化に固執して、警察官を技術の専門家に変えようとし、一方で捜査官になる資格を満たさないコンピュータ科学者を見限ったのである。「懸垂を15回できて、運動場のトラックを2マイル16分以内で走れる人に、ランサムウエアも解読してほしいと思うでしょうか？」とミラン・パテルは語っている。「一般に、コードを書いてマルウエアを解明することに熱中する人は、ジムでスクワットをしていません」

ＦＢＩがサイバー捜査官に求めたのは、体育会系の大学を卒業し、捜査官としての職務経験を持っていて、銃を撃ち、家族と共に転勤して、必要に応じてサイバー犯罪の捜査から離れることを厭わない人材だった。

マイケル・ギレスピーは、そのような人材とは見なされないだろう。しかしＦＢＩは、彼の専門知識を必要とした。そこで彼らは、マイケルを情報提供者にした。

第9章 「イルカ」と捜査官

ＩＤランサムウエアが立ち上がり、すぐさま成功を収めた後とあって、情報提供はマイケル・ギレスピーが半ば期待していた申し出だった。しかし２０１６年、マーク・フェルプスと名乗るＦＢＩ捜査官から面会を求められたとき、彼はやはり困惑した。

断る気はなかったが、自分はナード・オン・コールの仕事とランサムウエア追跡チームで手一杯なので、マークにスケジュールを合わせてもらわないといけないとマイケルは説明した。2人はマイケルの勤務終了後の時間を選び、彼のオフィスから５００フィート離れたチェーンのレストラン「パネラ・ブレッド」で会うことにした。

待ち合わせの夜、ナード・オン・コールの駐車場とパネラの店を隔てる5車線を横切るとき、マイケルは緊張していた。ＦＢＩと話すことの重要性を考えていなかったので、何を期待していいのかわからないことに気づいたのだ。彼は被害妄想に駆られ、この会合が設けられたのは、何らかの罪で自分を逮捕するためなんじゃないかとすら考えた。それはパトカーの前を通るたびに抱く感情と同じで、法律に違反しているわけでもないのに、不安の波が押し寄せてくるのである。

マークともう1人のＦＢＩ職員、ジャスティン・ハリスがレストランで彼を出迎えた。食事代は自分たちが払うからという。しかし食欲がなく、またお金を使いすぎてＦＢＩの機嫌を損ねることを恐れて、マイケルはリンゴを1個だけ注文した。席に着くと、マークがこの会合の目的を説明した。彼はサイバー捜査官で、ジャスティンはコンピュータ科学者だという。マイケルのホームページを見かけて、ＦＢＩがランサムウエアを調査するのに役立つ情報を知りたいと思ったのだ。不注意による犯罪で逮捕されるのではなく、自分の専門知識が求められているのだと知って、マイケルは安心した。

マークとジャスティンは、マイケルがＩＤランサムウエアで集めた情報を分析すれば、攻撃者の特定に役立てられるのではないかと尋ねた。[1] マイケルは、ハッカーが痕跡を残さないように努力していることは知っていたが、場合によってはハッカーが使ったサーバーのＩＰアドレスを特定できるかもしれないとも考えていた。そして、「もし自分にできることがあれば協力します」と答えた。

話を終えたマークは、また会えるか尋ねた。マイケルは、ＦＢＩと一緒に仕事ができるかもしれないことに驚き、ＦＢＩが自分を見つけてくれたことに謙虚な気持ちを持ちながら、その申し出を承諾した。それからしばらくして、ＦＢＩの情報提供者になることにサインした。ＦＢＩによると、「情報提供者は……情報提供とその費用に対して報酬を受け取る場合がある」[2]という。法廷に持ち込まれる可能性のある公式文書に使用するようにと、ＦＢＩは彼に秘密のコードネームを与えた。マイケルはこのコードネームについて、「まさにぴったり」な偽名だとしか言わない。コードネームでサインするときはいつも、筆跡を偽ることでプライバシーを守っていた。

フェルプス特別捜査官と彼の新しい情報提供者は、似たようなルーツを持っていた。マークの家族も中西部出身、ブルーカラーで信心深かった。マークの両親であるロンとジェーンは、１９７２年、2人とも10代で結婚した。[3] １９８１年に生まれたマークは、[4]インディアナ州で育った。一家の住む2ベッドルームの家は、[5]１９１１年以来、有名なインディ５００が開催されているインディアナポリス・モーター・スピードウェイから半マイルも離れていないところにあった。[6]

ロン・フェルプスは、父（マークの祖父）や親戚も働いていた、板金労働者組合の第20支部で15年近くを過ごした。[7]その後、インディアナ州中央部の屋根工事会社で、営業担当およびプロジェクトマネージャーとして働いた。そして２００１年、ホーニングという屋根・板金業の新興会社の社長に就任した。およそ90人の従業員を抱えるホーニングは、リンクトイン上でのロンの説明によれば、「勤勉な人々に良い仕事を提供する」ことを目標に掲げている。ロンはそのキャリアの中で、ＮＢＡのインディアナ・ペイサーズの本拠地であるコンセコ・フィールドハウス（現ゲインブリッジ・フィールドハウス）[8]やインディアナポリス動物園などのプロジェクトに関わった。

子供の頃、マークはカードや手品で両親を楽しませていた。[9]スピードウェイ高校に入ると、整った髪型と満面の笑顔、そして清潔感のあるティーンエイジャーとなり、学校のフットボールチームでセンターを務め、全米優等生協会と科学クラブにも参加した。同校のステージバンドではトランペットを担当し、3年生の時には州の大会で1位を獲得した。

マイケルと同じように、マークには後に結婚することになる高校時代のガールフレンドがいた。マークより1歳年上のショーン・ディラードは、バンド、演劇、ＳＡＤＤ［「破滅的な決断に対抗する学生」の頭文字を取ったもので、若者が飲酒運転や薬物使用といった行動を取るのを防ぐことを目的とする団体」など、同じ課外活動に参加した。20年以上前に母親がしたように、ショーンはパデュー大学に入学し、獣医学を学んだ。[10] ２００４年７月、大学を卒業したスピードウェイ高校時代からの恋人２人は、インディアナポリスの福音派牧師によって結婚した。[12] しかし

マークはＦＢＩで短期間働いた後、レイセオン社にソフトウエアエンジニアとして就職した。[13] しかしＦＢＩに捜査官として復帰することを夢見て、その年齢制限が37歳であることを意識していた。[14] そこでレイセオンで10年近く働いた後、彼は給料が下がるのも厭わずＦＢＩに応募し、合格した。

ＦＢＩは２０１５年頃、彼をイリノイ州ピオリアに派遣し、サイバー犯罪を捜査させた。彼とショーンは、近くの町ダンラップに４ベッドルームの家を購入した。[15] 地元ではその学区で知られるダンラップは、「ＦＢＩの住宅街」と呼ばれ、捜査官たちに人気だった。寄棟屋根でコロニアルスタイルの家の裏庭には、彼らがナゲットと名づけたゴールデンレトリバーのためのスペースが十分にあった。ショーンは獣医師免許を取得し、[16] その後ネーションワイド社でペット保険の保険請求アナリストとして働くことになった。[17]

酒を飲まず、聖書を愛読するマークは、自分のキリスト教の信念を貫く方法を見つけていた。ピオリアから南へ車で４時間、ショーニー国有林にある高さ１１１フィート（約34メートル）の建造物、ボールド・ノブ・クロスをショーンと共に巡礼した。[18] 夜にライトアップされると、７５００平方マイル（約１万９５００平方メートル）以上の場所から目にすることができるこの堂々たる十字架は、イースターの日曜礼拝から毎年恒例のジープの祝福まで、さまざまなイベントの舞台となっている。

カルト的な人気を誇るフィットネスプログラム「クロスフィット」に共感したマークとショーンは、地

元のスポーツジムに入会した。マークはフェイスブック上に、トレーニングの成果の写真を投稿するようになった。その中の1枚では、手書きで日課の概要が記されている。「1マイル走、懸垂100回、腕立て200回、スクワット300回、1マイル走」その横には、刈り上げの茶髪で筋肉質、そしてティール色のバンダナ、サングラス、タクティカルベストという姿のマーク自身の写真が並んでいる。別の写真では、彼と笑顔のショーンが自宅ガレージの前に立ち、露出した上腕二頭筋を見せつけている。その写真には「タンクトップの日！上腕二頭筋を見せてやれ！」というキャプションが付けられている。

ピオリアの支局は、イリノイ州の州都スプリングフィールドにある5つのFBI支局のうちの1つだ。[19]約140人の捜査官とサポートスタッフからなる小さな支局だが、公職者の汚職や国家安全保障、麻薬密売や児童虐待など、あらゆる種類の事件を扱っている。[20]これまでに3人の現職および前イリノイ州知事を有罪にした実績がある。[21]最も有名な事件のひとつは、1990年代前半に起きたものだ。スプリングフィールド支局は情報提供者のマーク・ウィテカーからの告発を受けて、農業大手アーチャー・ダニエルズ・ミッドランド（ADM）社を価格操作で捜査した。ADMは1億ドルの罰金を支払った。[22]またFBIに協力する中で会社から950万ドルを横領したウィテカーを含む、3人の元幹部が刑務所に収監された。[23]この武勇伝は2009年に映画化され、同映画*Informant!*（邦題『インフォーマント！』）では、マット・デイモンがタイトルにもなっている情報提供者役を演じた。

ピオリアのサイバー捜査官も、時には別の分野を担当しなければならない。「マークはサイバーだけをやってるわけじゃない。つまり、彼は文字通り、麻薬の摘発なんかもやってるんだ」とマイケルは言う。

「サイバー系の事件で実際に結果を出し、誰かを拘束するのは、もっと難しいんだ」

スプリングフィールドの管轄地域には、政府の重要な研究施設やインフラも存在する。イリノイ大学アーバナ・シャンペーン校の米国立スーパーコンピュータ応用研究所（NCSA）には、世界最速のスーパーコンピュータが設置され、無数の機密プロジェクトが扱われている。またミズーリ州セントルイスの東約25マイルに位置するスコット空軍基地には、軍事輸送をグローバルに調整するアメリカ輸送軍（TRANSCOM）の拠点がある。

「NCSAとTRANSCOMだけでなく、他にも敵対する諜報機関や犯罪集団の大きな標的となり得る組織がありました」と、2003年から2007年まで同支局の特別捜査官を務めたウェイサン・ダンは言う。「それが、私たちがサイバー犯罪への対応に非常に積極的だった理由のひとつです」

ダンによれば、スプリングフィールドのような小さな支局の捜査官は「劣等感」を抱くことがあり、最高の事件は大都市で起きると誤解しているという。彼は大都市の捜査官たちに、スプリングフィールドは「小さなオフィスだが力強く吠える」のだと伝えている。

スプリングフィールド支局は、ピオリアのマークのように、管轄域内の前哨部隊にサイバー捜査官を配置していた。彼らをサポートするのが、スプリングフィールド支局のイルカたちだった。ジャスティン・ハリスは、最初はコミュニティカレッジで、その後イリノイ大学スプリングフィールド校でコンピュータ科学を学び、2014年に修士号を取得した。[24] その年の暮れ、彼はFBIに入局した。

シアトルのランディ・パーグマン同様、ジャスティンはサイバー事件だけでなく、あらゆる捜査に携わった。ジャスティンの同僚たちは、彼が手一杯になっていることに気づいていた。ある人は、彼のことを

「完全に過労の状態」だと評した。

「彼は何にでも首を突っ込むんだ」とその捜査官は言った。「彼は本当に優秀だ。けれど、スプリングフィールドだけでも彼のような人間が10人くらい必要なんだ」

マイケルはマークやジャスティン（ジャスティンが忙しいときは彼ほど技術に詳しくない人物）と、数か月に一度会うようになった。マイケルはその会合を楽しみにしていた。FBIがランサムウエアの犯罪者を起訴できることは少ないが、FBIと仕事をすることの神秘性に、マイケルは興奮を覚えた。またそれは、ナード・オン・コールで壊れたハードディスクを修理する日々や、家庭で直面する個人的な危機の数々に対する解毒剤でもあった。

彼らはハンバーガーショップのレッドロビンやデニーズなど、Wi-Fiがあり、比較的静かな場所で待ち合わせをした。マイケルはフルーツ1個だけでは飽き足らず、FBIのお金で食事を楽しむようになった。デニーズでは、普通なら2ドルのビスケットとグレービーソースなのだが、12ドルのスキレットを注文した。あるときマークは贅沢をして、彼をピオリアのステーキハウスに連れて行った。その店のフィレ肉はおよそ30ドルで、マイケルはガソリン満タンの値段と一緒じゃないかと思った。前菜にはカラマリ（イカの唐揚げ）を注文したが、彼がそれを食べるのは初めてだった。マークは気づいていなかったが、その食事会はマイケルの誕生日の数日前だった。「誕生日の食事をありがとう」とマイケルは言った。

そこでの会話は、マイケルにとって非常に楽しいもので、同席しているのが政府のエージェントであることを忘れてしまいそうだった。「僕たちは単に、つるんで食事をしたり、ランサムウエアの話をしている仲間のようだった」と彼は回想した。しかし内密に話したいことがあると、マークがマイケルを駐車場まで連れて行き、捜査官の車の中に座らされるというのが現実だった。またマークがテーブルの上に書類を置いて、マイケルに「自由意志で情報を提供する」と認めるサインをさせることもあった。

時間が経つとともに、マイケルはマークと一緒にいるのが心地良くなっていった。がんやモーガンの失業、自宅の差し押さえなど、個人的な悩みも打ち明けた。マークはランサムウエアの話に入る前に、親身になって話を聞いてくれた。2019年1月に終了した、35日間にもわたる連邦政府の一部閉鎖［2018年に米連邦議会で予算案をめぐる対立が発生したことで、同年12月22日から2019年1月25日にかけて政府の一部が閉鎖された事件を指しており、この間多くの職員が無給を強いられた］の際には、マークは給料を受け取っていないことを打ち明けた。また時おり、今後のクロスフィットでのイベントについて触れたが、それ以外は自分自身のことはほとんど明かさなかった。「会話の大部分は、僕に関することだった」とマイケルは振り返る。

マイケルの主な連絡先はマークだったが、マイケルの調査結果をより深く理解していたのはジャスティンだった。マイケルはマークの学習意欲を高く評価していたが（最終的にはリバースエンジニアリングのクラスまで受講するほどだった）、自分と同じ言葉を話すジャスティンとの間に、より深いつながりを感じることが多かった。

マイケルとジャスティンは、自分たちの仕事上での苦難を嘆いたが、それは驚くほどよく似ていた。ファセットとＦＢＩは、彼らが切望していた挑戦的な課題ではなく、基本的な仕事を押し付けていた。マイケルに言わせれば、ジャスティンがしていたのは「誰かが机の上に放り投げてきたものを何でもやる、中小企業のような仕事」だった。「いかに似た状況に置かれているか、２人でよく話したよ。エリート主義的に聞こえないといいけど、こんなに高いスキルを持っているのに、与えられる仕事のバランスが悪いんだ。僕が非常に技術的な仕事をしている最中で、しかもそれをできるのがオフィスで僕だけという状況なのに、フラッシュドライブを売るためにレジに呼び出されたりする。そしてデスクに戻ると、『僕は一体全体何をやっていたんだ?』と混乱してしまうんだ」

オフィスでマイケルは、ジェイソン・ハーンとデイブ・ジェイコブズにFBIと会っていることを打ち明けた。「マイケルは自分のしたことに誇りを持ち、誰かに話したいと思っていました」とジェイソンは言う。しかしマイケルは、他のランサムウエア追跡チームのメンバーにはすぐには言わなかった。彼らがランサムウエアに関するFBIの活動を、あまり評価していないことを知っていたのだ。

マークがマイケルと会うようになる3年前の2013年頃、ニューヨークのFBI捜査官がローレンス・エイブラムスにランサムウエアの情報源になってほしいと依頼した。その捜査官は、ローレンスが情報を提供した場合、本名ではなく番号が捜査記録上に残るよう、識別番号を取得すると説明した。

その提案を聞いたローレンスは、マイケルとは正反対の反応を示した。すぐに不快感を覚えたのである。「映画の見過ぎだってことはわかってるけど、情報提供者になったら行方不明になりそうな気がして……」と、ローレンスはエージェントに言い、申し出を断った。「召喚状を送ってくれれば、どんな情報でも提供しますよ」

ファビアンがFBIに幻滅したのは、ACCDFISA攻撃の開発者について「非常にホットな手がかり」を見つけたときだった。この存在しない機関の名前を語る犯罪者は、被害者のコンピュータ内で児童ポルノが発見されたので、削除するから金をよこせと脅していた。ACCDFISAの解読で初めてローレンスと協力したファビアンは、FBIの担当者に連絡を取ろうとした。しかしその捜査官は配置転換され、もうサイバー犯罪の捜査はしていないことを知った。彼は別の捜査官と話したが、役に立たなかった。

ファビアンの懐疑的な姿勢がさらに強くなったのは、2016年のことだった。彼は別の研究者とともに、米国と欧州で「ASN・1」というランサムウエアを拡散している2つのサーバー（ひとつは米国、もうひとつはオランダ）を特定した。彼らはハッカーのIPアドレスと、利用しているウェブホスティングサービスを明らかにし、攻撃者の特定に近づいた。

研究者たちは意気揚々と、この情報を行動に移せる人に伝えたいと思った。そこで2016年11月、彼らは証拠をまとめた報告書を作成し、FBIの担当者に送った。

その回答は、彼らを失望させた。FBIの担当者は、ランサムウエアへの驚くべき無知を示す、基本的な質問をしてきたのである。たとえばC&Cサーバーの仕組みやIPアドレスの重要性、報告書のスクリーンショットを拡大できるかどうか、などを知りたがった。

「正直、少し驚いてます」ともう1人の研究者がファビアンにメールしてきた。「こういうことはみんな、説明しなくてもわかりきっていると思うのですが、彼らはどうにかして報告書に含めようとしています」

ファビアンも同意見だった。彼はFBIが「サーバーを押収し、暗号化されたファイルを解除するキーを取り出して、ランサムウエアの被害者を助けてくれる」ことを期待していた。しかし彼が連絡した相手は、サーバーが何をするものなのかさえほとんど知らないようだった。

サーバーの1つがオランダにあったことから、ファビアンはオランダ国家警察のジョン・フォッカーにも情報を送った。フォッカーはすぐにその価値を理解した。

「素晴らしいニュースだ」とジョンは答えた。「ぜひともサーバーの停止に向けて動き出したい」

ファビアンは、その証拠となる8ページにわたる報告書を提出した。数週間後、ＡＳＮ・１の活動は停止した。

マイケルはマークと直接会うだけでなく、定期的にメールを送って助言を与えていた。そうした情報提供にマークが感謝するのが常だったが、その後情報がどのように使われているかはほとんど語らなかった。マイケルはこの一方的なコミュニケーションを、ＦＢＩの慣習なのだろうと受け入れていた。

ＦＢＩは、マイケルが収集したＩＤランサムウエアの情報を必要としていた。同サイトには1日に何千件もの報告が寄せられ、これはＦＢＩが1年間に受け取るランサムウエア関連の通報数に匹敵していた。被害者、特に企業の多くは、ＦＢＩが復旧作業を遅らせたり、攻撃を公にしたりすることを恐れて、ランサムウエアをＦＢＩに通報することに消極的だった。また捜査官たちに、自分たちの秘密にしておきたい部分まであさられてしまうかもしれないという不安もあった。被害者がＦＢＩに通報した場合も、それは事件発生から数週間が経過し、手がかりが途絶えてからであることがほとんどだった。

マイケルは、自身のサイトにファイルをアップロードした人物のＩＰアドレスをＦＢＩに提供することで、彼らが被害者に迅速にコンタクトする手助けをした。時おり、彼がアップロードされたファイルを確認していると、身代金要求書の中で、被害者として企業の名前が挙げられているのに遭遇することがあった。それが米国企業だった場合、マイケルは情報をマークに伝え、ＦＢＩが被害企業と連絡を取って、攻撃が展開される様子を監視できるようにすることもあった。

彼は身代金要求書から得られた、ビットコイン・ウォレットの番号やハッカーの電子メールアドレスなどの情報も提供した。ＦＢＩはそれを利用して、ランサムウエア経済圏における金の流れや攻撃者の追跡を行うことができた。さらに大きな観点では、マイケルのサイトに寄せられた生のデータは、特定のウイルスが今どの程度流行しており、どの程度の被害を与えているかをＦＢＩが把握するのに役立った。「統計についてよく聞かれるんだ」とマイケルは言う。「このランサムウエアやあのランサムウエアは、米国でどのくらい被害を与えているんだ？ってね」

マイケルが技術的な情報を提供することもあった。彼は多くのランサムウエアを分析し、コードに含まれるパターンを素早く見つけることができた。新しいランサムウエアが既存のサンプルと似ている場合、それはハッカー集団が連携していることを意味する。

マイケルはまた、ＦＢＩがランサムウエアのサムサムを捜査した際にも活躍したが、それは米司法省が初めてランサムウエア開発者を起訴することにつながった。２０１８年11月、司法省は詐欺の容疑でイランの2人の男性を起訴し、彼らがこのランサムウエアを開発し、ばら撒いたと主張した。容疑者たちは逃亡中で、おそらくイランにいるとされている。

マイケルは自分がどれほど役に立っているのだろうと疑問に感じていたが、マークがそれについて話すことはなかった。しかしこの一件が片付いた後で、マイケルの提供した情報が有益だったことを、マークは小さな頷きで認めた。

2018年初頭のある日、ファセットにおけるマイケルの上司であるブライアンとジェイソンが、彼を呼び止めた。FBIからスプリングフィールド本部の見学会に招待されたんだ、と彼らは告げた。その日が近づくと、ジェイソンはマイケルに当日はドレスアップして行くよう提案した。「マイク、ベストな格好をするように」とジェイソンは彼に言った。

それでもマイケルは、ジェイソンとブライアン、そしてブライアンの妻の3人でスプリングフィールドに向かった冬の日の朝、いつもの仕事着であるカーキパンツにコートという格好だった。FBIの職員が一行を出迎え、企業風の印象的なオフィスを案内し始めた。通りから少し奥まったところにあるその建物は、中央にロタンダ［天井がドームになった円形の建物］があり、エントランスの床には、石を組み合わせて作られた鮮やかなFBIの紋章が飾られていた。やがてガイドから、大会議室で行われる「全職員会議」に出席するよう招待された。彼らは外で集まっている人々をかき分けながら、その部屋へと向かった。

「大勢の前に立つのが得意だといいね」と誰かが言い、マイケルに頷いた。

彼が会議室に入ると、数十人のFBI職員から拍手が沸き起こった。マイケルはブライアンの後を追って部屋に入ったのだが、ブライアンは突如として後ろの方に下がって行き、マイケルは前方に向かうよう案内された。彼はスクリーンに自分の名前が映し出されているのを見た。

「おい、君のことを言ってるんだぞ！」と誰かが叫んでいた。

スプリングフィールド支局担当の特別捜査官ショーン・コックスから賞状を渡されたマイケルは、言葉を失っていた。彼が授与されたのは、2017年のFBI長官コミュニティリーダーシップ賞だった。1990年に創設されたこの名誉ある賞は、犯罪、テロ、麻薬、暴力との闘いにおいて「多大な支援」を提供し、「奉仕活動を通じて地域社会に顕著な貢献」をした個人と団体を称えるものだ[25]。ＦＢＩの各支局が受賞者を選出する。マークの推薦で、コックスはマイケルを選んでいた。サプライズにするのはコックスのアイデアだった。

ようやく事態を把握したマイケルは、満面の笑みでコックスと握手を交わした。そして、感謝の言葉を口にした。

コックスは自分のオフィスにまでマイケルを招いて、彼と話をした。柄にもなく、マイケルはずっと笑顔を保っていた。その日の遅く、彼が興奮してモーガンにこの一件を伝えると、義理の家族の間でたちまち話題となった。モーガンの祖母、リタ・ブランチは、家族にグループテキストメッセージを送った。彼らは驚愕した。「えっ、うちのマイケルが？」と1人が返信した。

マイケルはスーツを買い、両親をワシントンに招待した。ＦＢＩ本部で行われる正式な授賞式に出席させるためだ。しかし両親はフロリダへの引っ越しの最中だったために断られてしまい、マイケルはがっかりした。そこでブライアンとジェイソンを誘うことにし、2人は快く承諾した。マイケルの旅費はＦＢＩが負担し、モーガンの旅費はマイケルの経済的な苦境を知るブライアンが負担した。オフィスでは、ブライアンとジェイソンに別の目的があるのではと、社員が冗談を言った。「ブライアンとジェイソンは、マイケルを引き抜こうとする者を妨害するために同行したのさ」とデイブ・ジェイコブズは言う。「彼の後釜を探すのは非常に難しくなるだろうから」

晴天に恵まれた4月の朝、ギレスピー夫妻は早々にＦＢＩのフーバービルに到着した。授賞式が始まり、各支局の受賞者たちは、ＦＢＩ長官のクリストファー・レイから各々賞状を受け取った。彼らの授賞理由は、オピオイド危機、10代の暴力、人身売買、貧困、ヘイトクライムへの対応における貢献だった。[26] 最年少のマイケルは、その年にサイバー犯罪との闘いを理由に受賞した2人のうちの1人だった。

彼の細身な体を飲み込むような、暗い色のスーツを着たマイケルは、誇らしげな表情で賞を受け取り、レイと握手を交わした。[27] FBIはプレスリリースで、[28] マイケルがIDランサムウエアを設置したこと、そして「自ら複数のランサムウエアを解読し、暗号を解除した」ことを紹介した。それに続けて、ランサムウエア追跡チームにも言及している。「マイケルは、トップクラスのサイバーセキュリティ専門家のネットワークとつながっている。彼らはマルウエアを分析し、その暗号を復号する手段を発見して、被害者が身代金を支払うことなくデータを復元できるようにしている」

ノーマルのオフィスに戻ったジェイソンとマイケルは、改めて話をすることになった。デイブや他の同僚が予想したように、FBIが彼を採用しなかったとしても、この式典でジェイソンは、マイケルがナード・オン・コールを卒業したことを実感した。

「マイク、私たちは君が何に強い関心を持っているかわかっている」とジェイソン。「ランサムウエアの追跡こそが君のやりたいことだ。私たちは君の活動をサポートし、その目標を達成するのを助けたいと思っている。しかし私たちは、君がしているような活動をする企業ではないんだ」

マイケルは自宅の玄関に、新しい木製の棚を取り付けた。その上に、自分の名前が刻まれたガラスのプレートと、レイのサインが入った額入りの賞状を飾った。彼は、ジェイソンとの会話を振り返った。彼はランサムウエアに取り組む仕事をずっと続けたかったが、ナード・オン・コールなしの生活を想像するのは難しかった。

＊＊＊

2019年の夏、FBIはランサムウエア攻撃がより巧妙になり、身代金もより高額になっていることを把握した。[29] ターゲットになっていたのは、医療機関や産業界、運輸業界などだ。同年9月、FBIはピッツバーグにあるカーネギーメロン大学の講堂で、初めてとなるランサムウエア・サミットを開催した。このイベントは招待制で行われ、保険会社や弁護士、ウイルス対策会社やインシデント対応企業［セキュリティやサイバーセキュリティ上で何らかの事案（インシデント）が発生した際に、その対応をサービスとして提供する専門企業］が、国土安全保障省、シークレットサービス、司法省の代表者とともに参加した。

マークはマイケルを招待した。FBIはマイケルをピッツバーグまで送り、ホテルに宿泊させて、このテーマにおける専門家として日当を与えた。サミットの初日、マイケルはFBI捜査官のためだけに30分の講演を行い、まずスプリングフィールド支局が捜査を担当したランサムウエア「ラピッド」について詳しく説明した。

それに続けて、IDランサムウエアについてのプレゼンテーションを行った。このサイトを捜査員たちに紹介して、彼らが被害者にも参照してはどうかと勧められるようにした。そうすれば被害者自身がこのデータの宝庫にアクセスして、何をすべきか調べられるだろう。

最初の2日間、マイケルはFBI関係者しか入れない他のセッションに参加できなかった。しかしその議題を見て、自分が議論に貢献できることに気づいた。「どの部署がどのランサムウエアに取り組んでいるかを見ることができたんです。私はそれぞれのランサムウエアについてある程度知っていたし、そのランサムウエアを分析したこともありました。そのひとつひとつについて、彼らは同じ結論に達したのだろうか、と知りたくなりました」

参加は認められないと伝えられると、彼は落胆した。マイケルはランサムウエアの情報を交換する代わりに、ホテルの部屋ですごすことになった。外出したのは、FBIの手当てを使って、ホテルからすぐのミルクシェイクファクトリーで、グルメなミルクシェイクを自分へのご褒美として買うときだけだった。

家から離れることに慣れていない彼は、妻を思い出して寂しくなった。

マイケルは気落ちしていたものの、ローレンスに初めて会えたときには気分が明るくなった。FBIはローレンスの旅費を負担しなかったが、彼はマイケルに会うためにニューヨークからやってきたのである。「もう何年も一緒に仕事をしているので、やっと会えると思ったのが一番の理由です」とローレンスは言う。

サミットのイベントが一部の民間企業に開放されると、マークは正式なセッションが終わったあとの時間を利用して、他のサイバー捜査官にマイケルを紹介した。彼らの名前だけでなく、どの支局に勤務しているか、どのランサムウエアを扱っているかを説明した。マイケルは、捜査官や研究者から分析を求められる一方で、法廷に立って証言も行っていた。多くの人々に必要とされた彼は、話したい人全員と会話する時間がないほどだった。

ただ、夜にディナーや酒に誘われた際は話が違った。連邦検察官から成功した捜査の舞台裏を語るのを聞くなど楽しいこともあったが、自分の知らないサイバー系以外の話題で盛り上がることはできなかった。

ある夜、ローレンスが一杯おごってくれたが、マイケルは一口飲んだだけでめまいを覚えた。彼はそれを水割りにして、誰かがブロックチェーン技術について話している間、眠らないようにした。

その日マイケルは、元HTCUチームリーダーのジョン・フォッカーや、サイバーセキュリティソフトウエア企業トレンドマイクロの研究者とともに、パネルディスカッションに参加していた。マイケルがIDランサムウエアについて説明すると、聴衆からそのサイトにはプライバシーポリシーがあるのか、という質問を受けた。

サイトの免責事項には、ハッカーのメールやビットコインのアドレスが「信頼できる第三者や法執行機関に保存・共有される可能性があります」と説明されていた。「私は法律家ではありませんが、私にとってはそれで十分です」とマイケルは言った。

パネルディスカッションに参加していたローレンスは、それほど確信が持てなかった。法執行機関に関与してほしくないからIDランサムウエアを使う、というユーザーもいるかもしれない。しかしマイケルは、彼らのIPアドレスなどを法執行機関に提供していた。

ローレンスはこの若いチームメートが、そうした情報を共有することの影響をよく考えていないのではないかと思った。「それにはより大きな責任が伴います」とローレンスは憂う。「マイケルはこの件で、かなり危険な状態にあると思います。もし企業が彼を追い詰めようとすれば、間違いなくその影響がありま す。彼のプライバシーポリシーがそうした可能性のすべてに触れていて、訴訟で勝つ可能性があるとしても、彼は訴訟費用を負担する余裕がありません。彼は楽観し過ぎている、というのが現実です」

＊＊＊

サミットでローレンスは、ＦＢＩの関係者に別の微妙な問題を提起した。ローレンスは、マイケルや他の研究者たちが時おり、攻撃者たちの戦術を利用していることに気づいていた。彼らはギャングのＣ＆Ｃサーバーに侵入してキーを取り出し、被害者が身代金を支払わずにファイルを復元できるようにしているのだ。

たとえばサミットの数か月前、マイケルはランサムウエア集団メガロッカーが使用するサーバーの脆弱性を発見した。メガロッカーは世界中の個人ユーザーや企業を攻撃し、解除キーに最高１０００ドルを要求していた。[30] しかしこの脆弱性により、マイケルはサーバーに侵入し、被害者のキーを手に入れることができた。

マイケルはブリーピングコンピュータのフォーラムに「被害者は身代金を払わないでください」と投稿した。サイトのモデレーターは「私たちの専門家が、メガロッカーが暗号化したファイルを復元する方法を研究しています」と補足した。

「おやおや、君は良い奴ではないな」と、メガロッカーがロシア語で反応した。「なぜクライアントたちは書き込むのをやめたのだろう？　理由はこれだ」メガロッカーは身代金を払わなければファイルを復元する方法はない、と誤った説明を行い、さらに「なぜ無駄な希望を持たせて人々を安心させようとするんだ？」と付け加えた。

大義のためとはいえ、マイケルは１９８６年に制定されたコンピュータ詐欺・悪用法（コンピュータへの無断アクセスを意図的に行うことを禁止する連邦法）をかいくぐっていた。こうした行為が、ＦＢＩと一部の研究者との間に溝を作る一因となっていた。ＦＢＩは「ハッキングバック（攻撃者に対する反撃）」に否定的だったが、多くの研究者はＦＢＩが自分自身を調査しないという点で彼らを信用していなかった。

ローレンスはその両方の立場を理解していた。彼はランサムウエア追跡チームのメンバーがハッキングバックのような「怪しいことをやっている」のを見ると、彼らを思いとどまらせようとしたが、多くの場合で無駄足に終わった。「今やっていることを止めた方がいい」とローレンスは促した。「いま何が捜査されているのか知らないのだろう？　この先、何が起こるかもわからない。サーバーから数個のキーを取り出すだけの行為に、法律上で自分の命を危険にさらす価値はない。誰かに報告し、対処してもらおう」

ローレンスは同時に、ピッツバーグのサミットでＦＢＩの担当者に、ＦＢＩの硬直性がランサムウエアとの戦いを妨げていることを指摘した。オランダのＨＴＣＵとユーロポールは定期的に逮捕やランサムウエアの停止を発表しているが、「ＦＢＩは主導的な役割を果たすのではなく、『協力して取り組んだ』と言及されるだけです」と彼は言う。「情報を提供したくても、ＦＢＩに追求されることを恐れて、そうすることができない人が後を絶たないのです」

それに対するある捜査官の反応に、ローレンスは愕然とした。「現実には、彼らは法律を破っている。それはいけないことだ」

「それはお互いにわかっている。しかし捜査を前進させるためには、そういう人間が必要なんだ」

捜査官たちは、ローレンスが研究者とＦＢＩの仲介役となることを提案した。しかしそれは、より公式な関係を築くことになりかねず、彼は数年前にそれを断念していた。今もその思いは変わっていなかった。

マイケルはメガロッカーのサーバーやフォーラムでのやり取りに関する情報を、ユーロポールとＦＢＩに伝えた。彼の知る限り、ＦＢＩもヨーロッパの法執行機関も、サーバーの閉鎖には動かなかった。マークには、自分の戦術について率直に話していた。あまりに率直で、しかも2人の関係が良好だったためか、マークは彼を諫めることはしなかった。しかしマイケルは、まだ侵入していない残りのメガロッカーのサーバーに対しては、侵入を試みることを断念した。「自分のやったことは、すでにグレーな領域に入っていた」と彼は振り返る。それでもマイケルは、すでに侵入していたサーバーからキーを集め続けた。そして2019年5月、彼は復元ツールをリリースした。[31]

「これは僕のＦＢＩとの関係で、興味深い点のひとつだ」とマイケル。「いうなれば、彼らはウィンクしながら『君たちにはやめて欲しいと言っているけど、止めることはできない』と言っているような感じなんだ」

マイケルの後、ＦＢＩはパネラ三人組の2人目のメンバーを表彰した。ジャスティン・ハリスである。2021年初頭、クリストファー・レイはジャスティンに、コンピュータ侵入の被害者に対して「インシデント・トリアージの専門知識」を提供した業績を認め、功績賞を授与したのである。スプリングフィールドの元捜査官で、彼の元同僚がリンクトインに投稿した賞状のコピーには、受賞のきっかけとなった攻撃が、2018年の選挙で発生したものであることが示されていた。「ジャスティンはこの事件や他の事件で、自分の分担以上のことをしてくれた」と、引退前にジャスティンと一緒に捜査を行ったクリストファー・トリフィレッティは書いている。「ジャスティンは、私がこれを小部屋で言うのを何度も聞いていて、そのたびに恥ずかしがっているので、この大きな場で言わせてほしい」とトリフィレッティは付け加えた。「20年間にわたりＦＢＩのために優秀な人材をリクルートしてきたが、ジャスティンはこれまでで最高の人材だ」

「もし私が有名になったら、クリストファーは私の広報になるでしょう」とジャスティンは答えた。「あなたは引退してからも、私を困らせる方法を見つけてくれた。……私はただ、自分が楽しめて、学ぶことを奨励し、継続的な教育を促してくれるキャリアを歩むことができた幸運な人間です」

マーク・フェルプスは政治に夢中になった。パンデミックと２０２０年の大統領選挙がきっかけで、彼はオルトライト〔オルタナティブ・ライト（日本ではオルタナ右翼などとも訳される）の略で、２０１０年代から米国を中心に指示を集めるようになった政治思想であり、白人民族主義や反フェミニズムなど極右的な主張を特徴とする〕の主張を受け入れるようになった。彼はロックダウンやマスクの義務化について気に病み、フェイスブック上で友人に「これは専制政治への一歩だ」と表現した。

「言われてるほど悪い状況じゃないんだ！バック・トゥ・ノーマル（元に戻ろう）！」と、マークは２０２０年7月に書き込んだ。また別の投稿では、ロックダウンによる制限が個人の自由を侵害することに不満を表明している。エリック・ドライバント司法次官補の言葉を引用し、「合衆国憲法とその権利章典には、パンデミックによる例外規定はない」と書いた。彼は陰謀論を広めることで知られる極右のニュース・オピニオンサイト、ＷＮＤ（旧WorldNetDaily）の記事を共有し、それに「コロナウイルス、ロックダウン解除すれば『根絶』される可能性」という見出しをつけた。

パンデミックの間、礼拝所を開放し続けるというドナルド・トランプ大統領の決定をマークは支持し、批判者たちに対してトランプを擁護している。「トランプが都市で起きた暴動を止めるために連邦政府職員を派遣したことに対し、彼は自分の権限を踏み越えたと批判したのと同じ人々が、なぜトランプは『コロナウイルスを止める』ために十分なことをしなかったと言うのか？」と彼は書いた。彼はまた、「郵便による投票が選挙不正を助長する」というトランプの誤った主張にも共鳴していた。選挙の3か月前、マークはネット上で拡散されていた、こんな言葉を投稿した。「パワーボール［米国を中心に発売されている数字選択式の宝くじ］に当たったら、チケットを郵送する？　それとも直接換金に向かう？　その理由は？（投票するときにこれを思い出して）」

トランプ支持は、ＦＢＩ捜査官や法執行機関全体で一般的に見られた。しかし２０２０年の選挙でジョー・バイデンが当選を宣言し、トランプが敗北を不正選挙のせいにすると、マークの投稿はますます過激になっていった。偽情報の拡散を食い止めようとするＦＢＩ自身の努力も虚しく、彼はある投稿の中で、投票所の職員が投票を妨害している様子を映したとされるユーチューブ動画へのリンクを紹介していた。フェイスブックのファクトチェッカーは、この動画に「偽物」というフラグを立てた。

２０２０年12月12日、マークは「今回の選挙は米国史上最も安全な選挙だったと言われている」と書いている。「それは嘘だ。決して自由でも公正でもなかった。メインストリームのメディアや政治家に真実を求めてはいけないし、期待してもいけない。自分で真実を求めてほしい。必要以上に努力は必要だが、真実はそこにあるのだ。これは共和党対民主党の話ばかりではない。これは私たちの共和国と、多くの人々が支持し守ることを誓った、私たちの憲法に関することなのだ。真実と正義のために祈ろう。多くの人々が今、その祈りを必要としている」

２０２１年1月6日、トランプに促された暴徒が、バイデンの勝利を正式に決定するために開かれた連邦議会合同会議を妨害しようと、合衆国議会議事堂を襲撃して死傷者を出した。

マークは「友達から借りた（その友達は別の友人から盗んだ）」という投稿の中で、この米国民主主義の城塞への攻撃を、前夏に米国中を席巻したブラック・ライブズ・マター（黒人の命も大切だ）の抗議行動と同じものだと見なした。この投稿のコメント欄で、マークのフェイスブック上の友人が疑問を投げかけた。その友人は、トランプ大統領が暴力を煽ったとして非難した極左のデモ隊に言及し、「今日、アンティファが関与した可能性はあるのか？」と書き込んだ。マークは「その可能性は非常に高い」と答えた。FBI長官のレイは後に、米上院司法委員会において、左翼の関与を示す証拠はなかったと証言している。

ある知人がマークのフェイスブック上の投稿を見つけ、これはハッチ法[32]（連邦職員に対して政治的な活動、たとえば「特定の政党や団体への賛成または反対を訴えるブログやソーシャルメディアサイトへのコメントを投稿する」などを禁止する法律）に違反していると見なされる恐れがあると考えた。その知人は、連邦政府の法執行官がこのような発言をしていると世間に知られることを懸念し、そしてマーク自身を救おうと、FBIに電話して、投稿を削除するよう彼に指示することを提案した。

数か月後、その投稿はまだ残っていたが、知人は驚かなかった。「重要なのは、マークがさして心配しているように思えない、という点です。彼ほどのスキルを持っていれば、どこか別の、もっと給料の良い仕事を探せるでしょうから」と、その人物は言った。

マイケルはマークとフェイスブック上で友達になっていなかったため、その投稿のことを知らなかった。「実は、マークがトランプを支持していることすら知らなかった」とマイケルは言う。しかし彼は、

ＦＢＩにますます幻滅するようになっていた。２０２1年2月、彼は見覚えのあるランサムウエアの新種をクラックした。解析を進めるうちに、その暗号化方式とファイル形式が、ラピッドのものと酷似していることに気づいたのである。その情報をマークに伝えると、感謝はされたものの、それ以上の進展はなかった。

「それはずっと『部屋の中の象〔英語の慣用表現のひとつで、「避けて通れないのに、誰もが見て見ぬふりをしている困難な課題」を指す〕』だった」とマイケルは明かした。「ＦＢＩからは何も得られなかった。一方通行のトンネルなんだ。ＦＢＩはそれを改善しようとしていると言い続けているけれど、さまざまな理由から、実現できずにいる」

第10章　揺れる自治体

2019年5月7日火曜日の朝、バーナード・「ジャック」・ヤングは、自分のキャリアの頂点に立つ瞬間を心待ちにしていた。2日後、彼は渇望していたが諦めかけていた仕事――ボルチモア市長の就任式に臨むのだ。彼はボルチモアのイーストサイドにある労働者階級の家庭で、10人兄弟の1人として育った。父はレッカー車を運転し、母はホリデイ・インで清掃員をしていた。彼は小遣い稼ぎにソーダ瓶を集めてデポジットをもらったり、ミミズを捕まえて餌として売ったりしていた。[1] 大学は出ず、ジョンズ・ホプキンス病院の放射線科で事務員からマネージャーへと昇進する一方、市議会議員の補佐官や地元の民主党クラブのメンバーとして政治家としてのキャリアをスタートさせた。そして1996年に市議会議員になり、2010年には市議会議長に就任した。

もうこれ以上の出世はないだろうと思われた。ところがその時、市長のキャサリン・ピューを巻き込む利益供与のスキャンダルが発覚した。彼女が自費出版した*Healthy Holly*という子供向けの本に、地元団体が総額86万ドルを支払っていたのだ。さらに、その購入分のうち数千冊は、印刷も配達もされていなかった。ピューは2019年4月1日に休暇を申請し、最終的に詐欺罪と共謀罪を認め、懲役3年という判決が下された。[2] そのため、ジャックが市長代理に就任することになった。

いまやその肩書から「代理」が消え、間もなく就任式が行われようとしていた。しかし偶然市長の座を射止めたジャックは、すぐに巨大で見慣れない脅威に直面することになる。彼が携帯電話や市から支給されたノートパソコンにログインすると、何かおかしいことに気づいた。いつもはメールであふれかえっているのに、一晩経っても新しいメールが届かず、しかも送信もできない。午前7時過ぎ、彼は市の最高情報責任者（ＣＩＯ）であるフランク・ジョンソンに電話した。「何かシステムがおかしい」とフランクに言った。「調べてくれ」

フランクのスタッフはすでに確認を始めていた。ボルチモアの選出議員や職員は、真夜中の少し前から、市のメールやファイルが開けないという苦情を送っていた。午前5時頃、技術者が彼らのパソコンを調べようとしたものの、リモートでシステムにアクセスできなかった。当初、問題は停電かネットワーク断絶で、簡単に解決できると思われていた。しかしレキシントン通りにある市のデータセンターに派遣された技術者は、そこにログインすらできなかった。緊急時に火災報知器を鳴らす方法から名づけられた「ブレイクグラス」というアクセスコードも効かない。

ジャックは市役所に向かったが、午前9時頃にフランクから電話があった。

「市長、ご報告します。市のシステムがランサムウエアによって不正アクセスされました」フランクは続ける。「身代金が要求されています」

ジャックの最初の反応は楽観的だった。「直せるだろう」と思ったのだ。しかし状況を知れば知るほど、彼の心は沈んでいった。ボルチモアでは、前年に９１１（緊急通報）システムがランサムウエアの被害に遭っていたにもかかわらず、サイバー攻撃への対応について正式な計画を立てていなかった。「市にあるのは、このような攻撃に備えていない、時代遅れのシステムであることがようやくわかりました」

侵入者からの身代金要求書が、従業員の端末の画面に表示されるようになった。そこには「君たちのネットワークを、ランサムウエア『ロビンフッド』が狙っている」と書かれていた。「我々は数日間、君たちを見守ってきた。君たちのシステムに対して準備を進め、全面的なアクセスを手に入れ、すべての保護機能を迂回することができた。……話は終わりだ。我々が関心を持っているのは金だけだ」ギャングは4日以内に13ビットコイン（当時約7万5000ドル）を払うよう要求した。期限を越えたら、1日あたり1万ドルずつ加算されるという条件だった。

ランサムウエアのせいで市の印刷工場がオフラインになり、ジャックの就任式の準備ができない。そのため、プログラムを印刷するために業者を雇わなければならなかった。しかしそれは、彼が直面した問題の中で最小の部類に入るものだった。この攻撃は、新市長の行政の大部分を停止させたのである。駐車違反切符から水道料金まで、さまざまな公共サービスや収入源に影響が現れた。さらには住宅販売など、市の承認や記録が必要な民間の事業にも支障が出た。

ジャックは就任式後に予定されていたレセプションを開くこともなく、仕事に取り掛かった。「『なぜ私なんだ？　なぜ私が市長になったときに、こんなことが起きたんだ？』と思いましたよ」とジャックは振り返る。「誰か他の人に起きてほしかったというわけではありませんが、正直言って、眠れない夜を過ごしました」そして「銃乱射事件や殺人事件など、あらゆることが起きている中で」、この攻撃は「最も心配なことだった」と明かした。

米国の各地で、他の市長も同様の問題に直面していた。ランサムウエアが大規模化するにつれ、ギャングたちは、サイバー犯罪への防御が脆弱で時代遅れになりがちな自治体を標的にするようになった。ボルチモアへの攻撃は、州や地方政府を狙って2019年に起きた100件以上のうちの1件で[3]、その数は2018年の約2倍だった[4]。

市長たちは、身代金そのものと同じくらい古いジレンマと格闘することになった——払うべきか、払わざるべきか？

ノーベル賞受賞者のラドヤード・キップリングは1911年に発表した詩『デーンゲルド』で、強要に屈するなという警告を発した。10世紀の英国王、エゼルレッド無策王が、デンマーク人の侵略者に海岸を荒らすのをやめさせようと金を払ったという失策を引き合いに出し、キップリングはこう書いた。「ひとたびデーン人を追い払うための金（デーンゲルド＝デーン税）を払ってしまったら、もう二度とデーン人を追い払うことはできない」

ボルチモアをはじめ、ランサムウエアに襲われた米国の都市は、エゼルレッドと同じように無策だった。連邦政府もほとんど役に立たなかった。ＦＢＩは身代金の支払いに応じないよう勧告したが、ハッカーを捕まえたり、彼らの資産を差し押さえたりすることはほとんどなかった。そして国全体のサイバーセキュリティを担う責任を持つ米国土安全保障省（ＤＨＳ）は、都市がランサムウエアの攻撃から回復するのを助けるのが自分たちの仕事の一部なのかどうか、決断できずにいた。

市長たちは、犯罪者に報酬を与えることの不道徳さと恥ずかしさを、長期間の業務停止や重要なプロジェクトのための資源の転用など、抵抗の結果生じる経済的・人的コストと比較して考えなければならなかった。バックアップで迅速にサービスを復旧できれば、抵抗する余裕も出てくる。しかしアラスカ州バルディーズ[5]からコネチカット州ウェストヘイブン[6]に至るまで、多くの小さな自治体では、身代金を支払う以外に選択肢がなかった。

2018年3月、アトランタは米国の主要都市として初めて、ランサムウエアの被害に遭った。サムサムの攻撃により、多くのオンラインサービスが使えなくなり、人々は市の仕事に応募したり、水道料金や交通違反切符を支払ったりすることができなくなったのである。アトランタ警察は、パトカーに備えられたダッシュボードカメラの記録映像を、何年分も失った。[7]しかし、アトランタ市長のケイシャ・ランス・ボトムズは、5万1000ドルの身代金要求を拒否した。「自分のものを取り戻すためにお金を払う。これは私の常識に反することでした」[8]と彼女は語っている。ただアトランタの場合は、市長の決断を容易にした、2つの要因があった。市のバックアップファイルが無傷だったこと、そして市が事件の3か月前にサイバー保険に加入しており、復旧にかかる2000万ドルの費用の一部をカバーできたことである。

同じ理由で、先にロビンフッドの被害にあっていたノースカロライナ州グリーンビル市が、身代金の支払いを拒否していた。ボルチモアの前月に攻撃を受けていたが、事件のわずか数日前にすべてのファイルのバックアップを取っており、回復にかかる費用のほとんどを保険でまかなうことができたのだ。

しかしパッチワークのような防御策しかなく、保険にも加入していなかったボルチモアのジャック・ヤングは、アトランタのボトムズ市長やグリーンビルのP・J・コネリー市長よりも立場が弱かった。彼には脅迫に屈する金銭的動機もあった。ボルチモアに請求されていた身代金は比較的少額だったが、もしそれを払わなければ、ファイルの復旧により多くの費用と時間を費やすことになることが予想された。何週間、何か月間も行政サービスが滞るかもしれない。

しかしジャックが犯罪者に報酬を与えたら、それはどのようなサインを彼らに送ることになるのだろうか？ また仮に払ったとして、彼らは約束を守ってくれるのだろうか？ インナー・ハーバーからピムリコまで、レザボアー・ヒルからオドネル・ハイツまで、市の至るところで、住民は新しい指導者がどうすべきかを議論していた。

2010年代後半、ボルチモアは米国の都市の中で、最も暴力犯罪率が高い都市のひとつだった。ランサムウエア攻撃があった2019年、同市で348人が殺害されているが、これは人口が14倍のニューヨーク市よりも30人多かった。[9]

市には次から次へと危機が訪れていた。1万6500以上の建物が空き家となり、放置されていた。[10] 腐食したパイプから下水や天然ガスが漏れ、100年以上前の水道管は破裂し、鉛塗料中毒の患者が増加していた。ボルチモアの公立学校の54パーセントが、メリーランド州が採用していた5段階評価において、星1つもしくは2つの低評価を受けていた。[11] 州内の他の地域では、同じ評価だったのはわずか6パーセントだった。

それゆえ、ボルチモアの行政が長年にわたり、サイバーセキュリティよりも他の問題をより緊急性が高いと見なしていたのも不思議ではない。同市のIT部門が、旧式のサーバーは「ハッカーの格好の標的」であり、「恐喝を受ける脅威が増大している」と警告しても、聞き入れられることはなかった。[12] システムのさまざまな部分が適切に保護されていなかったため、マルウエアは簡単に拡散してしまった。さらにトップの交代が長期計画を台無しにした。2012年から2017年にかけて、ボルチモア市IT部門の常任もしくは代行の責任者を担当したのは、6人にも達している。

ボルチモアがまったく準備していなかったわけではない。ITインフラ担当ディレクターのマーティン・オクムは、クラウド上でファイルのバックアップを始めていた。「これは私が主導したもので、予算を獲得するために戦わなければなりませんでした」と彼は言う。「攻撃される4、5か月前から、起こりうる脅威を想定して、AWS（アマゾン・ウェブ・サービス）にデータを移行していました。このような事態が起きるかもしれない、と思いながら、毎晩眠りについていたのです」

2014年、ゲイル・ギルフォードがボルチモア市初の最高情報セキュリティ責任者（CISO）に就任し、2人のパートタイムエンジニアを他の業務から借り受けることになった。彼女は資金を調達し、無料で提供される専門知識をあらゆるところで探し回った。DHSのサイバーセキュリティ責任者であるフィリス・シュネックが公のイベントで講演すると、ゲイルは必ず顔を出した。そして講演が終わるのを待ってシュネックに近づき、名刺を差し出して「脆弱性評価をしていることを存じ上げています。ボルチモア市の評価をお願いしたいんです」と言った。最終的に、DHSはゲイルに連絡した。その評価では、「重要な問題」と「そうでない問題」の両方が指摘されたという。「私たちは、このプログラムに参加した米国初の都市のひとつです」

ゲイルはまた、脅威を検知する機器の購入資金を求めて、市の最高財務責任者を追い回した。「その必要性をどうやって証明するのですか」と彼は尋ねた。

彼女は、サイバー攻撃者は「毎日毎秒、誰かを攻撃しています」と説明し、ボルチモアのシステムへの侵入を試みた1800ページにもわたる資料のプリントアウトを彼のオフィスに持ち込み、それを証明した。彼は彼女に15万ドルを渡した。

「チームではいつもバッグ・レディ（女性のホームレス）と呼ばれていました」とゲイルは言う。「私は決して、物乞いを恥じたりしませんでした」

不幸なことに、ロビンフッドの攻撃を受けた際、サイバー脅威インテリジェンスシステムなどのソフトウエアのインストールはまだ完了していなかった。ゲイルはサイバー保険の申請にも取り組んでいたが、脅威を検知するツールが整備されるまでは、市は保険契約に必要な査定に合格することができなかった。

2018年3月、ボルチモアの911システムに対するランサムウエア攻撃は、警鐘となるべきものだった。市のトラブルシューティングチームがポート（インターネットとつながる経路）をハッカーに晒したままにしてしまい、サーバーへの侵入を許したのである。[13] しかしその被害は「それほど大きくはなかった」とゲイルは明かす。「システムをダウンさせたり、データを破損させたりすることができない場所で起きていたのです」市は問題のある部分を隔離し、24時間以内にバックアップを復旧させた。

対応に成功したことで、一部の関係者が市の準備態勢を楽観視してしまった。911システムは「一瞬たりとも」ダウンしなかったと、ピュー市長は2018年6月、市長会議で自慢した。[14]「ただちに手動システムに切り替えたので、5分未満で操作不能状態から脱しました。……システムには何の実害もありませんでした」

ボルチモアの法務官アンドレ・デイビスは、同月の別の会議で、アトランタの同僚が最近のサムサム攻撃によっていかに同市の行政サービスに支障をきたしたか、説明するのを聞いた。しかしボルチモアに戻ったとき、アトランタの話は彼の頭からすっかり抜け落ちてしまっていた。うちも同じ目に遭うのではないかと、市長や最高情報責任者に電話することもなかった。連邦税の申告漏れを指摘されて辞職したボルチモアの警察本部長の後任を探すため、全米を駆け回るのに忙しかったのである。

髭をたくわえた元連邦控訴裁判所判事は、この失態を最大の失敗であり、最大の後悔であると表現した。「もし私が市の法律家として、自分が思っているほど賢かったら」とアンドレは言った。「あの2日間の会議から帰ってきた後で、月曜日の朝にまずはIT部門の責任者に電話して、『アトランタで起きたことを詳しく知ったんだ。私たちは対応できているか？』と尋ねたでしょう。しかし私はそうしませんでした。2019年にランサムウエア攻撃が起こったとき、私は『神よ、どうして警告を出さなかったのだろうか』と思いました」

アトランタの攻撃は、ボルチモアの最高情報責任者であるフランク・ジョンソンを警戒させた。彼は議会での会合で、ボルチモアの一部を選挙区とする民主党の下院議員C・A・「ダッチ」ルッパーズバーガーの立法アシスタントに分厚い報告書を渡した。その報告書にはボルチモアの脆弱性と、潜在的な修正点が記されていた。フランクは、この提言に予算を付けるよう市の指導者を説得しようとしたが、他の部署との兼ね合いもあり、優先順位を上げることができなかった

翌年、ボルチモアが攻撃されたとき、そのアシスタントはフランクに電話をかけ、何がいけなかったのかと尋ねた。

「計画を受け入れるよう説得することができなかったんだ」とフランクは答えた。

偶然なのか、それともハッカーが意図的に脆弱性を突いたのかはわからないが、この攻撃は、新市長の誕生を含む市政の転換期に行われた。市議会の議長も、ジャック・ヤングからブランドン・スコットに代わった。そしてＣＩＯのフランク・ジョンソンには、トッド・カーターという新しい補佐がついた。トッドはこんなに早くフルタイムの仕事に復帰するとは思っていなかった。彼は公益事業会社で情報技術を扱う仕事を30年続けた後、半分引退して、母親の世話をするために帰ってきた。母親はパーキンソン病を患い、股関節の手術を受けていた。「認知症の母親の世話をしたことがある人なら、頭がおかしくなりそうな仕事だということがわかるだろう」と彼は言う。故郷であるボルチモアは副ＣＩＯを探しており、友人がトッドを推薦した。彼は、日中に母親の世話をする人を雇った。

２０１９年5月6日、トッドはＩＤカードを受け取り、オリエンテーションを受けた。しかし2日目の出来事に備えることはできなかった。その日彼が市役所から斜め向かい、イースト・ファイエット・ストリートのハリー・Ｓ・カミングス・ビルにあるボルチモア市情報技術（ＢＣＩＴ）のオフィスに到着すると、コンピュータは動いていなかった。電話は使えるが、ボイスメールや電子メールは使えない。ボルチモア警察、ＦＢＩ、シークレットサービスの捜査官がホールを右往左往していた。トッドの上司や同僚は、次から次に開催される緊急会議にかかりきりになった。

トッドはそうした会議で得た情報から、今回の攻撃について理解した。「セキュリティチームが解決してくれるだろう、という暗黙の了解がありました」と彼は言う。「彼らが魔法を使えば一件落着だ、ってね」しかしその後、感染していることが判明したサーバーやワークステーションの数は、20～40台から数百台に増加した。「誰かがめちゃくちゃにしていたことが明らかになりました。私たちの家に忍び込み、部屋から部屋へと移動していたのです」

ある緊急会議では、ＢＣＩＴと他の関連組織の幹部が、従業員にコンピュータの電源を切るよう命じることを決定した。この措置は、ランサムウエアがまだネットワーク内を移動しているのか、あるいはどこに向かうのかが誰にもわからないため、そのさらなる拡散を阻止するためのものだった。しかしシャットダウンには、ウイルスの経路を追跡することを難しくするという欠点もあった。そこで職員たちは、連邦政府機関や民間のセキュリティ会社に必死で助けを求めた。

「私を含め、市の中でこのような事態を経験した者は誰もいませんでした」とトッドは言う。「明らかに、誰も何をすればいいのかわかっていませんでした。みなショックを受けていました」

ボルチモア市はロビンフッドがどうやって防御を突破したかを明らかにしなかったが、内部関係者によれば、細分化された管理の脆弱性を突かれたそうだ。それは市のサイバーセキュリティの根本的な欠陥だった。ロビンフッドは、公共事業局の職員が運用する無許可のサーバーに侵入した。そのサーバーは、記録やプログラムを管理するのに古いオラクルデータベースシステムに頼っていた。元管理者は「最新のアプリケーションではありませんでした」と述べている。「システムにはパッチが当てられておらず、悪者はそれを知っていました」

公共事業局は、サーバー、アプリケーション、デスクトップを独自に管理している市の部署のひとつだった。システムに関する標準やポリシー、専門知識、バックアップはばらばらだった。しかしほとんどの部署が同じネットワーク上にあったため、どこかの部署に侵入したウイルスが、他の部署にも侵入できる状態だった。ただ警察は例外で、別のネットワークを持っていたため、ほとんど影響を受けなかった。ＤＨＳがゲイル・ギルフォードを説得するために行ったサイバーセキュリティ評価では、ＢＣＩＴと保健局しか対象にしていなかったため、公共事業局の脆弱性を見落としていたのである。

ロビンフッドを使った犯人についてはほとんど情報がなかった。ミルウォーキーの研究者アレックス・ホールデンは、トルコの刑務所から脱走した29歳の男が、黒海を渡ってウクライナのオデッサ港に行き、女の子に会うことを妄想しているという会話をダークウェブで発見した。その脱獄囚はランサムウエアキットを購入し、インターネット上で潜在的な標的を探った後で、「難読化サービス」にロビンフッドのコードと似たものを持ち込んだ。彼はそのサービスにお金を払って、ウイルス対策ソフトからランサムウエアが見つからないように偽装させ、大規模な攻撃を計画していることを明かしていた。ちょうどグリーンビル市とボルチモア市のタイミングが合ったため、ホールデンは連邦法執行機関と情報を共有した。しかし他の専門家は、この説に異論を唱えた。

ロビンフッドを使った犯人の正体や出身国がどうであれ、このハッカーの暗号技術は確かなものだった。いつものように、ランサムウエア追跡チームはこの見慣れない新種を精査した。マルウエアハンターは、マルウエアのデータベースであるウイルストータルでロビンフッドのコードのサンプルを探し出した。間もなくチームに加わることになるヴィタリ・クレメスは、このランサムウエアがどのようにウイルス対策を無効化し、コンピュータから別のコンピュータへと移動していくかを調べた。それはファイルの暗号化が終わった後、４種類の身代金要求書を作成し、時には陽気な別れの言葉を表示することがあるとわかった——「作業完了、楽しんでくれよな（笑）」

ローレンス・エイブラムスは、ブリーピングコンピュータでヴィタリの調査結果を説明した。「残念ながら、現時点ではランサムウエアに弱点は見つかっておらず、身代金を払わずにファイルを復元する方法はない」と彼は書いている。[15]

ロビンフッドに立ち向かわなければ、というのがジャック・ヤングの直感だった。市が身代金を払ったとしても、「すべてのシステムを解除できるキーを手に入れられるという保証はあるのだろうか？」と彼は言った。「あるいは、彼らが戻って来るかもしれない。私はだまされない」

ジャックのアドバイザーも同意見だった。翌日に彼のオフィスで開かれた会議では、フランク・ジョンソン、アンドレ・デイビス、ＦＢＩ捜査官２人、市が雇ったサイバーセキュリティ業者数人が、身代金の要求を拒否するよう市長に迫った。ジョンソンは、ＢＣＩＴには強固なバックアップがあると断言したが、ＩＴ部門が分かれている市の組織については保証できないとのことだった。ＦＢＩは、「サイバー犯罪の恐喝に屈することは、さらなる攻撃を助長するだけだ」と強調した。

「身代金を払えば記録は戻ってくるかもしれないが、戻ってこない恐れもある」とアンドレは言った。「そしてまた、数週間後に攻撃されるかもしれない」

アンドレは市長に、ハッカーとの連絡を保ったまま、手の内を明かさないようにと促した。ロビンフッド側に「市は金を払うかもしれない」と思わせておけば、２回目の攻撃を阻止したり、脆弱性や盗まれたデータに関する有益な情報を引き出したりできる。しかしジャックは交渉するふりをする気はなく、自分の立場を公に発表した。

ロビンフッドの攻撃と、身代金の支払いを拒否するジャックの態度によって、ボルチモアの住民が苦難に直面していることがすぐに明らかになった。最大の懸念事項は住宅市場だった。

ボルチモアでは、市が発行し、未納の固定資産税や水道料金、住宅法違反や環境違反などが記載されている青い「抵当権設定状況表」がなければ、住宅の売買は成立しない。ロビンフッドはこのデータを暗号化していたため、市は最新の抵当権設定状況表を発行できなかった。そのため、未確定の手数料を負担することを心配した保険会社はボルチモアの物件に保険をかけなくなり、住宅販売が激減した。

不動産販売は、どの都市にとっても経済を回す重要なエンジンであり、この行き詰まりは関係者全員を苦しめた。売り手は新しい住宅を購入するために、支払いを受ける必要があった。買い手は宙ぶらりんの状態だった。市は、住宅が売却されるたびに徴収していた税金（年平均で約9000万ドル）[16]が得られなくなった。またボルチモアの50の権原会社「不動産の所有権に関わる事項を調査し、その内容を保証することで、不動産取引を円滑に進める支援を行う会社」は、売り手が不動産を合法的に所有しているかチェックし、権原保険を提供しているが、通常であれば書き入れ時である春季に、その収入源を失ってしまった。

2019年5月、ボルチモアのハムデン地区にあるコットンダック・タイトル社が扱った取引は、通常の40件からわずか10件に減った。かつてハムデンでボートの帆や作業着として製造されていた、厚手のキャンバス生地のブランド名にちなんで名づけられた同社の社長、ダン・ハーヴェイは「まったくの手詰まり状態でした」と話す。「いつ取引が完了するかわからない、と一日中お客様に説明しなければなりませんでした。不動産業者は結果を知りたがったし、買い手も売り手も同様でした。メリーランド州以外の貸し手も、『何が問題なんだ？』と言ってきました」２０１９年度のボルチモアの住宅販売戸数は、７年ぶりに減少したが、ランサムウエア攻撃にその一因がある。[17]

住宅市場と同様、自動車行政も大きな頭痛の種だった。車が放置されて道路や消火栓を妨げていたりすると、レッカー移動して車両保管所に移動しなければならない。ロビンフッドはそこも混乱に陥れた。攻撃前の2週間にレッカー移動された車の在庫情報が入手できなくなったのだ。市の職員が1台1台手作業でチェックし、写真を撮って情報を記録する作業に3か月もかかり、その間業務に支障が出た。人々は、収容能力を越えて満杯になったプラスキ・ハイウェイの保管所で、自分の車を探し回った。通常、引き取り手のない車はオークションにかけられるが、市は所有者に車を引き取る機会を与えるために5月と6月のオークションを中止し、少なくとも６００台の車の売却が遅れた。

駐車違反の取り締まりも滞っていた。攻撃の数年前、ボルチモアの交通違反取締り担当者は、作業を手書きから電子機器に切り替えていた。しかしランサムウエアによって新システムが使えなくなり、警官たちは紙の切符に戻さざるを得なかった。5月から7月までの3か月間で5万枚以上もの駐車違反切符が発行されたが、市にはそれらすべてを手作業でデータベースに入力し、人々が罰金を支払えるようにするためのスタッフが不足していた。市は、未払いの違反切符が複数ある車を車輪止めで固定する「スコフロー（法律違反常習者）プログラム」を中止し、罰金を支払えなかった人が延滞料金を課せられたり、免許停止になったりしないようにした。

水道料金の請求もデジタル化されていた。２０１６年、市は各家庭にスマートメーターを設置し、水の消費量を記録するようにした。しかし水道料金の請求記録が保存されている100台以上のサーバーが使えなくなり、公共事業局はデータを処理することも、毎月の請求書を発行することもできなくなった。彼らにできることといえば、住民にお金を取っておくか、事務所に来て望むだけの金額を支払い、自分の口座の支払い済み料金としておくように促すことだけだった。

影響は、ボルチモア市の範囲を超えたところにも出た。同市は郊外のボルチモア郡に水を供給する貯水池を所有しており、同郡の水道事業の維持管理や請求業務も行っていたのである。そのため、市よりも人口の多い、郡部の住民にも請求書が届かなくなった。

ボルチモアの平均水道料金は2010年から2018年にかけて2倍以上になっていたため[18]、苦境にある住民の中には、水道料金の突然の停止を救済措置として歓迎する人もいた。しかし、ランサムウエア攻撃から3か月後の8月7日に、公共事業局が再び請求書を郵送し始めると、一部の請求額が驚くほど大きくなっていた。2019年1月に承認された10パーセントの料金値上げが、権利擁護団体「フード・アンド・ウォーター・ウォッチ」の抗議にもかかわらず、停止期間中に実施されていたのである。同団体のメリーランド州上級オーガナイザーであるリアーナ・エッケルは、「私たちは市に対して値上げを実施しないよう呼びかけましたが、市はそれを無視しました」と述べている。

また、警告となる毎月の請求書がないため、漏水が3か月間放置され、膨大な使用量が計測されるケースもあった。ある住民は1012・63ドル請求されたが、請求書には水の使用量が1日527ガロンと記載されており、漏水が原因だったようだ。その住民は地元のテレビ局に次のように語った[19]。「労働者の私は、水道料金に1000ドルも払えません」

この攻撃に対する市の初期の対応は、不手際と見当違いの行動で台無しにされた。CISOのゲイル・ギルフォードにとっての優先事項は、ランサムウエアがシステムに侵入した場所を特定し、それがコンピュータからコンピュータへとどのように広がったかを追跡することだった。しかし一部の市役所スタッフがその邪魔をした。彼らは犯罪が内部犯によるものだと早合点し、彼女に対して市が解雇した2人を調査するよう指示した。しかしゲイルはすぐに、すぐに彼らの仕業ではないと理解した。それでも彼女はチームと相談し、防犯カメラの映像を見て、容疑者2人をFBIに報告しなければならなかった。このような邪魔が入ったことで、攻撃の起源となった、ハッカーの侵入を受けた公共事業局のサーバーを特定するのに2日間を要した。

「生き地獄でした」とゲイルは振り返る。

上司であるフランク・ジョンソンは状況に圧倒されていた。彼のマーケティングの信条である「人、プロセス、製品」は、彼に欠けている技術的な専門知識を補うものではなかった。5月7日の正午頃、この攻撃がランサムウエアの一種によるものと断定されてから数時間後に、市議会議員のエリック・コステロがBCITのオフィスで開かれた緊急会議に出席した。エリックは「フランクはパニックに陥っていました」と回想する。「正しい質問をしているようには見えませんでした」

連邦政府の元シニアITアナリストであるエリックは、フランクとそのスタッフに向かい、「復旧に向けたシステムの優先順位リストは決まっているのか？」と尋ねた。

誰も答えられなかった。「みんな私の頭が2つあるかのように見ていましたよ」と彼は言う。

フランクはまた、サイバーセキュリティの請負業者に対して、サービス復旧のために必要なだけ市のお金を使っていいと話していた。エリックは、彼らに白紙委任状を出すべきではないと何度も警告した。「それでは食い物にされてしまう」とエリックは主張した。「必要なのは隕石なのに、太陽や月や星を売りつけようとしてくるだろう」結果的に市は、ベンダーに全体で400万ドル以上を支払うことになった。

高額な費用と痛みを伴う復元作業に直面し、一部の企業経営者や政治家は、ジャックに考えを改め、ロビンフッドに身代金を払うよう促し始めた。住宅市場が手詰まりになっていることもあり、権原会社の経営者は特に声を荒げていた。コットンダックのダン・ハーヴェイは市長の姿勢に賛同したものの、住宅業界の他の人々は反対意見を述べたという。「『7万5000ドル払えばすっきりするのに、1800万ドルも使うつもりなのか？ どうかしてる！』といった具合でした」

権原会社、不動産業者、住宅建設業者は、資金を出し合って身代金を払うことを検討した。彼らは市長に、犯罪者に税金を渡すことが政治的にタブーなら、個人的に処理すればいいと迫った。

グレーターボルチモア不動産業者協会の最高責任者であるアル・イングラハムは、「私たちはジャックに対して、『自分をどう見せようが好きにすればいい』と言いました」と振り返る。「『しかし、コンピュータの担当者がサービス復旧に1年かかると言い出すかもしれない。そうなったら、身代金を払わないわけにはいかなくなるだろう』ってね」

ジャックはその申し出を断った。「彼らを助けたかったが、金を払うつもりはなかった」からだ。

市会議員のビル・ヘンリーは不安を口にした。公聴会で彼は、有権者がなぜ市は「比較的少額の」身代金を払わず、一方ではサイバーセキュリティ対策をアップグレードしなかったのかと尋ねていると述べた。

「私には答えられませんでした」とヘンリーは言った。

ヘンリーは、降参すれば他の都市への攻撃に拍車がかかることを理解しながらも、人々が「日々の生活の糧を失っていました、私たちが身代金を払わなかったために」と語る。「私たちはボルチモア市に対して責任を負っています。(7万5000ドルを)支払ってでも、データを復旧させる価値はあると思ったんです」

ボルチモアの元市長シーラ・ディクソンは、ラジオ番組の司会者に、自分ならロビンフッドに金を払うと断言した。「小切手を書いてお金を渡し、事態を収拾できるようにするでしょう」[20]

ジャックはディクソンの批判を真に受けなかったという。彼女は2010年、生活困窮者に支援されたギフトカードを横領し、別件で偽証罪を認めたことで有罪判決を受け、市長を辞任していた。彼女のスキャンダルで市議会の議長になったジャックは、それと同じ構図で、後にピューの不正行為によって市長の地位を得ることになる。

全米のコラムニストも批判に加わった。イェール・ロー・スクールのスティーブン・L・カーター教授は、ニュースサイトのブルームバーグ・クイントにおいて、ボルチモアが攻撃から「身を守るためにもっと多くのことができた」と指摘し、ハッカーと交渉することは「必ずしも悪いことではない」と主張して、「被害者は、小さなコストで大きな損失を避けることが賢明な対応だと、合理的に判断するかもしれない。……しかし現実世界におけるもうひとつの不愉快な真実は、時には悪い奴らが勝つ場合があるということだ」と付け加えた。[21]

謎のツイッターアカウントがジャックを嘲笑した。ボルチモアのネットワークから盗まれたものとする文書のサンプルを投稿し、金融や個人に関する機密情報を漏らすと脅した。「ダークネットで全部晒されるのが嫌なら、市長に言え！」とその人物は書いた。[22] このアカウントがハッカーとつながっているかどうかは不明だったが、少なくともその背後にいる人々は、身代金要求書に記載されたダークウェブのアドレスを知っていたはずだ。結局、誰もこの脅迫に従わず、市当局もデータ漏洩の事実を否定した。

ほとんどの行政サービスが停止したままになったことで、有権者たちはジャックに身代金を支払うよう手紙を書き始めた。ジャックはしばし動揺した。「事態を前進させるために、その案も考えなければならないかもしれない」と、彼はあるインタビューで答えた。[23]

しかし彼は毅然とした態度で臨み、多くのボルチモア市民が彼を支持した。市民はうんざりしていたのだ。前任者のピューは、地元団体から何十万ドルもの金をせしめていた。そしていま、ハッカーが市全体を人質に取っている。

「大勢の人が、『犯罪者に金を払うのはやめよう』と言っていました」と、ある住民は振り返る。「『私たちは何年も犯罪者に金を払ってきたじゃないか』ってね」

ボルチモアは無政府主義者の楽園と化す危険性があった。しかし、危機管理と縄張り争いの解決に長けた2人の弁護士が、秩序の回復に貢献した。

米海兵隊の元後方支援将校であるメリッサ・ヴェントロンは、2010年に7か月間、アフガニスタンでの活動に従事した。2016年に退役すると、法律事務所クラーク・ヒルPLCのシカゴ事務所に加わった。そしてクラーク・ヒルのサイバーセキュリティ・データ保護・プライバシーチームのリーダーとして、病院や警察署、その他の被害者がランサムウエア攻撃からの影響を最小限に抑えられるよう支援した。

5月8日水曜日の午前6時、彼女は知り合いの業者から電話を受けた。その業者はボルチモア当局に彼女を推薦しており、フランクは彼女に事件対応指揮官を引き受けてほしいという。午後6時には、彼女は市役所近くのホテルにチェックインしていた。

メリッサは毎日午前7時から午後10時までBCITの会議室で働き、コンピュータシステムのクリーンアップとリカバリーを監督して、どのサーバーを最初に再構築または交換する必要があるかの優先順位をつけた。彼女は市役所のさまざまな部署をまとめ、中央のIT部門と協力させた。「そこで軍隊での経験が活きました」

メリッサと同じく、シェリル・ゴールドスタインもまた、インターネットがほとんど普及していない戦禍の国で働いていた。1999年、NATOの介入によりセルビア軍とコソボ解放軍の間の悲惨な戦争が終結した後、シェリルはコソボの法制度の再構築に貢献した。「私たちはテクノロジーに依存し過ぎるようになってしまいました」と彼女は言う。「電話やメールがなくても世界は動くのです」

米国に戻ったシェリルは、ボルチモア市で市長直轄の刑事司法局長を5年間務め、実質的に警察組織のトップとして、同市の行政を内部から知ることになった。「ボルチモアで公共の安全に携われば、毎日が危機の連続です」と彼女は振り返る。「私はまとめ役でした」ランサムウエア攻撃からおよそ1週間後、ジャックが彼女を市長室に呼び戻したとき、彼女は民間の財団で働いていた。彼女の肩書はオペレーション担当の副本部長となり、市のサービスを正常な状態に戻すことが任務として与えられた。

数年前にコソボで行ったように、シェリルも現場を歩き回って、人々と会話した。その結果、ロビンフッドがもたらした被害、特に住宅市場への影響を把握できた。「インターネットが普及する前から、人々は家を売っていました」と彼女は皆に言い聞かせた。「何か方法があるはずです」

彼女の働きかけにより、ボルチモア市の職員と業界のリーダーたちは、ある取引に合意した。売主が宣誓書に署名し、市が記録へのアクセスを回復した時点で、その不動産にかかるすべての税金、査定額、手数料を支払うことを約束すれば、売却を承認することにしたのである。それでも一部の保険会社は、自分たちの保護が不十分であると不満を漏らした。ある関係者は、「(市が)私たちを見捨てて逃げる可能性はないだろうか」と訝しんだ。しかし5月20日月曜日には、不動産販売が再開された。

ボルチモアのチームワークは、建築許可という、地味だが重要な行政サービスを救った。ランサムウエア攻撃により、主要なプロジェクトの承認に関わるほぼすべての部署が機能停止していたため、職員は毎日、住宅地域開発部(彼らは独自のＩＴ運用を行っていたために大きな被害を免れていた)の3階の会議室にある半ダースのコンピュータの前に集まった。彼らは許可システムにログインし、プロジェクトへの署名が行えたため、同部は約２００万ドルの許可料を徴収でき、請負業者や開発業者は費用のかかる遅延を回避できた。

許可業務担当のジェイソン・ヘスラー副局長は、「私たちは市内で唯一機能している場所でした」と語っている。

メリッサとシェリルがボルチモアを軌道に乗せるために奔走する一方で、連邦政府関係者は自分たちが支援すべきか、すべきであればどの程度支援するかを議論していた。

ランサムウエア攻撃の直後、フランク・ジョンソンとボルチモアの対策について話し合ったルッパーズバーガー議員のアシスタントが、DHSのサイバーセキュリティ・社会基盤安全保障庁（CISA）に連絡を取った。アシスタントは、わずか半年前に設立されたばかりのCISAに、ボルチモアが要請したあらゆる支援を提供するよう求めた。CISAはルッパーズバーガーの事務所を無視するわけにはいかなかった。下院歳入委員会国土安全保障小委員会のメンバーである彼は、DHSの予算に関する権限を持っていたのである。

ボルチモアの担当者は知らなかったが、彼らの要求はDHS内で長く続いていた論争を再燃させた。DHSは州や地方自治体がランサムウエアの攻撃を防ぐのを支援しようとしていたが、CISA長官だったクリストファー・クレブスは、同庁が別の役割、すなわち復旧支援に進出することを望んでいた。連邦政府はランサムウエアの国家安全保障に対する脅威と、その外国政府とのつながりを過小評価している、と彼は考えていた。「連邦政府から見れば、ランサムウエアはゴミウエアだったのです」とクレブスは語った。そしてロシアの諜報機関の名前を挙げ、「ランサムウエアのハッカーは、GRUやFSB〔GRUはロシア連邦軍参謀本部情報総局の略で、ロシアの対外的な諜報機関のひとつ。FSBはロシア連邦保安庁の略で、主に国内の治安維持を担当する〕のような、皆が注目し、優先度の高いサイバー関連の脅威とは見なされていませんでした」と指摘した。ランサムウエアに襲われた州や地方自治体は、被害を食い止めるために連邦政府の助けを求めることが多くなり、クレブスはその支援に熱心だった。

CISAのサイバーセキュリティ担当次官補であるジャネット・マンフラは、この上司の意見に反対した。陸軍出身で、DHSで10年近く経験を積んできたマンフラは、インシデント対応は高コストで労働集約的な取り組みであり、民間企業が対応するのがベストだと考える現実主義者だった。

「地元で何か起きるたびに、人々はDHSに向かって『あなた方はどう対処するつもりですか？』と叫んできます」とマンフラは言う。「私たちはそれに対して、『州や地元当局が対処しなければなりません』と答えます。しかし彼らはその答えが気に入りません」

ランサムウエアが市や公立学校のシステムを襲うたびに、クレブスはCISAが関与することを望んだ。そしてそのたびに、マンフラは憤慨した。「どうするおつもりですか？」と、彼女はある会合で尋ねた。「全国の学校に新しいコンピュータを持ち込む？　そんなことできるわけないじゃないですか」

クレブスはCISAの限界を認めつつも、何もしないことで格好が悪くなるのを心配した。「私たちはサイバーセキュリティ機関なんだ」と彼は言う。「州や自治体を支援するはずなのに、こうした事態が起きても顔を出さないだって？　私には納得できない」

ボルチモアが攻撃されたとき、2人は特に激しい口論をした。マンフラはクレブスに、CISAにできることは何もないと伝えた。「新しいマシンをラックに積んで送りつけることはできません」とマンフラは主張した。「彼らのネットワークはもうだめです。お金も出せません。彼らはすでにやるべきことをやっています」

地元の政治家たちがスケープゴートを探しているのではないか、とマンフラは思った。「彼らは私たちに何も求めていません」とクレブスに訴えた。「私たちに責任をなすりつけようとしているだけです」マンフラは、CISAにはもっと緊急の優先事項があると主張した。「ボルチモア市を助けるために、選挙リスク評価［CISAが提供するリスク評価プロセスのひとつで、選挙インフラに対するサイバー攻撃などの潜在的な脅威や脆弱性を評価し、対策を検討する］から人を外せとでも言うのですか？」

必要ならばその通りだ、とクレブスは叫んだ。彼はDHSのアドバイザーたちが、ボルチモアのCISOが復旧への手順を理解するのを支援し、何かを売りつけようとしない「信頼できる戦略的なアドバイス」の提供者となることを望んでいた。

クレブスは市長に電話し、その後すぐにCISAのスタッフがボルチモアのIT管理者に連絡を取った。しかし、メリーランド州がすぐに技術者を派遣して代替のノートパソコンやワークステーションの設定を手伝わせたのとは対照的に、CISAがチームを派遣したのは夏になってからだった。この淡白な対応に失望したシェリル・ゴールドスタインは、クレブスが思い描いていたように、DHSがインシデント対応チームを持つべきだと感じていた。「あらゆる自治体がこうした問題を乗り越えるには、クラーク・ヒルのような業者を雇わなければなりませんが、その時には大きな国家的問題となっているのです」と彼女は言った。「そんな危機的状況下でも、担当者は一人きりで、解決法を探ろうとしているわけです」

ルッパーズバーガーも苛立ちを覚えていた。彼はロビンフッドの攻撃から1か月も経たないうちに発表されたプレスリリースの中で、「連邦政府は、自治体が自分たちのネットワークをより良く保護できるよう、もっと支援する必要があると思います」と述べている。[24]

クレブスはこの批判を、「危機を無駄にしない」チャンスと捉えた。彼はルッパーズバーガーに電話をかけ、DHSがランサムウエアを優先事項に加えるのであれば、より多くの資金が必要であると述べた。連邦予算の見直しの際、ルッパーズバーガーは州や地方のCISA職員のために1000万ドルの予算を追加した。この予算は、同庁が選挙とサイバーセキュリティに関する州レベルのアドバイザーを雇うのに役立った。

マンフラはクレブスが掲げたCISAの構想に反対し、より高給な仕事に誘われてDHSを退職、グーグルに移った。一方クレブスは、2020年の選挙で有権者の不正行為が蔓延しているという大統領の主張を否定したため、ドナルド・トランプに不本意ながら解雇された。

CISAを去った後、クレブスはマンフラの視点に同調するようになった。彼女は「実際にはCISAは何もできないのではないか、という正当な疑問」を投げかけたのだ、と彼は言う。「私たちには自治体に向かい、そこでネットワークを修復するための人員も、リソースも、権限もありません。彼らが必要な投資をしなければならないのであって、私たちには彼らの問題を解決する能力はないのです。もしそんな能力があったら、モラルハザードのようなものが生じて、誰もが『ほっとけよ、問題が起きてもCISAが来て直してくれるさ』と考えるようになってしまうでしょう」

DHSが逡巡する中、ノースカロライナ州東部地区連邦検事局は、ボルチモア市の法務官アンドレ・デイビスと連絡を取りながら、ロビンフッドの刑事捜査を監督していた。2019年の初秋、突破口が開かれたかに見えた。

「期待が膨らんだ時期がありました」とアンドレは明かす。「連邦検事と何度か話したのを覚えています。『よし、これが上手くいくといいな』ってね」しかし2021年12月の時点で、何の告発もなされていない。

ロビンフッドはさらに攻撃を仕掛け、身代金要求書の中で、自らの最大の成功を自慢した。「秘密鍵と我々のロック解除ソフトウエアがなければ、ファイルの復元は不可能だ。『ボルチモア市　グリーンビル市　ロビンフッド　ランサムウエア』でググってみるといい」[25]

その間、ボルチモアは立ち直りを図っていた。バックアップがあり、破損していないところでは、技術者が暗号化されたファイルを復元した。1万人の従業員のコンピュータを調査し、少なくとも3000台が不正アクセスされていることを確認して、それらを交換した。また暗号化された、あるいは「影響を受けた」（ランサムウエアに感染したものの乗っ取られていない）335台のサーバーを交換し、その他の影響を受けた約400台のサーバーは廃棄された。そして断片的なアプローチを取るのではなく、サイバーセキュリティを包括的に強化し、主要なシステムやネットワークセグメントの分離、アプリケーションとデータベースの再構築、監視の強化、より複雑なパスワードの義務付けなどを行った。

その作業は至難の業だった。費用も莫大で、復旧と予防に1000万ドル、遅延する収益や損失に820万ドル、合計1820万ドル（約25億円超）と見積もられた。[26]　2019年10月、ボルチモアは2000万ドル相当のサイバー保険に加入するため、年間保険料83万5000ドルを支払った。[27]　翌年、その額は95万ドルに上昇した。[28]

2019年10月、フランク・ジョンソンが辞任した。彼の補佐だったトッド・カーターが暫定的なCIOに任命された。2020年2月、彼の役職は正式なものとなった。

ランサムウエア危機が起きたことで、この問題に立ち向かう準備が整ったと、トッドは感じていた。「このような事態を経験したITプロフェッショナルはほとんどいません」と彼は言う。「新しいチームについて知るには、危機的状況で彼らがどのように対応するかを見るのが一番です」

フランクは、メリーランド州のサイバーセキュリティ会社であるセキュロア・ソリューションズの営業・マーケティング担当上級副社長に就任した。この企業は、ボルチモアが攻撃を受けて雇ったベンダーのひとつだった。ボルチモア市は同社にネットワーク監視のため90万ドル以上を支払っている。ゲイル・ギルフォードは、ランサムウエア攻撃の5日後に、市の優れた公共サービスに贈られるリチャード・A・リジンスキー賞を受賞する予定だった。しかしそれどころではないという理由で授賞式を延期し、2019年9月に授与された。彼女が退職したのは、その8か月後だった。彼女の名はボルチモア市庁舎のロタンダにあるプレートに、他の受賞者とともに記されている。そこにはこんな碑文が刻まれている。「私は市と市民に奉仕します」

2019年6月、フロリダ州の2つの都市、リビエラビーチとレイクシティがそれぞれ60万ドルと46万ドルの身代金を払った。翌月、全米市長会議は、ジャック・ヤングが提唱した身代金の支払いに反対する決議を全会一致で採択した。「ランサムウエアの攻撃者に身代金を払うと、犯人が金銭的な利益を得るため、他の政府のシステムに対する継続的な攻撃が助長される」と、決議文には書かれている。[29]しかしこの決議には拘束力がなく、その後も多くの都市がハッカーの要求に屈した。たとえばアラバマ州フローレンス市は、2020年5月にドッペルペイマーが市のメールシステムをシャットダウンし、盗んだデータを公表または販売すると脅すと、約30万ドルを支払った。[30]

ジャック・ヤングは再選を目指さないとずっと宣言していたが、その後、考えを改めた。しかしこの翻意は有権者を遠ざけ、パンデミックは彼の政策の多くを阻害し、彼はさまざまな失言で批判された。ランサムウエア攻撃はもはや有権者の頭の中にはなく、ロビンフッドに立ち向かったジャックに報いることもなかった。2020年6月の民主党予備選では、投票率6・2パーセントで、24人の候補者のうち5位に終わった。

四半世紀にわたる公職生活が終わり、ジャックは途方に暮れていた。ボルチモアの倫理法の規定により、1年間は市へのロビー活動や、市に対するコンサルティングができないことになっていた。そこで彼は、その間をお菓子づくりに費やした。ドーナツ、クッキー、ビスケット、ラムケーキなど、子供のころに祖母の背中を見て覚えたレシピに従って作った。

お菓子づくりをしながら、彼は自分のキャリアにおける「最も誇らしい瞬間」のひとつ――ロビンフッドへの対抗――を振り返っていた。「やるべきこと、やってはいけないことをアドバイスしてくれる人がいたのですが、私は決心していたのです。原則として、あるいは警告として、私は政府のシステムをハッキングした犯罪者にお金を払うつもりはありませんでした」

第11章　恐喝経済

21世紀最初の10年間にウォール街を席巻したヘッジファンドの中で、SACキャピタル・アドバイザーズほど多くの金を稼ぎ、威勢がよかったところはないだろう。彼らは何年にもわたって、平均30パーセントという驚異的な投資収益率を記録した。[1] その無慈悲な企業文化は、アメリカで最も裕福な人物の1人である、執拗で気性の荒い創業者スティーブン・A・コーエンの精神を反映している。コーエンの不気味なほどの銘柄選びの良さは内部情報を得ていたおかげだと囁かれていたが、「若いトレーダーは彼の下で働きたいと願い、裕福な投資家は彼に自分のお金を預けたいと懇願した」と、シーラ・コルハトカーはSACに関する2017年の著作で書いている。[2] SACでトップに立つポートフォリオマネージャーたちには、自らが生み出した利益に比例してボーナスが支払われるため、年間数千万ドルを稼ぐ者もいた。[3]

ビル・シーゲルは2006年、SACのアナリストとしてハイイールド債やディストレスト債のポートフォリオを管理していたが、そこから同僚たちを恐怖と娯楽の目で見ていた。まるで邪悪な漫画の世界のようだ、と彼は思った。少年のような魅力と、年月とともに白いものが混ざるようになった髪を持つビルは、SACの野心家たちの標準的なプロフィールには当てはまらなかった。かれは体育会系のスターでも、アイビーリーグ出身でもなく、獰猛な競争心も持っていなかった。2人の弁護士の息子としてワシントンD.C.で育った彼は、セオドア・ルーズベルトからバラク・オバマまで歴代大統領の子弟を育てたことで知られる私立高校、シドウェル・フレンズに通った。その後はミシガン大学でビジネスを学んだが、学生時代はパーティに明け暮れていた。

前職である労働組合の退職金基金の投資管理において、ビルはブルーカラー労働者の経済的不安を軽減することにやりがいを感じていたが、SACでは対照的に、すでに金を持っている人々の「利己的な金の追求」が彼を苦しめることになった。2007年、ポートフォリオマネージャーのトップの1人が部下の男性にセクハラをし、闇で売られているエストロゲン錠を飲ませ、女性用の服を着るよう強制したという[4]ニュースが流れたとき、ビルは嫌悪感を抱いた。SACのために大金を稼ぐマネージャーは、何でもやりたい放題なのだなと彼は悟った。ある日、同じような思いを抱く少数の同僚と昼食をとりながら、「ここはクレイジーだ」と言い放った。

その一方で、彼は体調を崩していった。突然発症した急性潰瘍性大腸炎は、仕事のストレスが原因で悪化したものと思われ、痛みに耐え切れなくなった。薬の量が増えていき、最終的には免疫調整剤や生物学的製剤、コルチコステロイドなど、さまざまな薬を服用するようになった。それでもほとんど改善は見られなかった。「薬に殺されそうでしたが、かといって薬をやめたら死んでしまいそうでした」とビルは振り返る。

サブプライムローン問題で米国の金融システムが混乱する中、ビルの所属するグループの業績が悪化し、2008年初めにSACは彼を解雇した。その時ですら、彼は自分の解雇にカタルシスを感じていた。

「世の中の優先順位が整理されて、選択肢が明確になり、頭の整理ができる瞬間でした」と彼は言う。その後の展開が、彼の考えをより強固なものにした。連邦政府の捜査により、SACがインサイダー取引の罪を認め、18億ドルという史上最高額の罰金を支払うことになったのである。[5] コーエン自身は刑事責任を免れたものの、2年間他人の資金を管理することを禁じられ、[6] その後ニューヨーク・メッツのオーナーとして再出発した。

SAC退社後、ビルは大腸を摘出する手術を受け、最終的に痛みのない生活を送れるようになった。自分らしさを取り戻した彼は、恋人にプロポーズして結婚した。そしてスタートアップの世界に飛び込み、起業家精神とビジネスの勘を磨いた。やがて「ランサムウエア」と呼ばれるサイバー犯罪の被害者にサービスを提供し、利益を得る産業が生まれると、ビルはその最も重要な担い手の1人となった。彼はランサムウエアの犯行グループとの交渉という、発展途上の専門分野を変革し、専門化することで、身代金支払いに対する保険金支払いの急増を促した。さらに被害者を助けると見せかけて実は搾取する、「データ復旧会社」が存在することを暴露した。彼が収集したデータや執筆したブログは、この新しい「恐喝経済」に参加したり、それを分析したりしようとする人々にとって、頼りになった。また彼はランサムウエア追跡チームと綿密に連携し、メンバーと情報や手がかりを共有して、マイケル・ギレスピーやファビアン・ウサーが被害者を苦しめるランサムウエアを撃退した際には、それを顧客に知らせるようになった。

しかし、このような成功がビルを不安にさせることになる。より大きな影響力を持つにつれ、それを十分に楽しむことのできない性格になっていたのだ。もし自分のしたことが、ランサムウエアの蔓延を悪化させただけだったら？

ランサムウエアの取引に欠かせないデジタル通貨について、ビルが初めて知ったのは、フェイスブックなどの企業の株式を新規公開前に売買できる人気のマーケットプレイス、セカンドマーケットに勤めていたときだった。その創業者で最高経営責任者（ＣＥＯ）のバリー・シルバートは、ビットコインに最も早くから積極的に投資していた1人で、それにより彼は後に億万長者となる。[7] シルバートは、暗号資産の素晴らしさを仲間に広めて回った。「これは未来だ」と彼は言い、ビルはビットコインが金融システムを変革する可能性に魅了された。

２０１６年、ビルは会社を辞め、企業にベンダーのサイバーリスク評価を提供するセキュリティスコアカード社の最高財務責任者に就任した。そこで彼は、自社の製品を使用しているフォーチュン５００企業の最高情報セキュリティ責任（ＣＩＳＯ）と定期的に話をするようになった。彼らは自分たちが直面しているサイバー脅威と、リスクを軽減するために採用している対策を説明した。そのうちの何人かが口にした戦術に、彼は驚いた。ケイマン諸島にペーパーカンパニーを設立して、そこにビットコインを保管しているというのである。

「なぜそんなことをするんですか？」とビルは尋ねた。

「ランサムウエアのためさ」と1人が答えた。「身代金を払わなければならない場合、すぐに払う必要があるからだ」

ビルは興味をそそられた。ペーパーカンパニーの設立や、何百万ドル分ものビットコインの取り扱いと会計処理は、上場企業にとって「面倒なこと」であり、それを本当に必要だと思った場合にしかやらないことを彼は理解していた。ビルは、シルバートが設立したビットコインやブロックチェーン企業に投資する会社デジタル・カレンシー・グループで働く友人たちに電話をかけた。ランサムウエアの攻撃に備えて企業がビットコインを保有しているなどという話を聞いたことがあるか、彼は知りたかったのである。

「なぁ、これって実際にあることなのか？」と彼は尋ねた。

「あぁ、あるよ。毎日電話がかかってくるからよく知ってるんだ」と、ある担当者は言った。

デジタル・カレンシー・グループに電話をかけてきた企業の中には、ビットコインの備蓄以上のサービスを求めてくるところもあった。[8] すでにランサムウエアの攻撃を受け、自分たちに代わってビットコインの身代金を支払ってほしいというのである。同社は彼らを追い返した。身代金の支払いはビジネスの範囲外であり、また政府の規制に違反するのを恐れていたのである。

しかしデジタル・カレンシー・グループがリスクだと感じた領域に、ビルはビジネスチャンスを見いだした。コネチカット州ウェストポートの自宅から、セキュリティスコアカードのマンハッタンオフィスまでメトロノース鉄道で通勤していた彼は、サイバー災害復旧会社のプロダクトマネージャーで、セカンドマーケット時代の同僚だったアレックス・ホルトマンとよく一緒に座っていた。彼らは電車の中で、起業のアイデアを出し合いながら時間をつぶした。そのほとんどは、上手くいきそうにないというのが彼らの共通認識だった。しかし2018年初頭、ビルは可能性を感じられるアイデアを提案した。それは「身代金の支払いを処理する」というものだった。

彼らの経歴は、この新しいベンチャーにぴったりで、強みを補い合うことができるように思えた。コネチカット大学でコンピュータ科学と数学を学んでいたアレックスは、マルウエアの解析やソフトウエアの開発ができた。ビルはスタートアップ企業の世界に精通したカリスマ的なディールメーカーであり、彼らの顧客候補である大小の企業との取引経験もあった。2人ともビットコインに詳しく、サイバーセキュリティの分野でも活躍していた。またタイミングも良かった。2人がビジネスアイデアを話し合っていたとき、リュークが大企業をターゲットに6桁の身代金を要求するという、ランサムウエアの新時代をもたらそうとしていたのである。

起業家になるのが念願だったビルとアレックスは、成長企業での安定した職を辞めた。そしてオンラインで調査を始め、ランサムウエア攻撃を受けた企業の数の統計を探した。彼らが見つけた情報は、ランサムウエアが大きな問題であり、それが拡大していることを示唆しているように思われたが、データのほとんどが信頼できない調査によるものだった。また彼らは、ランサムウエアに襲われた企業が、次に何をすべきかに関する基本的な情報を得られる場所がほとんどないことを知った。多くの被害者にとって、身代金の支払いが合法かどうかさえも明確ではなかった。しかし信頼できる情報が不足しているというのは、ランサムウエアに感染した企業が、ビルとアレックスが提供しようとしているサービスを求める可能性が高いことを意味していた。

徐々にコンセプトが固められた。マネージド・サービス・プロバイダーは、ランサムウエアの攻撃について十分に懸念しており、彼らから報酬を得られると2人は考えた。その不安が現実のものとなった場合、身代金の交渉と支払いはビルとアレックスが行う。同時に彼らは、手がける事例から得られた情報をデータベースに登録し、ランサムウエアの傾向を分析することで、信頼性を高めることができる。

「まるで交通事故が起きようとしているときに、測定棒を持ってそのど真ん中に立ち、目の前で事故を観察するチャンスが得られたようなものです」とビルは語った。「そして事故の後始末をし、実際に起きたことについての素晴らしいデータを入手できました」

2人の妻は、この新しい事業に不安を抱いていた。ビルには3人、アレックスには1人の子供がいる(後に2人目が生まれた)というのに、彼らが下したのは安定した雇用を諦めたことだけではなかった。投資家からの出資が得られていない状態だったため、彼らは「コーヴウエア」と名づけた自らの会社を立ち上げるために、貯金をはたかなければならなかったのである。

ビルとアレックスはひるまなかった。ランサムウエアの中には、ブリーピングコンピュータなどで入手できる無料のツールで暗号を解除できるものがあること、また顧客のために身代金を支払う前に、確認しておくべき点があることを知った。しかし「ランサムウエアの解除方法」で検索すると、そうしたサイトが最初にヒットするわけではない。代わりに、フロリダに拠点を置くモンスタークラウドと、ニューヨークに拠点を置くプルーブブン・データ・リカバリーという2つの米国企業が、常に検索結果の上位に表示されていた。[9]

2人は、ランサムウエア攻撃からの復旧にモンスタークラウドとプルーブブン・データを利用した企業に話を聞くことにした。そうした企業の説明によれば、彼らは有償でデータの復旧作業を行ったものの、身代金は払わなかったとのことだった。しかしビルとアレックスは疑っていた。ブリーピングコンピュータのようなサイト上の情報から、これらの被害者を攻撃したランサムウエアが撃退されていないことを知っていたからである。ロックされたファイルを復元するためには、身代金を払うしかないはずだった。

しかしこれらの会社のウェブサイトには、身代金の交渉や支払いに関する記述がほとんどない。ビルはグーグルのサービス「アドワーズ（検索結果の上位に表示される広告スペースを購入できるプログラム）」への支出を調査してみた。モンスタークラウドとプルーブン・データは、最も一般的なランサムウエアの種類すべてを含むキーワードの検索結果ページに広告を表示させるために、数千ドルを費やしていることがわかった（プルーブン・データの方が多少額は少なかった）。たとえばダーマに感染した企業のIT管理者が、グーグルの検索で「ダーマ」と入力すると、モンスタークラウドが検索結果の一番上に表示されるため、彼らが被害者を顧客として獲得する可能性が高まるわけだ。ビルとアレックスは、プルーブン・データの元社員にも話を聞き、同社が顧客に内緒で身代金を払っていたことを確認した。

ビルとアレックスは、プルーブン・データとモンスタークラウドが自分たちの競争相手であることに気づいた。この「データ復旧会社」は攻撃者に報酬を払っており、それはコーヴウエアがやろうとしていたことだった。違うのは、プルーブン・データとモンスタークラウドがそれを認めていないという点だ。

「ランサムウエアによって文字通り死に追いやられた企業に対して、ある会社が本質的に略奪的で不当な行動を取っていることに、ある種の恐怖を感じました」とビルは述べている。

ランサムウエアのギャングでさえ、被害者との連帯を表すために、二枚舌のデータ復旧会社について警告している。フォボスの一味は、身代金要求書に「第三者の助けを借りてファイルを復元しようとすると、料金が高くなったり（彼らは私たちの料金に彼らの料金を上乗せする）、詐欺の被害者になったりする可能性がある」と書いている。[10]

この欺瞞は、ランサムウエア追跡チームにとっては以前からなじみ深いものだった。２０１６年後半、ファビアンはモンスタークラウド、プルーブン・データ、そして英国とオーストラリアを拠点とする他のいくつかのデータ復旧会社が、彼やチームがキー（鍵）を破ったことのないランサムウエアを解除したと主張するのを目にしたことがある。彼はそれを信じていなかった。

「ランサムウエアが行ったことはすべて、他の研究者によって分析されています」と彼は言う。「彼らだけが解読に成功したというのは、信じがたいことです」

ファビアンはその疑いを検証するために、「ブリーディング・クラウド作戦」と名づけた実験を考案した。この名はモンスタークラウドと、２０１４年に明らかにされた悪名高いソフトウエア脆弱性「ハートブリード」にちなんで付けられた。彼とサラ・ホワイトは既存のランサムウエアの一種に手を加え、それを使って自分たちのテストファイルを感染させた。そして身代金を払いたくない被害者を装い、モンスタークラウド、プルーブン・データ、さらに他のデータ復旧会社にもメールを送った。

ファビアンは、暗号化されたサンプルファイルと偽の身代金要求書を各企業に提供したが、その中には、支払い方法を指示するための攻撃者（つまりファビアン）のメールアドレスが書かれていた。それぞれのメモには、架空の被害者ごとに固有のＩＤが含まれており、仮にデータ復旧会社が匿名のメールアカウントで連絡してきても、ファビアンは後でそれがどの企業なのか特定できるようになっていた。

これらのデータ復旧会社は、ファイルの復元に協力することを快諾した。「すべての会社が、解読できないはずのランサムウエアを解除できると主張し、身代金を払ったことには一言も触れませんでした」とファビアンは言う。「むしろまったく逆です。彼らはみな、身代金を払わないことをとても誇りに思っているようでした」

やがて、ファビアンが架空の攻撃者のために設定したメールアカウントに、匿名のアドレスから身代金の支払いを申し出るメールが届き始めた。彼はそのメールを遡って、プルーブン・データやモンスタークラウドなどのデータ復旧会社にまでたどり着いた。

「被害者は二度食い物にされるのです」とファビアンは警告する。

プルーブン・データは自社のウェブサイト上で、「ランサムウエアの被害者を支援する世界初の企業」であることを誇っていた。正確には、ランサムウエアの被害者を助けるように見せかけて、実際は被害者を欺くパイオニアであったということだろう。

2011年頃、兄弟であるビクターとマーク・コンジョンティが、ニューヨーク州ホワイトプレーンズにあるマークの自宅でプルーブン・データを設立した。その後、会社の拡大に伴い、彼らは近くのエルムズフォードにオフィスを移した。2人ともコーディングのことはよく知らなかった。マークは数学の臨時教師をしていた。ビクターは保険会社でITセキュリティのアナリストをしていたこともあり、技術的なバックグラウンドはあったが、エレクトロニック・ダンス・ミュージックに熱中していた。ルームメートを探すサイトでは、自らを「食いしん坊」「フィットネス中毒」「パリピ」と称していた。

プルーブン・データは当初、壊れたハードディスクやカメラなどのハードウエアから情報を復旧させることに特化していた。そのビジネスモデルが変化したのは2015年頃だ。ランサムウエアが急増し、暗号化されたファイルの復元を求める見込み客からの電話が殺到する中、プルーブン・データは「最新技術」でデータのロックを解除し、被害者を助けると主張するようになった。要するに、同社はマイケルやファビアンがやったように、ランサムウエアを解除できると顧客に伝えたのである。しかしそれは不可能だった。その代わり、彼らは身代金を払うことで攻撃者からキーを入手し、身代金に手数料を加えた金額を顧客に請求していた。

同社のスタッフは、顧客にデータ復旧のための2つの選択肢を提示する「定型の回答文」に頼っていた。1つ目の選択肢は身代金を支払うこと、そして2つ目はプルーブン・データの技術を用いて、ファイルのロックを解除することである。しかし顧客が知らなかったのは、2つ目の選択肢は存在しないという事実だった。後者が選ばれた場合も、プルーブン・データはとにかく身代金を支払うだけだった。

疑いを持つ顧客もいた。2016年6月、ランサムウエアによってネットワークが機能停止したアリゾナ州サフォード市は、プルーブン・データを雇うことにした。同社の事件担当マネージャーであったブラッド・ミラーは、エンジニアがサンプルファイルを分析した結果、「我々のスリム化されたプロセスと最新技術を使用することで」、「データが復旧される可能性が高い」と判明したと市にメールで伝えた。ミラーはプルーブン・データのサービス料が「高くなる場合がある」と認め、市の保険で「費用をカバーできるかもしれない」と提案した。

実際には、プルーブン・データにはブラッド・ミラーなどという従業員はいなかった。それは同社が雇う、海外のフリーランスに割り当てる偽名だった。「彼らの名前は複雑な場合があるので」とビクター・コンジョンティは語った。「私たちはこの偽名を使って、物事を単純化しました。……それを欺瞞とは見ていませんでした。便宜上のことだったんです」

1週間後、プルーブン・データはサフォード市に対し、「復元プロセスは成功裏に完了した」と伝えた。その後で市は、一部のファイルが依然としてロックされていることに気づいた。プルーブン・データはそれを新しい案件として扱い、再度料金を請求すると言って譲らなかった。サフォード市は受け入れたもの の（最終的には保険会社が８４１３ドルという請求額の大部分を払い戻した）、システム管理者のケイド・ブライスは、プルーブン・データはすでに解決策を持っているのに、なぜ市が二重に支払わなければならないのかと疑問に思った。

「彼らのアルゴリズムで１つ目が解決できたのなら、なぜ２つ目はダメなのだろう？」とブライスは自問した。

８月中旬、プルーブン・データは匙を投げた。「残念ながらこの亜種を解読できず、ハッカーに連絡しても同様に結果は得られなかった」と、彼らはメールに書いている。

考えられるのは、プルーブン・データが身代金を払ったものの、ランサムウエアのバグによってファイルが永久に破損してしまったという可能性である。市のＩＴ管理者であるサム・ネイピアは、プルーブン・データが失敗を認めたことをブライスにも伝えた。「彼らがハッカーと組んで料金を上乗せしている、というあなたの考えは正しいと思います」とネイピアは書いている。

アラスカ州アンカレッジのＦＢＩ支局も、プルーブン・データがランサムウエアの解除に成功していることについて懐疑的だった。２０１６年４月、レイフ・ヘリントンが経営するアンカレッジの不動産仲介会社のファイルとバックアップが「ＤＭＡロッカー」というランサムウエアに感染した後、ＦＢＩはプルーブン・データに対する捜査を開始した。身代金の要求額は４ビットコイン（当時の価値で約１６８０ドル）だった。

ヘリントンはＦＢＩに通報したが、当初ＦＢＩは気に留めていなかった。ＦＢＩは「同様の事件が、毎日何千件も起きているんです」と彼に伝えた。「私たちには対応できる余裕がありません」

ヘリントンの息子はこの攻撃を調べ、ファイルを復号する方法がないことを発見し、父親に身代金の支払いを提案した。ヘリントンは自力で、また地元のＩＴ企業を通じて身代金の支払いを試みたが上手くいかなかったため、プルーブン・データに電話した。彼らは自社開発のソフトウエアが６０００ドルでファイルの暗号を解除すると告げ、身代金の支払いについては言及しなかった。

ヘリントンのＩＴコンサルタントであるサイモン・シュローダーは、評価のために感染したファイルのサンプルをプルーブン・データに渡した。数日後、シュローダーはプルーブン・データにリモートアクセスを許可し、45分で一連のファイルのロックが解除されるのを見守った。

プルーブン・データがあまりにも素早くファイルを復元したため、シュローダーは彼らが身代金を払ったのではないかと疑った。ヘリントンは業務を再開したものの、再びＦＢＩに通報した。今回はＦＢＩも興味を持った。オフィスに捜査官がやって来ると、ヘリントンはＦＢＩに対し、プルーブン・データがＤＭＡロッカーと共謀していないか捜査するよう促した。捜査官はヘリントンに、もしプルーブン・データが自社の手法や専門知識を偽っているのであれば、法律に違反している可能性があると伝えた。もし身代金を払っているのであれば、それは事実上ギャングのビジネスを維持していることになる。

ＦＢＩの捜査は、ヘリントンの直感を裏付けた。プルーブン・データとＤＭＡロッカーの間で交わされた数百通のメールを発見したのである。またプルーブン・データのアカウントから、ＤＭＡが支払いに指定したオンラインウォレットに、４ビットコインが流れているのを確認した。ハッカーのアドレスから送られたメールは、プルーブン・データの支払いに感謝し、ヘリントンのファイルを復元するための方法を指示していた。

ＦＢＩの宣誓供述書には、プルーブン・データが「被疑者に身代金を支払うことでしか被害者のファイルを復元できなかった」と書かれている。

ＦＢＩはコンジョンティ兄弟に話を聞いた。マークは攻撃があった当時、ハッカーに金を払わずにファイルを解除する方法を知らなかったことを認めた。

ビクターは後に、同社がヘリントンの身代金を支払ったことを認めた。「彼のデータを取り戻すには、それしか方法がなかったのです」と彼は言う。「私たちは、彼が欺かれたと感じたことを遺憾に思います。……問題をどのように解決するかについて、明らかに誤解がありました」

ＦＢＩはプルーブン・データを告発しなかった。しかしＤＭＡロッカーと支払いについて交渉した元プルーブン・データ社のスタッフ、ジョナサン・ストーファーの回想は、同社とハッカーとの協力関係についてのヘリントンの懸念を裏付けるものだった。[11]

プルーブン・データはＤＭＡロッカーと連絡を取るのに、自社のメールアドレスを使用していた。ストーファーは、攻撃者が英国のサッカーファンではないかと考えた。彼のメールには、「ジョン・ユナイテッド」というユーザー名や、元監督のアレックス・ファーガソンを称えるものなど、マンチェスターユナイテッドへの言及があったからだ。また身代金の支払いはビットコインで行われたが、その価格は、ランサムウエア界では珍しい英ポンドで設定されていた。

「ほとんどの場合、ＤＭＡは非常に優秀で、良い交渉相手でした」とストーファーは言う。「ＤＭＡはとても明瞭でわかりやすく、きちんとした英語でやり取りしてくれました。そして非の打ち所がないほど完璧に機能するツールを持っていて、トラブルシューティングまでしてくれたのです」

DMAロッカーのハッカーはプルーブン・データのビットコイン・ウォレット番号を熟知していて、電子公開台帳であるブロックチェーン上で取引を確認すると、すぐに解除キーを送ってきた。通常であれば攻撃者は、プルーブン・データが身代金を払ったという連絡を送ってくるのを待ってからキーを送信するものだ。

「奇妙な点のひとつは、DMAは私たちのウォレットをよく知っていて、DMAに支払うたびに、私たちがトランザクションIDを連絡する前にキーを送ってくることでした」とストーファーは言う。「DMAは文字通りブロックチェーン上に居座っていて、『あぁそうだ、プルーブン、君たちにキーをあげよう』と言ってくるのです」

このハッカーはランサムウエアビジネスから引退することを決めると、プルーブン・データにそのことを伝え、最後の取引を提案してきた。「なぁ、俺はサービスを停止するつもりなんだが」と、DMAはストーファーに伝えた。「キーが必要な他のクライアントはいるか？ 彼らのために特大セールをするぞ」

それこそ「ハッカーと『仲良く』しておくことの利点なのです」とストーファーは語った。

ストーファーは社交的で、髭をたくわえていたが手入れはあまりせず、体を動かすことには嫌悪感を抱いていた。アマチュアながら熟練のシェフであり、料理本を収集していて、『ブリティッシュ・ベイクオフ［英BBCの料理コンテスト番組で、アマチュアの料理人が与えられたテーマで料理の腕を競うというもの］』を観るのが好きで、鴨肉のプロシュートを熟成させるのに1週間をかけるほどだった。「食全般にこだわりがあるんですよ」

2017年、大学を卒業して1年過ぎたころ、ウェストチェスター郡の自宅に近い仕事をネットで探していた際に、プルーブン・データがオフィスマネージャーを募集しているのを見つけたという。聞いたことのない会社だったが、応募すると採用された。ストーファーは当初、会議の日程調整や荷物の発送、配達の受付などをするのだろうと思っていた。しかし前職で小売店やレストランを経験していたことから、彼には優れたカスタマーサービスのスキルがあった。入社後しばらくすると、「クライアント・ソリューション・マネージャー」という肩書きを与えられ、年俸は約4万1000ドル、ハッカーとの交渉も任されるようになった。

その頃のプルーブン・データは以前の営業マニュアル、つまり「身代金を払うかどうか顧客に選択してもらう」という嘘の内容が書かれたマニュアルを廃止していた。代わりにストーファーは、プルーブン・データが身代金を支払うことを顧客に伝える際に、「聞かず、語らず」というアプローチを取った。聞かれなければ何も言わず、聞かれれば本当のことを言う。「不作為による嘘といったところです」と彼は語った。

ストーファーの交渉戦術は、攻撃者と仲良くなることで、身代金の額を引き下げるというものだった。彼はすぐ、「ハッキング」という言葉を使うべきではないと気づいた。その代わりに、彼は取引相手が自分たちをビジネスパーソンと考えているのだと仮定した。「なぁ、今はこんなに払う余裕がないんだ」とストーファーは交渉の場で説明する。「君たちの製品を、もう少し安い価格で提供してくれないか?」

プルーブン・データに連絡してくる被害者は、攻撃者を非難することが多かった。そのためストーファーのこびへつらう姿勢は新鮮であり、身代金の引き下げに応じる場合があった。それを顧客に伝えるわけである。「彼らは皆に嫌われる仕事をしているので、自分が尊重されていると感じると、私たちに協力してくれるのです」とストーファーは言う。「身代金を5000ドルから3000ドルに減額できるのは、私たちが約束した通りにそれを渡す、と相手に信じてもらえるからです」

1人の顧客について身代金の引き下げに応じてくれれば、他の顧客への要求に関しても説得しやすくなる。「『実はもう1人、助けてもらいたい顧客がいるんだ。同じ価格で提供できるだろうか？』と伝えると、『もちろん』と返してくれるわけです」とストーファーは語った。

上手くいくとはいえ、この戦術はストーファーを不快にさせた。「こうした人々と交流して、親しくならなければいけないという奇妙なグレーゾーンに、どうしても慣れることができませんでした」と彼は明かす。ストーファーはハッカーたちに身近な存在となり、「ハッカーは私が以前彼らに協力したことがあるか確認したがりました。……『彼らに協力する』と言いましたが、それは本当に気分の悪い表現です。彼らが本当に嫌いだからです。その嫌悪感は、私たちが（プルーブン・データの中で）公然と話していたことでした。彼らの側に立って、共感し、協力してくれるように仕向けるということに、どれほど不快な思いをしたか。交渉が終わった後で、自分の皮を脱ぎ捨てなければならないような気分だからです」

ストーファーが配慮し尽くしたにもかかわらず、ハッカーたちが思い通りにならないこともあった。要求された身代金をプルーブン・データが払っても、何の反応も返さない、といった具合だ。そういう場合には、ストーファーは攻撃者のメールアドレスと、その不遜な態度の詳細を同じギャングに属する他のハッカーと共有した。

するといなかった攻撃者は、「『ごめん、3週間もコカインに溺れていたんだ』などと言って戻ってくるんです」とストーファーは教えてくれた。

ストーファーが互恵的な関係を築いた最も悪名高いギャングはサムサムだった。プルーブン・データは1年以上にわたり、サムサムに身代金を渡していた。「私たちは彼らと非常にオープンな関係を築いていて、事実上、私たちが何者かを明かしていました」

ハッカーたちと親密な関係になるにつれ、ストーファーは支払い期限の延長を交渉できるようになった。「こんにちは、こちらはプルーブン・データです。私たちがお客様に連絡を取り、対話しながら前進する間、この窓口を開いておいてください」とストーファーは依頼する。するとサムサムは、窓口の設置期限を示すタイマーを解除する。「彼らの反応は迅速で、多くの場合、必要なものを即座に提供してくれました」

やがてサムサムは、被害者にプルーブン・データとの取引を勧めるようになった。「サムサムは『この件でサポートが必要な場合は、プルーブン・データに連絡してください』と言うようになりました」とストーファーは振り返る。この推薦を不思議に思う顧客もいた。「顧客から理由を聞かれ、答えなければなりませんでしたが、それはあまり楽しい会話ではありませんでした」

こうした事前の了解は、法的なリスクもはらんでいた。プルーブン・データが身代金を払ってくれるだろうというハッカーの自信は、犯罪における共謀の証拠と見なされる可能性があった。プライバシーと情報セキュリティを専門とするヒューストンの弁護士、バート・ハフマンは、「この状況は、彼らが攻撃者側のために働いているように見えます」と語っている。「彼らはサムサムの勧告に従い、サムサムが提案した方法で支払いを進めているのです」

ビクター・コンジョンティはストーファーの説明を否定しなかったが、プルーブン・データが「サムサムを使う攻撃者と『親密な関係』になったことはない」と述べた。「私たちが攻撃者と接触するのは、顧客に対する攻撃を最小限に抑えることを目的とした場合に限られています。……ハッカーに接触して、交渉の窓口を閉じないよう頼むのは、誰でもできます」

サムサムとの取引でやっかいだったのは、それだけではない。サムサム・カンディという名の村がイランにあることがわかり、ギャングたちがイランから活動していることが発覚した。プルーブン・データがサムサムに行った最後の支払い（当時約９０００ドル分に相当した１・６ビットコイン）は、２０１８年11月に行われた。この支払いは、プルーブン・データのビットコイン・ウォレットから攻撃者が指定したウォレットへ、そして最終的にはイランのハッカーに直接関係するウォレットへと移された。

プルーブン・データが支払いを行ってから12日後、サムサムを開発したとされる２人のイラン人が起訴された。米財務省は、イラン政権への制裁を理由に、攻撃者につながる２つのビットコイン・ウォレットへの支払いを禁止した。

ビクター・コンジョンティは、ハッカーたちが起訴されるまで、彼らがイランと関係する人物だったとは知らなかったと述べた。「私たちはいかなる状況下でも、制裁を受けた個人や団体と故意に取引することはありません」と彼は説明した。

その起訴が行われる前に、ストーファーはプルーブン・データを退職していた。同社で1年半働いている間に、彼は良心の呵責に苛まれるようになり、特にFBIがアラスカの事件でプルーブン・データ社員への聞き取りを始めたことが心に重くのしかかった。「私は、かなりの量のランサムウエアが、テロリズムと組織犯罪の両方の資金源になっていても不思議ではないと思います」とストーファーは言う。「なので問題は……私たちがサムサムの攻撃を受けるたび、そして身代金を払うたび――ここからが本当に難しいところですが――それは厳密にいえば、テロに資金を提供しているということなのでしょうか？」

ストーファーは、家族や友人に自分の仕事を正当化することに疲れていた。彼らの中には、深夜のハッカーからのメールに答えるのをからかう人もいた。「自分の仕事が何なのか、誰かに説明できなくてつらいかって？　いや。そういう会話になって、『どんな仕事をしてるの？』と聞かれたときに、『私は生活のために、ハッカーと交渉してるんだ』と答えるのがつらいんだ……それはとても奇妙な仕事だから」

ストーファーの交渉術を熟知していたビル・シーゲルは、彼を自分の新会社に引き抜こうとした。ストーファーは心が動いたが、結局、この業界を去ることにした。「居心地が悪いから、この世界を出たいと思っただけです」とストーファー。プルーブン・データ、モンスタークラウド、そしてコーヴウエアが活動する領域は、「まさに無法地帯です。彼らは自分たちでルールを決めていました」

＊＊＊

プルーブン・データとそのライバルであるモンスタークラウドは、多くの点で似ていた。どちらも何千人ものランサムウエア被害者を支援してきたと主張している。両社とも、データ復旧以外にも、将来の攻撃から身を守るために脆弱性への対策を行うなどのサービスを提供していた。顧客と連絡を取るために、従業員に偽名を使わせていた。そして身代金の他に、多額の手数料を請求していた。プルーブン・データが98パーセントの成功率を誇ったように、モンスタークラウドも、ランサムウエアを除去することを被害者に「保証」した。

モンスタークラウドは、身代金を払っていないふりをするという点では、プルーブン・データよりも厚かましかった。同社のウェブサイトは「身代金を払わないでください」と主張していた。「身代金を払うのは、避けたいリスクです。当社の専門家にお任せください」

同社のウェブサイトでは、ロバート・モラーの下でFBI副長官を務めたジョン・ピストールによるプロモーションビデオも紹介されていた。ピストールは映像の中で、「警察、政府機関、病院、中小企業、フォーチュン500企業は、攻撃からの回復と新たな攻撃からの保護を支援するモンスタークラウドを信頼しています」と述べている。「モンスタークラウドの独自の技術と専門知識が、彼らのプロフェッショナルな評判と組織への信頼性を保証しています」

しかしピストールは、2019年のインタビューで、モンスタークラウドがファイルの復元に「独自の技術と専門知識」に頼っていないことを認めた。「私たちが頼っていたモデルは、身代金を払うというものでした」と彼は明かした。「それがゾハルと会った後、初めてそのビジネスモデルを目にした去年の時点で、私が理解したことでした。……私の経験と知識に基づいて、身代金が支払われ、彼らはそこから先に進むためのベストプラクティスを実行します」

「ゾハル」とは、ピストールの推薦ビデオの台本を書いた、ゾハル・ピンハシのことである。イスラエル軍の元ITセキュリティ情報将校だったゾハルは、2002年に米国に移住した。そして翌年、フロリダでPC USAコンピュータ・ソリューションズ・プロバイダーズという会社を共同設立し、顧客のファイルをクラウド上でバックアップするサービスを提供した。2013年、ゾハルはモンスタークラウドを設立し、プルーブン・データの創業者と同様、最終的には他の技術系サービスからランサムウエアリカバリーに軸足を移した。

細長の顔に坊主頭というゾハルは、優雅な暮らしを送っていた。新車のメルセデスを次々と乗り回し、南フロリダに2軒の家を持つ。そのうちの1軒はハランデールビーチの海辺に立つ、5ベッドルームの邸宅だった。

フロリダ州ハリウッドにあるモンスタークラウドのオフィスの近くに、シャローム・ハイファァというレストランがある。そこで昼食を取りながら、「モンスタークラウドには1日に最大30件の電話がかかってくる」とゾハルは言う。南フロリダには20人の従業員がおり、ダークウェブを含む世界中に幅広い人脈を持っていた。

秘密主義が潜在顧客を遠ざけてしまうこともあった。ヒューストンを拠点とするITコンサルタント、ティム・アンダーソンは、2019年1月にモンスタークラウドにコンタクトを取った。「ノゼレン」というランサムウエアが彼の顧客を攻撃し、ハッカーから7000ドルの要求が来たのだ。モンスタークラウドは分析に2500ドル、実際の復旧に最大2万5000ドルを要求した。アンダーソンは、モンスタークラウドがどのようにファイルを解除するのか、明確な技術的説明を要求した。ところが彼らは難色を示した。

「すぐに怪しいと思いました」とアンダーソンは振り返る。「彼らが2万5000ドルを受け取り、その中から7000ドルを攻撃者に払っていないとどうやって確認できるのでしょうか？　消費者は何が起きているのかわからないのです」

彼はモンスタークラウドのサービスを断り、別の会社に身代金を払うよう依頼した。

モンスタークラウドは、さまざまな法執行機関関係者からの推薦を得ることで、信頼性を確保している。2004年から2010年までFBI副長官を務めた、ピストールもその1人だ。彼はその後、バラク・オバマ大統領の下で運輸保安庁を率いた後、2015年に政府を離れてインディアナ州のアンダーソン大学の学長に就任した。モンスタークラウドは講演者紹介サービスを通じてピストールに報酬を支払い、「サイバーセキュリティ諮問委員会」の「創設メンバー」に指名した。この諮問委員会に他のメンバーがいたとしても、モンスタークラウドのウェブサイトには掲載されていない。

ゾハルはスカイライン・コンフォートという会社にもピストールを引き入れた。同社が展開していたのは、空港にマッサージチェアを設置するビジネスで、利用者が数分間のマッサージの料金を払うと、それをスカイラインが空港当局と折半するという仕組みだった。ピストールの役割は、ゾハルと空港当局をつなぐことで、会社が利益を上げれば報酬を受け取れる約束になっていた。このスカイラインは2021年に解散した。

モンスタークラウドのウェブサイトには、ピストールだけでなく、ランサムウエアに感染した複数の地方警察署の関係者が登場するプロモーションビデオが掲載されていた。彼らは賞賛の声を上げる見返りとして、モンスタークラウドから無料のサービスを受けていた。税金で運営される警察署は、ハッカーに身代金を払うという考え方に否定的で（法執行機関は犯罪者との交渉を忌み嫌っていた）、モンスタークラウドが示す「技術的解決」という手段は魅力的だった。また地元警察がランサムウエアの解除に慣れていないことも、モンスタークラウドの利点となった。実際にはほとんどの場合、モンスタークラウドがハッカーに金を払うことでしか復旧できないことを知らない警察は、独自の技術で解決できるという彼らの主張をおおむね信じていた（モンスタークラウドのからくりを見破れるほど技術に精通した部隊は、同社のサービスを利用することで、実質的には身代金を支払っていながらそうしていないと言い張れるのは都合が良いと思っていたかもしれない）。

２０１８年5月、「ミスター・デック」というランサムウエアがテキサス州ラマー郡の保安官事務所を襲った。攻撃者からのメッセージには、「運が悪いな！」と書かれていた。「恐ろしいウイルスが君たちのファイルを人質にしたぞ！」

当時、バックアップがなければ、身代金を払う以外にミスター・デックから復旧する方法はなかった。しかしラマー郡のネットワーク管理者であるジョエル・ウィザースプーンは、それを知らなかった。郡の職員がモンスタークラウドを雇ったとき、ウィザースプーンはラマー郡が1ビットコインの身代金（当時の価値で約８０００ドル）を払わないという方針を明確にした。モンスタークラウドは、「専門エンジニアのチームが取り組んでいる」と伝えた。それもあり、ウィザースプーンは次のように考えていた。「モンスタークラウドが（身代金を）払うとは思えない」

ウィザースプーンは、自分が誤解しているとは知らずに、モンスタークラウドがファイルを復元する上で「素晴らしい仕事をした」と語っている。特にザック・グリーンという担当者に感銘を受けたという。「彼は多くのことを知っているようだ」とウィザースプーンは言った。「ザックの肩書きは、なんと、1マイルあるかと思うくらい長かった」グリーンがメールに載せている署名には、「ランサムウエア復旧エキスパート」「サイバーテロ対策エキスパート」「サイバー犯罪防止エキスパート」「サイバーインテリジェンス脅威スペシャリスト」などの肩書きが書かれていたが、どれも正式な業界資格ではなかった。

実はモンスタークラウドには、ザック・グリーンという人物は働いていなかった。ゾハルはグリーンが偽名であることを認めたが、誰なのかは明かさなかった。「私たちはサイバーテロリストを相手にしているので、偽名を使って捜査しています」と彼は主張する。

ウィザースプーンと他のラマー郡の管理者は、プロモーションビデオの中でモンスタークラウドのサービスを褒めちぎっている。ウィザースプーンはそこで、「もし復旧できなかったら、私たちは何年分も後戻りすることになっていたでしょう」と語っている。「あぁ、この人たちは本当によくわかっているんだ。……私たちはデータを一切失いませんでした」

アーカンソー州トルーマンの警察署もまた、満足した顧客のひとつだった。2018年11月、ランサムウエアのダーマが、人口8000人に尽くす2ダースの警官が勤務していた同署を機能不全に陥れた。この攻撃により、事件の記録、目撃者の証言、宣誓供述書、給与記録など、数十年分のデータが使えなくなった。グーグルで必死に解決策を検索した同署のITマネージャーは、モンスタークラウドを探し当てた。モンスタークラウドの2つのセールスポイントに、トルーマン警察署長のチャド・ヘンソンは感銘を受けた。ひとつは「法執行機関や政府機関に親切であること」、もうひとつは「身代金を払わないこと」だった。「私は責任のある立場にあります。この部門を守るという責任です」とヘンソンは語る。「身代金に税金を使うのは、絶対に間違った判断です。それは最後の手段なのです。しかしモンスタークラウドを使えば、そのような選択肢を排除できます」

そこでヘンソンはモンスタークラウドに電話し、窮状を説明した。「心配ご無用です」と彼らは答えた。「すべて取り戻せると確信しています」

モンスタークラウドは72時間以内にファイルを復元し、推薦を行う見返りとして、7万5000ドルの手数料を免除した。また、ハッカーに身代金を払っていないことをヘンソンに保証した。

おそらく署長は、トルーマンとモンスタークラウドの契約をもっと綿密に精査すべきだったのだろう。その契約書には、警察署に知られることなく身代金を支払うことが許可されていた。さらにモンスタークラウドの復元方法を「企業秘密」と呼び、「クライアントのファイルが復元された独自の手段や方法」を説明しないと書かれていた。また「クライアントのファイルを直接解読する可能なすべての手段を使い果たした」場合、モンスタークラウドは「サイバー攻撃者とコミュニケーションする」ことでデータの復元を試みるとしている。当時、ダーマの暗号を解除する方法は知られていなかったため、ハッカーに身代金を払うことがモンスタークラウドの唯一の手段だったはずだ。

インタビューの中で、ゾハルは自らのビジネスを強く擁護した。「私たちの目標は、データを復元し、お客様を助けることです」と述べている。「もし割れたガラスの上を歩いて月へ行く必要があるなら、そうします。どうするか、何をするか、どこでするかなど、何も気にすることはありません。私たちの目標は、データを取り戻すことです」

モンスタークラウドが身代金を払ったかどうか尋ねられると、彼はその質問をかわした。「私たちは陰で仕事をしています」と答えた。「どうやるかは、私たちの問題です。あなたはデータを取り戻すことができる。座ってリラックスして、楽しんでください」

ビル・シーゲルとアレックス・ホルトマンは、プルーブン・データとモンスタークラウドが二枚舌を使うのと同じくらいの熱意で、自分たちの会社を透明性の高いものにしようとした。ハッカーとの取引をオープンにすることで、コーヴウエアがランサムウエア復旧業界を覆すことができると彼らは信じていた。コーヴウエアは、自社の手法を企業秘密として守るのではなく、交渉プロセスのすべてのステップをスクリーンショットで記録し、その詳細を顧客と共有することにした。見込み客がランサムウエア追跡チームや他の研究者によってすでに解読されたランサムウエアに感染している場合、ビルとアレックスは料金を請求せず無料の解読ツールに誘導するようにした。

「最低でも、卑劣な業者を駆逐することはできると思いました」とビルは語った。

身代金交渉の経験も訓練もなかった創業者たちは、仕事を通じて学びながら、スタートアップ界隈で知られている「まずは挑戦してみて、成功するまで続ける」という信条を実践した。アレックスは最高技術責任者（ＣＴＯ）として、受信したデータを合理化・標準化する事案管理ソフトを開発した。ＣＥＯのビルは、セカンドマーケットが成功した方法を真似た。彼らの前の会社は、自社のデータに基づいて四半期報告書を公表することで、ＩＰＯ前取引の事実上の権威となっていた。同様に、ビルはコーヴウエアのウェブサイトにブログを開設し、この新会社を見込み客、警察、メディアのためのランサムウエアに関する信頼できる情報源として確立することを目指した。

2018年5月、ビルはブログに最初の投稿を行った。「コーヴウエアを紹介します！」と題されたこの記事は、プルーブン・データやモンスタークラウドといった企業に狙いを定めたものだった。ビルはITプロフェッショナルと交わした会話を紹介し、ランサムウエアがどのような余波を彼らにもたらしたのかを説明した。彼らは二度被害にあったのだ——最初はハッカーから、次にデータ復旧会社から、と。

「私たちは、困難な状況や、焦燥感がつのる復旧期間について聞くことを期待していた」とビルは書いている。[12]「しかし、ランサムウエアの被害者を食い物にして利益を得ようとする『サービス提供者』（私たちは彼らを大目に見てこう呼んでいる）という胡散臭い存在を予期していなかった。私たちはこの会話に怒りを覚えました……それは私たちに、より良い体験を創造するための動機を与えました。それこそ、私たちが取り組んできたことです」

彼はこの問題が、皆が見て見ぬふりをしてきたものであり、「批判と精査」を期待していると述べた。身代金の支払いは、連邦政府の制裁下にある団体に対するものを除いて合法であったが、FBIはそれを推奨していない。この新しいビジネスは、FBIの指導に背くものだった。

「コーヴウエアは企業が身代金を払うのを容易にします」とビルは書いている。「よく語られているのは、悩みを抱えるすべての企業や人が身代金の支払いをやめれば、問題は永久に消滅するなどという、ユートピア的なビジョンです。私たちはそのような考えを理解し、尊重していますが、それは非現実的であると判断しています」

ビルは読者に対し、「ランサムウエアの支払いで利益を得るつもりはありません」と断言した。読者と同じように自分自身も欺いていたのかもしれない。彼は、コーヴウエアのデータ収集は「セキュリティ分野のコミュニティがより良いセキュリティツールを構築し、展開するのに役立ちます」と付け加えた。

ビルとアレックスは、マネージド・サービス・プロバイダーが、起こるか起こらないかわからない攻撃への対応に定期料金を支払うことに抵抗があると知り、サブスクリプションモデルというアイデアをすぐにやめた。その代わりに、彼らはすでに攻撃を受けている企業を支援することにした。2018年の夏、彼らはハッカーへの対処法を学ぶため、料金を請求せずに案件を引き受けた。最初の月にコーヴウエアは3件の案件を抱え、その中のひとつ、テキサスの廃品置き場の案件では、ビルが身代金の要求を交渉で下げた後にファイルを回復することができた。翌月には、12件の顧客を抱えるようになっていた。2018年10月までに、コーヴウエアは十分な案件に対処し、その結果をまとめた初の四半期報告書を作成した。[13] その中で、顧客に要求された身代金の平均は5974ドルで、最も問題を起こしていたランサムウエアはダーマであると説明した。

「交渉を通じて、ハッカー集団が暗号化する端末の規模や種類、また組織の規模を詳細に把握していることが明らかになった」とビルは書いている。「身代金の額は、それに応じて増減されている」

ビルはブログ記事を書き続け、その結果、コーヴウエアはグーグルの検索結果で上位に表示されるようになり、これまでであればモンスタークラウドやプルーブン・データに依頼していたかもしれない新しい顧客が獲得できた。彼はローレンス・エイブラムスと知り合いになり、ブリーピングコンピュータ上でコーヴウエアの記事を共有することに同意した。助けを求める被害者が増えるにつれ、ビルとアレックスは自分たちの仕事に対して料金を請求するようになった。彼らは案件の複雑さに応じて1500ドルから7500ドルの定額料金を設定し、それを事前に提示した。

モンスタークラウドはコーヴウエアが注目を集めていることに気づいた。このスタートアップが四半期報告書を発表したのと同じ月に、モンスタークラウドは独自のブログを投稿し、身代金を払ったコーヴウエアを偽善的に攻撃した――まるでこのフロリダの企業は同じことをしていないかのように。

モンスタークラウドのブロガーは、「このコーヴウエアという会社は、身代金の額をサイバー犯罪者と話し合う交渉サービスを提供している」と、嫌悪感を装って書いている。[14]「コーヴウエアの最高経営責任者で共同設立者のビル・シーゲルは、同社のビジョンを『現実的』だと表現している。シーゲルは、一部の企業はサイバー犯罪者と身代金支払いの手続きを開始する以外の選択肢はないと考えている」

モンスタークラウドのブロガーは、ハッカーとの取引におけるコーヴウエアの初期の成功を「ビギナーズラック」と軽視し、ほとんどのハッカーは身代金を受け取った後にキーを提供しないと、間違った情報をほのめかしている。「他のサイバー犯罪者グループが、身代金を受け取った後にランサムウエアの削除プロセスを開始する可能性は低い」と、このブロガーは書いている。

またこのブロガーは、身代金を支払うことが「将来、より大きな影響を及ぼす可能性がある」と警告している。「身代金の支払いは、サイバー犯罪者が利益を得て、攻撃を継続することを可能にする。結果として、この危険な業界は、こうした支払いによって急速に成長し、繁栄する」

ビルは、正義感のある批評家たちが、コーヴウエアをランサムウエアの助長者だと見なすだろうと予想していた。しかしそのような意見を公にした最初の専門家が、まさに同じことをして利益を得ている連中であることに憤慨した。

２０１８年12月、彼とアレックスがコーヴウエアを始めてから初めて給料を手にし始めた頃、ビルは勇気を出して「ランサムウエア支払い工場」と彼が呼ぶ企業について、別の投稿を行った。ビルはそれに「不正直なランサムウエア復旧会社に注意」という見出しをつけ、「ハッカーに金を払わなくても確実に復旧できると宣伝している」会社による「過剰な料金請求」を読者に警告した。[15] そのような企業は、顧客に気づかれないうちに身代金を払っているだけだと彼は書いている。

２０１９年初頭、調査報道を中心とする非営利団体プロパブリカは、コーヴウエアという新しい企業が身代金を払っていることを知り、ビルに電話した。会話の中でビルは、不愉快な競合他社に関する自分のブログ記事について言及した。それから4か月後の5月、プロパブリカはデータ復旧業界に関する調査記事を発表した。「企業秘密」と題されたその記事は、モンスタークラウドやプルーブン・データといった企業が、ランサムウエアに対する技術的な解決策を約束しながら、ほとんどの場合、クライアントに内緒でハッカーに身代金を払っていたことを明らかにした。

ビルは自分の正当性を証明してもらえたような気がした。競合他社の二枚舌の証拠が、世間に公開されたのだ。そして彼のビジネス、さらにはランサムウエア自体も、爆発的に成長した。

身代金交渉会社は、急成長する恐喝経済のほんの一部に過ぎなかった。ランサムウエアの脅威は、サイバーセキュリティ会社にとっても好都合で、攻撃を恐れる企業は防御を強化した。しかし時には、顧客が誤った安心感を買ってしまうこともあった。製品の品質にばらつきがあり、ランサムウエアの進化に伴ってアップデートが必要だった。結局のところ、セキュリティ製品は人間の能力に依存しており、それを実装し監視するＩＴスタッフによってのみ効果が発揮されるのである。

ランサムウエア保険もまた、急成長した分野である。[16] ランサムウエアの標的が増え、要求額が高くなるにつれ、米国の企業や公共団体は攻撃を避けられないと考えるようになった。そのため、対策としてサイバー保険に加入するケースが増えたのである。

当初、多くの保険会社は、信頼できる保険数理データがないこともあり、サイバー被害を補償することに消極的だった。保険会社は火災、洪水、自動車事故などの伝統的なリスクをカバーする場合、国や業界の情報源から得た権威ある情報に基づいて保険料を決定する。しかし、サイバーリスクを評価するための同等の情報源は存在しなかった。こうした不確実性にもかかわらず、何十社もの保険会社がサイバー保険を手がけ、低成長産業であった保険業界が活況を呈した。２０１９年までに、サイバー保険は米国で80億ドルの市場に成長した。

火災保険会社が商業ビルのスプリンクラー設置を義務付けるのと同じように、保険契約者を攻撃から守るため、一部のサイバー保険会社は加入条件として厳格なセキュリティ評価を受けることを要求した。保険会社は、爆発的に増加したランサムウエア関連の請求に対応する効率的なシステムを開発し、弁護士、コンサルタント、交渉担当者、その他のベンダーから成るチームに対処させた。また保険契約者に対して、攻撃が検出されたらすぐに連絡できるフリーダイヤルも提供した。そうしたダイヤルでは、事件が将来的に訴訟に発展する可能性を考慮し、最初から守秘義務を守るために弁護士に接続されることが多い。その後、「ブリーチ（侵害）・コーチ」と呼ばれる弁護士が、保険会社が許可した関連ベンダーへの対応依頼など、被害者の回復プロセスを支援するのである。そうしたベンダーの元には、保険会社から紹介されたランサムウエア関連の仕事が殺到することになった。

その透明性の高いアプローチと、保険数理士の好むような膨大なデータにより、コーヴウエアは保険会社から紹介される人気のベンダーとなった。ビジネスが急成長し、ビルもそれに対応するために従業員を増員した。彼自身は、保険会社からの電話を受けることが多くなった。契約者が襲撃された保険会社が、身代金の交渉をコーヴウエアに依頼しようと電話してくるのである。2019年6月、ランサムウエアのリュークがフロリダ州北部の田舎町で、人口約1万2000人のレイクシティを襲ったときにも、そんな電話がかかってきた。

当初レイクシティは、身代金を支払うことなくシステムを復旧させることを望んでいた。レイクタウン市で広報業務も担っていた、警察部長のマイケル・リーによると、ITスタッフは「何とか対応しよう」と考え、サーバーの記憶装置を地元の業者に持ち込んだところ、「データを回復させるのにある程度の成功を収めた」そうだ。しかしこのプロセスは、予想以上に遅く、困難なものだった。

レイクシティは同市の保険を引き受けていたフロリダ・リーグ・オブ・シティーズに連絡した。彼らはサイバー保険のリスクを、大手保険会社のビーズリーに分担してもらっていた。市のバックアップファイルは、攻撃によって削除されていた。地元の技術者が復旧作業にあたると、ビーズリーは彼らの認定ベンダーであるコーヴウエアがハッカーと交渉を開始できるよう、暗号化されたファイルのサンプルと身代金要求書を送るよう要求した。当初の身代金要求額は86ビットコイン（当時の価値で約70万ドル）で、ビーズリーにとっては高すぎる額だった。しかしビルがハッカーを説得して42ビットコイン（約46万ドル）に抑えたところ、保険会社はこれを補償することに同意した。

レイクシティ市長のスティーブン・ウィットは、身代金を払うかどうかを決めるため市議会に緊急招集をかけ、議員に投票を求める前に祈りを捧げた。「天にまします我らの父よ」とウィットは言った。「私たちは今日、あなたの導きを求めます。私たちの町と地域にとって最善のことをするために」市長と議会は審議することなく、全会一致で身代金の支払いを承認した。市はできるだけ早く通常のサービスを再開したかったし、バックアップからの復旧が長引けば、100万ドルの補償限度額を超えてしまうからだ。

レイクシティは身代金額をコーヴウエアに前払いし、コーヴウエアはそれをビットコインに変換して攻撃者に支払い、復元ツールを入手した。その後フロリダ・リーグ・オブ・シティーズは、身代金とその他の復旧費用を、1万ドルの免責額を差し引いて市に払った。

「保険会社が私たちのために判断を下してくれました」と、広報担当者のリーは言った。「保険会社にとっては、それは結局のところ、ビジネス上の判断に帰結します。『自分たちで直したらいくらかかるか、身代金を払ったらいくらかかるか』というわけです」

リーは、身代金を払えばさらなる攻撃にさらされる可能性があることを認めた上で、レイクシティはビーズリーの判断を信頼していると述べた「このような事態が続けば、保険会社はその費用のほとんどを負担することになります。もし彼らが、再び同じことをしなければならなくなる可能性が高いことを承知で、それでも支払った方が良いと判断した場合、つまりそれが経済的に正しいと決断した場合、彼らはその費用対効果を理解しているわけですから、反論するのは難しいでしょう。私自身は、それが正しい判断だとは言い難いのですが、ある視点から見れば納得がいくのかもしれません」

リーの言う通り、当時、身代金を払うことは保険会社にとって経済的に理にかなっていた。バックアップからファイルを復元するのは手間と時間がかかり、予測がつかない。保険会社は従業員の残業代から広報活動、データ復元コンサルタントへの継続的な費用まで、さまざまなコストを負担しなければならなくなる可能性がある。そのため保険会社は通常、コーヴウエアや同様の企業に支払い交渉を依頼すると、多くの場合、事態を迅速に解決できる。そのため保険会社は通常、「生存証明」が確認でき次第、身代金の支払いを了承した。この言葉は誘拐の身代金交渉から借用したもので、ハッカーがサンプルファイルを復元できる証拠を示すことを意味する。また保険契約者も、犯罪者との交渉が通常業務への復帰を早める可能性があることを理解すると、交渉に対する抵抗感を捨てるのが一般的だった。

保険会社アクサXLで米州地域のサイバーポートフォリオを管理していたジェレミー・ギトラーは、2020年9月に開催されたFBIランサムウエア・サミットで、「企業や自治体にとって、時間は本質的なものです」と述べた。「率直に言って、保険会社の最終的な損益にとっても時間は本質的なものです。なぜなら私たちは、事業の中断に対しても保険金を支払っているからです。そのためできるだけ早く事業を再起動し、稼働させることを望んでいます」

保険会社が身代金を支払う傾向にあることは、ハッカーへの資金流入を断ち切ろうとするランサムウエア追跡チームを苛立たせた。レイクシティが身代金を払った直後、ファビアン・ウサーはあるランサムウエアに攻撃された米国企業の相談に乗った。バックアップからファイルを復元するには数週間かかると判断したこの企業の保険会社は、保険契約で義務付けられていた、継続的な事業中断費用の支払いを回避するために、10万ドルの身代金を負担することを提案した。被害者はそれに同意したが、ハッカーから入手した復元ツールが正常に動作しなかったため、この決断は裏目に出ることとなった。ファビアンは復元ツールを修理し、保険会社は彼の作業のコストを負担した。

「保険会社にとっては、身代金を払う方がはるかに安くつきました」とファビアンは述べている。「サイバー保険があるからこそ、ランサムウエアは今日も生きているのです。それは歪んだ関係です。支払わないことによる収入の減少よりも、支払う額の方が安ければ、彼らは何でも払うのです」

保険業界はこれに異議を唱えなかった。ニューヨークに本部を置く非営利の業界団体である保険情報協会の広報担当者、ロレッタ・ワーターズは、身代金の支払いを自動車保険の詐欺に例えた。たとえば自動車保険の契約者が保険金を受け取ろうと、自ら車に火をつけるといった詐欺的な請求を行ったとしても、それが刑事訴訟を進めるよりも安価な場合、保険会社は支払いを行うと彼女は言う。

「詐欺を犯す人々を助長することは望んでいません」と断った上で、「しかし正直なところ、保険企業が『この詐欺は大した金額ではないので、払ってしまった方が早い』という場合もあります」

2019年にランサムウエア関係の請求が急増する中、ワーターズのような業界関係者は、記録的な額の身代金支払いを承認することによる長期的な影響について疑問を持ち始めた。「このような犯罪者に支払いを行うと、将来的に何が起こるのでしょうか?」と彼女は指摘する。攻撃者が保険業界の「豊富な資金力を見て」、被害者からさらに多くの金を引き出せると思うなら、「彼らはもっと要求するようになるでしょう」

彼女の不安は、すぐに現実のものとなった。ハッカーは保険に加入している組織をターゲットとするようになり、これまでに例のない、8桁台（数千万ドル）の身代金を要求し始めたのである。ビーズリーの場合、2019年は775件のランサムウエアが発生し、前年比131％増となった。[17]ビーズリーは、ハッカーが被害者のシステムを暗号化する前に、「保険」などのキーワードで検索することを発見した。そしてターゲットの保険証券を探し出し、書類をスキャンして補償限度額を調べ、それに応じて身代金の要求額を設定していたのだった。

あるビーズリーの顧客は、300万ドルの要求を受けた。その交渉相手がハッカーに「小さな組織なので、そんな高い金額は払えない」と言うと、ハッカーは被害者のサイバーリスクマネージャーの名前を挙げて、そのマネージャーがサイバー保険で「面倒をみてくれる」と答えた。その証拠に、ハッカーは交渉担当者に保険証書のコピーを送信した。「確かにそれが事実であることを確認しました」と、当時ビーズリーのグローバル・サイバー&テクノロジー請求チームでリーダーを務めていたキンバリー・ホーンは、FBIのサミットで述べた。「300万ドルという要求は、保険の限度額に見合ったものでした」

保険会社トラベラーズが直面した別のケースでは、攻撃者は被害者と同社のインシデント対応チームとの間で行われていた、プライベートな電話会議に侵入していた。トラベラーズでサイバー関連商品の管理を統括する立場にあるティム・フランシスは、FBIのサミットで「ハッカーは交渉のプロセスを聞いており、それは私たちにとって不利なものでした」と述べた。「これは稀なケースですが、ハッカーがネットワークに侵入し、電話番号を知っている場合、そのようなことが起こり得るのは理解できます。彼らはカレンダー上の会議依頼をチェックして、驚くことに、それに参加するのです」

サイバー保険に加入することとは、米国の上場企業にとってほぼ必須となり、ビル・シーゲルのサービスが定期的に求められるようになった。2019年後半には、コーヴウエアは月に6社もの上場企業のランサムウエア対応を支援していた。[18]

米国の証券取引委員会（SEC）は、上場企業に対し、合理的な投資家が株式の売買を決定する際に考慮すべき「重要な」事象を報告するよう求めている。しかし透明性を重視するビルは、多くの企業がランサムウエア攻撃をSECに報告しなかったり、曖昧な表現で報告したりしていることに気づいた。彼らは、公に報告することで自社の評判が落ち、投資家が不安になって、株価が下がることを恐れていた。

「彼らは特に、ランサムウエアについて語るのを避けようとしています」とビルは見ている。「人々を怖がらせてしまうからです。……『マルウエアが暗号化を行った』や『マルウエアがシステムの中断やダウンをもたらした』などといったフレーズは、恐らくランサムウエアのことを指しているのでしょう」

世論を常に意識し、最終的に誰が自分の請求する料金を支払っているのかを理解しているビルは、コーヴウエアのブログを使って、サイバー保険がランサムウエアを助長しているという考え方を否定し、そのような主張は「強引だ」と述べた。[19] そしてその責任を、ネットワークの安全確保に失敗した組織に求めた。「ランサムウエア攻撃は、セキュリティ防御が極めて脆弱な企業が大量に存在するために起こる」と彼は書いた。「標的の数が多く、攻撃を行うコストは極めて低い」

＊＊＊

ファビアン・ウサーとマイケル・ギレスピーは当初、コーヴウエアに対して懐疑的だった。他社とは違ってその手法をオープンにしていたとはいえ、コーヴウエアはデータ復旧業者と同業だった。その存在は、チームのミッションとは正反対のものだったのである。しかし、ビルは彼らにラブコールを送るのを諦めなかった。彼はチームを尊敬していたし、彼らと強い関係を築くことで、コーヴウエアの評判につながると認識していた。やがてビルは、モンスタークラウドとプルーブン・データに対する共通の嫌悪感から、ファビアンと仲間になった。そしてマイケルに対し、コーヴウエアには社会的な良心があり、FBI捜査官と定期的にデータを共有していることを強調して、彼を納得させた。被害者が自分のサービスに料金を払う余裕がないのであれば、ランサムウエア追跡チームのように無料で助けたい、とビルは述べた。「私たちが常に心がけていたのは、お金のことは気にせず、まず正しいことをするということでした」と彼は語っている。

ビルは正式なチームメンバーにはなれず、チームのプライベートな場であるスラックに招待されることもなかった。しかし別のチャンネルで、彼はファビアンやマイケルと、コーヴウエアの顧客に影響を与える問題を話し合った。たとえば2019年10月、彼はある資産管理会社を機能不全に陥れた新型マルウエアについて、スラックを通じて連絡を取った。この被害者はモンスタークラウドに連絡し、ハッカーにお金を払わずにファイルを回復する費用として8万5000ドルを要求されていた。その後、セカンドオピニオンを求めて、コーヴウエアに電話してきたのである。

ビルはこの資産管理会社に対し、身代金を払わずにファイルを取り出す方法は知られていないと説明し、モンスタークラウドについて警告した。彼らはビルを嘲笑した。それでもビルは、この会社を助けたいと思い、マイケルに相談した。ブリーピングコンピュータのユーザーがフォーラムでこのランサムウエアについて助けを求めていたため、マイケルはすでに分析を始めていた。そのユーザーは身代金を支払っていたが、見返りとして入手した復元ツールは作動しなかった。

ビルが連絡を取ってから24時間以内に、マイケルはランサムウエアを解読し、無料の復元ツールを開発した。コーヴウエアは、この良い知らせを資産管理会社に電話した。

「たった今、無料の復元ツールをお送りしました」と、コーヴウエアの交渉担当者は説明した。「かなり簡単なものであることが判明しました。受信トレイをチェックしてみてください」

ビルはその直後、「相手が絶望する声を耳にした」もう手遅れだったのである。彼らはすでに、モンスタークラウドに8万5000ドルを支払ってしまっていた。

それから1年後、2020年の感謝祭の頃に、ロシアの大物ランサムウエア「レヴィル」がニューヨーク北部の建設技術会社を襲った。[20] 必死に助けを求めたその会社は、グーグルで検索し、モンスタークラウドを見つけた。独自の技術で暗号化されたファイルを復元するという約束に安心したその会社は、モンスタークラウドに作業を依頼した。すると彼らから、身代金要求書と、暗号化されたファイルのサンプルを2つ送るようにリクエストがあり、さらに料金も提示された。

モンスタークラウドは、この被害者に知られずに、すぐにハッカーに連絡した。モンスタークラウドは入手した2つのサンプルファイルを送って、ハッカーがそれを復元し、「生存証明」として使えるようにした。ハッカーはファイルの暗号を解除して、モンスタークラウドに送り返した。そしてモンスタークラウドは、復元されたファイルを建設技術会社に送り、自社のソフトウエアを使って回復させたのだと称した。

さらにモンスタークラウドは、これも顧客に内緒で、ハッカーたちとの交渉を開始した。[21] ハッカーたちは身代金として20万ドルを提示し、モンスタークラウドは1万ドルで応戦した。モンスタークラウドが何度か増額を提案した後で、ハッカーたちはこの交渉相手に対し、被害者について調査したことを知らせた。「年間売上高は400万ドルだと報告されている」と彼らはメールしてきた。「我々は小銭を期待しているわけではない」

レヴィルのハッカーたちは、安く買い叩かれたことに腹を立てていた。そのリーダーは、後にインタビューでこう語った。「ああいう小細工をされると、値段は上がる一方だ。……値切ってくる奴は誰も好まない。特に見栄っ張りは嫌われる」[22]

モンスタークラウドとハッカーは最終的に、6万5000ドルで決着した。その後モンスタークラウドは建設技術会社に連絡し、ファイルを回復するための料金を14万5000ドルと提示した。

しかしモンスタークラウドの対応の悪さに業を煮やしていたその会社は、コーヴウエアと同様に身代金支払いサービスを提供するバージニア州のサイバーセキュリティ会社、グループセンスにも別途支援を求めていた。グループセンスの担当者が、レヴィルがダークウェブ上に設置した窓口にログインして交渉を開始すると、すでにモンスタークラウドとの間で行われた交渉の記録と、交渉開始から3日経過したことを示すタイマーを発見した。

グループセンスは、何が起きているのかをまとめ、疑心暗鬼になっている顧客に状況を説明した。最終的に、彼らはバックアップと古い電子メールからシステムを再構築することにした。しかしグループセンスのCEOであるカーティス・マインダーは、この一件に嫌悪感を抱き、放っておくことができなかった。

ほどなくして彼は、元FBI副長官でモンスタークラウド諮問委員会のメンバーであるジョン・ピストールに電話をかけ、この話をした。ピストールは以前、プロパブリカからモンスタークラウドの虚偽について聞いていたものの、電話で驚いた素振りを見せた。「うわぁ、そんなことがあったんだ」と彼はマインダーに言った。「ひどい話だね」と。そしてピストールはマインダーに、自分を雇う気はないかと尋ねた。マインダーはFBIに連絡し、捜査官と話をした。「これが違法かどうかはわからない」と、その捜査官は彼に言った。「FBIが気にするほど大きな額でもないと思う」

最終的にマインダーは、米公正取引委員会（FTC）に訴状を提出し、モンスタークラウドが建設技術会社を欺いたと主張した。[23] マインダーは、「自社でファイルを復元していると言いつつ、実際には脅威を引き起こした相手に金を支払い、8万ドルの利益を得ている」と書いた。「これは私にとって詐欺に思える。私はモンスタークラウドが他の被害者に対して同様の行為をするのを望んでいない」

FTCは、この訴えを調査しているかどうかについて明言を避けた。

ビル・シーゲルは、保険会社から仕事の紹介を受けることで、ゾハルやコンジョンティ兄弟を潰していった。同時に、身代金要求額の高騰により、彼の競争相手の策略は成り立たなくなっていた。ランサムウエアを解読したと見せかけて、実際には身代金を支払い、それを顧客に請求することは、ハッカーから数百万ドルもの身代金要求がある以上、難しくなったのである。モンスタークラウドとプルーブン・データは、この苦境に対して異なる対応を見せた。

ゾハルと異なり、ビクター・コンジョンティは悔い改めた。彼は、プルーブン・データが身代金を払う意思があることを「一部の顧客には必ずしも明確になっていなかった」と認め、その開示方針は「時間とともに進化してきた」と述べた。プルーブン・データは現在「完全な透明性を実現している」と彼は述べた。

この新しい誠実さが反映されたのか、プルーブン・データは顧客に対し、ハッカーに連絡することを書面で承認するよう求めるようになった。必要に応じて、プルーブン・データは「身代金を支払う以外に利用可能な選択肢はないと、当社のエンジニアリングチームは判断しました」と被害者に通知した。「私たちは、このランサムウエアに対処した経験を生かし、最高レベルの成功を収めるつもりです。解除キーを受け取れなかったり、ファイルを復元できなかったりした場合、当社のサービス料は請求されませんが、身代金の金額は返金されません」またプルーブン・データは、攻撃してきたハッカーが過去に誠実に交渉しなかったり、欠陥のある解除キーを提供したりしたケースがあるかどうかを知らせることで、顧客がそのハッカーと交渉するリスクを評価するのを支援した。

同社はまた、ランサムウエアの本格的な解析も開始した。２０２０年4月、ランサムウエアに感染したマネージド・サービス・プロバイダーのオーナーが、プルーブン・データに対応を依頼した。多くの企業がこの会社にデータのホスティングを依存していたため、80万ドルの身代金を早急に支払う以外に選択肢はないように思えた。[24] しかし顧客が「あと数分」で支払いを行う寸前に、プルーブン・データの暗号化アナリストが、ハッカーの暗号の欠陥を発見した。彼らは暗号を解読し、ファイルを復元した。

プルーブン・データは、発見した突破口を警察やマイケル・ギレスピーと共有した。美大生がピカソに絵を見せるかのように、同社は世界最高峰のランサムウエア追跡者の1人に感銘を与えようと躍起になっていた。プルーブン・データのアナリストは「テックグルー11」という名で、ブリーピングコンピュータを通じてマイケルに連絡を取った。「先週目にした、新しいランサムウエアがあります。……それはブルートフォースで対応できるものでした」と彼は書いている。テックグルー11がさらに詳細を説明すると、マイケルはそのランサムウエアが「デスヒドゥンティア」の亜種であることを認識した。彼はその以前のバージョンをクラックしたものの、ハッカーはその脆弱性を修正していた。マイケルがプルーブン・データの新しい復元方法をテストしたところ、上手くいくことが確認された。「君が指摘したのと同じ亜種に感染していた被害者のために、たった今、1つのキーを手にできたよ」と、マイケルはテックグルー11に返信した。

2020年末までにコーヴウエアは、そしてランサムウエアも、ビル・シーゲルがアレックス・ホールデンと共にメトロノースの列車で通勤している間に思い描いていた以上の成長を遂げていた。同社は10人の従業員を雇い、その中には東海岸の深夜時間帯に交渉を担当するため、ハワイにいる者もいた。コーヴウエアは月に130件の案件を処理しており、その数は他のどの交渉会社よりも多かった。[25]

ビルはランサムウエア追跡チームの専門知識を定期的に利用し、新種について情報を交換していた。また、ランサムウエアに関する権威ある情報源になるという目標も達成し、このテーマについて議会で証言することもあった。[26] コーヴウエアの四半期報告書は、主要メディアの報道の定番となり、あるギャングもウェブサイトで参照するほどだった。そのギャングとは、かのレヴィルである。「彼らに金を払えば、復元に成功できる」というビルの分析を引用したのだ。ビルはそのことを法執行機関に報告し、さらにブログを投稿して、犯罪者がコーヴウエアのデータを使用して「被害者に支払いを強要する」のを容認していないと強調することで対応した。[27]

コーヴウエアは、ランサムウエア交渉におけるリーダー的存在になっていた。しかし成功したことで、ビルはこれまで何度も繰り返してきた問いに、再び直面することとなった――「本当は問題を引き起こしているのではないか？」コーヴウエアが、いかに透明性を高くし、公正であっても、道徳的に微妙なサービスを提供し、その正当化に彼が一役買ったのだ。ビルがキャリアの初期に働いていたSACキャピタル・アドバイザーズは、世界で最も稼ぐヘッジファンドになる過程で、倫理基準を放棄していた。ビルはコーヴウエアで、それとはまったく異なる文化を育んできた。それでも、コーヴウエアもまた、倫理的に問題のある取引を組織的に行うことで利益を得ていたのである。そのビジネスモデルは、コーヴウエアと犯罪者の双方を豊かにしていた――その犯罪者は、SACキャピタル・アドバイザーズのスティーブン・コーエンと同様、法執行機関の手が届かない場所にいるように思われた。

2021年の春までに、コーヴウエアのサービスに対する需要は圧倒的なものになり、すべてに対応するには、スタッフを3倍に増やさなければならないように思われた。ビルはその代わり、「胃が痛くなるのを避けたい」という理由から、「受け入れる仕事よりも多くの仕事を断る」ことにした。

ランサムウエアの急増に伴い、米国のサイバーセキュリティ業界は繁栄した。それまでデータ漏洩や電子詐欺に対応していたサイバーインシデント対応企業が、ランサムウエアへの対応で保険金が支払われるようになり、その恩恵に浴するようになった。ランサムウエアは、サイバー攻撃者、復旧専門家、保険会社にとって「本当に良い金」になる、とバージニア州の著名なインシデント対応企業クリプシスで当時

CEOを務めていた、ブレット・パドレスは言う。日常的な身代金の支払いは、「悪循環」を生み出していた。「関係者全員が利益を得ているので、このサイクルを断ち切るのは困難です。私たちも、保険会社も、攻撃者も儲けています」

サイバーインシデント対応業界の現状を目の当たりにしたビルは、以前目にした、風刺的な啓蒙ポスターを思い出した。それは不満を抱えたオフィスワーカーが、自分の作業スペースに飾るような類のものだ。サイバーセキュリティ業界にぴったりのその1枚は、2人の人物が握手しているところをクローズアップしたもので、大文字で「CONSULTING（コンサルティング）」と書かれている。そしてその下には、こんなキャプションが添えられている――「もしあなたが解決策の一部でないなら、問題を長引かせることで良いお金が稼げるでしょう」

ビルはこの繁盛しているビジネスから手を引くつもりはなかったが、ランサムウエアの蔓延に自分の業界が関与しているのではないかという疑問に対し、別の方法で対処することにした。彼は、自分のサービスに頼る余裕のない被害者のために、定期的に無償の仕事を引き受けた。そして「コーヴウエアはランサムウエアがなくなってもまったく問題ない」ことを示すために、FBIの関係者と協力した。「企業を支援することは重要であり、法執行機関を支援することもまた重要です」とビルは言う。「それが私を良い気分にさせてくれるのです」

ランサムウエア追跡チームは、このパラドックスを認識していた。「ビルにとっては奇妙な状況でしょう」とローレンス・エイブラムスは指摘する。「彼は身代金の支払いを容易にしている。問題の一端を担っていると言えるでしょう。しかし、彼の情報がどれだけ法執行機関に役立っているか考えてみてください」

伝統的な身代金の経済学を分析した[28]2019年の書籍*Kidnap*（アーニャ・ショートランド著、未邦訳）は、コーヴウエアのミッションが正当なものであることをビルに再確認させた。ショートランドは、身代金目的の誘拐は決してなくならないこと、そしてプロの交渉人は、エスカレートする要求を減らし、プロセスをより安全で予測可能なものにすることができると結論づけている。ビルは従業員に対し、コーヴウエアの経費でこの本を買うように指示した。

ある被害者用の復元ツールが別の被害者のファイルでも使えたとき、あるいはチームが開発した無料ツールを顧客に紹介できたときなど、身代金を支払わずに被害者を助けられたとき、ビルは大いに喜んだ。しかしそのようなケースは例外的であり、ハッカーの攻撃は絶え間なく続くように思えた。

「個別の勝利を手に入れることはできる」とビルは言う。「しかし、グランドスラムもタッチダウンもなく、波がただひたすら押し寄せてくるのです」

第12章　休戦協定

新型コロナウイルスが全米を席巻し、祝祭日のイベントが中止になった2020年の殺伐とした聖パトリックの日。ローレンス・エイブラムスは、ランサムウエア・ギャングたちにメッセージを送った。リュック率いるギャング団は、より大きな標的を着実に攻撃し、多大な身代金を要求するようになっていた。そこにパンデミックが起きた。社会がコンピュータに依存するようになっていたことで、パンデミックは攻撃者に有利な状況をもたらした。特に、患者数が多く、サイバーセキュリティが脆弱な病院は、恐怖の支配下に置かれる可能性が高かった。そこでローレンスは、パンデミックの間、病院やその他の医療施設に手を出さないようハッカーに依頼した。

ローレンスは彼らを、愛する親や子供、パートナーを持つ、ごく普通でまともな人々として訴えた。もし、君たちの家族が新型コロナウイルスに感染したときに、地元の病院がランサムウエアの被害に遭って救命処置が受けられなくなっていたら、君たちはどう思うだろうか？

彼はランサムウエア追跡チームのメンバーや、スラック上の他のセキュリティ研究者たち（彼らはサイバー犯罪者から重要なサービスを守る方法を考えるために参加していた）に、自分のアイデアを事前に説明しなかった。「すべて独断でやったことです」

翌朝、ローレンスは返信の嵐で目を覚ました。まずドッペルペイマーの一味が、彼の提案に同意してくれた。ドッペルペイマーは、「今に限らず、病院や老人ホーム、(そして911コールセンターは)いつも避けるようにしている」と言う。もし間違えて病院を襲ってしまったら「無料で復元している」のだと。

とはいえ、この件に関する誓約書をローレンスがブリーピングコンピュータ上で公開するつもりであることを知ると、ドッペルペイマーは、身代金の支払いを避けるために医療従事者を装うことのないよう被害者たちに警告した。「無料で復元する前に、二重、三重にチェックするからそのつもりで」

メイズ一味は、まるで合法的なテクノロジー企業であるかのように、メディアを回避して一般大衆に直接働きかけるという、古くからの広報戦略を採用していた。「我々は、ウイルスの状況が安定するまで、あらゆる医療機関に対するすべての活動を停止する」とダークウェブ上のサイトに書いている。

2つのグループ、ネフィリムとCLOPも、病院や老人ホームなどの医療施設は攻撃しないと約束した。ネフィリムはローレンスに対し、「我々はターゲットを非常に慎重に選んでいる」というメッセージを送ってきた。「非営利団体、病院、学校、政府組織をターゲットにすることは決してない」

そうした反応を集めて、ローレンスはブリーピングコンピュータ上に「ランサムウエアのギャング団、パンデミック中の医療機関への攻撃を停止へ(Ransomware Gangs to Stop Attacking Health Care Orgs During the Pandemic)」という記事を書いた[1]。その記事のトップには、鳩の絵と心電図のシグナルが重なり合い、大文字で「PEACE(平和)」という文字が描かれている絵が掲載されていた。

しかしこの楽観的な見方を覆すかのように、ネットウォーカーの一味はローレンスの提案を拒否した。

それを否定する証拠が数多く存在するにもかかわらず、ネットウォーカーは病院をハックすることはないと主張した。しかし、偶然にも「誰かが暗号化された」場合、「その人は復元するために金を払わなければならない」とネットウォーカーは続けた。

レヴィルはローレンスの申し出に応じなかった。その後、レヴィルのリーダーであるアンノウンは、別の出版社とのインタビューで「危機的状況にあることは明らかだ」と認め、被害者が「以前と同じ金額を支払うことはできない」だろうと明らかにした。[2] しかしアンノウンは、製薬会社は「上手くいっている」と不吉なことを言い、「もっと注目されるべきだ」と付け加えた。

エムシソフトのブログに掲載された声明の中で、コーヴウエアとエムシソフトはローレンスの呼びかけに賛成の意を表している。[3]「私たちは決して犯罪行為を容認するつもりはないが、金銭的な動機によるサイバー犯罪が存在する理由は理解している。また、あなた方も人間であり、その家族や愛する人が、緊急の医療を必要とする可能性があることも理解している」と彼らは書いている。「今後数か月間は、どうか医療機関をターゲットにしないでほしい。そして、もし意図せず攻撃してしまった場合は、できるだけ早く、医療機関に解除キーを無償で提供してほしい。私たちは共にこの事態を乗り越えるのだから」

ローレンスは満足した。自分が現場の労働者や新型コロナウイルスの患者を助け、またハッカーたちの人間性に対する信頼が正しかったと証明されたように感じたのである。「ほとんどの場合、彼らはみな『医療機関を標的にすることはない』と断言してくれました」

しかしランサムウエア追跡チームの中には、ローレンスがだまされたのではないかと考えるメンバーもいた。サラ・ホワイトは、「良いアイデアではあるのですが、脅威をもたらす人々の言葉は決して信用できません」と語る。他の関係者も懐疑的だった。ローレンスの態度は、人質が犯人と感情的な結びつきを持つようになる「ストックホルム症候群」を彷彿とさせるという意見もあった。

シカゴの弁護士で、パンデミック期間中に医療機関を含むランサムウエア被害者に対するアドバイスを行ってきたアーロン・タントレフは、ローレンスの記事を読んで同僚や顧客たちと議論した。「私の中では、これはとてもおかしな話でした」と彼は言う。「心優しいハッカーがいる、だなんて」

ローレンスが緊張緩和を模索する中、マイケル・ギレスピーは人生を変えるようなキャリアアップを考えていた。コーヴウエアのビル・シーゲルは、２０１９年に開催されたＦＢＩのピッツバーグ・サミットで、マイケルと直接会った。その直後、ビルと同僚のアレックス・ホールドマンはファビアンに、復元ツールの開発と修正を行う専門家を探していることを告げた。ファビアンはマイケルを推薦した。「マイケルは経済的な事情で、新しい仕事が必要だとわかっていました」とファビアン。ビルも彼なら合いそうだ、と同意した。

そこでファビアンはマイケルに、コーヴウエアに応募するよう促した。「彼は『どうしたらいいかわからない』という感じでした。彼には自己肯定感と自尊心が欠けています。自分はダメなんじゃないか、といつも心配していました。なので私は、彼を奮起させなければなりませんでした。私はそれが、良い選択になると確信していました」とファビアンは振り返る。「彼が抱える多くの問題を解決してくれるだろう、と」

ビルは、パンデミック生活の定番となるビデオ会議サービス「ズーム」を通じてマイケルを面接した。

トランプ大統領が新型コロナウイルスを国家非常事態と宣言してから6日後の3月19日、マイケルはビルの仕事の依頼を受けた。コーヴウエアはマイケルの給料を前職の3倍にし、健康保険も全額負担することになった。マイケルはようやく、被害者のための復元ツールやガイドの作成など、「ランサムウエアに対するあらゆる活動」にフルタイムで取り組む機会が得られたのである。

「エムシソフトを通じて無料の復元ツールをリリースすることは変わらない」と、この仕事を引き受けた日にマイケルは言った。「ただ、これからは個々の被害者のためにカスタムツールを作ることが多くなるだろう」ビルは2000ドルのノートパソコン（マイケルはそれを「僕の新しいおもちゃ」と呼んだ）と、27インチのモニターを彼に発送した。これらは彼の自宅の仕事場にとって「大きなアップグレード」になった。コーヴウエアの本社はコネチカット州にあるが、パンデミックに関係なく完全なリモートワークとなるため、マイケルとモーガンは愛するイリノイ州ブルーミントンの家に留まることができた。

思いがけずファセットから何の支障もなく離れることができるようになったマイケルは、同社がイリノイ州知事の自宅待機命令に従ったため、自宅で同社最後の1週間を過ごした。ギレスピー夫妻は、他の何百万人もの米国人たちと同じように、パンデミックによってもたらされた生活様式に慣れなければならなかった。「僕が家にいる間、モーガンが僕を煩わせないようにするには、少し調整が必要になりそうだ」とマイケルは言う。彼は3月30日にコーヴウエアで仕事を始めた。

マイケルのコーヴウエアへの移籍は、双方にとって意味があった。ビルは有能な研究者を得て、ランサムウエア追跡チームとの関係を強固なものにした。またコーヴウエアは、身代金の交渉という不安定な本業に留まるのではなく、新たな展開が可能になった。ランサムウエアを解読し、クライアントのために暗号解読ソフトを開発できるスタッフを得たことで、犯罪者に報酬を支払う必要がなくなったのである。また、もしそのランサムウエアが解読不可能で、攻撃者が支払いの見返りにコーヴウエアの顧客に提供した復元ツールが上手く機能しなかったとしても、マイケルがそれを修復できる（これまでは時おり、ファビアンがコーヴウエアの顧客のために行っていた）。一方マイケルは、自分が夢中になっているものを職業にすることができた。彼は休憩を取ってIDランサムウエアを更新したり、ツイッターの投稿をチェックして救出すべき被害者を探したりできるようになった。コーヴウエアは、義理の両親が彼に働かせようとした大企業のように、マイケルを息苦しくさせることはないだろう。

給料が上がったことで、初めて経済的な安定も得られた。カードローンの返済も終わり、家政婦と犬の散歩係を雇う余裕もできた。モーガンはカイロプラクティックに加え、タロットカードや水晶、占星術を使ったホリスティックセラピストに通う余裕もできた。また、ジムに加入し、そこで泳げるようになった。イリノイ州では大麻が合法化され、彼女はディスペンサリー［主に医療用または娯楽用マリファナを合法的に販売する店舗または施設］を利用し始めた。朝になると、彼女はしばしば、食欲を促進するために食用大麻を摂取した。

マイケルはすぐに、新しい雇い主に自分の価値を証明した。ラグナロッカーという新たなギャングから数百万ドルの請求を突きつけられた被害者が、入社3日目だったにもかかわらず、コーヴウエアを雇った。マイケルはそのランサムウエアをクラックした。彼はラグナロッカーが、かつてのストップDjvuのように、「複数のファイルをロックするために同じキーを使ってはいけない」というサラのルールに反していることを発見した。彼らは1つのキーで、コンピュータ上の全ファイルのロックを解除していたのである。以前と同様、マイケルはオリジナルと暗号化されたファイルを比較して、キーを抽出することにした。しかし今回は、被害者にファイルを要求する必要はなかった。コーヴウエアのチームが用意してくれたのである。これは彼にとって大きなメリットだった。「被害者とあまり話をする必要がないんだ」

感心したビルは、マイケルに対し、コーヴウエアが毎週行っているバーチャルな発表会で、プレゼンテーションしてくれないかと依頼した。マイケルは「彼らは僕がどのように仕事をするか知りたがっていた」と捉えた。

ある金曜日の午後、マイケルは猫が机の上を横切るのに邪魔されながら、暗号化されたデータの中からキーを見つけ出す方法を実演し、新しい同僚たちを驚かせた。マイケルは、一連の文字や数字で構成されるキーのストリームが、特徴的な斜めのパターンで繰り返される様子を、ズームアウトして見せた。技術に疎い視聴者さえも感銘を受けていた。ビルは彼にアンコールを依頼し、彼はまたキーを取り出した。

IDランサムウエアが収集した情報は、コーヴウエアにとっても貴重だった。あるとき顧客が身代金を払うと、ハッカー側の交渉相手がキーを提供する代わりに、さらなる身代金を要求してきたことがあった。IDランサムウエアが、被害者の提供した身代金要求書の中からハッカーのメールアドレスを抽出していたため、マイケルは自分のデータベースで少し調査し、ギャングの別の連絡先を見つけた。コーヴウエアはその連絡先に対し、身代金がすでに支払われたことを示す、これまでの交渉記録を送った。するとそのランサムウエアの開発者が返信してきて、顧客を再度強請（ゆす）ろうとした交渉者は正式なパートナーではないと述べ、その人物を処罰することをコーヴウエアに保証した。その後、開発者は追加の支払いなしでキーを提供した。

入社3日目にしてランサムウエアの解析に成功した後、マイケルはその被害者たちを助けた。それに対しラグナロッカーは、ファイルごとに異なるキーを作成することでランサムウエアの脆弱性を修正した。ラグナロッカーはパンデミック期間中の最も恐ろしいサイバーギャングとなった。ターゲットを慎重に選び、身代金要求書の中で各被害者を名指ししていたのである。

2020年7月、ラグナロッカーは旅行会社CWTの業務を停止させ、機密ファイルを盗み出した。要求された身代金は1000万ドルだった。CWTの交渉担当者は、パンデミックによる検疫で企業の旅行需要が消えたことを理由に抗議した。

「タイミングが悪い。新型コロナ禍により収入源が事実上消滅する中で私たちを襲うだなんて」と交渉担当者は述べ、逆に370万ドルを提案した。[4]「おそらくあなた方は、オンライン上で私たちの売上高が大きいことを確認したのでしょう。しかしパンデミックが始まって以来、通常よりもはるかに少ない売上しか得ていないことを考慮してください。誰も旅行に行っていないので、売上が恐ろしいほど急落しています。……これはあなたにとってビジネスであることは完全に理解していますが、私たちは今、自らのビジネスの維持に精一杯です」

「ここは市場で、君たちには適切な価格が提示されている」とラグナロッカーは答えた。「残念ながら、君たちが提示した金額は、取引を成立させるのに十分ではない」両者は結局、キーの提供と盗まれたデータの削除に、ビットコインで450万ドル分を払うことで合意した。CWTが支払いを済ませると、ラグナロッカーはさらなる攻撃を避けるためのアドバイスとして、パスワードの変更、ユーザー権限の制限、「3人のシステム管理者に24時間稼働させること」などを伝えた。

ラグナロッカーは犯罪者グループの連合体であるメイズに参加した。メイズの各グループは、盗んだデータを公開するリークサイトをそれぞれ持っており、他のグループが盗んだものもそこに掲載していた。ラグナロッカーはイタリアの飲料メーカーであるカンパリ・グループに対し、彼らのファイルを公開すると脅すメッセージをフェイスブックの広告に掲載して、身代金を払うよう圧力をかけた。一味はその広告を、ハッキングしたシカゴのＤＪのフェイスブック・アカウントを通じて投稿した。ある広告では、「機密データを盗んだことを保証する。しかも膨大な量のデータだ」と主張している。[5]

マイケルはパンデミックの間、他の数十種類のランサムウエアを解読し、アリゾナ州フェニックスの建設会社からメキシコのグアダラハラにある公立大学まで、米国内外の犠牲者を救った。

彼が救済した人物の中には、世界で最も速く、最も高価な自動車を製造するスウェーデンのケーニグセグ社の自動車デザイナー、クリス・サイレルスキーがいた。「２００万ドル以下では1台も手に入れられないよ」と彼は語っている。５つの特許を持つクリスは、その技術力と芸術家の眼を兼ね備えた才能で、数々のコンセプトカーを手がけてきた。また、２０１０年のトム・クルーズ主演映画『ナイト&デイ』にも登場する、水陸両用の軽飛行機「ＩＣＯＮ Ａ５」の開発に携わった。

父、叔父、祖父がゼネラルモーターズのエンジニアとして働いていたミシガン州出身のクリスは、妻と3人の娘とスウェーデンに住んでいた。普段はケーニグセグ本社で仕事をしているが、パンデミック時には月曜日と金曜日を自宅のオフィスで過ごすことになった。そこには、時速330マイルを出すスーパーカー「ケーニグセグ・ジェスコ」の模型も置かれていた。彼はデザインを微調整する際、フランク・ハーバートの『デューン』シリーズのオーディオブックを聴きながら想像力を刺激していた。このSFシリーズの最終巻である7巻目を聴き終えると、また1巻目から繰り返し聴いた。

2020年11月の月曜日、クリスはデスクに座り、パソコンを使って外装パネルの3Dモデルを作成していた。すると目の前で、『デューン』のテーマのひとつである「コンピュータを信じるな」が現実のものとなった。クリスはオーディオブックを流そうとしたが、クリックしても再生されない。ファイル名も変わっていて、拡張子が「.encrypt」になっている。そしてダークウェブ上のアドレスに連絡し、額は指定されていないもののビットコインを支払って、ファイルを復元するよう指示するメモがあった。

驚いた彼は、その提案を拒否した。犯罪者に報いたくはなかったし、ダークウェブに行くのも怖かったからである。少し調べた結果、彼は新種のランサムウエア「ソルブ」に感染していることを知った。このランサムウエアは、バックアップファイルをネットワークに接続するネットワーク接続ストレージ（NAS）デバイスを暗号化するものだった。クリスは、自分のプロジェクトや家族の写真のほとんどをNASに保存していた。クラウドベースのサーバーにもバックアップしていたが、ごく一部であり、ほとんどの写真は暗号化されていた。「失ったら悔しいと思う個人的な写真がたくさんありました」

クリスは必要ないファイルあるいはコピーしてあったファイルについては、暗号化されたファイルを削除し始めた。その一方で、ブリーピングコンピュータ上のソルブに関する書き込みを見ていると、demonslay335がキーを提供したという投稿を見つけた。クリスはマイケルにメッセージを送り、復元ツールをもらえるよう頼んだ。「こんなこともあるだろうと、いくつかの重要なファイルは保管していました」とクリスは書いた。

「まず、暗号化された中でできるだけ大きなサイズのファイルと、そのオリジナルが必要です」とマイケルは答えた。「提供してもらえるペアのサイズまでのファイルしか復号できないので」

「問題ありません」とクリスは応じた。

マイケルは次に、説明書と共に復元ツールを送ってきた。「本当に素晴らしい」とクリスは書いた。「私にとっては黒魔術みたいですが、機能しています。このメールを書いている最中にも、復元が進んでいます」感謝の印として、彼はマイケルにケーニグセグの帽子かセーターを送ろうと申し出たが、マイケルはそれを断った。

2021年の冬のある週末、マイケルは3種類のランサムウエアをクラックした。その中の1つは、サラ・ホワイトが彼の注意を引きつけたものだった。「もうあなたが見たかどうかわからないけど」と彼女は1月にチームのスラック上で彼にメッセージを送り、その新たなランサムウエアについて研究者が投稿したツイートへのリンクを共有した。

マイケルはファイル拡張子に見覚えがあった。ローレンツという一味が同じ名前のランサムウエアを使ってコーヴウエアのクライアントである自動車修理工場を攻撃し、150万ドルを要求していたのである。コーヴウエアはローレンツと交渉しており、その額は50万ドルに下がっていた。

サンプルを分析した結果、マイケルはローレンツの乱数生成方法が、キーを守るには弱すぎることに気づいた。「早速それを確かめてみようと、不細工なブルートフォースツールを作ったんだ」顧客から提供されていたいくつかのファイルのロック解除に成功した後、彼は事件担当のマネージャーに交渉の中止を申し出た。

そのマネージャーはほっとした。「この犯人は素人みたいな交渉をしているな」と彼は言った。

「あぁ、確かに素人の仕事だった」とマイケルは答えた。

その週末にマイケルが解読した別のランサムウエアは、その名と身代金要求書でパンデミックを引き合いに出していた。名前は「DEcovid19」といい、「私は新型コロナウイルスの第2波だ、いまやパソコンにも感染するのだ」というメッセージが記されていた。

マイケルは新型コロナウイルスを逃れたが、少なくとも3人のチームメートは不運に見舞われた。一匹狼で隠者のファビアンは、自分の感染リスクを低いと考えていた。彼は、皆がそうするようになるずっと前から、家に引きこもり、ソーシャルディスタンスを保ってきたのだ。食事もアパートまで届けてもらっていた。「自分のライフスタイルが『隔離』と呼ばれているなんて知らなかったよ」と冗談を飛ばしていた。それでも彼は、二度にわたってウイルスに感染した。一度目は1週間も寝たきりになった。ゴミ出しで近所の人とおしゃべりしたときに感染したのだろう、と彼は推測している。二度目は、食料品の配達の際に咳き込んでいた、ノーマスクの男から感染したらしいが、ワクチンを接種していたため症状は軽かった。

新型コロナ感染は、ファビアンのランサムウエア狩りを妨げるものではなかった。彼はパンデミックの間、マイケルとの共同作業で次々とランサムウエアを解読した。そのひとつが、米国からアルジェリアに至るまで、さまざまな病院やエネルギー会社を狙った「ツェッペリン」である。ツェッペリンはファビアンが発見した脆弱性を修正したが、それを利用するハッカーの大部分は開発者に費用を払ってアップデートするのではなく、脆弱な旧バージョンを使い続けることを選んだ。その結果、多くの被害者がファビアンの復元ツールの恩恵を受け続けることとなった。

パンデミックの初期、恋愛がカーステン・ハーンの人生を明るくした。2020年9月、彼はパートナーとともに脱出ゲームを訪れた。これはプレイヤーが謎を解き、出口を探すというものだ。最後の謎解きの中に、彼は指輪を隠した。「私は今、この素敵な男性と婚約しました！」とツイートすると、チームのメンバーはお祝いの言葉を返してくれた。

ところが2021年1月、カーステンは体調を崩し、新型コロナウイルスと診断された。症状は長引いた。6か月後でも、彼の胸と喉はまだ痛く、しばしば疲労感を抱くようになっていた。エッセン大学病院では、医師から「症状は改善されている」「時間と忍耐が必要だ」と言われた。励まされたカーステンは、婚約者と一緒にアパートを購入し、結婚式の準備に取り掛かった。

サラ・ホワイトも新型コロナウイルスに感染し、別のチームメートは金銭面で苦労し続けた。マルウエアハンターはファビアンに、家を買うための融資を依頼した。ファビアンはお金を貸すことに抵抗があると断ったが、代わりにエムシソフトでの勤務時間を増やして、マルウエアハンターがお金を貯められるようにすることを提案した。ファビアンはまた、ハンガリー政府の腐敗に不満を持つマルウエアハンターに、もし母国を離れたければ、欧州の別の場所に転居する費用をエムシソフトが出すと約束した。

しかしマルウエアハンターは他の解決策を受け入れようとしなかった。「彼は何かをするとき、ひとつの方法しか見えず、他のやり方を受け入れられないんです」とサラは言った。

ダニエル・ギャラガーはペイパルの募金箱を設置し、友人への寄付を呼びかけた。

> 長年にわたり、マルウエアハンターはその時間とリソースを利他的に使い、マルウエアの追求と犯罪者の追跡を行うことで他人を助けてきました。休むことなく、個人と企業に対して重大なマルウエアを警告し、前線で活動しています。これらはすべて、直接的な報酬を受けることなく行われています。
>
> しかし残念ながら、マルウエアハンターは今、個人的に困難な状況に直面し、情報セキュリティコミュニティに助けを求めています。私たちがマルウエアハンターに報いるときが来ました！[7]

46人の支援者から、合計４１１１・４８ドルの寄付があった。ダニエルが最も多くて１０００ドル、ローレンスが２００ドルを寄付し、「君たちがしてくれたすべてのことに感謝する」と書いた。これに対しマルウエアハンターは、目標額が2万ドルであったことから、ツイッター界隈はケチだと非難した。「最後の寄付から5日以上が経過した」と、マルウエアハンターは２０２１年3月にツイートした。「つまり11・8万人のフォロワー（もちろん非常に貧しい人々や、ペイパルのアカウントを持っていない人々を除く）のうち、過去数年間の懸命な労働がたった1ドルの寄付に値すると考えた人が、50人未満だったということだろうか？」

ローレンスが新型コロナ禍でハッカーに呼びかけた休戦協定は、即座に崩れ始めた。メイズのように協定に同意したグループでさえ、その条件をできるだけ狭く解釈し、徐々に距離を置くようになった。

２０２０年3月18日、「あらゆる種類の医療機関に対する活動を停止する」と約束したその日に、メイズは身代金の支払いを拒否したロンドンの会社ハマースミス・メディスンズ・リサーチの元患者数千人の個人データを公表した。[8] ハマースミスは製薬会社向けに臨床試験を行っており、後に新型コロナウイルスワクチンを試験することになる。ローレンスが説明を求めると、ハッカーたちは、休戦前の3月14日にハマースミスを攻撃したと返した。「彼らは基本的に、『ロックしたのは休戦前だった。我々の誓いは破られていない。これは新たな被害者ではない』と言ってきた。なので、これについて判断するのは控えたい」とローレンスは述べた。

それでもローレンスは、ハッカーにデータを削除するように促したが、彼らは拒否した。ローレンスはブリーピングコンピュータ上で、ハマースミスへの攻撃により、ハッカーたちの休戦への取り組みに疑問が生じ始めたことを認めている。「彼らがこの約束を守るかどうか見守らなければなりませんが、多くの人々にとっては、すでに破られていると言えるでしょう」とローレンスは書いた。[9]

メイズがターゲットから外していたのは、患者に対する直接的なケアだけだった。このギャングはある時、米国の小さな病院のストレージ、設備類、駐車場のコンピュータネットワークに被害を与えた。感染したファイルには、医師や看護師がガレージに入るためのキーコードなどのデータが含まれていた。病院が休戦を理由に無料の復元ツールを要求したとき、メイズは二の足を踏んだ。補助的なサービスは「刑務所から出所する資格が得られなかった」とシカゴのサイバーセキュリティ弁護士アーロン・タントレフは表現している。そうしたファイルは業務に絶対的に必要なものではなかったため、病院は3万5000ドルの身代金要求を拒否し、その修復費用を保険でカバーした。

メイズが休戦協定を狭く解釈したのを、他のハッカーたちも真似するようになった。その後の数か月間で、協定の参加者たちはその文面を遵守したものの、その精神を尊重することはなかった。たとえばハッカーたちは、新型コロナウイルス患者の治療に不可欠な薬品や器具の製造業者を引き続きターゲットにした。ローレンスが要求した、製薬会社への停戦も拒否された。ハッカーたちはそうした企業が、危機を利用して利益を得ていると軽蔑していた。「現在、(製薬業界は)パニックによる余分な利益を得ており、私たちには彼らを支援する願望はまったくない」とドッペルペイマーは主張した。

ローレンスの提案を最初に受け入れたドッペルペイマーは、ボイス・テクノロジーズ社を攻撃した。同社はニューヨークの病院に入院している重篤な新型コロナウイルス患者のために、1日300台の人工呼吸器を製造していた。ハッカーたちはボイスのファイルを暗号化し、発注書など盗んだ書類を公開した。[10]

そうした微妙な線引きが行われるだけでなく、休戦協定の参加者たちが、単に間違いを犯すこともあった。2020年9月、ドッペルペイマーはドイツにあるデュッセルドルフ大学病院の30台のサーバーを麻痺させ、外来診療や救急診療を利用不能にした。どうやら本来は系列のハインリッヒ・ハイネ大学を攻撃する手筈だったようで、その後彼らは、無料で復元ツールを提供している。しかし、取り返しがつかない事態も発生していた。ある78歳の女性が、20マイル離れた病院に転送され、治療が1時間遅れた後で死亡した。西欧でパニックが拡大する中、当局はハッカーたちを過失致死罪で告発することを検討した。あるドイツの検察官は、「救急処置の遅れが原因で死亡した可能性がある」とメディアに語った。[11] しかし、より迅速な処置があれば彼女の命を救えたと証明することができず、最終的に捜査は打ち切られた。

休戦協定の参加者たちが、中途半端な態度で治療行為には手を出さずに置こうとする一方で、ローレンスの申し出を拒否したり無視したりした他のギャングたちは、病院や医療機関を日常的に攻撃していた。病院は絶対にターゲットにしないとローレンスに断言したにもかかわらず、ネットウォーカーは次々と医療機関を襲っていた。米国司法省によると、ネットウォーカーは「新型コロナウイルスのパンデミック時、特に医療機関を標的とし、世界的な危機に乗じて被害者を脅迫した」とされる。[12]

「やぁ!君たちのファイルは暗号化された」と、彼らの身代金要求書には書かれている。「我々の暗号化アルゴリズムは非常に強力で、君たちのファイルは完全にロックされている。我々の助けなしで、その回復は望めない。ファイルを取り戻す唯一の方法は、我々に協力し、復元ツールを入手することだ。……我々にとって、これは単なるビジネスなのだ」

2020年6月、ネットウォーカーはメリーランド州の老人ホームチェーンを攻撃し、社会保障番号、生年月日、診断結果、治療状況などを含む約4万8000人の高齢者の個人記録を流出させた。[13] 同社が身代金要求をはねつけると、一味はデータを一括してネット上に投下した。

同じ月、ネットウォーカーはカリフォルニア大学サンフランシスコ校（UCSF）の疫学・生物統計学部のデータを盗み出し、複数のサーバーを停止させ、300万ドルの身代金を要求した。

「私たちはこの病気を治すために、ほとんどすべての資金を新型コロナウイルスの研究に注ぎ込んできたんです」と、大学側の交渉担当者は訴えた。[14]「その上、休講によってあらゆる予算が削減されたことで、学校全体に深刻な負担がかかっています」

ネットウォーカー側は懐疑的だった。「わかってほしいのだが、大きな大学であるお前たちにとって、我々の金額は糞みたいなもんだろう。そんな金は2、3時間で回収できるよ。事態を真剣に考えるんだ。もし我々が学生の記録やデータをブログで公開したら、請求額以上の損失を被ることは100パーセント確実なんだから」

大学側も39万ドル、78万ドルと金額を提示したが、ネットウォーカーはそれを軽んじて、「78万ドルは、全従業員のためにマクドナルドを買うためにとっておいてくれ。我々にとってはとても少ない額だ。何のために働いているんだ?という感じだよ」6日間の交渉の末、彼らは114万ドルで妥協し、UCSFは復元ツールを手に入れた。

ランサムウエア追跡チームは、ネットウォーカーをクラックすることができなかった。「現時点で最も洗練されたランサムウエアのひとつで、非常に強固なんだ」とマイケルは語る。

しかし当時としては珍しい成功だったが、FBIはネットウォーカーの運営を妨害して、最も利益を上げていた協力者を取り押さえた。ネットウォーカーの開発者はロシアに拠点を置いていたが、協力者とされるセバスチャン・ヴァション=デジャルダンはケベック州に住むカナダ人だった。カナダ政府の購買機関のIT技術者であり、麻薬密売の前科があるヴァション=デジャルダンは[15]、2020年3月にブガッティというギャングメンバーがサイバー犯罪フォーラムに投稿した広告を見て、ネットウォーカーに参加したと見られる。その広告では、ネットウォーカーの協力者になる方法を説明し、応募者に専門分野や他のランサムウエアと協力した経験について尋ねていた。

「我々は質の高い仕事をする人に興味がある」とブガッティは書いている。[16]「大規模なネットワークを扱う方法を知っている人を優先する」

米国とカナダでの裁判資料によると、ヴァション＝デジャルダンとその共謀者は2020年に数十件のランサムウエア攻撃を行い、少なくとも2770万ドルを稼いだ。ヴァション＝デジャルダンは利益の75パーセントを得、残りはネットウォーカーに支払われた。[17]彼はまた、レヴィル、ラグナロッカー、サンクリプトといった他のギャングの協力者としても働いていた。[18]

2020年11月、ブガッティとの会話の中で、ヴァション＝デジャルダンはある公共事業への攻撃を「最新の大ヒット作」として自慢した。

「あいつらから大金をせしめてやったよ」と彼は書いている。[19]「一切突破されることはなかった」彼は近々ロシアに行くつもりだとも書き足していたが、その旅行は結局実現しなかった。12月、彼が最初に攻撃した企業のひとつである、電気通信会社の本社があるフロリダの連邦裁判所で、ヴァション＝デジャルダンはコンピュータ詐欺容疑で起訴された。彼を捜査していたカナダ当局が、2021年1月に彼の暗号資産ウォレットを調査したところ、ビットコインで4000万ドルを発見し、これはカナダ史上最大の暗号資産押収額となった。[21]彼は逮捕され、米国へ送還された。

ローレンスの休戦協定に同意したランサムウエアのギャングたちは、患者のケアを行う機関への直接攻撃を避けることで、収入の一部を失っていた可能性がある。彼らはそれを補うために、重要かつ脆弱な別分野を攻撃することにした。学校である。

パンデミック以前は、仮に学校がランサムウエアに感染しても、対面式の授業が行えた。しかし新型コロナウイルスの拡散を避けるためにオンライン化されたことで、学校はランサムウエアによって機能停止に追い込まれる恐れがあり、したがって支払いへの圧力も高まる可能性があった。ランサムウエアに関連する学校の閉鎖や中止は、２０１９年から２０２０年にかけて3倍に増加した。

休戦に合意していた３つのグループが、学校を荒らし回った。メイズは全米で5番目と11番目の規模を誇るネバダ州クラーク郡[21]とバージニア州フェアファックス郡[22]のデータを盗み出し、公開した。ドッペルペイマーは、ミシシッピ州からモンタナ州の学校を混乱に陥れた。ノースカロライナ州チャタム郡の学区[23]がドッペルペイマーからの２４０万ドルの身代金要求を拒否した後、ギャングたちは盗んだデータをオンライン上で公開した。そこには、虐待された子供たちの診断記録も含まれていた。ネフィリムは、２０２０年に幼稚園から高校までの学校を最も標的としたランサムウエアのひとつである[24]。

また率先して学校を襲撃していたグループの中には、ローレンスの提案を無視していた大物ギャングもいた。リュークである。２０２０年11月24日火曜日の夜、感謝祭の2日前に行われた教育委員会の会議の最中、学校関係者が「壊滅的だった[25]」と評したリュークの攻撃により、全米で24番目に大きい地区であるボルチモア郡のウェブサイト、ネットワーク、ファイルがダウンした。この地区の11万５０００人の生徒は、すべてオンラインで授業を受けていた。

18か月前のボルチモア市と同様に、郡立学校も攻撃を受けやすい状態にあった。２０２０年2月に完了した州議会の監査では、サーバーが適切に隔離されておらず、「侵入を受けた場合、内部ネットワークが外部からの攻撃にさらされる可能性がある」と指摘されている[26]。

ランサムウエアの攻撃により、学校は3日間閉鎖され、数か月間影響が残った。学校のシステムは生徒の成績表を作成できず、大学進学を希望する上級生や就職を希望する卒業生に成績証明書を発行するのも一苦労だった。給与記録にアクセスできないため、学校はキャンセルされた小切手を基に職員の給与を決定し、内国歳入庁からW－2税務申告書の提出期限を延長する許可を得なければならなかった。教師は、退職金口座への入金や引き出しができなくなった。

この攻撃により、教師のおよそ20パーセント（事件の夜に学校のネットワークに接続していた人々だった）がノートパソコンを使えなくなった。そのうちの1人は、この地区で17年のキャリアを持つ、ケートンズビル・ミドルスクールの6年生国語科教師、ティナ・ウィルソンだった。彼女は学校司書になるための夜間コースを受講しながら、メールをチェックしていた。1週間後、彼女はようやくログインできたが、ファイルは暗号化され新しい拡張子「.ryk」が付いていた。

彼女の授業計画書は失われてしまった。そこで学校が再開された初日、彼女は生徒たちに、ヤングアダルトSF小説である『メイズ・ランナー』を読み聞かせた。生徒たちも混乱していた。自然災害への備えをテーマにしたレポートを書くという宿題が出されていたのだが、指示されたデータベースに入れなかったのだ。

「私が気になったのは、学区のシステムには抜け穴がありながら、それが一度も修正されなかったという点です」とティナは振り返る。

ボルチモア市と異なり、郊外のこの地区はハッカーと交渉しようとした。当時ダンドーク高校3年生で、教育委員会の生徒代表であったジョシュア・ムフムザは、「彼らはできるだけ早く授業を再開する方法を見つけようとしたのです」と語る。しかし、同校の予算を握る郡政府は、「群の公立校が身代金の支払いを独自に決定した場合、法律、財務、評判の面で影響を受けるだろう」と警告した。「その結果は広範囲に及び、長期にわたるだろう」学校関係者はこの警告に耳を傾けたようだ。この問題は公には議論されていないが、ある内部関係者は「支払わなかった」と語っている。攻撃から1年後、復旧費用の見積もりは970万ドルに達し、そのうち保険による補償は最大200万ドルと予想された。

コンティはリュークと密接な関係にあるギャングだった。2021年3月、コンティは全米6位の規模を誇るフロリダ州ブロワード郡の学区を襲い、4000万ドルの身代金を要求した。交渉は2週間も続き、学区の担当者は「税金で賄われている学区にこんな金が出せると思う人がいるなんて、ショックだし恐ろしい！」と漏らした。コンティは、学区の予算が40億ドルであることを強調し、「ふざけんな、お前らの主任はこの必要額をビットコインで持ってるよ」と反論して、「職員と生徒の個人情報が流出したら、彼らからの訴訟を受けて、損失を被ることになるだろうな」と予想した。

コンティは最終的に、身代金を1000万ドルに引き下げた。しかし学区側は50万ドル以上の支払いを拒否し、話し合いは決裂した。その後、一味は盗んだ約2万6千件のファイルをネット上に公開した。しかしそのほとんどは、従業員の走行距離報告書、出張旅費精算書、工事請求書、公共料金請求書などありふれたデータであり、[27] 人目を引くことも、訴訟を起こされることもなさそうだった。

リュークにとって、学校への攻撃は余興だった。2019年にアラバマ州タスカルーサのDCH地域医療センターなどの病院を機能不全に陥れた後、2020年10月には医療機関への攻撃にさらに力を入れ、全米の患者や医療従事者に不安と混乱をまき散らした。

このタイミングは、リュークがランサムウエアに対して行われた、最大かつ最も損害の大きかった措置に対する報復であることを示唆している。

2018年以降、マイクロソフトのデジタル犯罪ユニット（40名以上の専任の調査員、アナリスト、データサイエンティスト、エンジニア、弁護士で構成される）は、被害者のコンピュータにリュークを送り込むロシア製マルウエア「トリックボット」の調査を進めていた。プーチン政権が2020年の米国大統領選挙を妨害するためにトリックボットを使用するのではないかという懸念が、この作業に緊急性をもたらしたが、それは杞憂に終わる。

マイクロソフトの調査員は、6万1000ものトリックボットのサンプルと、感染したコンピュータのネットワークを支えるインフラを分析した。[28] そしてトリックボットのC&Cサーバーがどのようにコンピュータと通信しているかを発見し、そのサーバーのIPアドレスを特定した。

次にマイクロソフトは、この証拠を基に、革新的な法的戦略を打ち出した。トリックボットによるマイクロソフトのコードの不正利用は、著作権侵害に当たると主張し、ボットネットの運用を停止する連邦裁判所命令を取得したのである。2020年10月、マイクロソフトは世界中のIT企業や通信事業者の協力を得て、トリックボットに関連するIPアドレスを無効化し、C&Cサーバーに保存されているコンテンツにアクセスできないようにして、ボットネット運営者へのサービスを停止した。マイクロソフトは1週間以内に、トリックボットのインフラとして特定した128台のサーバーのうち、120台を停止させることに成功した。

マイクロソフトは裁判を起こす前に、この計画を法執行機関の関係者に電報で伝えていた。2010年に設立され、国防総省のサイバー作戦を監督するアメリカサイバー軍にも、その情報が届いていた。米軍の新しい、より攻撃的なサイバー戦略を反映して、[29] サイバー軍はトリックボットに対して独自の攻勢をかけた。彼らは気づかれずにボットネットに侵入し、[30] 感染したシステムに接続を解除するよう指示して、トリックボットのデータベースを新たな被害者に関する偽の情報で氾濫させた。[31]

トリックボットのハッカーたちは、当時は明かされていなかった攻撃者の専門知識に感心した。「これを作った奴はとても上手くやった」と、ある開発者はシンジケートのボスに語っている。「そいつはボットの仕組みを知っていて、おそらくソースコードを見てリバースエンジニアリングしたんだろう。……これは妨害工作としか思えない」

しかしこの勝利は一時的なものだった。リュークはわずか1週間後、病院への攻撃を開始した。マイクロソフトのデジタル犯罪ユニットの本部長であるエイミー・ホーガン－バーニーは、「トリックボットの背後にいる実行者たちが、残りのボットネットを使って、パンデミック中に最も脆弱なシステムを攻撃しようと考えたことに、私はとても驚きました」と述べている。

この猛攻撃の初期の犠牲者が、ミシガン州とウィスコンシン州にあるディキンソン・カウンティ・ヘルスケア・システムズ（ＤＣＨＳ）で、リュークは10月17日に彼らを攻撃した。「ＤＣＨＳに敬礼」と身代金要求書には書かれていた。「このメッセージをよく読んで、技術部門に連絡してください。あなたの情報は完全に暗号化されています」リュークはプロトンメールのアドレスを示して、「我々と連絡を取るように」とアドバイスした。ＤＣＨＳの電子システムは1週間にわたってダウンし、病院や診療所は紙の記録に頼らざるを得なかった。

10月26日、アレックス・ホールデンは、リュークが米国内の病院や診療所など400箇所以上の医療施設を攻撃しようとしていることを知った。「アメリカはもうだめだ」と、あるリュークのハッカーが別のハッカーに書いている。「パニックになるだろうよ」

ホールデンは直ちにシークレットサービスに連絡し、マルウエアが一部の病院ネットワークに侵入している証拠などの情報を提供した。彼の情報提供に基づき、連邦政府は「米国の病院と医療提供者に対するサイバー犯罪の脅威が増大し、差し迫っている」と警告を発した。[32]

連邦政府の職員、マイクロソフト、主要なサイバーセキュリティ会社と共に、ホールデンは標的となった病院にすぐに防御を強化するよう警告した。その結果、少なくとも200か所で攻撃が防がれ、恐れられたような広範な影響はなかった、と彼は語っている。しかし、危険にさらされていたすべての施設を時間内に特定することはできず、リュークは数十もの施設に侵入し、その中には各地域で新型コロナウイルスへの対応を一手に担う地方病院も含まれていた。

ホールデンは、リュークがたとえば「SL」という接頭辞を含むドメイン名を狙っていることをつかんだ。しかしその頭文字を、特定の施設と結びつけることはできなかった――オレゴン州南部の都市で、カリフォルニア州との州境から北に25マイル離れたクラマス・フォールズにある、スカイレイクス・メディカルセンターが攻撃を受けて壊滅的な被害を受けるまでは。10月26日の正午8分過ぎ、スカイレイクスでサポート業務に従事していた従業員が、「年次ボーナス報告#783」と称するメールを受け取った。勤めて1年も経っていなかったその従業員は、このメッセージが人事部との最近のミーティングと関係があるのかどうか疑問に思った。彼女はリンクをクリックし、コンピュータがフリーズした。彼女はイライラしたが、それを報告することはなかった。

それから13時間以上経った10月27日の早朝、病院のITスタッフは、臨床医からの電話でシステムが遅くなっていることを知った。さらに2時間後、再起動に失敗した彼らは、ランサムウエアがスカイレイクスを襲ったことに気づいた。リュークはネットワーク全体に広がっており、すべてのウィンドウズベースのマシンを危険にさらしていた。

夏休み後で新型コロナウイルスの感染が急増していた時期に、スカイレイクの医師や看護師は3週間以上も電子記録や画像にアクセスできなくなり、治療行為の抑制や収入の減少、医療ミスの可能性の増加に直面した。スカイレイクスの情報システム担当ディレクターであるジョン・ゲーデは、「これは大変な打撃でした」と述べている。「私たちの臨床スタッフ、医師や看護師は、23日間も紙のプロセスに戻らなければならなかったのです」

緊急治療が必要な患者が、自分が飲んでいる薬を覚えていないことがあった。病院の薬剤師は、電子データベースを確認できなくなったため、クラマス・フォールズにある他の薬局に電話をかけ、そこにある記録がどうなっているかを尋ねなければならなかった。医師たちが病気を診断する能力も損なわれた。通常、腫瘍専門医は患者の新しいマンモグラムの画像を以前のものと比較して乳がんを検出するが、古い画像が利用できなくなっていたのである。

スカイレイクスは一部のがん患者を、オレゴン州メドフォードのプロビデンス・メドフォード・メディカルセンターに送った。そこまで行くには、カスケード山脈を越えて70マイルをドライブしなければならない。何人かの患者はキャンピングカーでメドフォードに一晩滞在したが、ロン・ジャクソンは車で通うことにした。

ロンとシェリー・ジャクソンは結婚して55年になり、2人の息子、4人の孫、2人の継孫がいる。退職する前、夫妻はクラマス・フォールズにある公立大学、オレゴン工科大学に勤めていた。シェリーは会計局で、ロンは大工と重機のオペレーターとして働いていた。2人はキャンプなどのアウトドアを楽しんでいたが、2020年9月、ロンが発作を起こして「リス」などの一般的な単語を思い出せなくなってしまった。彼は膠芽腫と診断された。これは米国の上院議員テッド・ケネディとジョン・マケインの命を奪った、攻撃的な脳腫瘍である。

10月7日に腫瘍を摘出したロンは、医師から30日間の放射線治療と経口化学療法を勧められた。彼の治療はスカイレイクスで続けられることが予定されていたが、その時リュークの攻撃が病院の機能を停止させた。ロンの医師が彼に電話をかけ、選択肢を伝えた。放射線治療サービスが再開するまで待つことができるが、それがいつになるかはわからない。あるいはメドフォードに行くこともできる。医師からは一刻も早く治療を受けるようにと言われていたロンとシェリーは、メドフォードに行くことを選んだ。病院は泊まる場所を用意しようとしたが、ジャクソン夫妻は断わった。クラマス・フォールズに住むロンの97歳の母親が、食料品や医者の予約の手助けを必要としていると感じたからである。また彼らは、車を運転するよという友人や家族からの申し出も断った。

「私たちは助けを求めることに慣れていませんでした」とシェリーは言う。「慣れていたのは助けを与える方でした」

ロンはいつも運転をしていたが、手術の影響で視力が落ちていた。そこで、ロンがスカイレイクスでの治療を再開するまでの17日間、シェリーはジープ・グランドチェロキーを運転し、時には氷や雪の中を山越えしてメドフォードに向かった。「それは背筋が凍るようなドライブでした」と彼女は振り返る。「ロンは必死につかまっていましたよ」

パンデミックの影響で道路沿いのレストランが閉鎖されていたため、ジャクソン夫妻は森の中で体を休めなければならないこともあった。化学療法の副作用である体液貯留を補うために利尿剤を服用していたロンは、「薬がメドフォードまでもたないこともありました」と話す。

それでも彼とシェリーは、身代金を払わないという病院の決断に同意した。「同じグループがまた病院を攻撃して、お金を要求してくるのではないか、そしてまたロンの治療を止められてしまうのではないかと恐れています」とシェリー。「彼らが何度も戻ってくることはない、などとどうして信じられるでしょうか？」

スカイレイクスは感染した２５００台のコンピュータを交換し、システムを再稼働させた。しかしその後も、ダウンしていた数週間の間に蓄積された紙の記録をすべて手でシステムに入力しなければならず、時間と手間のかかる作業が続いた。賢明なことに、同病院は攻撃の半年前、新しいバックアップシステムに投資していた。そして２０２１年3月までに、ほぼすべてのファイルを回復できた。１５０万枚のマンモグラム画像のうち、失われたのは８８０枚だけだった。

スカイレイクスは保険に加入していたが、その契約内容では「私たちの損失すべてをカバーするにはまったく足りません」と、病院の管理者は述べている。損失額は、３００万ドルから１０００万ドルの間だろうと見られている。何が間違っていたのかを振り返るため、[33]ゲーデと他の2人の管理職は、誤ってスカイレイクスをリュークに晒してしまった従業員と面談を行った。サイバー攻撃に対しては、従業員全体が警戒心を持つことが第一の防御策となるため、彼女がなぜ不審なメールに注意するようにという警告に従わなかったのか、理解することが重要だと考えたのである。

彼らは彼女に対し、罰するつもりはない、ただ彼女の経験から学びたいだけだと伝えた。しかし2階の会議室で優しく問いかけたところ、その過ちの重大性が彼女自身にも伝わり、彼女は顔色を失った。それから間もなく、彼女は仕事を辞めた。

スカイレイクスをはじめとする病院への攻撃は、ローレンスの休戦協定を虚しいものとした。最も強力なランサムウエア・ギャングの中には、誰彼かまわずどれだけ傷つけても気にしない者もいた。それでも、ローレンスは自分の提案を後悔していなかった。

「私のメールが何らかの効果をもたらしたかどうかはわかりません」と、パンデミックが依然として猛威を振るい、ギャングしばしば攻撃を仕掛けていた2020年12月にローレンスは語った。「しかしそれは、彼らにいっそうスポットライトを当てることになりました。彼らが医療系組織を狙ったときには、今以上に卑劣なやつらだと見なされたのです」

第13章　明日へのパイプライン

２０２０年12月、「ダークサイド」と呼ばれるランサムウエアに襲われたコーヴウエアの顧客が、マイケル・ギレスピーに助けを求めた。顧客は身代金を払ったが、ダークサイドが提供した復元ツールでは暗号化されたファイルを解除するのに時間がかかった。マイケル、もっとスピードアップできないか？

この依頼はマイケルにとって普通の業務で、新しい職場で日常的に対応していた類のものだった。ダークサイドが史上最も注目されるランサムウエア事件になることや、それが米国の重要インフラを停止させることで、ランサムウエアの脅威がホワイトハウスの記者会見で取り上げられ、サミットでも議題のトップに躍り出ることなど、まったく想像もしていなかった。

マイケルはダークサイドを解除するキーを取り出すのに苦労した。ハッカーの復元ツールに、異常なほど複雑に格納されていたためである。彼がファビアン・ウサーにメッセージを送ってみると、ファビアンはキーを分離することに成功した。そしてダークサイドに感染した他のファイルで、このキーのテストを始めた。マイケルは被害者がＩＤランサムウエアにアップロードしたファイルをチェックし、ファビアンはウイルストータルのデータベースを活用した。

その夜、彼らはある発見を共有した。まずマイケルが、「ダークサイドがＲＳＡキーを再利用していることを確認した」と、スラックを通じてランサムウエア追跡チームのメンバーに知らせた。[1] するとファビアンから、「彼らの復号ツールを使って、新しく暗号化されたファイルを復号できたので、私も同じことに気づいた」という返事が返ってきた。それはロンドン時間の午前2時45分。ファビアンはまだ仕事をしていたのだ。

マイケルとファビアンは、そのキーを使用してウィンドウズマシンからファイルを復元した。「私たちは頭をひねりました」とファビアンは振り返る。「彼らは本当にこれほどひどい失敗を犯したのでしょうか？　ダークサイドはよりプロフェッショナルな『サービスとしてのランサムウエア（ランサムウエア・アズ・ア・サービス）』の仕組みとして運営されている組織のひとつでした。彼らがこれほどの大きな間違いを犯すことは非常に、非常に珍しいことです」

チームはこの成功を静かに祝い、大々的に宣伝することはなかった。ダークサイドの被害者を探しそうと、サラはデジタルフォレンジックとインシデント対応を扱う企業に連絡した。「もしダークサイドの被害者をご存知でしたら、私たちに連絡するように伝えてください。私たちはファイルを復元できるので、高額な身代金を払う必要はありません」

ダークサイドはクリスマスシーズンに休みを取った。マイケルとファビアンは、攻撃が再開されたとき、自分たちの発見が何十人もの被害者を救うことになると期待していた。しかしこのランサムウエアとの闘いで、チームは味方に裏切られることになる。２０２１年1月11日、ルーマニアに本社を置くサイバーセキュリティ企業ビットディフェンダーは、ダークサイドの被害者がダウンロードできる無料の復号ツールを開発したことを「発表できてうれしく思います」と宣言した。[2]

この宣伝は自らの首を絞めることになる。マイケルとファビアンがビットディフェンダーより先に発見した脆弱性を、ダークサイドの一味が気づいて修正することが確実になったからだ。その結果ビットディフェンダーのツールは、欠陥のあるランサムウエアに感染した既存の被害者の一部を助けたものの、今後のターゲットには役立たずになってしまった。

チームはすぐに、目立たないように進めていた被害者救済キャンペーンが失敗に終わることを確信した。ランサムウエア対応コミュニティが利用するスラックのチャンネルで、なぜビットディフェンダーはハッカーに密告するんだ、と誰かが訪ねた。「宣伝でしょ」とサラは答えた。「かっこつけたいんですよね。そのせいでランサムウエアがすぐに修正されてしまうでしょうけど」

まさに次の日、ギャングは「キーの生成に問題がある」と認め、最大で40パーセントのキーが影響を受けたと推定した。そして、「この問題は修正されたので、新たに感染する企業は何も期待できない」と投稿した。「我々の問題を修正するのを手伝ってくれたビットディフェンダーに特別な感謝を。これで私たちはさらに良くなるだろう」

＊＊＊

ランサムウエア追跡チームが先に片づけていた問題を、アンチウイルス会社が「解決した」と大々的に宣伝するのは、これが初めてではなかった。ビットディフェンダーの一件やそれに類する事件は、ランサムウエアの脅威に取り組む民間組織の間で、敵に警戒心を与えずに被害者を特定し連絡を取る方法について、連携やコミュニケーション、合意が取れていないことを明らかにした。

ランサムウエア追跡チームから見ると、名を上げようとするアンチウイルス会社は、スパイ活動と同じくらい古くから存在する不文律に反していた――それは「何をつかんだかを相手に悟られてはならない」である。彼らは被害者との接触を減らしてでも、攻撃者が脆弱性に気づかないでいる期間を長引かせようとする。最終的に支払いが減少すれば、サイバー犯罪者は何かおかしいと気づくだろうが、チームはそれをできるだけ遅らせたいと考えている。

確かにこのような秘密主義は、時に悩ましいトレードオフをもたらす。第2次世界大戦中に英国の秘密情報部は、暗号化された通信を解読することで、ゲシュタポがリスボンにいる貴重な二重スパイ、ヨハン＝ニールセン・「ジョニー」・ジェブセン（コードネーム：ＡＲＴＩＳＴ）の誘拐と殺害を計画していることを知った。ジェプセンのハンドラー（スパイの管理官）、シャルル・ド・サリスはジェブセンに警告する許可を求めたが、暗号が解読されたと敵に知られる恐れがあることから拒否された。結果的にジェブセンは拉致され、殺害された。情報史家のナイジェル・ウェストによれば、「ド・サリスは自分の沈黙を一生悔やんだ」という。

サイバーセキュリティ会社のマーケティング部門は、新しい暗号解読ツールを宣伝することで、企業ブランドをアピールし、顧客を引き付けようと躍起になっている。しかし身代金が高騰し、ギャングがより裕福になり、より高度な技術を使うようになるにつれ、そうした宣伝は逆効果になる可能性が高まっている。今日、ランサムウエアの開発者は「非常に優秀なリバースエンジニアやペネトレーションテスト担当者にアクセスできます」とファビアンは言う。「そうやって、高度に保護されたネットワークに侵入するのです。彼らは復元ツールをダウンロードし、分解し、リバースエンジニアリングを行い、なぜ私たちがファイルを復号できたのかを正確に突き止めます。そして24時間後には、すべての脆弱性が修正されているのです」

ビットディフェンダーの脅威研究担当ディレクターであるボグダン・ボテザトゥは、宣伝しなければ、人々を助けられるはずのメッセージが十分に届かないと主張する。「ランサムウエアに引っかかった被害者の多くは、ランサムウエアのサポートグループと適切なつながりを持たず、メディアの報道や簡単な検索でツールの存在を知ることができない限り、どこに助けを求めればいいのかわかりません」

ビットディフェンダーも、ランサムウエア追跡チームが問題を解決していたことを知らなかった。「私たちは、静かに提供されるランサムウエア復元ツールに価値があるとは思いません」と彼は言う。「攻撃者は、困っている一般人や企業になりすましてその存在を知ることになりますが、大多数の被害者は、無料でデータを取り戻せるとは思いもよらないでしょう」

ファビアンとマイケルは、ハッカーが侵入したネットワークを調べているうちに、被害者がランサムウエアに発見された欠陥について話し合っているメールを見つけた可能性もある、と認めている。そして被害者が支払いをしなくなるにつれ、遅かれ早かれ、ダークサイドは自分の間違いに気づいたことだろう。とはいえファビアンは、「こんなバカげたことで脆弱性が明らかになるのは、特に痛い」と述べている。

彼らの名誉のために言えば、ビットディフェンダーは長年、被害者を支援してきた。同社は警察と舞台裏で協力し、これまでに18種類の無料の復元ツールを公開して、個人や企業に対して1億ドル以上の身代金を支払わずに済むようにしてきた。

ビットディフェンダーは特に、「ガンクラブ」に対抗するのに大きく貢献した。ガンクラブとは、コード内にセキュリティ研究者の名前を入れて愚弄することを好み、大規模な攻撃を展開した悪名高い集団である。欧州の法執行機関がガンクラブのC&Cサーバーに侵入した後、ビットディフェンダーはその複数のバージョン用の復元ツールを開発し、多数の被害者が身代金を払わずにデータを回復できるようにした。[3]２０１９年5月、ガンクラブの開発者は引退を発表し、身代金で合計20億ドルを稼いだと主張した。[4]ビットディフェンダーを「我々の問題を修正するのを手伝ってくれた」と揶揄したギャング、ダークサイドは、ガンクラブから間接的に派生した集団の可能性がある。一部のセキュリティ研究者は、ガンクラブが退場するのに合わせてレヴィルが登場してきたことから、ガンクラブがレヴィルとして再ブランド化されたのではないかと考えている。そしてダークサイドは、レヴィルのメンバーの一部を採用していた。「ダークサイドがガンクラブからビジネスモデルと『ルール』をコピーした可能性は非常に高い」とアレックス・ホールデンは述べている。

２０２０年8月にダークウェブ上に掲載された、その立ち上げを発表するダークサイドのプレスリリースによれば、「我々は新顔だが、それは我々に経験がなく、どこからともなくやってきたという意味ではない」

ホールデンの調査によると、ダークサイドの運営者には、ランサムウエアの開発者、潜在的な目標のネットワークに潜む脆弱性を発見するペネトレーションテスト担当者、ハッカーフォーラムやメディア向けの広報担当者が含まれていた。そのうち少なくとも1人はモスクワに拠点を置いていた。ローレンスの休戦協定を拒否したレヴィルと異なり、ダークサイドはパンデミック時に医療施設への攻撃を控えることによる、広報上のメリットを認識していた。最初の休戦協定に参加するのには間に合わなかったものの、ダークサイドは病院、介護施設、新型コロナウイルスワクチンの製造者や配給者を保護することを約束した。また葬儀場や遺体安置所、火葬場も免除した。これは恐らく、こうした施設が新型コロナウイルスの死者でいっぱいだったからだろう。さらに政府機関、大学、学校も攻撃対象から外された。またダークサイドは自衛のため、ロシアやその他の独立国家共同体の加盟国（旧ソ連の共和国で構成される）を攻撃することはなかった。

それでもダークサイドには、まだ多くの潜在的なターゲットが米国と欧州に残されており、その中から慎重に獲物を選んだ。たとえば彼らが襲ったある企業は、攻撃された週にファイルのクラウドへの移行が行われていて、信頼できるバックアップが存在しない状態だった。彼らはその情報をつかんでいたのである。またダークサイドが攻撃した有名企業の中には、ジョージア州のカーペットメーカーであるディクシー・グループ、オフィスデポの子会社コンピュコム、東芝の欧州部門である東芝テックなどが含まれていた。ダークサイドはそうした攻撃について、「要求額を払うことのできる企業だけを攻撃しており、ビジネスを潰すつもりはない」と述べて正当化した。ダークサイドはダークウェブ上に被害者となった企業を晒して辱めるためのウェブサイトを設け、身代金の支払いを迫っている数十の被害者の名を上げて、彼らから盗み出したと主張する機密データについて説明した。

被害者のネットワークに侵入するために、ダークウェブは「ゼロデイ攻撃」などの高度な手法に頼っていた。これはソフトウエアの脆弱性を把握し、それにパッチが当てられる前に悪用するというものである。一度内部に侵入すると、彼らは迅速に行動し、脅迫の効果を高める梃子（レバレッジ）として使うための機密データだけでなく、身代金の要求額を保険の補償額（カバレッジ）に合わせることができるよう、被害者のサイバー保険契約書も探した。そうした探索をほんの2～3日で済ませた後で、ファイルを暗号化するのである。

ダークサイドの被害者の半数に助言を与えた、企業調査会社クロールのサイバーリスク担当アソシエイト・マネージング・ディレクター、クリストファー・バロッドは、「彼らの攻撃プロセスは短期間のうちに完了します」と述べた。「システム内に長く留まれば留まるほど、捕まる可能性は高くなるのです」

通常、ダークサイドが要求する身代金額は、一般的な幅の「高い方」であり、その額は500万ドル以上にもなるとバロッドは指摘する。ダークサイドの代表者は狡猾な交渉人だった。被害者が「パンデミックのせいで払う金がない」と言うと、ダークサイドはその会社が売上を増やしていること、あるいは新型コロナウイルスの影響が価格に織り込まれていることなどを示すデータをすぐに取り出してくるのである。また新たな手口として、上場企業が身代金を支払わなかった場合、ダークサイドは彼らから盗んだ情報を空売り筋に渡すと脅すようになった。そうした情報が公開されれば、株価が下がって空売り筋が利益を得るという寸法だ。

2020年11月、ダークサイドは「ランサムウエア・アズ・ア・サービス」をビジネスモデルとして採用した。その協力者（アフィリエイト）は身代金の75から90パーセントを受け取り、残りはダークサイドが手にするという構図だった。

しかしダークサイドの外交問題への理解は、交渉のアプローチに比べれば進んでいなかった。アフィリエイトモデルを採用したのと同じ頃、法執行機関やマイクロソフトのような企業がダークサイドのサーバーをダウンさせることができないように、盗んだ情報を「イランまたはまだ知られていない国」で保護するつもりであると宣言したのである。ダークサイドは、イランとのつながりを持った場合、米国が同国に対して課している制裁によって、米国内の被害者からの身代金支払いが複雑になることを認識していなかったようだ。２０２０年10月、財務省外国資産管理局（ＯＦＡＣ）は、「被害者に代わって、サイバー犯罪の行為者への身代金支払いを進める企業は」、その行為者が制裁リストに載っていたり、イランや北朝鮮などの禁輸国にいたりする場合「ＯＦＡＣの規制に違反する恐れがある」という勧告を掲載した。[5]

多くのサイバー保険会社は、ダークサイドへの支払いに保険金を出すことを躊躇するようになった。データが晒されてしまうという懸念はあったものの、保険会社が身代金の補償に消極的になったことで、バロッドの顧客は誰もダークサイドに身代金を払わないようになった。ビル・シーゲルの会社であるコーヴウエアは、ギャングとの交渉を中止した。

ハッカーたちはこの事態を収束させようと、イランを「データを保存する可能性のある場所のひとつ」としか考えておらず、イランでホスティング・プロバイダーを見つけることはできなかったとして、発言を撤回した。さらに、これからはコーヴウエアとは協力せず、被害者には他のデータ復旧会社を勧めると宣言するという、子供じみた仕返しをした。

第2次世界大戦後、ガソリンをはじめとする石油製品の需要が急増した。しかしそれらを製油所から消費者のもとへと運ぶのは難題だった。既存のパイプラインでは不十分で、オイルタンカーは天候や港湾労働者のストの影響を受けていた。この問題に対する解決策は、「史上最大の配管工事」と称され、その野心と規模はパナマ運河工事に匹敵した。1962年、当時の米国で最大の民間資金による建設プロジェクトとして、9つの石油会社のコンソーシアムがヒューストンからニューヨーク港への幅3フィート（約91センチメートル）のパイプラインを建設し始めた。これがコロニアル（植民地の）・パイプラインと呼ばれるようになったのは、そのパイプラインが通過する14州のうち、9つの州が米独立戦争当時の13の植民地に含まれていたからである。[6] パイプはテネシー州のルックアウト山を越え、ジェームズ川やデラウェア川など多くの川の底を通って敷設された。

パイプラインは最終的に5500マイル（約8851キロメートル）におよび、ガソリン、暖房用油、ディーゼル、航空燃料、その他の石油製品を、メキシコ湾岸の29の製油所から東海岸に1日1億ガロン以上運ぶことになった。2002年以来、コーク・インダストリーズ社の子会社がこのパイプラインの最大の出資者となっている。

設立当初から、コロニアル・パイプライン・カンパニーはコンピュータを用いて石油輸送のスケジュールを作成していた。同社が執筆を依頼した社史によれば、彼らが「コンピュータ技術を活用するのは、コロニアルの大きな特徴」だったと言える。[7] しかし、石油流出についての見解はあまり先進的とは言えなかった。業界全体の態度である「地面に少しくらい油がこぼれても問題ない」という考え方は、環境保護運動の拡大によって時代遅れになっていた。1996年には、同社が交換を怠っていた、腐食したパイプラインがサウスカロライナ州で破裂し、当時の米国史上6番目に大きな石油漏れ事故を引き起こした。同社は１９９９年に重大な過失を認め、７００万ドルの罰金を払うことになった。[8] また土地所有者やサウスカロライナ州に対して、１３００万ドルの和解金も支払った。[9]

その社史に「当社最悪の時期」[10] と記されたリーディ川石油流出事故は、コロニアルの企業文化に永続的な影響を与えた。まず「疑わしきはシャットダウンせよ」という同社のＴシャツのスローガンに象徴されるように、慎重で安全を第一にという姿勢が植え付けられた。そしてコロニアルは、組織内の誰もがパイプラインを停止させる権限を持つという方針を採用した。同社が初めてパイプライン全体の閉鎖に踏み切ったのは、１９９９年12月31日のことで、これは２０００問題［古いコンピュータのシステムやソフトウエアが仕様上西暦２０００年を認識できない恐れがあり、そうしたコンピュータを使用する重要な社会インフラへの影響が懸念された問題。１９９０年代後半に多くの組織が解決に取り組んだことで深刻な被害は発生しなかった］に関連したコンピュータの不具合による電力サージ［電力供給網に、一時的に過剰な電流や電圧が発生する現象。家庭やオフィスの電子機器に大きなダメージを与える可能性がある］への懸念からだった。[11] ２００５年のハリケーン・カトリーナの際も同様にシャットダウンが行われた。[12] その積極的な姿勢によって、連邦政府の介入を回避できると同社は期待していた。「そう命じられることを懸念していました」と、元関係者は語っている。

コロニアルは、２０１７年から２０２１年にかけてＩＴ支出を50パーセント増やした。しかし、国土安全保障省に属し、パイプラインの安全性を監督する立場にある運輸保安庁が２０２０年にコロニアルに連絡し、サイバーセキュリティの自主点検を行うよう命じたところ、同社は断りを入れてきた。その言い訳は、新型コロナウイルスによるロックダウンの影響を受けていることと、新本社に移転する予定であることだった。[13] 手遅れになるまで、同庁による評価は行われなかった。

2021年5月7日の午前5時になろうかとしていた時、コロニアルの社員が社内ネットワーク上で身代金要求書を発見した。ダークサイドは会社の請求・管理システムを停止させ、健康保険データや社会保障番号などの個人情報を盗んでいた。ダークサイドは古いVPNを悪用した。このVPNは多要素認証による防御を行っておらず、1つのパスワードのみでアクセスできたため、利用可能な状態に置いておくべきではなかったのだ。[14] さらにそのパスワードもダークウェブ上で公開されており、おそらくコロニアルの従業員が、ハッキングされた別のアカウントで使用していたためと思われる。

同社はリーディ川石油流出事故以来の特徴となっていた、慎重なアプローチを採用した。バックアップシステムが破損し、犯罪者がセンサーやバルブ、ポンプなどの運用機器に影響を与えたり、制御を奪ったりすることを恐れ、管理者はパイプラインを停止させた。東海岸で消費される全燃料の45パーセントが、突然止まったのである。

重要な動脈がふさがれ、全米が動揺した。ガソリンの価格が上昇し、パニックに陥ったドライバーはガソリンを補給し始め、1970年代の石油不足の際以来の行列がガソリンスタンで発生した。また米国消費者製品安全委員会は、ビニール袋にガソリンを入れてはいけないという警告を発した。[15] 供給の減少と需要の上昇が重なり、南東部のガソリンスタンドは閉鎖された。ノースカロライナ州ではおよそ3分の2、バージニア州、ジョージア州、サウスカロライナ州では半分近くのスタンドがガソリン不足に陥った。[16] この危機は航空業界にも影響を与えた。ジェット燃料の不足に直面し、一部のフライトがルート変更されたのである。

米国の重要なインフラに壊滅的な打撃を与えたことで、ランサムウエアは深刻な脅威として米国民の意識に定着した。FBIのクリストファー・レイ長官は、米国史上最大かつ最もトラウマ的な災害のひとつである2001年9月11日の同時多発テロと「多くの類似点」があったと述べている。[17] コロニアルの閉鎖は、ランサムウエアがいかに大きな脅威であるかを一般の米国人に知らしめた。それは彼らの日常生活や、当たり前のように享受していた生活必需品、快適な生活を破壊したのである。

コロニアルの災害対策計画には、ランサムウエアによる攻撃は想定されていなかった。[18] 他に手段がなかったため、コロニアルはダークサイドに440万ドルの身代金を支払い、ファイルのロックを解除するキーを手に入れた。コロニアルのジョセフ・ブラウントCEOは、「エネルギー業界で39年間働いてきた中で、最も難しい決断でした」と議会で証言した。[19]「私たちのパイプラインがどれだけ重要かわかっているので、国の利益を第一に考えました」ダークサイドがコロニアルに提供したキーは「ある程度」機能したとブラウントは語り、[20] シャットダウンは6日後に終了した。

コロニアルは最終的に、440万ドルの全額を払わずに済んだ。支払いをする前に、ブラウントが彼らの加入していたサイバー保険に相談したところ、身代金を補償するという方針が示されたのである。[21] それでも同社は、すべてのシステムを回復するために数か月、そして数千万ドルかかるだろうと予想していた。

ダークサイドは、イランと関係を持つことの弊害を認識できなかったように、パイプライン攻撃によって引き起こされた騒動に驚いているように見えた。攻撃から3日後、彼らはサイト上に「私たちは非政治的であり、地政学に参加することはない」と投稿した。「我々の目的はお金を稼ぐことであり、社会に問題を起こすことではない」

激怒したビル・シーゲルは、ビットディフェンダーを非難した。「ダークサイドが脆弱性のあるバージョンを使い続けていて、誰も身代金を支払っていなかったら、あの悪人どもはもっとダメージを受けていたはずだ」努力が報われなかったランサムウエア追跡チームも激怒していた。彼らは、ランサムウエアの弱点が早期に露呈することを表す言葉を作った――「ビットディフェンダーする」である。

ダークサイドの悲劇は、根本的なパラドックスを浮き彫りにした。ランサムウエアを解読することで、ランサムウエア追跡チームとビットディフェンダーなどの企業は、身代金の支払いから何百万人もの被害者を救い、無数の犯罪者を阻止してきた。また、ランサムウエアの脆弱性を検出するこれらの組織がなければ、ハッカーがどんなに粗悪なコードを使っていても、被害者を恐怖に陥れて金銭を払わせることができただろう。

しかし、こうした追跡者たちの才能は、意図せぬ結果を招いた。彼らはランサムウエア犯罪集団の製品テスターとして機能し、欠陥を発見することで、ダークサイドのようなハッカーが欠陥を修正することを可能にしたのである。追跡者たちの発見のおかげで、ハッカーたちは暗号を改良し、解読を困難にできたのだ。こうした改良と、多くのハッカーが技術的な知識を深め、専門性を高めたことで、ランサムウエアを打ち破るのが難しくなった。まだマイケルとファビアンは、多くの新しいタイプのランサムウエアを解読できた。しかし彼らとサラはこの変化を反映して、身代金を払った被害者に対し、ハッカーが提供したツールを使う場合よりも、より早く、よりスムーズに回復できるよう支援することに時間を割くようになった。

ランサムウエアの解読と同様、この作業も被害者の救済というチームの目標を達成するものだ。しかし、身代金を支払った被害者がより満足できる結果を得ることで、攻撃者の利益にもつながる。さらに「無償で人を助ける」というミッションの基本的な考え方への覚悟が試される道でもあった。

この新しい事業はビル・シーゲルからの要望で始まった。2019年、彼とコーヴウエアは問題に直面していた。リュークによって攻撃された企業は、自社のデータを回復し業務を再開するために、身代金の交渉をコーヴウエアに依頼していた。しかしリュークから提供される復元ツールは遅く、また信頼性に欠けていた。ビルはファビアンに連絡した。「聞いてくれ、リュークの復元ツールは本当に酷いんだ」とビルは訴えた。「もっと優れたツールが必要だ」ファビアンはリュークのランサムウエア復元ツールからキーを抽出し、より速く、より信頼性の高いものを開発した。

改良されたリュークの復元ツールは大成功を収め、ビルはファビアンに他に何ができるかを尋ねた。「他のランサムウエアにも酷いものがたくさんある」とビル。「それについても復元ツールをつくってほしい」ファビアンは同意した。

最終的にファビアン、マイケル、そしてサラはユニバーサルな復元ツールをつくり上げた。彼らが数年にわたって、特定のランサムウエア用に開発してきた復元ツールと異なり、このユニバーサルな復元ツールは少しの設定だけでどんなキーでも利用できた。そのキーが、ランサムウエア追跡チームがクラックによって自ら手に入れたものか、ハッカーが身代金を受け取った後に提供したものかにかかわらず、である。メンバーはそれらのキーをこのユニバーサル復元ツール「ユニデクリプト」に格納したのだ。それにより、被害者はこのツールを利用してファイルを復元できるようになった。コーヴウエアとエムシソフトは、フアビアンとサラが設立した会社から技術をライセンスし、このツールを被害者に提供した。エムシソフトの料金は5000ドル、コーヴウエアの料金は3500ドルだった。「それは彼らのオプションメニューのひとつになりました」とファビアンは語った。

ファビアン、マイケル、サラの3人は、ローレンスと同様に、ツールの利用料をもらうことは倫理的に擁護できると考えていた。顧客は、身代金を何百万ドルも支払った大企業がほとんどで、ユニバーサル復元ツールに数千ドルを支払う余裕もあった。ユニバーサル復元ツールは、データ復旧を平均で70パーセント速くするため、ファビアンはそのツールを使うことは被害者にとって「絶対に損にならない」と主張した。「すでに数百万ドルの身代金を払った後に、5千ドルを払うことになります。しかし彼らは、1週間早くシステムを取り戻せるのです」

このユニバーサル復元ツールは画期的だったが、それでも、その販売はチームの理想主義的な信条を損なうものだった。2021年のある忘れがたい週末に、マイケルが3つのランサムウエアを解読したとき、この妥協はより明白なものとなった。ローレンツに攻撃されたコーヴウエアの顧客は、犯罪者への支払いは免れたが、チームが以前無料で提供していたのと実質的に同じサービスに対して料金を支払った。マイケルとファビアンは時間があるとき、特に多発しているランサムウエアのために無料の復元ツールを開発し、エムシソフトのウェブサイトに掲載していたのだ。

ビルはローレンツの件がもたらした倫理的ジレンマを軽視していた。「クラック可能なランサムウエアに襲われた顧客は、全体の10パーセントにも達しません」と彼は言う。「1か月に1種類か2種類だけです。私たちは通常、月に20～30種類のランサムウエアを見ています」

ランサムウエア対策業界に対する不安はあったものの、コーヴウエアの交渉サービスに対する需要は非常に大きく、２０２１年末にビルは新たな従業員を雇い入れるために、募集を開始した。オーストラリアを拠点とする「インシデントレスポンス担当ディレクター」には、「サイバー犯罪者との交渉」、「身代金支払いに伴う財務管理」、「法執行機関のパートナーとのやり取り」が期待されていた。

ビルは同時に、コーヴウエアの顧客に正確で迅速なデータを提供し、十分な情報に基づく選択ができるようにすることで、業界の水準向上に全力を尽くした。ハッカーがシステムにどのように侵入して何をしたのかを数週間かけても把握できない一部の競合他社とは対照的に、コーヴウエアはそのような質問に数分で答えるツールを開発した。またこのツールは、フォレンジックに関する問題だけでなく、交渉の展開を予測することもできた。そして暗号の復号だけでは修正できないファイルの損傷を探すことで、被害者が無駄に身代金を支払うことを防いだ。

ビルは、交渉中にハッカーが発した驚くべき発言をまとめた本を作ることで、場の空気を軽くしていた。たとえば２０２１年11月には、「今日はうちのリーダーが誕生日だから、割引してくれるよ」という発言があった。

最悪の事態は、改革への最短ルートとなることが多い。コロニアルによるシャットダウンの後、運輸保安庁はパイプライン運営者の監督を強化し、企業に対して攻撃を報告する担当者を指名して、システムの見直しと問題点の特定、さらにはそうした箇所への対応を命じた。違反者に対してはより厳しい罰則が科せられた。自主的なコンプライアンスの時代は終わったように思われた。

同時に、米国政府がランサムウエアの脅威を過小評価していた時代も終わった。パイプラインの混乱が起きる直前、司法省はランサムウエアの捜査と訴追について調整するため「ランサムウエアおよびデジタル恐喝に関するタスクフォース」を創設した。[22] コロニアルの攻撃を受け、ジョー・バイデン大統領は連邦政府のサイバーセキュリティを改善するための大統領令を出し、[23] 司法省はランサムウエアをテロと同じ優先順位に引き上げた。[24]

政府のタスクフォースは、オランダHTCUのオフセンター・ターゲティングを思わせる野心的な任務を担っていた。それは暗号資産取引所からボットネットに至るまで、ランサムウエアとそれをサポートする仕組みすべてを調査することだった。タスクフォースが目指したのは「この国のどこで確認されたかを問わず、すべてのランサムウエア事件を追跡し、行為者間の関連性を明らかにして、そのチェーン全体を破壊するまで働きかけられるようにすること」だった。[25] これはジョン・カーリン首席副司法次官が述べたものである。

ランサムウエアへの注目の高まりは、すぐに具体的な形で現れた。ランサムウエアが行政の優先事項となったことで、FBIの捜査官やコンピュータ科学者は、ランサムウエアを追求する力を得たのである。ダークサイドのビットコイン口座にリンクされた、プライベート暗号化キーへのアクセスをなんとか手に入れたFBIは、コロニアルがハッカーに支払った金のおよそ半分を取り戻すことに成功した。これは身代金が回収された数少ない例である。

パイプライン攻撃から1週間後、ダークサイドは「米国からの圧力」を理由に活動を停止すると発表した。彼らは自身のウェブサイト、ブログ、決済サーバーへの接続ができなくなっていたのである。

ダークサイドはロシア語で書かれた声明文で、「アフィリエイト・プログラムは閉鎖された」と協力者たちに告げた。「無事と幸運を祈る」

コロニアルの停止に対する騒動が少し静まり始めたところで、別の大規模な攻撃が再び全国的な不安を生み出した。レヴィルが世界最大の食肉加工業者、ブラジルＪＢＳの米国部門を機能停止させ、１１００万ドルの身代金を払わせたのである。[26] ロシアを拠点とするこのギャングによる一連の攻撃を受けて、バイデン大統領は２０２１年6月の首脳会議の席で、ウラジミール・プーチンに対し彼の国から発せられるランサムウエア攻撃を止めるよう迫った。ランサムウエアとロシアを結びつける証拠は増えつつあった。身代金支払いの一部は、モスクワで最も高い超高層ビルで、金融街にあるフェデレーション・タワー・イーストにまで辿り着いた。[27] しかしプーチンは、バイデンの言葉を一蹴した。

この首脳会談から2週間後、7月4日の独立記念日を祝う週末に、レヴィルはＩＴマネジメントソフトウエアを提供する世界的企業であるカセヤを攻撃した。カセヤの顧客は多くの企業や非営利団体、政府機関のＩＴを扱っているため、最大で１５００もの組織が影響を受けた。

攻撃が行われたとき、ＦＢＩはすでにレヴィルのインフラに侵入し、解除キーを入手していた。しかしハッカーを特定する前に手がかりを与えてしまうことを恐れて、カセヤには知らせていなかった。[28] 犠牲者が出ている間に、レヴィル一味は自分たちのプラットフォームが侵入されていたことに気づいた。その広報担当でありリーダーでもあったアンノウンは、プラットフォームを停止して姿を消した。レヴィルはアンノウン抜きで２０２１年9月に再登場したが、10月には再び活動停止した。[29]

FBIはレヴィルの復元ツールをカセヤと共有するまでに、3週間待った。カセヤは米サイバーセキュリティ・社会基盤安全保障庁の元ディレクターで、後にコンサルタントとなったクリス・クレブスを通じてファビアンに連絡を取り、ツールの安全性と有効性を確保できるかどうかを尋ねた。

「あくまで仮定の話として、もしあなたが流行中のランサムウエア群の攻撃者向けツールを手にして、それが秘密のソースからで、しかもそのソースが100パーセント信頼できる相手だったら、あなたはその相手を助けられるでしょうか？」とクレブスはファビアンに尋ねた。

「はい、いつもそうしています」とファビアンは答えた。彼はレヴィルのケースをこれまでもたくさん扱っていたため、キーを抽出してユニバーサル復元ツールに入れるのに、10分しかかからなかった。

カセヤへの攻撃と、ランサムウエアに対するロシアの継続的な放任主義に苛立ったバイデンは、再びプーチンと連絡を取った。7月9日の電話会談では、米国がランサムウエアを国家安全保障に対する脅威と見なしていると、ロシア大統領に警告した。ロシアが対応しないのであれば、米国が対応することになる。後にバイデンはこう語っている。「私はプーチンに対して極めて明確に伝えた。もしランサムウエア攻撃が彼の国から行われている場合、それがたとえ国家の支援によるものでなくても、米国が十分な情報を提供すれば、ロシアが行動してくれるのを期待していると」[30] 彼は、ロシアがランサムウエアを取り締まることを「楽観視している」と述べた。しかしホワイトハウスは、30か国の代表者とバーチャル開催したランサムウエア・サミットに、ロシアを招待しなかった。[31]

政府のランサムウエア対策タスクフォースは、その後も前進を続けている。2021年11月、司法省は、米国内の企業や官公庁に対してレヴィルを展開したとして、ウクライナのヤロスラフ・ヴァシンスキーとロシアのエフゲニー・ポリアニンを起訴したと発表した。[32] 司法省はまた、ポリアニンに対するとされるランサムウエアの支払いから610万ドルを押収した。ポリアニンが依然として逃亡中である一方で、カセヤへの攻撃に関与したとされるヴァシンスキーはポーランドで逮捕され、米国に送還されることになった。彼は2022年3月にテキサス州の連邦裁判所で無罪を主張した。

また、リュークが米国の被害者から得た支払いの資金洗浄を助けた容疑で起訴されたロシアの起業家、デニス・ドゥブニコフも身柄引き渡しに直面している。ドゥブニコフは、モスクワのフェデレーション・タワー・イーストの22階にある暗号資産取引所「エッグチェンジ」[33]の創設者であると伝えられている。[34] FBIの要請を受け、オランダ当局は11月にアムステルダムで彼を逮捕した。ドゥブニコフは自身の会社を通じて、これらの告発を「信頼できない」と述べ、と容疑を否認している。[35]

＊＊＊

政府がランサムウエアに対して厳しい姿勢を取るにつれ、サイバー保険業界もそれに倣った。当初は身代金の要求額が少なかったため、バックアップからの復旧に時間をかけるよりも、身代金を払って先に進む方が経済面で合理的だった。しかしハッカーは保険会社が支払うと確信した上で、より高い身代金を要求してきたため、そうした態度は結局サイバー保険会社のコストを押し上げることになった。身代金が数千万ドルにまで高騰すると、経済的な変化が生じた。保険会社はもはや、身代金を払うことが費用対効果の面で有利な選択肢であると考えられなくなったのである。

身代金要求額の増加や攻撃の頻発により、2020年および2021年の保険引受損失は前年比で大幅に増加した。保険会社は、補償条件を厳しくし、保険料を2倍、3倍に引き上げることで対応した。[36] コロニアル・パイプラインが停止したのと同じ2021年5月、パリに拠点を置くアクサは、フランス国内の顧客にのみ適用されたものの、身代金支払いをカバーするサイバー保険の提供を中止する世界初の保険会社になった。[37] その約1週間後、おそらくその報復として、アクサのアジア部門がランサムウエアに襲われた。[38] 米国の保険会社アメリカン・インターナショナル・グループは2021年8月、「ランサムウエアに関連する脅威の高まり」に対処するため、サイバー補償の限度額を引き下げると発表した。[39] 年末には、世界のサイバー保険市場の約5分の1を引き受けているロイズ・オブ・ロンドンが、シンジケートのメンバーに対して、サイバービジネスを引き受けることに警告を発した。[40]

欧州のサイバーセキュリティ規制当局は、ランサムウエア攻撃に対する防御を強化するための新たな手段を手に入れた。2018年の一般データ保護規則（GDPR）は、EU加盟国内に拠点を置く企業やそこでビジネスを展開する企業に対し、サイバーセキュリティの向上、データ侵害が発生した場合の72時間以内の報告、不要になったデータの削除を求めた。[41] この違反者には、最大で売上の4パーセントもの罰金が科される可能性がある。

GDPRは機密情報を保護しようとする一方で、個人情報を盗み出すことに成功したランサムウエア犯罪集団に対しては、企業を脅す新たなネタを握らせることになった。企業が支払いを渋った場合、攻撃者はそれをEU当局に密告する。企業の防御を突破したハッカーは、その企業のサイバーセキュリティ上の不備を誰よりも知っているわけである。

「身代金の支払いを拒否した場合、我々は……ＧＤＰＲに連絡し、お前が顧客情報を誰でもアクセスできる状態で保存しており、安全ではなかったことを通報する」と、ある組織は身代金要求書の中で警告した。[42]「法律の規則に基づき、お前は重い罰金または逮捕に直面するだろう」

政府が新たにランサムウエアを重視するようになっても、ＦＢＩはサイバー専門家のグループを拡充するための抜本的な改革に着手しなかった。その消極的な姿勢に、元捜査官たちは失望している。２０１５年のコミーとの会合に出席した捜査官の1人であるミラン・パテルは、「ＦＢＩの次世代のサイバー担当者は、捜査官になるのではなく、まずはサイバーを担当したいと願うようなタイプであるべきだと思う」と述べた。「ＦＢＩはコードの書き方、コンパイル、分析、調査の仕方を知っている、技術的な訓練を受けた専門のプログラマーやサイバーセキュリティエンジニアを必要としています――そしてそれは、銃を携帯することとは何の関係もないのです」

それでもＦＢＩは、ある重要な課題については柔軟に対応した。民間の研究者との協力に積極的に取り組むようになっていたのである。２０２１年10月の講演で、クリストファー・レイ長官は、ＦＢＩが本部に民間部門室を設置し、すべての支局に民間担当のコーディネーターを配置して、サイバー部門と防諜部門に産業界と協力するチームを結成したことを明らかにした。「私たちは国家とサイバー犯罪者、そしてその２つの有害な組み合わせがもたらす、困難な脅威に直面しています」とレイは述べた。[43]「それに私たちが打ち勝つには、あらゆる民間組織の協力が必要です」

民間組織とのコラボレーションには、利点と欠点があった。政府にはサーバーを押収し、データを召喚する力がある。民間企業は深い知識を持つ、有能な人材が揃っている。協力関係を築けば、これらの強みを生かすことができる。しかし、ＦＢＩは協力者を慎重に選び、彼らに明確な期待値を設定する必要があった。企業の中には、公共の利益よりも利益を優先するところがある。またビットディフェンダーのように、秘密にしておいた方がいいような画期的な発見を公表してしまう企業もある。こうした地雷原にいるような状況では、ＦＢＩはシアトル支局の元イルカ、ランディ・パーグマンなど、知り合いで信頼できる人物と仕事をすることを好んだ。

サイバーセキュリティ企業バイナリーディフェンスの脅威探索・防諜担当副社長という新しい仕事で、ランディは日常的にサイバー攻撃に関する情報に遭遇し、同じように情報を得ている他の研究者たちとつながっていた。彼ら全員が、自分たちの収集した情報がそれを必要とする人々に届くことを望んでいた。ランディは、ランサムウエア追跡チームとマイケルのウェブサイトであるＩＤランサムウエアを尊敬していた。彼らに倣い、ランディは独立したボランティアのウェブサイトを立ち上げ、それに１９６２年に出版されたマデレイン・レングルの小説 *A Wrinkle in Time* の登場人物にちなんで、「アウント・ビースト（ビーストおばさん）」と名づけた。この名前は、「ビーストおばさん」が「困っている見知らぬ人を救うため親切にする」ことに由来する。

アウント・ビーストは一般には公開されていなかったが、そのメンバーは信頼できる人物を招待することができた。当初は一握りのサイバーセキュリティ研究者が、業界関係者やＩＴ専門家を招き入れた。自分たちのネットワークを守ることに関心のある人は、自組織のＩＰアドレスの範囲をサイトに記録し、差し迫った攻撃に関する情報を持つ人は、どのＩＰアドレスがハッカーの標的になっているかという情報を記録した。

これらの情報がマッチすると、アウント・ビーストはターゲットとなっている組織に対し、メール、テキストメッセージ、または他の形式で自動的に通知を行った。たとえばどのIPアドレスから彼らのIPアドレスへの攻撃が行われているかを伝えたり、既知のランサムウエアサーバーが彼らのIPアドレスと5秒ごとに通信し、ネットワークの脆弱性の特定を行っているように見えることを警告したりした。

ランディは、自分の元職場が役に立つかもしれないと気づいた。たとえばランサムウエアのC&Cサーバーを押収した場合、法執行機関はそのサーバーのログから攻撃対象のIPアドレスを特定できる。そしてそのアドレスを、アウント・ビーストに追加できるだろう。そしてアドレスが彼らのものとマッチすれば、当局が電話をかけるまでもなく、通知が行われる。ランディは当局がアウント・ビーストを使って「数秒で通知を終わらせる」ことを期待していた。司法省にランサムウエア対策タスクフォースが設立されると、彼はFBI、シークレットサービス、DHS、そしてオランダのHTCUに対して、アウント・ビーストへのアクセスを公開した。

ランディはこの積極的な通知機能を「大きな問題を解決するための最大の機会」と見なしている。彼によれば、ハッカーが有利なのは、被害者のネットワーク内で彼らの存在が感知されないところにある。しかし、ひとたびターゲットが攻撃者の存在を知れば、彼らを「追い出す」ことができる。

「これは予防につながる情報です」とランディは言う。「攻撃対象の情報を活用することで、脅威となる存在（ハッカー）を阻止できるのです」

しかし、ひとつだけ難点があった。IPアドレスが常に認識可能なドメイン名を示すとは限らないため、アウント・ビーストの一員でなければ、その組織に攻撃が差し迫っていることを警告できないのである。そのためランディは、アウント・ビーストの参加者を増やすことに力を注いだ。

2022年2月までに、参加者は5700万以上のIPアドレスをデータベースに記録し、その数は急速に増加していた。その翌月、アウント・ビーストからの警告により、ある重要な産業用制御システムのオペレーターが、差し迫っていたサイバー攻撃を阻止することができた。ランディは、アウント・ビーストが「あまりにも大きな存在になってしまい、自分が単一障害点［あるシステムやプロセスにおいて、その部分が何らかの理由で機能しなくなると、全体が機能しなくなってしまうようなポイントを指す表現で、SPOFとも略される］になるわけにはいかなくなった」と気づき、サイバーインシデントの予防を手がける世界的な組織に、自分の作品を譲り渡した。「サーバーが稼働し続けるためには、チームと専任のシステム管理者が必要です」と彼は言った。

ランサムウエアの世界は常に変化しており、ランサムウエア追跡チームが戦ってきた多くのメジャーなウイルスが活動を停止していた。しかし、既存のウイルスと同じ特徴を持つランサムウエアが、名前を変えて再登場することも多々あった。たとえば2020年9月にメイズが閉鎖されたとき、「エグレガー」と呼ばれるランサムウエアが出現した。そのコードと身代金要求書はメイズのものと似ており、多くの元メイズ協力者がエグレガーに群がった。2022年2月、このランサムウエアの開発者は、ブリーピングコンピュータのフォーラム上で解除キーを公開した。[44] それはある意味、皮肉なことだった。ローレンス・エイブラムスを懸命に操ろうとした一味が、その後、ランサムウエアから足を洗うために彼のサイトを選んだのだ。

ダークサイドが活動停止してから2か月後、ブラックマターと名乗るユーザーがダークウェブの人気フォーラムに投稿し、米国、カナダ、オーストラリア、英国の年間売上高1億ドル以上の企業ネットワークへのアクセスを買わないかと呼びかけた。それから1週間も経たないうちに、ブラックマターはランサムウエアを開発し、ダークウェブ上にリークサイトを立ち上げた。「親愛なる企業の皆様へ」と、このグループは自分たちのサイトに書いている。「身代金を支払うことをお勧めします。さもなければ、あなたのデータは競合他社やハッカーによってダウンロードされるでしょう」

そのサイトの「我々について」のコーナーには、「我々は共通の興味、すなわち『金』でつながったチームである」と書かれている。

数日のうちに、ランサムウエア追跡チームがブラックマターのコードを発見し、分析した。「ブラックマターがダークサイドの看板を掛け変えたものではないかという初期の噂は、すぐに正しいことが確認されました」とファビアンはブログに書いている。[45]「ブラックマターの最初のバージョンは、ダークサイドの最後のバージョンとほとんど同じであることが判明したのです」

2021年7月、ファビアンがサイバー犯罪者の告白の場としてメッセージングアカウントを開設したとき、彼はハッカーとランサムウエア追跡チームの間で、コミュニケーションラインを確立することを望んでいた。彼はそれが、チームと米国政府との間にあるラインよりも、信頼性の高い連絡窓口にもなるとは予想していなかった。

ファビアンは長年、政府の関心を引くのに苦労していた。しかしバターボール社の一件（同社への攻撃が迫っていることを示す証拠を持ったハッカーが、ファビアンの懺悔室に現れた）により、状況は一変した。バターボール社に警告を発しようと、ファビアンはＣＩＳＡの知り合いに連絡を取った。その人物は彼の情報を真剣に受け止めてくれた。そしてサイバー捜査の拠点として知られる、ピッツバーグ支局のＦＢＩ捜査官を紹介してくれたのである。その捜査官は、ＦＢＩのサイバー・イニシアチブ＆リソース・フュージョン・ユニットのメンバーとして、民間組織と協力して事件を解決した。ファビアンは、「長年ランサムウエアやサイバー犯罪に取り組んできて、すぐに転勤してしまわない」信頼できる連絡先を確保できたことに喜びを感じていた。

バターボール事件の後、チームはＣＩＳＡとＦＢＩの両方と定期的に連絡を取り合うようになった。ＣＩＳＡはスラックを通じてチームメンバーと連絡を取り合った。新たな協力者たちは、ＦＢＩと仕事をする中で遭遇したフラストレーションを共有することで、さらに絆を深めた。「話し始めた途端、彼らは私の愚痴に共感してくれたんです」と、ファビアンはその時の会話を振り返る。「『まるでブラックホールだ、そこに入ったものは消えてしまう』って言ったら、『それはわかる』ってね」ＦＢＩはまだスラックに参加していなかったが、ピッツバーグの捜査官はファビアンに、特定のランサムウエアに特化した他の支局の同僚を紹介した。

チームが新たに登場した新種のランサムウエアを解読すると、直ちに、かつ秘密裏に、その情報をＦＢＩやＣＩＳＡに伝えることができた。「この発見されたばかりのランサムウエアについて、脆弱性を確認しています」と、ファビアンは彼らに伝える。「被害者が出た場合、私たちに紹介してください。または私たちに連絡して、脆弱性に関する詳細を共有し、彼らを助けられるかどうか確認してください」

ブラックマターはチームに対し、こうしたコラボレーションの価値を実証する機会を与えてくれた。ファビアンは数週間にわたる分析の末、ブラックマターのランサムウエアに脆弱性を発見し、ＣＩＳＡとＦＢＩにそれを伝えた。彼はその当時の会話をこう回想している。「聞いてください、ブラックマターの被害者が出たら、私たちは救済できます。身代金を払う必要はありません」

ＦＢＩは興味を示したが、ファビアンによれば、「彼らはまだＦＢＩのままでした」彼の担当者は、「それではＦＢＩが（エムシソフトを）推薦しているように見えるしれない。ＦＢＩは特定の民間企業を推薦できない」と恐れ、ファビアンの連絡先を被害者に伝えることを嫌がったという。捜査官はファビアンに、ＦＢＩ内の法律の専門家に相談して、また連絡すると告げた。

１日後、ファビアンに連絡があり、ＦＢＩがブラックマターの被害者に彼の連絡先を伝えることになったという。さらに「やっていいことといけないことを列挙した長いリスト」を渡してきた、とファビアンは振り返る。「この『やってはいけないことリスト』は、非常に長いものでした」たとえば、チームはＦＢＩの推薦を受けたと宣伝することは許されなかったが、いずれにせよそんなことはしないとファビアンは言い切る。そしてＦＢＩが躊躇なく協力したことは、功を奏した。家具会社を含む複数の被害者から連絡があり、チームは身代金を支払うことなく被害者を助けることに貢献できた。

ＦＢＩから紹介された被害者はファビアンに、「どうせ何も変わらないだろうからと、そもそもＦＢＩに連絡しようかどうか迷っていました」と打ち明けた。「単に頭痛の種が増えるだけで、結局身代金を払うか、一から立て直すかのどちらかなのだと」彼らにとって、チームが提供したサービスはまったくの驚きだった。

「今では、被害者がFBIに相談することには本当に意味があります」とファビアン。「被害者がランサムウエア犯罪を当局に報告すると、当局は私たちのような第三者からの重要な情報を提供して、犯罪者の要求に屈することなくデータを復元するのを助けてくれるかもしれません。それが被害者への最大のインセンティブになります」

CISAにとって、ランサムウエア追跡チームとのパートナーシップは、クリス・クレブス前長官が切望していた、ランサムウエア攻撃後の被害者を支援する有意義な方法となった。一方ファビアンは、当局の存在をチームがより多くのブラックマターの被害者と接触するために「絶対に不可欠」な存在だったと述べている。そうした被害者の中に、ミネソタ州の農業協同組合であるクリスタルバレーがあった。彼らは攻撃を受け、肥料の調合や家畜飼料の注文に応じられない状況に陥った。アイオワ州を拠点とするニューコーポレーティブとならび、彼らは2021年9月にチームが身代金支払いから救った2番目の主要な農業系ビジネスとなった。[46]

その月、コーヴウエアはファビアンとサラの会社に約14万ドルを支払った。ビルの顧客がブラックマターの被害から迅速に復旧するために、ユニバーサル復元ツールを頻繁に使っていたからである。ファビアンとサラは自分たちの理想を貫き、医療系の被害者や支払い能力のない人々には請求しなかった。ビルの予想通り、ランサムウエア追跡チームとの密接な関係は、コーヴウエアの評判を高めていった。

10月中旬になると、ブラックマターは問題に気づき、チームが利用していた脆弱性を修正した。しかしそれまでに50人の被害者を救い、ブラックマターへの支払い約1億ドルを防いだ。ファビアンは言う。

「ＣＩＳＡやＦＢＩのような組織が、私たちを保証することはなくても、少なくとも『ええ、彼らは合法的な人々です』と言ってくれるだけで、支援活動にとても役立っています。私たちが何者なのか、ツイッターだけではわからないでしょう」

その数週間後、「当局からの圧力」を理由に、ブラックマターは停止を発表した。その協力者たちは、既存の被害者を別のギャングのサイトに移し、身代金の支払い交渉を継続した。[47]

＊＊＊

ランサムウエア戦争は、攻撃者と被害者の双方でエスカレートしていた。攻撃者たちはさらに賢くなった。暗号技術を向上させ、ターゲットの選定をより洞察力を持って、そしてより確かな政治的感覚に基づいて行うようになった。彼らは不要な注目を集めることを避けるため、裕福だが議論を引き起こすことのない被害者、つまり多額の身代金を払うことができるものの、社会の基本的な機能にとってコロニアルほど重要ではない対象を主に攻撃していた。ＦＢＩは、一部のギャングが「監視の目を減らすために、ランサムウエアの取り組みを『大物』から中規模な被害者に振り向けている」ことに気づいていた。[48]

そのような攻撃のひとつは、ギレスピー夫妻にとって身近な問題となった。２０２１年12月、ランサムウエアがリンカーカレッジを襲った。ランサムウエアは、イリノイ州の田舎にあり、黒人の学生が多く１５７年の歴史を持つリベラルアーツ・カレッジである同校の「入試活動を妨害し、組織内の全データへのアクセスを妨げ」た。[49] リンカーンカレッジは経済的に苦しい状況にあり、将来の入学者数を予測することができず、2022年5月に永久に閉鎖された。

2022年初頭までに、米国政府はこの脅威を真剣に受け止めるようになっていた。ランサムウエアと戦うために、捜査と外交の両方のリソースを世界中に配備し、ランサムウエア追跡チームやその他の民間組織とようやく協力するようになった。新しい連邦法が施行され、重要インフラの所有者は、システムに侵入されたり身代金を支払ったりした場合にCISAに報告することが義務付けられた。[50] これとは別に、SECは上場企業に対し、ランサムウエアやその他のサイバーセキュリティ攻撃を4日以内に報告することを義務付ける規則を提案した。[51]

米国はまた、ロシアを拠点とするサイバー攻撃者の追及に協力するよう、同国に迫った。しかしクレムリンは、外交政策上の重要課題で利益になるか否かに応じて、協力と妨害の間を行き来した。また取り締まるにしても、ターゲットを選択した。イビルコープのリーダーでFSBの職員であるマクシム・ヤクベツや、米国が起訴した著名なサイバー犯罪者を追求することはなかったようだ。

2021年10月、ロシアはバイデン政権をなだめようと、1年前のマイクロソフトとアメリカサイバー軍による破壊から復活したトリックボットを訴追した。しかし、モスクワでの裁判は「失敗するように仕組まれていた」とアレックス・ホールデンが語るように、ウクライナ国境でのロシアの軍備増強によって米国との緊張が高まると、すぐ打ち切られるか延期された。

オランダのHTCUによって約1年前に摘発を受けて以来、沈黙を守っていたエモテットは、2021年11月に再登場し、トリックボットのインフラを借りてボットネットを再構築した。[52] トリックボット・エモテット・リュークグループのメンバーは、米露関係がこれ以上こじれると、ロシアでランサムウエアが合法化されてその支払いを税金で申告しなければならなくなる、と冗談を言い合った。

2022年1月、ロシアは再び締め付けを行うように見えた。「米国の所轄当局の訴え」に応じてと称し、[53]その国内情報機関は、すでに3か月間休眠していたレヴィルを解体した。FSBは14人のギャングを逮捕しただけでなく、多数のコンピュータ、20台の高級車、4億2600万ルーブル（500万ドル以上）を押収した。[54]容疑者の1人は、コロニアル・パイプラインの攻撃を担当していたと伝えられている。レヴィルの逮捕は、トリックボット・エモテット・リュークのグループを憂慮させた。リュークのダークウェブ上のフォーラムは閉鎖され、リーダーの何人かは関連するコンティ・グループに移るか、ランサムウエアから完全に足を洗ったようだった。

その翌月、ロシアはウクライナに侵攻した。この残忍な侵略は世界中の怒りを呼び、何百万人ものウクライナ人が故郷を追われ、プーチンは自らの国以外で忌み嫌われる存在になった。コンティ一味はすぐに「ロシア政府を全面的に支持する」と発表し、仮に「西側の好戦的な勢力がロシアや世界のロシア語圏の重要インフラを標的にしようとした場合、報復措置を取るために全能力を駆使する」と宣言した。

このプーチン政権との連帯宣言は、すぐに裏目に出た。ウクライナの研究者がコンティに侵入し、2022年2月に送信された6万通以上の内部メッセージを流出させたのだ。[55]ランサムウエア犯罪集団の内部が垣間見えるという前代未聞の出来事によって、彼らの組織構造、財務内容、日常業務、行動姿勢などが明らかになった。このリーク情報によると、侵攻の1週間前にコンティのメンバーがウクライナ国境の活動に関する情報を持っていたという。「S（トリックボットのスターン）がプーに仕えていることは、もうわかっていた」と、あるコンティ構成員は書いている。指導者と秘密が暴露されたコンティは、攻撃を減らして身を潜めた。2022年5月、米国務省はコンティのリーダーの特定と、居場所の把握に役立つ情報に対して1000万ドルの報奨金を提供することを発表した。[56]

米国と欧州諸国がウクライナに結集する中、ロシアがサイバー攻撃で報復するとの憶測が広まった。ロシア検察はレヴィル一味の裁判を取り下げ、彼らをサイバー戦線でウクライナと戦う人員として徴兵する、という取引を検討したと見られている。[57]

欧米の制裁で経済が疲弊しているロシアでは、元技術者たちがランサムウエアに手を出すことで、失った仕事や収入を補う可能性があると考えられてきた。その場合、ロシアのギャングに報酬を与えようというランサムウエア被害者が減っていることから、彼らが国籍を隠すようになる可能性があった。「プーチンゲルド（プーチン税）」を払いたくない欧米の企業、学校、病院、政府機関は、ランサムウエアによって被害が発生した場合、これまで以上にランサムウエア追跡チームを頼るようになるだろう。

マイケル・ギレスピーのランサムウエア狩りと、ＦＢＩとの関係構築は、彼が家庭で新たな責任を負うようになったことで後回しになった。2020年8月、彼はモーガンを産婦人科医の診察に連れて行った。モーガンが診察室に入ると、看護師は彼女に妊娠検査を受けるよう指示した。モーガンは目を丸くしながらも、それに従った。数分後、看護師が診察室に飛び込んできた。

「妊娠されていますよ！」

感動で胸がいっぱいになったモーガンは、車で待っているはずのマイケルに報告するため急いで出てきた。しかし彼は車の中にはいなかった。その日は猛暑だったので、涼むため食料品店に行っていたのである。車に戻ってくると、モーガンが自分の方に歩いてくるのが見えた。彼女が車に乗り込むと、彼は店で買ったものを話し始めた。彼女は、検査キットを彼に投げつけた。

「えっ？　なに？」

モーガンは長い間、母親になることを夢見ていた。そして希望を捨てかけていたとき、ついに妊娠が判明したのである。しかし彼女は、自分の糖尿病と肥満が、合併症や流産のリスクを高めていることも知っていた。

2人はすぐに、赤ちゃんを迎える準備を始めた。家族が増えることを念頭に、ロイヤルブルーのダッジ・キャラバンを購入し、マイケルは2階のベッドルームを子供部屋に改装した。シーツからベッドカバー、ベビーベッドのモビール、カーテン、額入りの楽譜、壁に掛けられた「王様になるのが待ちきれない［映画『ライオン・キング』に登場する歌のひとつ］」というプレートに至るまで、装飾はすべて『ライオン・キング』をテーマにしていた。

しかしモーガンが恐れていた通り、彼女の妊娠は困難なものになった。つわりに苦しむことも多く、医師の診察が必要で、一時は入院するほどだった。マイケルは彼女の看病に専念し、ＦＢＩとの打ち合わせさえも後回しにした。

２０２１年3月15日の月曜日、出産予定日のほぼ7週間前に、モーガンは一連の検査のために病院を訪れた。その結果、彼女が妊娠高血圧症候群を発症しつつあることが確認された。これは重篤になったり、命にかかわる場合もある。赤ちゃんを出産することが妊娠高血圧症候群の「最も効果的な治療法[58]」であることと、胎児の心拍数が減少していること（胎盤への血流が減少している兆候）から、医師たちは帝王切開による出産を決定した。

「今日、赤ちゃんが生まれるんだ」と、マイケルは3月17日午前8時18分にコーヴウエアの同僚にメッセージを送った。「しばらく連絡が取れなくなる」午後12時40分、イリノイ州シャンペーンにあるカール財団病院のモーガンの部屋で、マイケルはモーガンの横に座った。脊髄麻酔の時間になり、部屋を出るように言われるまで、彼は緊張しながら彼女の頭をなでて慰めていた。

回復室で待っていたマイケルは、FBIの担当者であるマーク・フェルプスから、「トリポリ」というランサムウエアについてメールを受け取った。しかし妻が出産を控えているため、しばらく連絡が取れなくなるというメールを書き、手術室に戻りながら送信した。息子が誕生したのは、その4分後だった。モーガンとマイケルは、彼をルカン・アトラス・ギレスピーと名づけた。モーガンはずっと前からこの名前を決めていた。ルカンはイタリア語で「光」を意味するルーチェを、アトラスはギリシャ神話に登場する、天を肩に担ぐ神を連想させた。「アトラスはギリシャ神話で天を支える神なんです」と彼女は言った。

マイケルはスラックの絵文字を赤ちゃんに変え、さらに後で父親が乳児に哺乳瓶を与えている絵文字に変えた。彼は新しい家族が誕生したことを、プログラミングの世界で「1つ追加する」という意味が込められた、「ギレスピー一家++」という簡潔なツイートで発表した。さらに「break［多くのプログラミング言語で、ループを中断する、強制終了するといった意味を持つコマンド］」と付け加えた。

「おめでとうマイケル」とファビアンは返信した。「お母さんも、小さな未来のランサムウエアハンターも、元気でいることを祈っています。父親業を楽しんでください：）」サラもお祝いの言葉を添えた。エムシソフトからは育児書と、その本拠地であるニュージーランドの国鳥であるキーウィのぬいぐるみが贈られた。コーヴウエアの同僚の1人は、ルカンのためにマフラー、帽子、セーターを編んでくれた。

ルカンの出生時体重は8ポンド3オンス（約3720グラム）で、正期産の赤ちゃんの平均を上回っていたが、彼はすぐに病院の新生児集中治療室へと連れて行かれた。モーガンは5日間カール財団病院に滞在した。「病院で気が変になりそうになったので、結局、自主退院しました」と彼女は明かした。

帝王切開から回復して自宅に戻ると、彼女は頭痛と筋肉痛に悩まされた。彼女はその状態が落ち着いているときに、マイケルと一緒に南東へ1時間のところにある病院に向かい、ルカンを訪ねた。しかし、この旅はモーガンにとって肉体的にも精神的にもつらいものだった。まだ新生児を育てることを許されない母親として、彼女は宙ぶらりんな気持ちになった。生後1週間を過ぎた3月24日になっても、マイケルはまだルカンを抱いていなかった。彼は「抱っこするチャンスがあるときはいつでも、彼女の不安を和らげるために」自分ではなくモーガンにルカンを抱かせるようにした。「彼女はルカンから離れているのがつらい一方で、長い時間家から離れることも耐えられないんだ」

マイケルはルカンが家に来たときのために、残りの育児休暇を節約しようと仕事に戻った。「坊やはどうしてる？」と、ある日サラが彼にメッセージを送った。

「坊やはミルクを半分飲むと気絶してしまうんだ——残りはチューブで飲ませてる」とマイケルは答えた。「家に帰れるようになる前に、ボトル全部のミルクを飲み切れるようにならないと。ママは95パーセント回復したけれど、コロナワクチンを初めて打った後で、とてもひどい頭痛と痛みに苦しんでいるよ」

「ワクチンの副作用は大変だって聞いてる」とサラは同情した。「彼が家に帰れるようになるまで、そう長くかからないといいけど」

5月14日、ルカンはようやく退院できた。彼は両親の部屋で寝たが、両親はあまり眠れなかったという。「ちょっと大変だよ」とマイケルは報告した。「彼は3時間おきにミルクを飲むことになってる。哺乳瓶で飲み切れなかった分は、チューブで与えないといけない。だから、おむつを交換して、彼を起こして、哺乳瓶でミルクを与えて、残りをチューブで与えるという一連の流れが終わると、また同じサイクルが始まるまでに取れる休憩は1時間くらいなんだ」

モーガンの糖尿病やその他の病気が悪化すると、マイケルがルカンの世話をするようになった。コーヴウエアの育児休暇中、彼は息子との絆を深めた。ベビーカーに乗せたルカンを押しながら、近くのミラーパークを散策し、静かな日陰を楽しみ、遊具や屋外ステージ、飾られているサザン・パシフィック鉄道の車両、釣り人がバスやナマズを釣るラグーンなどをぶらぶらと歩いた。

ストップＤｊｖｕの新しい亜種が発生し、月に数千人もの被害者を出すようになっていたが、マイケルにはそれに対応する時間がなかったため、マルウエアハンターが代わりを務めた。しかしマイケルは、ランサムウエアから完全に離れることは難しいと感じていた。彼は仕事用の携帯電話で、ソーシャルメディアとコーヴウエアのスラックをチェックしていた。時にはモーガンに「猫に餌をやってくる」と言い訳して、赤ちゃんの世話から数分離れ、ランサムウエアを追跡することもあった。

ルカンが家に来て4日目、マイケルは「イプシロンレッド」という新種がコーヴウエアの顧客を攻撃し、企業のファイルやバックアップを暗号化したことを知った。イプシロンレッドとはマーベルコミックに登場する、宇宙空間で呼吸ができ、炎を吹き出す4本の触手と、テレパシー能力を持つロシア兵の名だった。

このランサムウエアはマイクロソフト・エクスチェンジサーバーの脆弱性を突いて、ホスピタリティ産業や他の業界に侵入してきた。

すでにファビアンがイプシロンレッドを調査していたが、マイケルも見てみたくなった。ルカンのミルクとオムツ交換の記録をプリントアウトするためにパソコンに向かいながら、彼はこのランサムウエアを解析して、ある欠陥に気づいた。そのコードには、ゼロが繰り返し使われていたのである。このパターンが崩れ、ゼロが期待通りに繰り返されない場合、代替の文字にキーの一部が含まれていた。

イプシロンレッドはファイル形式ごとに異なるキーを使用しており、マイケルはそのすべてのキーを見つけることはできなかった。それでも、バックアップのキーは抽出できたので、そこからシステムを復元できた。コーヴウエアの顧客は、身代金を払わなくて済んだのだ。

マイケルは父親業に専念する一方で、ランサムウエアハンターとしてのアイデンティティや腕前を失わないかを心配していた。「今までの人生の中で、一番生産性がないような気がするよ」

そのためもあって、マイケルは今回の勝利をことさら喜んだ。チームメンバーであり、友人であり、師匠でもある人物が見落としていたランサムウエアの弱点を発見するというのは、そうそうあることではない。「この一件を、少し誇りに思っているんだ」とマイケル。「ファビアンですら見落としていた弱点を見つけたんだ。育児休暇中でもランサムウエアを破ったんだ、ってね」

謝辞

2018年にレネーがランサムウエアの取材を始めたとき、彼女も編集者のダンも、マイケル・ギレスピーという名前は聞いたことがなかった。ニュースで彼が言及されることもほとんどなかった。しかしレネーが取材したほぼすべての専門家が、ランサムウエアの種類とその解読方法について誰よりも知る人物だと言って、彼を賞賛していた。彼女は電話やツイッターでマイケルに連絡を取ろうとしたが、メッセージは返ってこなかった。ナード・オン・コールで連絡を取ると、彼は「仕事中で話せない」と言った。最終的に、ランサムウエアの追跡者仲間であるローレンス・エイブラムスからの紹介で、レネーと話すことに同意してくれた。

最初の頃の電話では、マイケルはランサムウエアを権威的立場から語りながらも、ランサムウエア対策における自身の役割を軽視していた。彼が謙遜していると感じたレネーは、2019年7月、イリノイ州の自宅でインタビューすることにした。そこで彼女は、がんや経済的困窮など個人的な苦難にもかかわらず、被害者を助けようとする彼の献身的な姿に圧倒された。彼女はブローノ空港からダンに電話をかけ、マイケルとランサムウエア追跡チームのストーリーを伝える必要があると伝えた。

それはまずプロパブリカの記事として、そして今、本書という形で発表された。私たちはマイケルと、その活気に満ちた妻、モーガンに深い感謝の意を表したい。彼らは私たちとズーム上で何十時間も過ごし、2021年の忘れられないイリノイ訪問を計画してくれた。マイケルは忍耐強くランサムウエアの暗号技術を説明し、一方でモーガンは彼らの個人としての歴史、そして家族の歴史を臆せずに語り、より控えめな夫に向けられた質問にしばしば答えてくれた。またランサムウエア追跡チームの他のメンバー、特にローレンス・エイブラムス、ファビアン・ウサー、サラ・ホワイトに対しても、時間を惜しむことなく、鮮明な記憶とハッカーの文化や戦術についての説明を提供してくれたことに感謝したい。ファビアンとサラに対しては、古いメッセージを探し出して私たちに価値のある一次資料を提供し、2021年のロンドンへの旅行で私たちをもてなしてくれたことに感謝する。そしてダニエル・ギャラガー、ヨルント・ファン・デル・ヴィール、マルク・リベロ・ロペス、カーステン・ハーンがチームの物語を完成させてくれた。追跡者たちは、私たちが彼らを正確で魅力的に描写すると信頼してくれた。彼らが結果に満足してくれることを願っている。

イゴール・カビナ、クリスチャン・マイロール、フランチェスコ・ムローニなど、ランサムウエア追跡チームの他の友人たちは、メンバーの役割とその進化について、重要な洞察を提供してくれた。マイケルの友人、同僚、親族からは、彼の魅力について理解を深めることができた。その中でも特に、リタ・ブランチ、デイブ・ジェイコブズ、ブライアン・フォード、ジェイソン・ハーンに感謝したい。また、マイケルによって救われたランサムウエア被害者たちにも、特にロンドンのマシューやフィリピンのレイ・オレンデスなど、自らの体験を共有してくれた人々に感謝する。

他の人々からは、ダークウェブのスクリーンショット、各種記録、ビットコインの追跡情報など、ハッカーたちが存在する世界についての理解を深める情報が提供された。特にアレックス・ホールデン、ジョン・フォッカー、ブレット・キャロー、ヴィンセント・ダゴスティーノ、ディミトリー・スマイリアネッツ、そしてチェイナリシスの情報源、特にマディ・ケネディとキム・グラウアーに感謝する。

ランサムウエアに対する連邦政府の対応については、数十の情報源からの助けを得て理解することができた。ジャネット・マンフラとランディ・パーグマンは特に時間を惜しまず、初期から継続的に指導してくれた。ミラン・パテル、アンソニー・フェランテ、キース・ムラスキー、マーク・グランツ、クリス・クレブスも同様だ。また、サイバー犯罪に対する政府の初期の取り組みについて説明してくれたマイケル・バティス、スコット・オーゲンバウム、ステイシー・アルーダにも感謝する。

オランダの多くの情報源からは、世界的な法執行の取り組みに関する見解を得ることができた。特にジョン・フォッカー、ピム・タッケンバーグ、マリジン・シュルビアス、マタイス・ヤスパースには、ズーム会議とオランダ訪問の両方で、時間を惜しみなくいただいた。またピーター・ファン・ホフヴィーゲン、フラン・ドゥビエ、そしてITフィターの素晴らしいスタッフと卒業生たちにも、彼らの世界を共有してくれたことに感謝したい。

２０１９年にプロパブリカに掲載されたシリーズThe Extortion Economy（恐喝経済）から得られた、数十の情報源に感謝する。その中には、本書の作成に協力してくれた方々も含まれている。特にビル・シーゲルの貢献は特筆すべきだ。私たちがインタビューした何百人もの他の人々の中でも、特にクリス・バロッド、ロバート・サポルスキー、アーロン・タントレフ、カーティス・マインダー、ジョン・リード・

スターク、ジョン・バンドラーの協力が大きく役に立った。またボルチモア市のコンタクトについてはアレク・マクギリス、欧州での研究についてはコンスタンティン・シャッツ、そしてスピードウェイ公共図書館のアシュリー・バートリーによる年鑑の閲覧に感謝したい。またエリザベス・クラークやトーマス・ホットマンなど、多くの公共関係の専門家たちの協力により、有益な会話を進めることができた。サラ・ホワイト、マシュー・グリーン、モチ・ユングには技術専門的なガイダンスについて、デビッド・グロービン、エドワード・ワイルディング、ロナルド・シルブ、ジョン・オーガスティン、シェリル・ゴールドスタイン、ガレン・ハルチュニアン、ジェフ・カオ、ジェームズ・バンドラーには各種の貢献について感謝する。また、名前を挙げることを望まなかった多くの他の情報源からの援助も、私たちの調査に大きく役立った。

またプロパブリカ編集長のスティーブン・エンゲルバーグ、そしてレネーによる2019年のランサムウエアに関する連載を掲載してくれた、さらには調査報道という最高の理想を追求し、支援してくれるユニークな職場を育んでくれた、当時の編集長のロビン・フィールズにも感謝したい。

私たちは、イビタス・クリエイティブ・マネジメントのベッキー・スウェレンとリン・ジョンストンという、洞察力と不屈の精神を持つエージェントに深く感謝している。このプロジェクトは、2019年にレネーが執筆したマイケルの記事をベッキーが発見し、それが本になり得るものであると、熱意と忍耐力をもって主張してくれたことなしには実現しなかった。ベッキーとリンは見事な提案を作成し、まとめ上げ、そしてファラー・ストラウス&ジルーとの契約につなげた。

私たちはこれ以上ないと言えるほど、最適な場所を見つけることができた。編集者のアレクサンダー・

スターは、最大限の機転と優しさで私たちの仕事を励まし、大小さまざまな方法で原稿を改善してくれた。副編集長のイアン・ヴァン・ワイは、多くの曖昧な点や不正確な点を発見し、修正してくれた。ジャネット・レナードには校正、ナ・キムとトーマス・コリガンには表紙画像、ハンナ・グッドウィン、リマ・ワインバーグ、ローラ・スターレットには優れた提案、シーラ・オシェア、サリタ・ヴァルマ、スティーブン・ワイルには宣伝活動について感謝する。イビタスのアリソン・ウォーレンとシェネル・エキシ＝モーリング、ガーシュのジョー・ベルトレとオリビア・ジョンソンは、このプロジェクトの映画やテレビでの可能性をいち早く認識し、それぞれのメディアで最高のパートナーを見つけるために努力してくれた。

また、私たち自身の家族や友人の貢献と、揺るぎない支援にも感謝したい。

レネーの夫であるアルケット・メルティィリは、その柔軟性と人生の優先順位に対する健全な視点で、本書の制作を愛情深く支援してくれた。パンデミックの中で幼い子供を育てるという困難な状況にもかかわらず、彼は科学者としての自分のキャリアも管理しながら、幸福な家庭を維持するために、無私のパートナーとして協力してくれた。ウィリアムとフローリアン（本書の執筆当時は幼児と乳児だった）は、ズーム会議の際にオフィスに飛び込んできたり、スポーツをしようと机の引き出しを空にしたりしても、無限の喜びを与えてくれた。レネーの義母アティナ・メルティィリと父トム・ダドリーは、毎週快く息子たちの世話をしてくれ、仕事の締め切りが迫っているときには、さらに一緒に時間を過ごしてくれた。多くの大切な友人の中でも、妹のニコールは特に信頼できる聞き手で、まるで自分のことのようにレネーの成功を祝い、失敗を嘆いてくれた。レネーの亡き母、ポーレット・ダドリーは、本書が完成するまでインスピレーションの源であり続けた。彼女の命日である5月28日にファラー・ストラウス＆ジルーから書籍化のオファーが出たとき、彼女の魂が私たちを祝福してくれた。

ダンの息子スティーブンは、サイバーセキュリティの専門家としてランサムウエアを研究しており、ダンがその技術的な基盤を理解するのを助け、彼のコンピュータが故障したり、ファイルが消えたりするたびに助けに来てくれた。ダンの妹オリビアは、いくつかの章を読んで鋭いアドバイスをくれた。最愛の妻であり、親友でもあるキャシーとの数え切れないほどの会話は、野心的なプロジェクトでは避けることのできない浮き沈みの中で、彼の考えや視点を明確にしてくれた。彼女は、ダンが何時間も何日も書斎にこもっている間、子供たち、孫たち、友人たち、そしてゴールデンレトリバーのシドニーを、機転を利かせて楽しませてくれた。

本書は、まだ歴史が繰り広げられている中で書かれたレポートである。本書の執筆中も、ランサムウエアは社会を荒らし続け、マイケルやファビアンをはじめとする追跡者たちがその解析を続けている。彼らの今後の活躍を記録する日が来ることを、私たちは楽しみにしている。

訳者あとがき

小林啓倫

本書は2022年10月に発行された、*The Ransomware Hunting Team: A Band of Misfits' Improbable Crusade to Save the World from Cybercrime*（ランサムウエア追跡チーム　はみ出し者が挑む、サイバー犯罪から世界を救う知られざる戦い）の邦訳である。原著は、著名ジャーナリストのダグ・スタントンから「ランサムウエア版『マネー・ボール』だ」と評されるなど、大きな注目を集めている。

タイトルの通り、本書のテーマはランサムウエア。感染したコンピュータのファイルを暗号化する悪質なプログラムで、暗号化されたファイルは「復号」すなわち暗号を元に戻す処理（本書ではわかりやすさの観点から多くの箇所で「復元」と訳している）をしないと再び使えるようにならない。それに必要なのが「解除キー」で、そのキーと引き換えに身代金（ランサム）を強請（ゆす）るというのが、ランサムウエアを使う犯罪者の手口だ。最近では、被害者のコンピュータに不正アクセスする際に暗号化前のファイルを盗み出しておき、「身代金を払わなければ盗んだファイルを公にする」と脅すという、「二重の脅迫」と呼ばれる手口も横行している。
そうしたランサムウエアを使う犯罪者集団と、それに立ち向かうはみ出し者たち「ランサムウエア追跡チーム」の活躍を描いたのが本書である。

本書に興味を持っていただいた方であれば、すでにランサムウエアの脅威については十分ご承知かもしれない。犯罪行為だけにその被害の全容をつかむのは難しいが、2021年の被害総額は全世界で200億ドル（約2・8兆円）に達しており、さらに2031年までに2650億ドル（約37・1兆円）へと膨れ上がるという予測もある。[1] 2020年の世界の税収ランキングを見ると、[2] 12位と13位のスウェーデンとベルギーがそれぞれ2200億ドル前後であるため、実に欧米先進国の税収並みの金を巻き上げつつあることになる。また最近では、米オープンAI社が発表した「チャットGPT」などの生成AI（文章やプログラム、画像など、さまざまなコンテンツを自動で「生成」してくれるAI）を活用することで、簡単にランサムウエアを開発できるようになる可能性が指摘されており、ランサムウエア犯罪がさらに増加すると予想されている。

日本も例外ではない。警視庁の発表によれば、[3] 2022年に国内で確認されたランサムウエア被害は230件に達し、過去最多となった。ターゲットも多様であり、半数以上の121件が中小企業、また本書でも大きく取り上げられているテーマのひとつである医療・福祉系組織への攻撃についても、およそ1割となる20件が該当している。そのうちのひとつ、大阪急性期・総合医療センターのケースでは、ランサムウエアによって電子カルテなど多くの重要データが暗号化され、外来診療や各種検査を停止する事態となった。2023年3月に発表された報告書では、最終的な被害額は精査中としつつ、調査復旧費用が数億円、診療制限に伴う逸失利益が十数億円以上に達するとしている。[4]

ただそうした数字だけでは、ランサムウエアという特殊な犯罪が社会にどのような影響を与えているのか、その具体像や全体像をつかむことはできない。ランサムウエアという手口は誰が、どのように編み出してきたのか。被害にあった人々はどのような苦しみを受けているのか。それにどのような人々が立ち向かい、どのような思いを抱いているのか。逆に犯罪者たちはどのような人物で、何を動機としてこの卑劣な犯罪を手がけているのか――そうした具体的な個人の物語を、2人の熟練ジャーナリストが執筆することで、本書はランサムウエアになじみのない読者にも、いま繰り広げられているこの戦いを身近なものに感じさせてくれる。

著者のレネー・ダドリー、ダニエル・ゴールデンは2人とも、ニュースサイト「プロパブリカ」で記者として活動している。プロパブリカはニューヨークに拠点を置く非営利の報道団体で、新聞など従来型の報道機関が経営に苦しむ中、フルタイムの記者が質の高い調査報道を手がけていることで有名だ。2010年にはオンラインに特化した報道機関として初めてピューリッツァー賞を受賞しており、最近も米国の富裕層、イーロン・マスクやジェフ・ベゾスといった人々の納税記録をつかみ、彼らに所得税未払いの疑惑があることを報道して注目を集めた。

レネー・ダドリーは、そのテクノロジー担当として、本書の謝辞にある通り、本書の主人公の1人マイケル・ギレスピーを初めて取り上げた記事を執筆している。また2018年にプロパブリカに入社する以前には、英国の通信社ロイターに在籍。その際に手がけた大学入試不正行の調査報道によって、2017年のピューリッツァー賞最終選考に選ばれるなど、徹底した取材と専門知識に基づく報道に定評のある人物だ。

もう1人の著者ダニエル・ゴールデンは、プロパブリカで記者兼編集主任として活動している。彼も数々の実績を持つ優れたジャーナリストで、編集者として2回、記者として1回、計3回のピューリッツァー賞受賞に貢献している。その授賞理由のひとつである、2004年にウォール・ストリート・ジャーナル紙で連載された、米エリート大学の不正を追った報道は、2005年に*The Price of Admission*として書籍化され、ベストセラーとなっている。

彼らが描く民間人のランサムウエア対抗組織「ランサムウエア追跡チーム」は、決してスーパーマンのような超人的ヒーローでもなければ、バットマンのブルース・ウェインやアイアンマンのトニー・スタークのような、使命感から人助けする大富豪でもない。それぞれが本業や私生活、家庭の財務状況に問題を抱えながら、個人としての熱意で「ランサムウエア狩り」に身を投じている。むしろ人間的には、一般の人々よりもハッカーに近いと言えるかもしれない。実際に本書の中でも、ハッカーの側から彼らに一方的な好意や敬意が寄せられたり、チームもハッカーの思考パターンを理解したりするような場面が何度か登場する。

一方で彼らを理解し、支援するはずの立場であるはずの味方たち、すなわち米連邦捜査局（ＦＢＩ）のような国家機関や、ランサムウエア被害者を救済するサービスを提供する企業は、なんとも頼りない存在だ。

オランダのハイテク犯罪ユニット（HTCU）のように、法執行機関と民間のエキスパートの協力が機能した例も描かれる一方で、本書に登場するFBIは、ランサムウエアという新しい形の犯罪に対処できない、あるいは対処しようとしていない組織として描かれている。また被害者支援を手がける企業を見ても、手柄をアピールしようとして、ランサムウエアの脆弱性を発見したことをプレスリリースにしてしまったり（その結果ハッカー側がランサムウエアの修正を即座に行ってしまう）、実際にはハッカーに身代金を払って問題を解決したのに、ランサムウエアを分析して復元方法を見つけたかのように振る舞ったり（被害者は二重にだまされて金をむしり取られてしまう）と、問題を悪化させる場合すらある。

ではランサムウエア問題を解決するには、ランサムウエア追跡チームのような（実態はどうであれ）超人的スーパーヒーローが、単独で犯罪者と対決すれば良いのだろうか？　もちろんそんなことはない。あらゆる社会問題がそうであるように、さまざまな要素が絡み合うことで、一筋縄ではいかない現象にランサムウエアがなってしまっていることを、本書は明確に描いている。

たとえばランサムウエアが解除不能で、身代金を払うしかない場合に備えて、企業はサイバー攻撃を受けた際の被害額を補償してくれる保険に加入するようになっている。いわゆるサイバー保険だが、それは企業側の支払い能力に余裕を持たせることで、ハッカー側が身代金要求額を引き上げる結果をもたらしている可能性を本書は指摘する。また本書では、ハッカー側との身代金交渉を代行し、身代金を引き下げさせたり交渉の窓口を維持したりする手助けをするサービスも取り上げられているが、それは確かに被害者の助けになる一方で、ランサムウエアという犯罪がスムーズに進むことを助長している側面も否定できない。追跡チームのような、ランサムウエアの解析に挑む人々ですら、ある意味でその進化を手助けしている（脆弱性やバグを突くことで）とも捉えられる。

こうした一種のエコシステムが構築されている状況を、本書は「恐喝経済」と呼んでいる。まさにそれこそ、ランサムウエアの被害額を急増させ、先進国の税収なみの規模にまで成長させている要因だろう。たとえ一国の経済において、大企業が1社や2社倒産しても、代わりの企業や産業が登場するなどして回り続けるように、このランサムウエアによる「恐喝経済」においても、仮に1つや２つの大物ランサムウエアやハッカー集団を壊滅に追い込めたとして、ランサムウエアというビジネスモデルがすぐに消え去ることはない。本書の登場人物であるビル・シーゲルが言うように、ランサムウエアとの戦いにおいて、「グランドスラムやタッチダウン」のような明確な終わりは無いのだ。

ともあれ、これもビルが言っているように、個々の局面での勝利はあり得る。そして立ち向かう問題が一筋縄ではいかないことを理解するだけでも、それに取り組む姿勢が変わり、より油断なく対処できるようになるだろう。本書はランサムウエア、そして恐喝経済という難題に対する特効薬を与えてくれるわけではないが、それが回るメカニズムを私たちに解説してくれるのである。

マイケル・ギレスピーは２０２３年3月に投稿したツイートで、自身が手がける、暗号技術とランサムウエア分析に関するツール「クリプトテスター」のメジャーアップデートを発表した。[5] また妻のモーガンは、同じく２０２３年3月にフェイスブックを更新し、「今日はうちの小さなお守りの2歳の誕生日」というメッセージとともに、息子ルカン・アトラス君の写真を投稿している。[6] その後プロフィール写真も更新し、いまは家族3人が集合した写真が掲載されている。[7] マイケルの父親業とランサムウエア狩りの両立という挑戦は、その後も続いているようだ。

出典

1 以下を参照。https://www.cloudwards.net/ransomware-statistics/

2 以下を参照。https://www.globalnote.jp/post-10493.html

3 以下を参照。https://www3.nhk.or.jp/news/html/20230316/k10014009911000.html

4 以下を参照。https://xtech.nikkei.com/atcl/nxt/column/18/00001/07877/

5 https://twitter.com/demonslay335/status/1630983144269545492

6 https://www.facebook.com/spazzbabyboy/postspfbid0uure1wKhyvCnhtatycYB5di9VfKNFw41xad7fdBpBoTkYUARrfJeqVWKN7GRJQRDl

7 https://www.facebook.com/spazzbabyboy/posts/10159339584513354:735164808200719

48 “2021 Trends Show Increased Globalized Threat of Ransomware,” Cybersecurity & Infrastructure Security Agency, Alert (AA22-040A), February 9, 2022, cisa.gov/uscert/ncas/alerts/aa22-040a.

49 “Abraham Lincoln’s Namesake College to Close After 157 Years,” Lincoln College, lincolncollege.edu/.

50 Martin Matishak, “Biden Signs Cyber Incident Reporting Bill into Law,” The Record by Recorded Future, therecord-media.cdn.ampproject.org/c/s/therecord.media/biden-signs-cyber-incident-reporting-bill-into-law/amp/.

51 Paul Kiernan, “SEC Proposes Requiring Firms to Report Cyberattacks Within Four Days,” Wall Street Journal, March 9, 2022, www.wsj.com/articles/sec-considers-rule-requiring-firms-to-report-cyber-attacks-within-four-days-11646838001

52 Elizabeth Montalbano, “Emotet Resurfaces on the Back of TrickBot After Nearly a Year,” Threatpost, November 16, 2021, threatpost.com/emotet-resurfaces-trickbot/176362/.

53 “ПРЕСЕЧЕНА ПРОТИВОПРАВНАЯ ДЕЯТЕЛЬНОСТЬ ЧЛЕНОВ ОРГАНИЗОВАННОГО ПРЕСТУПНОГО СООБЩЕСТВА” [Illegal activities of members of an organized criminal community stopped”], FSB, press release, January 14, 2022.

54 Tom Balmforth and Maria Tsvetkova, “Russia Takes Down REvil Hacking Group at U.S. Request—FSB,” Reuters, January 14, 2022.

55 Lawrence Abrams, “Conti Ransomware’s Internal Chats Leaked After Siding with Russia,” BleepingComputer, February 27, 2022, bleepingcomputer.com/news/security/conti-ransomwares-internal-chats-leaked-after-siding-with-russia/.

56 “Reward Offers for Information to Bring Conti Ransomware Variant Co-Conspirators to Justice,” U.S. Department of State, press release, May 6, 2022, state.gov/reward-offers-for-information-to-bring-conti-ransomware-variant-co-conspirators-to-justice/.

57 “Hopes of Russian Help on Ransomware Are Officially Dead,” Washington Post, June 1, 2022, washingtonpost.com/politics/2022/06/01/hopes-russian-help-ransomware-are-officially-dead/.

58 “Preeclampsia: Symptoms & Causes,” Mayo Clinic, mayoclinic.org/diseases-conditions/preeclampsia/symptoms-causes/syc-20355745.

34 Andrew E. Kramer, "Companies Linked to Russian Ransomware Hide in Plain Sight," New York Times, December 6, 2021.

35 "О задержании Дубникова Д.М." [About the detention of Dubnikov D.M.], Briefcase, November 5, 2021, briefcase.company/novosti/obshee/o-zaderjanii-dybnikova-dm.

36 Carolyn Cohn, "Insurers Run from Ransomware Cover as Losses Mount," Reuters, November 19, 2021.

37 Frank Bajak, "Insurer AXA to Stop Paying for Ransomware Crime Payments in France," Insurance Journal, May 9, 2021, insurancejournal.com/news/international/2021/05/09/613255.htm.

38 Reuters staff, "AXA Division in Asia Hit by Ransomware Cyber Attack," Reuters, May 16, 2021.

39 Lyle Adriano, "AIG Reducing Cyber Limits as Costs Rise," Insurance Business, August 9, 2021, insurancebusinessmag.com/us/news/cyber/aig-reducing-cyber-limits-as-costs-climb-301644.aspx.

40 Cohn, "Insurers Run from Ransomware Cover as Losses Mount."

41 "The General Data Protection Regulation: Long Awaited EU Wide Data Protection Law Finalised," Deloitte, www2.deloitte.com/ge/en/pages/risk/articles/the-general-data-protection-regulation.html.

42 Graham Cluley, "22,900 MongoDB Databases Held to Ransom by Hacker Threatening to Report Firms for GDPR Violations," Tripwire, July 2, 2020, tripwire.com/state-of-security/featured/22900-mongodb-databases-ransom-hacker-gdpr-violations/.

43 Christopher Wray, "Working with Our Private Sector Partners to Combat the Cyber Threat," speech, Economic Club of New York, October 28, 2021, fbi.gov/news/speeches/working-with-our-private-sector-partners-to-combat-the-cyber-threat-wray-ecny-102821.

44 Lawrence Abrams, "Ransomware Dev Releases Egregor, Maze Master Decryption Keys," BleepingComputer, February 9, 2022, bleepingcomputer.com/news/security/ransomware-dev-releases-egregor-maze-master-decryption-keys/.

45 Fabian Wosar, "Hitting the BlackMatter Gang Where It Hurts: In the Wallet," Emsisoft blog, October 24, 2021, blog.emsisoft.com/en/39181/on-the-matter-of-blackmatter/.

46 Tom Polansek and Karl Plume, "Minnesota Grain Handler Targeted in Ransomware Attack," Reuters, September 23, 2021.

47 Lawrence Abrams, "BlackMatter Ransomware Moves Victims to LockBit After Shutdown," BleepingComputer, November 3, 2021, bleepingcomputer.com/news/security/blackmatter-ransomware-moves-victims-to-lockbit-after-shutdown/.

CHRG-117hhrg45085/html/CHRG-117hhrg45085.htm.

20 Geneva Sands and Brian Fung, "Colonial Pipeline CEO Defends His Handling of Ransomware Attack That Crippled East Coast Fuel Supply," CNN, June 8, 2021, cnn.com/2021/06/08/politics/colonial-pipeline-ceo-on-capitol-hill-ransomware/index.html.

21 Testimony of Joseph Blount.

22 Dustin Volz, "Ransomware Targeted by New Justice Department Task Force," Wall Street Journal, April 21, 2021.

23 Joseph R. Biden Jr., "Executive Order on Improving the Nation's Cybersecurity," The White House, May 12, 2021, whitehouse.gov/briefing-room/presidential-actions/2021/05/12/executive-order-on-improving-the-nations-cybersecurity/.

24 Christopher Bing, "U.S. to Give Ransomware Hacks Similar Priority as Terrorism," Reuters, June 3, 2021.

25 Bing, "U.S. to Give Ransomware Attacks Similar Priority as Terrorism." 305 retrieve about half: Ellen Nakashima, "Feds Recover More Than $2 Million in Ransomware Payments from Colonial Pipeline Hackers," Washington Post, June 7, 2021.

26 Jacob Bunge, "JBS Paid $11 Million to Resolve Ransomware Attack," Wall Street Journal, June 9, 2021.

27 Kartikay Mehrotra and Olga Kharif, "Ransomware HQ: Moscow's Tallest Tower Is a Cybercriminal Cash Machine," Bloomberg Businessweek, November 3, 2021.

28 Ellen Nakashima and Rachel Lerman, "FBI Held Back Ransomware Decryption Key from Businesses to Run Operation Targeting Hackers," Washington Post, September 21, 2021.

29 Catalin Cimpanu, "REvil Gang Shuts Down for the Second Time After Its Tor Servers Were Hacked," The Record by Recorded Future, October 18, 2021, therecord.media/revil-gang-shuts-down-for-the-second-time-after-its-tor-servers-were-hacked/.

30 Ellen Nakashima and Eugene Scott, "Biden Tells Putin the U.S. Will Take 'Any Necessary Action' After Latest Ransomware Attack, White House Says," Washington Post, July 9, 2021.

31 Zachary Basu, "Russia Left Out of White House's 30-Country Ransomware Summit," Axios, October 13, 2021, axios.com/ransomware-summit-white-house-russia-86ed85d6-e435-476b-9726-d55b3f82d1bd.html.

32 "Ukrainian Arrested and Charged with Ransomware Attack on Kaseya," U.S. Department of Justice, press release, November 8, 2021.

33 Catalin Cimpanu, "US Detains Crypto-Exchange Exec for Helping Ryuk Ransomware Gang Launder Profits," The Record by Recorded Future, November 12, 2021, therecord.media/us-detains-crypto-exchange-exec-for-helping-ryuk-ransomware-gang-launder-profits/.

4 Lawrence Abrams, "GandCrab Ransomware Shutting Down After Claiming to Earn $2 Billion," BleepingComputer, June 1, 2019, bleepingcomputer.com/news/security/gandcrab-ransomware-shutting-down-after-claiming-to-earn-2-billion/.

5 "Advisory on Potential Sanctions Risks for Facilitating Ransomware Payments," U.S. Department of the Treasury, October 1, 2020, home.treasury.gov/system/files/126/ofac-ransomware-advisory-10012020-1.pdf.

6 Barry Parker and Robin Hood, Colonial Pipeline: Courage, Passion, Commitment (Chattanooga, TN: Parker Hill Press, 2002), 16. コロニアル・パイプラインの歴史に関する記述の大部分は、同書に基づいている。

7 Parker and Hood, Colonial Pipeline, 39.

8 "Colonial Pipeline Pleads Guilty to Oil Spill in S.C. River," U.S. Department of Justice, press release, February 25, 1999.

9 "Colonial Pipeline Will Pay to Settle Claims," Greensboro News and Record, May 27, 1998.

10 Parker and Hood, Colonial Pipeline, 61.

11 Parker and Hood, Colonial Pipeline, 83.

12 "Here Are the Other Times When All or Part of the Colonial Pipeline System Was Shut," CNBC, May 9, 2021, cnbc.com/2021/05/09/colonial-pipeline-cyberattack-heres-when-it-was-previously-shut-down.html.

13 Ellen Nakashima, Lori Aratani, and Douglas MacMillan, "Colonial Hack Exposed Government's Light-Touch Oversight of Pipeline Cybersecurity," Washington Post, May 30, 2021.

14 Stephanie Kelly and Jessica Resnick-Ault, "Hackers Only Needed a Single Password to Disrupt Colonial Pipeline, CEO Testifies," Insurance Journal, June 9, 2021, insurancejournal.com/news/national/2021/06/09/617870.htm.

15 Chris Sanders, " 'Do Not Fill Plastic Bags with Gasoline' U.S. Warns as Shortages Grow," Reuters, May 12, 2021.

16 Abby Smith, "Gasoline Outages Pile Up, with Nearly Two-Thirds of North Carolina Gas Stations out of Fuel," Washington Examiner, May 12, 2021.

17 Aruna Viswanatha and Dustin Volz, "FBI Director Compares Ransomware Challenge to 9/11," Wall Street Journal, June 4, 2021.

18 Tonya Riley, "Colonial Pipeline CEO Says Company Didn't Have Plan for Potential Ransomware Attack," CyberScoop, June 8, 2021, cyberscoop.com/colonial-pipeline-ransomware-senate-hack/.

19 Testimony of Joseph Blount, Hearing Before the U.S. House of Representatives Committee on Homeland Security, 117th Congress, 1st Sess., June 9, 2021, govinfo.gov/content/pkg/

25 McKenna Oxenden, "Baltimore County Schools Suffered a Ransomware Attack. Here's What You Need to Know," Baltimore Sun, November 30, 2020.

26 "Financial Management Practices Audit Report: Baltimore County Public Schools," Office of Legislative Audits, Department of Legislative Services, Maryland General Assembly, November 2020, 29.

27 Scott Travis, "Hackers Post 26,000 Broward School Files Online," South Florida Sun Sentinel, April 19, 2021.

28 Tom Burt, "New Action to Combat Ransomware Ahead of U.S. Elections," Microsoft on the Issues (blog), October 12, 2020, blogs.microsoft.com/on-the-issues/2020/10/12/trickbot-ransomware-cyberthreat-us-elections/.

29 Jason Healey, "When Should U.S. Cyber Command Take Down Criminal Botnets?," Lawfare, April 26, 2021, lawfareblog.com/when-should-us-cyber-command-take-down-criminal-botnets.

30 Ellen Nakashima, "Cyber Command Has Sought to Disrupt the World's Largest Botnet, Hoping to Reduce Its Potential Impact on the Election," Washington Post, October 9, 2020.

31 Brian Krebs, "Attacks Aimed at Disrupting the Trickbot Botnet," Krebs on Security, October 2, 2020, krebsonsecurity.com/2020/10/attacks-aimed-at-disrupting-the-trickbot-botnet/.

32 "Ransomware Activity Targeting the Healthcare and Public Health Sector," Cybersecurity & Infrastructure Security Agency, Alert (AA20-302A), October 28, 2020, cisa.gov/uscert/ncas/alerts/aa20-302a.

33 Robert McMillan, Kevin Poulsen, and Dustin Volz, "Secret World of Pro-Russia Hacking Group Exposed in Leak," Wall Street Journal, March 28, 2022, wsj.com/articles/trickbot-pro-russia-hacking-gang-documents-ukrainian-leaker-conti-11648480564.

■第13章　明日へのパイプライン

1 ランサムウエア追跡チームが発見していた欠陥について、Bitdefender がダークサイドに警告した経緯の一部は、最初プロパブリカで公開された。次の記事を参照。Renee Dudley and Daniel Golden, "The Colonial Pipeline Ransomware Hackers Had a Secret Weapon: Self-PromotingCybersecurity Firms," ProPublica, May 24, 2021, propublica.org/article/the-colonial-pipeline-ransomware-hackers-had-a-secret-weapon-self-promoting-cybersecurity-firms.

2 "Darkside Ransomware Decryption Tool," Bitdefender, January 11, 2021, bitdefender.com/blog/labs/darkside-ransomware-decryption-tool/.

3 Bogdan Botezatu, "GandCrab Ransomware Decryption Tool," Bitdefender, October 24, 2018, bitdefender.com/blog/labs/gandcrab-ransomware-decryption-tool-available-for-free/.

Cointelegraph, August 7, 2020, cointelegraph.com/news/ransomware-threatens-production-of-300-ventilators-per-day.

11 William Ralston, "The Untold Story of a Cyberattack, a Hospital and a Dying Woman," Wired, November 11, 2020, wired.co.uk/article/ransomware-hospital-death-germany.

12 "Department of Justice Launches Global Action Against NetWalker Ransomware," U.S. Department of Justice, press release, January 27, 2021.

13 Alina Bizga, "Maryland-Based Nursing Home Announces Ransomware Attack Affecting Nearly 50,000 Residents," Security Boulevard, July 21, 2020, securityboulevard.com/2020/07/maryland-based-nursing-home-announces-ransomware-attack-affecting-nearly-50000-residents/.

14 Kartikay Mehrotra, "How Hackers Bled 118 Bitcoins out of Covid Researchers in U.S.," Bloomberg Businessweek, August 19, 2020, bloomberg.com/news/features/2020-08-19/ucsf-hack-shows-evolving-risks-of-ransomware-in-the-covid-era.

15 Carlton C. Gammons, "Revised Record of the Case for Prosecution for Extradition of Sebastien Vachon-Desjardins," Canada prosecutor representing the United States v. Sebastien Vachon-Desjardins, Superior Court, Quebec, District of Gatineau, Case 550-68-000035-213, April 23, 2021, 19.

16 Gammons, "Revised Record," 2.

17 Gammons, "Revised Record," 20.

18 "Chainalysis in Action: U.S. Authorities Disrupt NetWalker Ransomware," Chainalysis, January 27, 2021, blog.chainalysis.com/reports/netwalker-ransomware-disruption-arrest/.

19 Royal Canadian Mounted Police/Gendarmerie royale du Canada report, Canada v. Vachon-Desjardins, Case 550-68-000035-213,11.

20 Royal Canadian Mounted Police/Gendarmerie royale du Canada report, 8.

21 Tawnell D. Hobbs, "Hacker Releases Information on Las Vegas–Area Students After Officials Don't Pay Ransom," Wall Street Journal, September 28, 2020.

22 Sergiu Gatlan, "Fairfax County Schools Hit by Maze Ransomware, Student Data Leaked," BleepingComputer, September 12, 2020, bleepingcomputer.com/news/security/fairfax-county-schools-hit-by-maze-ransomware-student-data-leaked/.

23 Bill Horner III, Hannah McClellan, and D. Lars Dolder, "After Cyberattack, Stolen Chatham County Data and Sensitive Documents Posted Online," News & Observer (Raleigh, NC), February 11, 2021.

24 "Cyber Actors Target K-12 Distance Learning Education to Cause Disruptions and Steal Data," Cybersecurity & Infrastructure Security Agency, Alert (AA20-345A), December 10, 2020, cisa.gov/uscert/ncas/alerts/aa20-345a.

26 "Prepared Written Testimony of Bill Siegel, CEO and Co-Founder of Coveware Inc.," Federal Spending Oversight Subcommittee of the Committee on Homeland Security and Governmental Affairs," December 2, 2020, hsgac.senate.gov/imo/media/doc/SiegelTestimony1.pdf.

27 Ransomware Amounts Rise 3x in Q2 as Ryuk & Sodinokibi Spread," Coveware, quarterly report, July 16, 2019, coveware.com/blog/2019/7/15/ransomware-amounts-rise-3x-in-q2-as-ryuk-amp-sodinokibi-spread.

28 Anja Shortland, Kidnap: Inside the Ransom Business (Oxford: Oxford University Press, 2019).

■第 12 章　休戦協定

1 Lawrence Abrams, "Ransomware Gangs to Stop Attacking Health Orgs During Pandemic," BleepingComputer, March 18, 2020, bleepingcomputer.com/news/security/ransomware-gangs-to-stop-attacking-health-orgs-during-pandemic/.

2 Dmitry Smilyanets, " 'I Scrounged Through the Trash Heaps . . . Now I'm a Millionaire:' An Interview with REvil's Unknown," The Record by Recorded Future, March 16, 2021, therecord.media/i-scrounged-through-the-trash-heaps-now-im-a-millionaire-an-interview-with-revils-unknown/.

3 "Free Ransomware Help for Healthcare Providers During the Coronavirus Outbreak," Emsisoft blog, March 18, 2020, blog.emsisoft.com/en/35921/free-ransomware-help-for-healthcare-providers-during-the-coronavirus-outbreak/.

4 Sam Varghese, "Big US Travel Management Firm CWT Pays Out U.S. $4.5m to Ransomware Gang," iTWire.com, August 2, 2020, itwire.com/business-it-news/security/big-us-travel-management-firm-cwt-pays-out-us$4-5m-to-ransomware-gang.html.

5 Brian Krebs, "Ransomware Group Turns to Facebook Ads," Krebs on Security, November 10, 2020, krebsonsecurity.com/2020/11/ransomware-group-turns-to-facebook-ads/.

6 Autumn Bows, "Here's How the Koenigsegg Jesko Absolut Will Reach 330MPH," HotCars, October 12, 2020, hotcars.com/heres-how-the-koenigsegg-jesko-absolut-will-reach-330mph/.

7 Daniel Gallagher, "Donations for MalwareHunterTeam," PayPal fundraiser, paypal.com/pools/c/8x4vKe11yu.

8 Davey Winder, "コロナウイルス　Vaccine Test Center Hit by Cyber Attack, Stolen Data Posted Online," Forbes, March 23, 2020.

9 Abrams, "Ransomware Gangs to Stop Attacking Health Orgs During Pandemic."

10 Felipe Erazo, "Ransomware Threatens Production of 300 Ventilators Per Day,"

13 "Global Ransomware Marketplace Report-Q3 2018," Coveware, October 16, 2018, coveware.com/blog/global-ransomware-marketplace-report-q3-2018.

14 Simeon Georgiev, "Negotiating with Cybercriminals—A Risky Precedent," MonsterCloud, October 9, 2018, university.monstercloud.com/cyber-security/cybercriminals-negotiation/.

15 "Beware of Dishonest Ransomware Recovery Firms," Coveware, December 11, 2018, coveware.com/blog/2018/12/11/beware-of-dishonest-ransomware-recovery-firms.

16 ランサムウエア保険に関するこの箇所の情報は、プロパブリカで報じられたものである。次の記事を参照。Renee Dudley, "The Extortion Economy: How Insurance Companies Are Fueling a Rise in Ransomware Attacks," ProPublica, August 27, 2019, propublica.org/article/the-extortion-economy-how-insurance-companies-are-fueling-a-rise-in-ransomware-attacks.

17 ビーズリーに関する情報は、2020年9月に開催された、FBIサイバー部門ランサムウエアサミットの2日目のパネルディスカッションから得られた。

18 Renee Dudley, "Like Voldemort, Ransomware Is Too Scary to Be Named," ProPublica, December 23, 2019, propublica.org/article/like-voldemort-ransomware-is-too-scary-to-be-named.

19 "Ransomware Sentiment After a Summer of Headlines," Coveware, October 8, 2019, coveware.com/blog/ransomware-debate-rages-on.

20 この建設技術会社とモンスタークラウドのやり取りに関する詳細は、グループセンス社のカーティス・マインダーCEOとの著者インタビュー（2021年8月27日実施）と、米公正取引委員会への訴状（2020年12月14日）から得られた。

21 Rachel Monroe, "How to Negotiate with Ransomware Hackers," New Yorker, May 31, 2021.

22 Dmitry Smilyanets, " 'I Scrounged Through the Trash Heaps . . . Now I'm a Millionaire:' An Interview with REvil's Unknown," The Record by Recorded Future, March 16, 2021, therecord.media/i-scrounged-through-the-trash-heaps-now-im-a-millionaire-an-interview-with-revils-unknown/.

23 雑誌『ニューヨーカー』の寄稿者であるレイチェル・モンローから提供された、2020年12月14日の連邦取引委員会への訴状のコピーによる。このコピーの信頼性は、委員会の担当者によって確認された。

24 Jason Remillard, "Victor Congionti of Proven Data: 5 Things You Need to Know to Optimize Your Company's Approach to Data Privacy and Cybersecurity," Medium, October 6, 2020, medium.com/authority-magazine/victor-congionti-of-proven-data-5-things-you-need-to-know-to-optimize-your-companys-approach-to-9157bf9f8539.

25 Presentation on Day 4 of the FBI Cyber Division Ransomware Summit, September 2020.

Who Helped City Recover from Ransomware," Baltimore Sun, October 16, 2019.
28 Ethan MacLeod, "City Poised to Re-up $20M in Cyber Insurance Adopted After Ransomware Attack," Baltimore Business Journal, October 27, 2020.
29 Catalin Cimpanu, "US Mayors Group Adopts Resolution Not to Pay Any More Ransoms to Hackers," ZDNet, July 11, 2019, zdnet.com/article/us-mayors-group-adopts-resolution-not-to-pay-any-more-ransoms-to-hackers/.
30 Jeremy Jackson, "City of Florence Agrees to Pay Nearly $300,000 Ransom After Cyberattack," WHNT News 19, June 10, 2020, whnt.com/news/shoals/city-of-florence-agrees-to-pay-nearly-300000-ransom-after-cyberattack/.

■第 11 章　恐喝経済

1 Sheelah Kolhatkar, Black Edge: Inside Information, Dirty Money, and the Quest to Bring Down the Most Wanted Man on Wall Street (New York: Random House, 2018), xviii.
2 Kolhatkar, Black Edge, xviii.
2 Jenny Anderson, Peter Lattman, and Julie Creswell, "A Fascination of Wall St., and Investigators," New York Times, December 22, 2012.
4 Charles Gasparino, "Details Emerge in SAC Capital Sex Harassment Case," CNBC, October 10, 2007, cnbc.com/id/21224443.
5 "Manhattan U.S. Attorney Announces Guilty Plea Agreement with SAC Capital Management Companies," U.S. Department of Justice, press release, November 4, 2013.
6 Aruna Viswanatha and Juliet Chung, "Deal Ends SEC's Pursuit of Steven Cohen," Wall Street Journal, January 8, 2016.
7 "Profile: Barry Silbert," Forbes, forbes.com/profile/barry-silbert/?sh=7de613672950.
8 この段落の情報は、ビル・シーゲルへの著者インタビューによる。2020 年 6 月 24 日実施。
9 本章におけるモンスタークラウドとプルーブン・データ・リカバリーに関する情報は、プロプブリカで報じられたものを参照している。次の記事を参照。Renee Dudley and Jeff Kao, "The Trade Secret: Firms That Promised High-Tech Ransomware Solutions Almost Always Just Pay the Hackers," ProPublica, May 15, 2019, features.propublica.org/ransomware/ransomware-attack-data-recovery-firms-paying-hackers/.
10 Phobos Ransomware, a Combo of CrySiS and Dharma," Coveware, January 18, 2019, coveware.com/blog/phobos-ransomware-distributed-dharma-crew.
11 ヘリントンは 2019 年 11 月にがんで死去している。次の記事を参照。"Leif Gaylord Herrington, 1950–2019," obituary, Anchorage Daily News, December 5, 2019.
12 "Introducing Coveware!," Coveware, May 7, 2018, coveware.com/blog/2018/5/7/hello-world.

万ドル、2018年度には8930万ドル、そして2019年度には9200万ドルだった。次の資料を参照。"Recordation and Transfer Tax Revenues," in Executive Summary: Board of Estimates Recommendations: Fiscal 2021 (City of Baltimore, MD, 2021), bbmr . baltimorecity.gov/sites/default/files/fy21execsumm_2020-05-06FINAL.pdf, 37.

17 Comprehensive Annual Financial Report, Year Ended June 30, 2019 (City of Baltimore, MD, 2019), finance.baltimorecity.gov/sites/default/files/CAFRFY'19-Review. pdf, 16.

18 Roger Colton, Baltimore's Conundrum: Charging for Water/Wastewater Services That Community Residents Cannot Afford to Pay (Baltimore, MD: Food and Water Watch, November 2018, revised), foodandwaterwatch.org/wp-content/uploads/2022/02/BaltimoreWater-RogerColton.pdf, ES-4.

19 Paul Gessler, "Sticker Shock Hits Baltimore Residents as First Round of Water Bills Roll Out," CBS Baltimore, August 14, 2019, baltimore.cbslocal.com/2019/08/14/baltimore-city-water-bills-distributed/.

20 Tyler Waldman, "Councilman Says Recovery from Ransomware Attack Could Take Up to Three Months," WBAL News Radio, May 15, 2019, wbal.com/article/389236/2/councilman-says-recovery-from-ransomware-attack-could-take-up-to-three-months.

21 Stephen L. Carter, "When It's Worth Paying a Hacker's Ransom," Bloomberg Quint, June 6, 2019, bloombergquint.com/gadfly/baltimore-computer-hack-sometimes-cities-have-to-pay-a-ransom.

22 Ian Duncan, "Authorities Investigating Claim That Baltimore Ransomware Group Leaked Documents to Twitter," Baltimore Sun, June 4, 2019.

23 Mike Hellgren, "Mayor Jack Young Open to Paying Ransomin Computer Attack, New Fix Allows Real Estate Transactions to Resume," CBS Baltimore, May 17, 2019, baltimore.cbslocal.com/2019/05/17/ransomware-attack-continues-to-plague-baltimore-mayor-jack-young-says-city-working-to-resume-services/.

24 "Ruppersberger Provides Direction for New Funds to Help Cities Prevent Ransomware Attacks," U.S. Congressman Dutch Ruppersberger, press release, June 11, 2019, ruppersberger.house.gov/newsroom/press-releases/ruppersberger-provides-direction-for-new-funds-to-help-cities-prevent.

25 Pieter Arntz, "Threat Spotlight: RobbinHood Ransomware Takes the Driver's Seat," Malwarebytes, February 20, 2020, Malwarebytes.com/threat-spotlight/2020/02/threat-spotlight-robbinhood-ransomware-takes-the-drivers-seat/.

26 Ian Duncan, "Baltimore Estimates Cost of Ransomware Attack at $18.2 Million as Government Begins to Restore Email Accounts," Baltimore Sun, May 29, 2019.

27 Kevin Rector, "Baltimore to Purchase $20M in Cyber Insurance as It Pays Off Contractors

■第 10 章　揺れる自治体

1 Ian Duncan, "Up from the East Side: How 23 Years in Baltimore Politics Led Jack Young to Becoming Mayor—for Now," Baltimore Sun, April 12, 2019.

2 Luke Broadwater, Justin Fenton, and Kevin Rector, "Former Baltimore Mayor Catherine Pugh Sentenced to 3 Years for 'Healthy Holly' Children's Book Fraud Scheme," Baltimore Sun, February 27, 2020.

3 Allan Liska, "State and Local Government Ransomware Attacks Surpass 100 for 2019," Recorded Future, December 20, 2019, recordedfuture.com/state-local-government-ransomware-attacks-2019/.

4 Allan Liska, "Early Findings: Review of State and Local Ransomware Attacks," Recorded Future, May 10, 2019, recordedfuture.com/state-local-government-ransomware-attacks/.

5 Catalin Cimpanu, "City of Valdez, Alaska, Admits to Paying Off Ransomware Infection," ZDNet, November 21, 2018, zdnet.com/article/city-of-valdez-alaska-admits-to-paying-off-ransomware-infection/.

6 Mark Zaretsky, "West Haven Falls Victim to 'Ransomware' Cyberattack, Pays $2,000 in Bitcoin to Regain Access to Servers," New Haven Register, October 19, 2018.

7 J. Scott Trubey, "Atlanta Police Recovering from Breach, 'Years' of Dashcam Video Lost," Atlanta Journal-Constitution, June 1, 2018.

8 Keisha Lance Bottoms, panelist, "Preventing and Responding to Cyber Attacks," The 86th Annual Meeting of the United States Conference of Mayors, Boston, MA, June 8, 2018.

9 Scott Calvert, "Baltimore, New York Among Cities Fighting More Murders," Wall Street Journal, January 2, 2020.

10 Ian Duncan and Christine Zhang, "Baltimore Is Furiously Knocking Down Vacant Houses—but Barely Keeps Up as New Ones Go Empty," Baltimore Sun, October 18, 2019.

11 Liz Bowie, "Maryland School Star Ratings: Fewer Earn Four and Five Stars in 2019 as Schools Move Toward Middle," Baltimore Sun, December 3, 2019.

12 Ian Duncan, "Baltimore's Risk Assessment Called a Pair of Aged City Computer Systems a 'Natural Target for Hackers,' " Baltimore Sun, May 30, 2019.

13 Kevin Rector, "Hack of Baltimore's 911 Dispatch System Was Ransomware Attack, City Officials Say," Baltimore Sun, March 28, 2018.

14 Catherine Pugh, "Preventing and Responding to Cyber Attacks."

15 Lawrence Abrams, "A Closer Look at the RobbinHood Ransomware," BleepingComputer, April 26, 2019, bleepingcomputer.com/news/security/a-closer-look-at-the-robbinhood-ransomware/.

16 ボルチモアの不動産売却からの税収は、2016 年度には 9190 万ドル、2017 年度には 9040

18 "About Us," Bald Knob Cross of Peace, baldknobcross.com/about-us/.

19 "Springfield," FBI, fbi.gov/contact-us/field-offices/springfield.

20 Tobias Wall, "FBI Names Lead Agent for Local Office," State Journal-Register (Springfield, IL), July 17, 2014.

21 "FBI Springfield History," FBI Field Office Histories, fbi.gov/history/field-office-histories/springfield.

22 "Archer Daniels Midland Co. to Plead Guilty and Pay $100 Million for Role in Two International Price-Fixing Conspiracies," U.S. Department of Justice, press release, October 15, 1996, justice.gov/archive/opa/pr/1996/Oct96/508at.htm.

23 Scott Kilman, "Mark Whitacre Is Sentenced to 9 Years for Swindling $9.5 Million from ADM," Wall Street Journal, March 5, 1998.

24 この詳細は、イリノイ大学スプリングフィールド校の学生課によって確認された。

25 "About: Director's Community Leadership Award," FBI, fbi.gov/about/community-outreach/dcla.

26 "News: 2017 Director's Community Leadership Awards," FBI, NOTES 333 April 20, 2018, fbi.gov/news/stories/2017-directors-community-leadership-awards-042018.

27 "About: Springfield—MichaelGillespie, 2017 Director's CommunityLeadership Award Recipient," FBI, fbi.gov/about/community-outreach/dcla/2017/springfield-michael-gillespie.

28 "Springfield: Bloomington Man Receives 2017 FBI Director's Community Leadership Award for His Efforts to Decrypt Ransomware as a Public Service," FBI, January 30, 2018, fbi.gov/contact-us/field-offices/springfield/news/press-releases/bloomington-man-receives-2017-fbi-directors-community-leadership-award-for-his-efforts-to-decrypt-ransomware-as-a-public-service.

29 "High-Impact Ransomware Attacks Threaten U.S. Businesses and Organizations," FBI, public service announcement, October 2, 2019, ic3.gov/Media/Y2019/PSA191002.

30 Lawrence Abrams, " 'NamPoHyu Virus' Ransomware Targets Remote Samba Servers," BleepingComputer, April 16, 2019, bleepingcomputer.com/news/security/nampohyu-virus-ransomware-targets-remote-samba-servers/.

31 Lawrence Abrams, "Decryptor for MegaLocker and NamPoHyu Virus Ransomware Released," BleepingComputer, May 2, 2019, bleepingcomputer.com/news/security/decryptor-for-megalocker-and-nampohyu-virus-ransomware-released/.

32 U.S. Office of Special Counsel, Federal Employee Hatch Act Information, osc.gov/Services/Pages/HatchAct-Federal.aspx#tabGroup11|tabGroup32|tabGroup51.

24, 2016, kaspersky.com/blog/wildfire-ransomware-decryptor/12828/.

23 Sergiu Gatlan, "Emotet Malware Nukes Itself Today from All Infected Computers Worldwide," BleepingComputer, April 25, 2021, bleepingcomputer.com/news/security/emotet-malware-nukes-itself-today-from-all-infected-computers-worldwide/.

24 Lawrence Abrams, "Dutch Police Post 'Say No to Cybercrime' Warnings on Hacker Forums," BleepingComputer, February 17, 2021, bleepingcomputer.com/news/security/dutch-police-post-say-no-to-cybercrime-warnings-on-hacker-forums/.

■第９章 「イルカ」と捜査官

1 マーク・フェルプスとジャスティン・ハリスは、FBI の広報担当者を通じて、書面による質問への回答や本章の資料に関するコメントを拒否した。

2 "About: Frequently Asked Questions," FBI, fbi.gov/about/faqs.

3 Record of Marriage, Vanderburgh County, Indiana.

4 生年月日はイリノイ州オンライン有権者登録照会を使用して確認。ova.elections.il.gov/RegistrationLookup.aspx.

5 Marion County, Indiana, Assessor, maps.indy.gov/AssessorPropertyCards /.

6 Britannica, s.v. "Indianapolis 500," britannica.com/sports/Indianapolis-500.

7 Ron Phelps, LinkedIn, linkedin.com/in/ron-phelps-7700bb5b/.

8 "About Us," Horning Roofing & Sheet Metal Company, LLC, horningroofing.com/about/.

9 マーク・フェルプスとショーン・ディラードの高校時代については、スピードウェイ高校の卒業アルバムから抜粋している。このアルバムはスピードウェイ公共図書館に保管されており、司書のアシュリー・バートリーから提供された。

10 Kevin Doerr, "Veterinary Medicine—Family Style," PVM Report (Purdue University College of Veterinary Medicine, 2011 annual report), vet.purdue.edu/news/wp-content/uploads/2020/09/2011.pdf, 8.

11 詳細は、インディアナ大学 - パデュー大学インディアナポリス校の学生課によって提供された。

12 Ancestry.com, certificate number 26650.

13 Speedway High School Alumni, AlumniClass, alumniclass.com/speedway-high-school-sparkplugs-in/.

14 Frequently Asked Questions," FBI, fbi.gov/about/faqs.

15 Peoria County Property Tax Information, propertytax.peoriacounty.gov.

16 Illinois Department of Financial and Professional Regulation, License Lookup, online-dfpr.micropact.com/lookup/licenselookup.aspx.

17 ショーン・フェルプスのフェイスブックによる。

スに対する著者インタビュー（2021年4月15日）、ならびに1998年6月10日に行われた、米上院司法委員会のテロ・技術・政府情報小委員会における彼の証言の議事録による。

7 FBI Timeline, fbi.gov/history/timeline.

8 2021年4月15日、マイケル・バティスとの著者インタビューによる。

9 Donna Leinwand Leger, "How the FBI Brought Down Cyber-Underworld Site Silk Road," USA Today, October 21, 2013, usatoday.com/story/news/nation/2013/10/21/fbi-cracks-silk-road/2984921/.

10 "Beverwijk—The Netherlands," CityWalkSights, October 6, 2016, citywalksights.com/beverwijk%20city%20walk .htm.

11 "De Bazaar Beverwijk: Market in North Holland," Lonely Planet, lonelyplanet.com/the-netherlands/north-holland/shopping/de-bazaar-beverwijk/a/poi-sho/1125240/1315672.

12 "Wijk aan Zee, the Best Kept Secret of the North Sea Coast," WijkAanZee .net,wijkaanzee .net/en/wijk-aan-zee.php#:~:text =Wijk%20aan%20Zee%20is%20also,at%20the%20North%20Sea%20coast.

13 "Submarine Cable Map: Beverwijk, Netherlands, Atlantic Crossing-1 (AC-1)," TeleGeography, submarinecablemap.com/landing-point/beverwijk-netherlands.

14 2021年11月5日、オランダ国家警察ハイテク犯罪ユニットのチームリーダーであるマリジン・シュルビアスとの著者インタビューによる。

15 HTCUの「キャプチャー・ザ・フラッグ」コンテストに関する箇所は、元HTCUチームリーダーであるピム・タッケンバーグとの著者インタビュー（2021年9月7日、2022年2月8日）による。

16 "Three Members of Notorious International Cybercrime Group 'Fin7' in Custody for Role in Attacking over 100 U.S. Companies," U.S. Department of Justice, press release, August 1, 2018.

17 "Timeline of Our History," United States Secret Service, secretservice.gov/about/history/timeline.

18 Erin Blakemore, "No Counterfeits: The History of the Secret Service," Time, April 14, 2015.

19 Drew Hinshaw and Valentina Pop, "The Hapless Shakedown Crew That Hacked Trump's Inauguration," Wall Street Journal, October 25, 2019.

20 "Join the Global 'No More Ransom' Initiative to Help More Victims Fight Back," Europol, press release, December 20, 2018.

21 Andy Greenberg, "Cops Disrupt Emotet, the Internet's 'Most Dangerous Malware,' " Wired, January 27, 2021, wired.com/story/emotet-botnet-takedown/.

22 Kate Kochetkova, "WildFire Ransomware Extinguished," Kaspersky Daily (blog), August

15 Advisory: Ryuk Ransomware Targeting Organisations Globally," National Cyber Security Centre (UK), June 22, 2019.

16 Matt Burgess, "Inside Trickbot, Russia's Notorious Ransomware Gang," Wired, February 1, 2022, wired.com/story/trickbot-malware-group-internal-messages/.

17 John Fokker, with Bill Siegel and Alex Holdtman, "Ryuk, Exploring the Human Connection," McAfee Labs blog, February 19, 2019, mcafee.com/blogs/other-blogs/mcafee-labs/ryuk-exploring-the-human-connection/.

18 John Fokker and Jambul Tologonov, "Conti Leaks: Examining the Panama Papers of Ransomware," Trellix, March 31, 2022, trellix.com/en-gb/about/newsroom/stories/threat-labs/conti-leaks-examining-the-panama-papers-of-ransomware.html.

19 Tweet by Jackie Koven (@JBurnsKoven), head of cyber threat intelligence at Chainalysis, March 1, 2022, twitter.com/JBurnsKoven.

20 Material accessed through a leak of Trickbot's messages. Downloads and translations provided by Randy Pargman of Binary Defense.

21 Material accessed through a leak of Trickbot's messages. Downloads and translations provided by Randy Pargman of Binary Defense.

22 Vitali Kremez and Brian Carter, "Crime Laundering Primer: Inside Ryuk Crime (Crypto) Ledger & Risky Asian Crypto Traders," AdvIntel, January 7, 2021, advintel.io/post/crime-laundering-primer-inside-ryuk-crime-crypto-ledger-risky-asian-crypto-traders.

23 Geraldine Daniels et al. vs DCH Healthcare Authority, Circuit Court of Tuscaloosa County, Alabama, 63-CV-2020-900375.00, April 17, 2020.

■第8章　FBIのジレンマ

1 FBIの広報部は、本章の資料に関する書面による質問に対し、了承はしたが回答はしなかった。

2 前書きの部分で描かれた、FBIサイバー捜査官とジェームズ・コミー長官との会合は、出席した捜査官へのインタビューを基に再構成されている。コミー長官は仲介者を通じて、会談に関するコメントを拒否した。

3 2020年6月19日、米国国土安全保障省の元職員、ジャネット・マンフラとの著者インタビューによる。

4 "How to Protect Your Networks from Ransomware," U.S. government interagency technical guidance document, 2016, justice.gov/criminal-ccips/file/872771/download.

5 Cliff Stoll, The Cuckoo's Egg: Tracking a Spy Through the Maze of Computer Espionage (New York: Gallery Books, 1989), 77–78, 141.

6 社会基盤防衛センターに関する詳細については、同センターを率いたマイケル・バティ

■第７章　リュークの君臨

1 “Global Ransomware Marketplace Report—Q3 2018,” Coveware, quarterly report, October 16, 2018, coveware.com/blog/global-ransomware-marketplace-report-q3-2018.

2 “Ransomware Demands Continue to Rise as Data Exfiltration Becomes Common, and Maze Subdues,” Coveware, quarterly report, November 4, 2020, coveware.com/blog/q3-2020-ransomware-marketplace-report.

3 “Ransom Amounts Rise 90% in Q1 as Ryuk Increases,” Coveware, quarterly report, April 16, 2019, coveware.com/blog/2019/4/15/ransom-amounts-rise-90-in-q1-as-ryuk-ransomware-increases.

4 DCH Regional Medical Center, dchsystem.com/locations/dch-regional-medical-center/.

5 DCH General Counsel Chris Jones to Mia Sadler, Alabama Department of Public Health, memo, October 10, 2019.

6 Eddie Burkhalter, “DCH Health System Closes Three Hospitals Except ‘Critical’ Patients After Ransomware Attack,” Alabama Political Reporter, October 1, 2019, alreporter.com/2019/10/01/dch-health-system-closes-three-hospitals-to-al-but-critical-patients-after-ransomware-attack/.

7 Keith Reilly, “General Notification,” Alabama Department of Public Health—West Central, October 1, 2019.

8 “Springhill Medical Center Says Patient Care Not Affected by Network Issue,” WKRG News 5, July 9, 2019, wkrg.com/mobile-county/springhill-medical-center-says-patient-care-not-affected-by-network-issue/.

9 Teiranni Kidd v. Springhill Hospitals Inc., First Amended Complaint, Circuit Court of Mobile County, Alabama, Civil Action No.02-CV-2020-900171, June 4, 2020.

10 Kevin Poulsen, Robert McMillan, and Melanie Evans, “A Hospital Hit by Hackers, a Baby in Distress: The Case of the First Alleged Ransomware Death,” Wall Street Journal, September 30, 2021.

11 Poulsen, McMillan, and Evans, “A Hospital Hit by Hackers, a Baby in Distress.”

12 Jones to Sadler memo.

13 Catalin Cimpanu, “Ryuk Ransomware Gang Probably Russian, Not North Korean,” ZDNet, January 11, 2019, zdnet.com/article/ryuk-ransomware-gang-probably-russian-not-north-korean/.

14 “FBI Flash: Indicators of Compromise Associated with Ryuk Ransomware,” Federal Bureau of Investigation, Cyber Division, Alert Number MC-000103-MW, May 2, 2019, waterisac.org/system/files/articles/FLASH-MC-000103-MW-Ryuk.pdf.

June 21, 2017, bleepingcomputer.com/news/security/teslaware-plays-russian-roulette-with-your-files/.

6 Renee Dudley, "The Extortion Economy: How Insurance Companies Are Fueling a Rise in Ransomware Attacks," ProPublica, August 27, 2019, propublica.org/article/the-extortion-economy-how-insurance-companies-are-fueling-a-rise-in-ransomware-attacks.

7 Beazley Cyber & Tech UK Broker Retreat.

8 Lawrence Abrams, "The WhiteRose Ransomware Is Decryptable & Tells a Strange Story," BleepingComputer, April 5, 2018, bleepingcomputer.com/news/security/the-whiterose-ransomware-is-decryptable-and-tells-a-strange-story/.

■第６章　「ストップ」を止めろ

1 Article posted at Hochschule fur Technik, Wirtschaft und Kultur [Leipzig University of Applied Sciences], October 19, 2015, htwk-leipzig.de/no_cache/hochschule/aktuelles/newsdetail/artikel/1209/.

2 マイケル・ギレスピーは彼の技術を解説する動画をいくつか投稿している。"Analyzing Ransomware—Beginning Static Analysis," YouTube, November 17, 2018, youtube.com/watch?v=9nuo-AGg4p4, and "Analyzing Ransomware—Completing a Full Analysis," YouTube, February 8, 2019, youtube.com/watch?v=rRv5vTctePE.

3 "Caesar Cipher," Practical Cryptography, practicalcryptography.com/ciphers/caesar-cipher/.

4 詳しくはマイケル・ギレスピーによる解説動画を参照。"Analyzing Ransomware—Using CryptoTester," YouTube, December 1, 2018, youtube.com/watch?v=vo7_ji3kd8s

5 Eric Mankin, "Len Adleman Wins Turing Prize," USC Viterbi School of Engineering, April 14, 2003, viterbi.usc.edu/news/news/2003/2003_0414adleman.htm.

6 Adam L. Young and Moti Yung, "Cryptovirology: The Birth, Neglect, and Explosion of Ransomware," Communications of the ACM 60, no.7 (July 2017): 24–26.

7 Amanda Shendruk, "Cloudflare Uses Lava Lamps to Generate a Fundamental Resource: Randomness," Quartz, August 20, 2019, qz.com/1642628/cloudflare-uses-lava-lamps-to-generate-a-crucial-resource/.

8 Bobby Jack, "What Is Unix Time and When Was the Unix Epoch?," MUO, February 13, 2021, makeuseof.com/what-is-unix-time-and-when-was-the-unix-epoch/.

9 Sarah White, "SteelCon 2019: Pouring Salt into the Crypto Wound: How Not to Be as Stupid as Ransomware Authors," YouTube, July 14, 2019, www.youtube.com/watch?v=XoKiBg_l4Wc.

10 "Salsa20: Stream Cipher with Symmetric Secret Key," Crypto-IT, March 9,2020, crypto -it.net/eng/symmetric/salsa20.html.

41 ディミトリー・スマイリアネッツによるアンノウンへのインタビュー。

42 Lawrence Abrams, "Ransomware Gangs Team Up to Form Extortion Cartel," BleepingComputer, June 3, 2020, bleepingcomputer.com/news/security/ransomware-gangs-team-up-to-form-extortion-cartel/.

43 Lawrence Abrams, "Scam PSA: Ransomware Gangs Don't Always Delete Stolen Data When Paid," BleepingComputer, November 4, 2020, bleepingcomputer.com/news/security/scam-psa-ransomware-gangs-dont-always-delete-stolen-data-when-paid/.

44 アドリアーンのランサムウエアに関する部分は、メッセージングプラットフォームのテレグラムを通じて、著者が彼に対して行ったインタビュー（2021年2月7日実施）から引用している。

45 "Rainbow 'Ziggy Stardust' Snake Among New Mekong Delta Discoveries," BBC News, December 19, 2016, bbc.com/news/world-asia-38362315.

46 Lawrence Abrams, "Ziggy Ransomware Shuts Down and Releases Victims' Decryption Keys," BleepingComputer, February 7, 2021, bleepingcomputer.com/news/security/ziggy-ransomware-shuts-down-and-releases-victims-decryption-keys/.

47 Ionut Ilascu, "Ransomware Admin Is Refunding Victims Their Ransom Payments," BleepingComputer, March 28, 2021, bleepingcomputer.com/news/security/ransomware-admin-is-refunding-victims-their-ransom-payments/.

48 Lawrence Abrams, "SynAck Ransomware Releases Decryption Keys After El_Cometa Rebrand," BleepingComputer, August 13, 2021, bleepingcomputer.com/news/security/synack-ransomware-releases-decryption-keys-after-el-cometa-rebrand/.

49 Suzanne R. Griffin, senior vice president and general counsel, Butterball, LLC, "Notice of Data Security Incident," October 29, 2021.

■第5章　執着の代償

1 タンは当時未成年だったため、プライバシーを守るために、苗字は記していない。

2 次の記事からの引用。Chris Sasaki, "Colourful Language: U of T Psychologists Discover Enhanced Language Learning in Synesthetes," University of Toronto News, May 15, 2019.

3 "Two Iranian Men Indicted for Deploying Ransomware to Extort Hospitals, Municipalities, and Public Institutions, Causing over $30 Million in Losses," U.S. Department of Justice, press release, November 28, 2018.

4 Lawrence Abrams, "EvilTwin's Exotic Ransomware Targets Executable Files," BleepingComputer, October 14, 2016, bleepingcomputer.com/news/security/eviltwins-exotic-ransomware-targets-executable-files/.

5 Lawrence Abrams, "TeslaWare Plays Russian Roulette with Your Files," BleepingComputer,

BleepingComputer, October 21, 2021, bleepingcomputer.com/news/security/evil-corp-demands-40-million-in-new-macaw-ransomware-attacks/.

30 Lawrence Abrams, "Maze Ransomware Says Computer Type Determines Ransom Amount," BleepingComputer, May 31, 2019, bleepingcomputer.com/news/security/maze-ransomware-says-computer-type-determines-ransom-amount/.

31 Lawrence Abrams, "Maze Ransomware Attacks Italy in New Email Campaign," BleepingComputer, October 29, 2019, bleepingcomputer.com/news/security/maze-ransomware-attacks-italy-in-new-email-campaign/.

32 メイズがブリーピングコンピュータを利用して二重の脅迫戦術を開始したことを説明する部分は、次の記事から引用している。Lawrence Abrams, "Allied Universal Breached by Maze Ransomware, Stolen Data Leaked," BleepingComputer, November 21, 2019, bleepingcomputer.com/news/security/allied-universal-breached-by-maze-ransomware-stolen-data-leaked.

33 Abrams, "Maze Ransomware Says Computer Type Determines Ransom Amount."

34 Lawrence Abrams, "Canon Confirms Ransomware Attack in Internal Memo," BleepingComputer, August 6, 2020, bleepingcomputer.com/news/security/canon-confirms-ransomware-attack-in-internal-memo/.

35 Lawrence Abrams, "Maze Ransomware Behind Pensacola Cyberattack, $1M Ransom Demand," BleepingComputer, December 11, 2019, bleepingcomputer.com/news/security/maze-ransomware-behind-pensacola-cyberattack-1m-ransom-demand/.

36 Lawrence Abrams, "Maze Ransomware Releases Files Stolen from City of Pensacola," BleepingComputer, December 24, 2019, bleepingcomputer.com/news/security/maze-ransomware-releases-files-stolen-from-city-of-pensacola/.

37 Lawrence Abrams, "List of Ransomware That Leaks Victims' Stolen Files If Not Paid," BleepingComputer, May 26, 2020, bleepingcomputer.com/news/security/list-of-ransomware-that-leaks-victims-stolen-files-if-not-paid/.

38 Todd Spangler and Shirley Halperin, "Law Firm Representing Lady Gaga, Madonna, Bruce Springsteen, Others Suffers Major Data Breach," Variety, May 9, 2020, variety.com/2020/digital/news/entertainment-law-firm-hacked-data-breach-lady-gaga-madonna-bruce-springsteen-1234602737/.

39 Kartikay Mehrotra, "Apple Targeted in $50 Million Ransomware Hack of Supplier Quanta," Bloomberg, April 21, 2021, bloomberg.com/news/articles/2021-04-21/apple-targeted-in-50-million-ransomware-hack-of-supplier-quanta.

40 ディミトリー・スマイリアネッツによるアンノウンへのインタビュー。2021年3月16日実施。

ヴィルのアンノウンに対するインタビュー、" The Record by Recorded Future, March 16, 2021, therecord.media/i-scrounged-through-the-trash-heaps-now-im-a-millionaire-an-interview-with-revils-unknown/.

14 ジョン・フォッカーへの著者インタビューによる。

15 2020年9月に開催されたFBIサイバー部門ランサムウエアサミット4日目のパネルディスカッションでの発言。

16 "Maksim Viktorovich Yakubets," FBI Most Wanted, fbi.gov/wanted/cyber/maksim-viktorovich-yakubets.

17 "Russian National Charged with Decade-Long Series of Hacking and Bank Fraud Offenses Resulting in Tens of Millions in Losses and Second Russian National Charged with Involvement in Deployment of 'Bugat' Malware," U.S. Department of Justice, press release, December 5, 2019.

18 "Russian National Charged."

19 アーンスト&ヤングのマネージングディレクターで、FBIサイバーユニットの元チーフ、キース・ムラスキーへの著者インタビューによる。2021年10月28日実施。

20 英国家犯罪対策庁のツイート（@NCA_UK)、2019年5月、twitter.com/NCA_UK.

21 英国家犯罪対策庁のツイート。

22 Sergei Dobrynin and Mark Krutov, "In Lavish Wedding Photos, Clues to an Alleged Russian Cyberthief's FSB Family Ties," RadioFreeEurope/RadioLiberty, December 11, 2019, rferl.org/a/in-lavish-wedding-photos-clues-to-an-alleged-russian-cyberthief-fsb-family-ties/30320440.html.

23 " 'V' for 'Vympel': FSB's Secretive Department 'V' Behind Assassination of Georgian Asylum Seeker in Germany," Bellingcat, February 17, 2020, bellingcat.com/news/uk-and-europe/2020/02/17/v-like-vympel-fsbs-secretive-department-v-behind-assassination-of-zelimkhan-khangoshvili/.

24 Thomas P. Bossert, "It's Official: North Korea Is Behind WannaCry," Wall Street Journal, December 18, 2017.

25 "Russian National Charged."

26 "Treasury Sanctions Evil Corp, the Russia-Based Cybercriminal Group Behind Dridex Malware," U.S. Department of the Treasury, press release, December 5, 2019.

27 "Treasury Sanctions Evil Corp."

28 Sergiu Gatlan, "Garmin Outage Caused by Confirmed WastedLocker Ransomware Attack," BleepingComputer, July 24, 2020, bleepingcomputer.com/news/security/garmin-outage-caused-by-confirmed-wastedlocker-ransomware-attack/.

29 Lawrence Abrams, "Evil Corp Demands $40 Million in New Macaw Ransomware Attacks,"

alphabet-chronicle-cybersecurity-arm-expands-to-malaga-spain.html.

9 Secret Hitler, secrethitler.com.

10 Lawrence Abrams, "Jigsaw Ransomware Decrypted: Will Delete Your Files Until You Pay the Ransom," BleepingComputer, April 11, 2016, bleepingcomputer.com/news/security/jigsaw-ransomware-decrypted-will-delete-your-files-until-you-pay-the-ransom/.

11 Linas Kiguolis, "Jigsaw Ransomware Virus. 48 Variants Listed. 2021 Update," 2-spyware.com,March 8, 2021, 2-spyware.com/remove-jigsaw-ransomware-virus.htm

■第４章　おかしな戦争

1 Sarah, "Apocalypse: Ransomware Which Targets Companies Through Insecure RDP," Emsisoft blog, June 29, 2016, blog.emsisoft.com/en/22935/apocalypse-ransomware-which-targets-companies-through-insecure-rdp/.

2 Haylee, "Fabiansomware: When Hackers Lose It," Emsisoft blog, September 2, 2016, blog .emsisoft.com/en/22935/apocalypse-ransomware-which-targets-companies-through-insecure-rdp/.

3 Joe Tidy, "Hated and Hunted: The Perilous Life of the Computer Virus Cracker Making Powerful Enemies Online," BBC News, March 2019, bbc.co.uk/news/resources/idt-sh/hated_and_hunted_the_computer_virus_malware_ransomware_cracker.

4 Tidy, "Hated and Hunted."

5 Tidy, "Hated and Hunted."

6 Tidy, "Hated and Hunted."

7 Alexander Bratersky, "Investor in German Shipyard Shot Dead in Moscow Cafe," Moscow Times, October 2, 2011, themoscowtimes.com/2011/10/02/investor-in-german-shipyard-shot-dead-in-moscow-cafe-a9885.

8 マカフィーのアドバンスト・スレット・リサーチ・チームのプリンシパルエンジニア兼サイバー調査責任者であるジョン・フォッカーから提供されたダークウェブ広告による。

9 ジョン・フォッカーへの著者インタビュー（2021年3月11日と5月12日に実施）、および同氏から提供されたダークウェブ広告による。

10 ジョン・フォッカーへの著者インタビュー（2021年3月11日と5月12日に実施）、および同氏から提供されたダークウェブ広告による。

11 ジョン・フォッカーから提供されたダークウェブ広告による。

12 Lawrence Abrams, "REvil Ransomware Deposits $1 Million in Hacker Recruitment Drive," BleepingComputer, September 28, 2020, bleepingcomputer.com/news/security/revil-ransomware-deposits-1-million-in-hacker-recruitment-drive/.

13 Dmitry Smilyanets, " 'I Scrounged Through the Trash Heaps . . . Now I'm a Millionaire': レ

December 30, 2008.

6 BS01 WIKI, s.v. "Bionicle," last modified November 24, 2021, biosector01.com/wiki/BIONICLE.

7 Petition for Dissolution of Marriage, Beth Ann Blanch v.Robert E. Blanch, Tazewell County Circuit Court, Case 03D-693, December 26, 2003.

8 Marital Settlement Agreement, Beth Ann Blanch v. Robert E. Blanch, Tazewell County Circuit Court, Case 03D-693, August 9, 2004.

9 Joint Parenting Agreement, Beth Ann Blanch v. Robert E. Blanch, Tazewell County Circuit Court, Case 03D-693, August 9, 2004.

10 "Pekin Wasn't Always a Welcoming Place," Pekin Daily Times, June 21, 2013.

11 James W. Loewen, Sundown Towns: A Hidden Dimension of American Racism (New York: The New Press, 2018), viii.

12 Jason Ruff, "The True Story of a Proud Little City and Its High School Mascot," Teton Valley News, May 30, 2019.

■第３章　集う追跡者たち

1 Salem4Youth, salem4youth.com/educational/valor-high-school/.

2 Sir Arthur Conan Doyle, "The Adventure of the Bruce-Partington Plans," 1908, accessed via Project Gutenberg, gutenberg.org/ebooks/2346.

3 Rosalie Chan, "How a Tech CEO Runs His 40-Employee Company from a Farm in New Zealand," Stuff, January 21, 2019, https://www.stuff.co.nz/technology/110052135/how-a-tech-ceo-runs-his-40employee-company-from-a-farm-in-new-zealand.

4 "CryptoLocker Ransomware Infections," Cybersecurity & Infrastructure Security Agency, November 5, 2013, cisa.gov/uscert/ncas/alerts/TA13-309A.

5 Lawrence Abrams, "Radamant Ransomware Kit for Sale on Exploit and Malware Sites," BleepingComputer, December 28, 2015, bleepingcomputer.com/news/security/radamant-ransomware-kit-for-sale-on-exploit-and-malware-sites/.

6 Monika, "Strong Indications That Ransomware Devs Don't Like Emsisoft," Emsisoft blog, December 29, 2015, blog.emsisoft.com/en/20954/strong-indications-that-ransomware-devs-dont-like-emsisoft/.

7 Lawrence Abrams, "TeslaCrypt Shuts Down and Releases Master Decryption Key," BleepingComputer, May 18, 2016, bleepingcomputer.com/news/security/teslacrypt-shuts-down-and-releases-master-decryption-key/.

8 Kate Fazzini, "Alphabet Cybersecurity Group Chronicle Is Expanding to Spain with a Growing Team of Virus Hunters," CNBC, December 7, 2018, cnbc.com/2018/12/07/

10 Evans, "Mind Games."

11 Jim Bates, "Trojan Horse: AIDS Information Introductory Diskette Version 2.0," Virus Bulletin, January 1990, virusbulletin.com/uploads/pdf/magazine/1990/199001.pdf,5.

12 Bates, "Trojan Horse," 6.

13 Deposition of John Austen, "Re: The Extradition of Joseph Lewis Popp from the United States of America," U.S. District Court, Cleveland, Ohio, Case No. 1:90-00055X, July 6, 1990.

14 Evans, "Mind Games."

15 Statement of Dr. Gwyneth Lewis, "Re: The Extradition of Joseph Lewis Popp from the United States of America," U.S. District Court, Cleveland, Case No. 1:90-00055X, March 26, 1990.

16 Evans, "Mind Games."

17 Stipulation Accepted by Magistrate Joseph W. Bartunek, U.S. District Court, Cleveland, Case No. 1:90-00055X, March 12, 1990.

18 John S. Long, "Witness Claims Man Who Sent Computer Virus Discs Deluded," Plain Dealer (Cleveland, OH), March 2, 1990.

19 Magistrate's Order, U.S. District Court, Cleveland, Case No. 1:90-00055X, February 2, 1990.

20 U.S. District Judge Ann Aldrich, Memorandum and Order, U.S. District Court, Cleveland, December 20, 1990.

21 Edward Wilding, "Popp Goes the Weasel," Virus Bulletin, January 1992, 2.

22 Kevin Harter, "Popp to Be Returned; Will Be in U.S. Soon, Lawyer Says," Plain Dealer (Cleveland, OH), November 27, 1991.

23 Evans, "Mind Games."

24 Evans, "Mind Games."

■第２章　イリノイ州ノーマルのスーパーヒーロー

1 Britannica, s.v., "David Davis: United States Jurist and Politician," britannica.com/biography/David-Davis.

2 "The Lawyers: Jesse W. Fell (1808–1887)," Mr. Lincoln & Friends, mrlincolnandfriends.org/the-lawyers/jesse-fell/.

3 Lisa Ellesen, "Gage, Dorothy Louise," McLean County Museum of History, mchistory.org/research/biographies/gage-dorothy-louise.

4 Kaley Johnson, "Meth Addiction 'Poster Girl' from Pekin Dies at 55," Belleville News-Democrat, July 29, 2017.

5 Bankruptcy Petition 08-83512, U.S. Bankruptcy Court, Central District of Illinois (Peoria),

原注

■第０章　イントロダクション「お前は野蛮人か？」

1　マシューの希望により、彼の姓と学校名は伏せてある。

2　George Orwell, "You and the Atomic Bomb," Tribune, October 19, 1945.

3　エムシソフトのデータによる。エムシソフトが開発した復元ツールによって暗号解読に成功した件数を追跡した（現在と過去の推定に基づく）。

4　John Pearson, All the Money in the World (London: William Collins, 2017), 176.

5　Christopher McFadden, "11 Cryptographic Methods That Marked History: From the Caesar Cipher to Enigma Code and Beyond," Interesting Engineering, July 3, 2018, interestingengineering.com/11-cryptographic-methods-that-marked-history-from-the-caesar-cipher-to-enigma-code-and-beyond.

6　Chainalysis によるビットコインウォレットの分析。キム・グラウアーとマディ・ケネディへの著者インタビューによる。2021 年 3 月 12 日実施。

■第１章　ランサムウエアを発明した男

1　Wally Guenther, "Neighbors Express Surprise at Arrest," Plain Dealer (Cleveland, OH), February 3, 1990.

2　Joseph L. Popp, Popular Evolution: Life-Lessons from Anthropology (Lake Jackson, TX: Man and Nature Press, 2000), xviii.

3　ロバート・サポルスキーへの著者インタビューによる。2000 年 6 月 12 日実施。

4　Joseph L. Popp and Irven DeVore, "Aggressive Competition and Social Dominance Theory: Synopsis," in The Great Apes, ed. David A. Hamburg and Elizabeth R. McCown (Menlo Park, CA: Benjamin/Cummings, 1979), 323.

5　Popp, Popular Evolution, 1–2.

6　Stephen Jay Gould, "Sociobiology: The Art of Storytelling," New Scientist 80, no. 1129 (November 16, 1978): 531.

7　Joseph L. Popp, "The Primates of Eastern Africa: An Adventure Book" (unpublished manuscript, 2006). Courtesy of Timothy Furlan.

8　ジェームズ・マルコムへの著者インタビューによる。2020 年 6 月 8 日実施。

9　Christopher Evans, "Mind Games: AIDS, Extortion and the Computer Crime of the Century," Plain Dealer Sunday Magazine (Cleveland, OH), April 18, 1993.

■著者

レネー・ダドリー（Renee Dudley）

米独立系報道機関プロパブリカのテクノロジー記者。過去にロイターの調査報道記者として、大学入学試験における組織的不正行為を暴いた功績で、2017年のピューリッツァー賞最終候補に選出されている。サウスカロライナ州とニューイングランド州の日刊紙でキャリアをスタートし、ユージン・S・プリアム憲法修正第1条賞など数々のジャーナリズム賞を受賞。

ダニエル・ゴールデン（Daniel Golden）

プロパブリカのシニア・エディター兼記者。過去にピューリッツァー賞のほか、ジョージ・ポルク賞を3度受賞した経歴を持つ。ベストセラー作家でもあり、これまで *The Price of Admission*（『入学の代償』、未邦訳）および *Spy Schools*（『盗まれる大学：中国スパイと機密漏洩』、原書房）を執筆している。

■訳者

小林 啓倫（こばやし あきひと）

1973年東京都生まれ。筑波大学大学院修士課程修了。システムエンジニアとしてキャリアを積んだ後、米バブソン大学にてMBA取得。外資系コンサルティングファーム、国内ベンチャー企業などで活動。著書に『FinTechが変える！金融×テクノロジーが生み出す新たなビジネス』（朝日新聞出版）など、訳書に『情報セキュリティの敗北史』（白揚社）、『なぜ、DXは失敗するのか？』（東洋経済新報社）、『FUTURE HOME 5Gがもたらす超接続時代のストラテジー』（日本実業出版社）、『アマゾン化する未来』（ダイヤモンド社）などがある。

ランサムウエア追跡チーム
はみ出し者が挑む、サイバー犯罪から世界を救う知られざる戦い

2023年9月4日　第1版第1刷発行

著　者　　レネー・ダドリー、ダニエル・ゴールデン
訳　者　　小林 啓倫
発行者　　中川 ヒロミ
発　行　　株式会社日経ＢＰ
発　売　　株式会社日経ＢＰマーケティング
〒105-8308　東京都港区虎ノ門4-3-12
装　丁　　小口 翔平＋奈良岡 菜摘（tobufune）
制　作　　谷 敦（アーティザンカンパニー株式会社）
編　集　　田島 篤
印刷・製本　図書印刷株式会社

本書籍に関するお問い合わせ、ご連絡は下記にて承ります。
https://nkbp.jp/booksQA

ISBN978-4-296-00161-3
Printed in Japan